W9-CSL-237

便携版

GRE

词汇精选

俞敏洪 ○ 编著

浙江教育出版社

图书在版编目（CIP）数据

GRE词汇精选：便携版 / 俞敏洪著. —杭州：
浙江教育出版社，2011（2014.7重印）
ISBN 978-7-5338-9323-1

Ⅰ.①G… Ⅱ.①俞… Ⅲ.①GRE--词汇—自学参考资
料 Ⅳ.①H313

中国版本图书馆CIP数据核字（2011）第195848号

GRE 词汇精选：便携版

著　者	俞敏洪
责任编辑	李　春
责任校对	王　强
责任印务	陆　江
封面设计	贾臻臻
出版发行	浙江教育出版社
	（杭州市天目山路40号　邮编：310013）
印　刷	北京四季青印刷厂
开　本	787×1092　1/32
印　张	14
字　数	288 000
版　次	2011年10月第1版
印　次	2014年7月第6次印刷
标准书号	ISBN 978-7-5338-9323-1
定　价	25.00元
联系电话	0571－85173000－80928
电子邮箱	bj62605588@163.com
网　址	www.zjeph.com

新东方图书策划委员会

主任　俞敏洪

委员　(按姓氏笔画为序)

王　强　　包凡一

仲晓红　　沙云龙

陈向东　　张洪伟

邱政政　　汪海涛

周成刚　　徐小平

谢　琴　　窦中川

前言
Foreword

　　翻开这本《GRE词汇精选(便携版)》的你,应该是怀揣希望,正在实现梦想的道路上前行。也许你的GRE备考之路并不平坦,诸多困难正摆在面前。GRE考试庞大的词汇量,就是考生的第一大难题。面对GRE的单词量和单词难度,很多英语专业的学生也会望而却步。

　　经常看到很多考生像苦行僧一样在自习室里一遍遍地抄写、背诵着单词,就连一日三餐也在课桌前"凑合"。相信多年以后,很多人纵然把那些古怪的GRE单词都忘得一干二净了,也绝对不会忘记备考的辛苦。然而,要攻克GRE单词,单单有不懈的努力是不够的,考生更需要掌握科学有效的复习方法。作为《GRE词汇精选》的姊妹篇,《GRE词汇精选(便携版)》沿袭了原书的收词,并摘取其中的记忆法,使本书更适合于考生随时随地反复"过"单词。配合"红宝书"学习,考生可更高效地进行单词记忆、自我检验。

　　本书特色如下:

　　(1)本书收词量与《GRE词汇精选》(最新版)里的收词完全一致,所选单词几乎全部来自GRE真题,是目前GRE词汇书中唯一一本涵盖此前GRE考试中出现的所有重点词汇并具有前瞻性的词汇书。考生背完书里的词汇,考试中的词汇量问题就能基本解决。

　　(2)为每一个重要单词配出了贴切、精练的记忆方法,正文中以"记"标出。其中包括:词根词缀记忆法、分割联想记忆法和发音记忆法等。本书所倡导的记忆方法已经成为中国考生记忆单词的主流方法。这些方法使英语单词记忆由枯燥的劳役变成了生动的游戏,极大地克服了考生对背单词的恐惧心理,增强了记忆单词的趣味性,提高了学习效率。

(3)本书给出的单词释义，均参考了ETS出题常用的Webster's Merriam-Webster、New World Thesaurus 等词典，以助于考生更准确地理解单词释义。全书单词分为"核心词汇"和"拓展词汇"两部分，以帮助考生梳理考试重点。

(4)本书小开本的设计也旨在将考生从厚重的大部头里解脱出来，随时随地均可复习单词，以助于考生高效备考。

近日看到一则报道，我国首位参加GRE考试的盲人考生，通过请人逐个念"红宝书"的单词，并同步用盲文抄写下来的方法复习词汇；通过用电脑逐词"听"材料来复习阅读。他凭着过人的毅力，最终取得了数学770分，语文530分，作文3.5分的成绩。谈到理想，这位考生表示："就是想为残疾人群体、为身边的朋友做点事儿。"看到这里，我为《GRE词汇精选》能为考生提供一点帮助而欣慰，同时，更为这名考生的坚持和梦想的力量所震撼。希望广大备考GRE的学子们，不要忘记两样东西：信念与坚持。信念会为你的梦想插上翅膀，而坚持能让这双翅膀有力地振动！

最后，感谢广大考生朋友，是你们宝贵的建议促成本书的完成，并特别感谢世纪友好的编辑们，他们的贡献令本书能够及时地与大家见面。衷心地希望本书能为你梦想的启航助力，愿你的梦想早日实现！

新东方教育科技集团董事长兼总裁

目 录
Contents

核心词汇

Word List 1 ·· 1

Word List 2 ·· 11

Word List 3 ·· 21

Word List 4 ·· 30

Word List 5 ·· 40

Word List 6 ·· 50

Word List 7 ·· 62

Word List 8 ·· 73

Word List 9 ·· 83

Word List 10 ·· 93

Word List 11 ·· 102

Word List 12 ·· 112

Word List 13 ·· 122

Word List 14 ·· 132

Word List 15 ·· 142

Word List 16 ·· 152

Word List 17 ·· 162

Word List 18 ·· 172

Word List 19 ·· 180

Word List 20 ·· 189

Word List 21 ·· 198

Word List 22 ·· 207

拓展词汇

Word List 23 ···································· 216

Word List 24 ···································· 228

Word List 25 ···································· 239

Word List 26 ···································· 250

Word List 27 ···································· 263

Word List 28 ···································· 275

Word List 29 ···································· 287

Word List 30 ···································· 298

Word List 31 ···································· 310

Word List 32 ···································· 322

Word List 33 ···································· 334

Word List 34 ···································· 345

Word List 35 ···································· 356

Word List 36 ···································· 367

Word List 37 ···································· 377

Word List 38 ···································· 388

Word List 39 ···································· 398

Word List 40 ···································· 407

Word List 41 ···································· 417

Word List 42 ···································· 427

Word List 1

abatement [əˈbeɪtmənt] *n.* 减少，减轻
[记]来自 abate(*v.* 减轻，减弱)

abbreviate [əˈbriːvieɪt] *v.* 缩短；缩写
[记]词根记忆：ab（加强）+ brev（短）+ iate → 缩短

aberrant [æ ˈberənt] *adj.* 越轨的；异常的
[记]词根记忆：ab + err(错误) + ant → 走向错误 → 越轨的

aberration [ˌæbəˈreɪʃn] *n.* 越轨
[记]词根记忆：ab + err(错误) + ation → 错误的行为 → 越轨

abet [əˈbet] *v.* 教唆，鼓励，帮助
[记]联想记忆：a + bet(赌博) → 教唆赌博 → 教唆

abeyance [əˈbeɪəns] *n.* 中止，搁置
[记]发音记忆："又被压死" → (事情)因搁置而死 → 搁置

abhor [əbˈhɔːr] *v.* 憎恨，厌恶
[记]词根记忆：ab + hor(恨，怕) → 憎恨，厌恶

ablaze [əˈbleɪz] *adj.* 着火的，燃烧的；闪耀的

abolition [ˌæbəˈlɪʃn] *n.* 废除，废止
[记]来自 abolish（*v.* 废除、废止）

abrasive [əˈbreɪsɪv] *adj.* 研磨的
[记]来自 abrade（*v.* 磨损）

abreast [əˈbrest] *adv.* 并列，并排
[记]联想记忆：a + breast(胸) → 胸和胸并排 → 并排

abridge [əˈbrɪdʒ] *v.* 删减；缩短
[记]联想记忆：a + bridge(桥) → 一座桥把路缩短了 → 缩短

1

absent [æbˈsent] v. 缺席，不参加

[记] 联想记忆：ab + sent（送走）→ 把某人送走 → 缺席

abstain [əbˈsteɪn] v. 禁绝，放弃

[记] 词根记忆：abs(不) + tain(拿住) → 不拿住 → 放弃

abstract [ˈæbstrækt] n. 摘要 adj. 抽象的

[记] 词根记忆：abs + tract(拉) → 从文章中拉出 → 摘要

abstruse [əbˈstruːs] adj. 难懂的，深奥的

[记] 词根记忆：abs + trus(走，推) + e → 走不进去 → 难懂的

absurd [əbˈsɜːrd] adj. 荒谬的，可笑的

[记] 词根记忆：ab + surd(不合理的) → 不合理的 → 荒谬的

abut [əˈbʌt] v. 邻接，毗邻

[记] 联想记忆：about 去掉 o；注意不要和 abet (v. 教唆)相混

abysmal [əˈbɪzməl] adj. 极深的；糟透的

[记] 来自 abyss(n. 深渊，深坑)

academic [ˌækəˈdemɪk] adj. 学院的；学术的；理论的

[记] 来自 academy(n. 学院，学术团体)

accede [əkˈsiːd] v. 同意

[记] 词根记忆：ac + cede（走）→ 走到一起 → 同意

accelerate [əkˈseləreɪt] v. 加速；促进

[记] 词根记忆：ac(加强) + celer(速度) + ate → 加速

accentuate [əkˈsentʃueɪt] v. 强调；重读

[记] 词根记忆：ac(加强) + cent(=cant 唱，说) + uate → 不断说 → 强调

accessible [əkˈsesəbl] adj. 易接近的；易受影响的

accidental [ˌæksɪˈdentl] adj. 偶然发生的

[记] 来自 accident (n. 事故，意外)

accommodate [əˈkɑːmədeɪt] v. 与…一致；提供住宿；顺应，使适应

[记] 联想记忆：ac + commo（看作 common，普通的）+ date（日子）→ 人们适应了过普通的日子 → 使适应

accompany [əˈkʌmpəni] v. 伴随，陪伴

[记] 联想记忆：ac + company（陪伴）→ 伴随，陪伴

accomplish [əˈkɑːmplɪʃ] v. 完成，做成功

[记] 词根记忆：ac + compl(满) + ish → 圆满 → 完成

accredit [əˈkredɪt] v. 授权

accuracy [ˈækjərəsi] n. 精确，准确

[记] 词根记忆：ac + cur（关心）+ acy → 不断关心才能保证精确 → 精确

accuse [əˈkjuːz] v. 谴责，指责

[记] 词根记忆：ac + cuse(理由)→ 有理由说别人 → 指责

accustom [əˈkʌstəm] v. 使习惯

acerbic [əˈsɜːrbɪk] adj. 尖酸的，刻薄的

[记] 词根记忆：acerb（尖，酸）+ ic → 尖酸的，刻薄的

acidic [əˈsɪdɪk] adj. 酸的，酸性的

acknowledge [əkˈnɑːlɪdʒ] v. 承认；致谢

[记] 联想记忆：ac + knowledge(知识，知道)→ 大家都知道了，所以不得不承认 → 承认

acolyte [ˈækəlaɪt] n. (教士的)助手，侍僧

[记] 发音记忆："爱过来的" → 爱过来帮忙的人 → 助手

acoustic [əˈkuːstɪk] adj. 听觉的，声音的

acquiescence [ˌækwiˈesns] n. 默许

[记] 来自 acquiesce(v. 默认，默许)

acquiescent [ˌækwiˈesnt] adj. 默认的

acrimonious [ˌækrɪˈmoʊniəs] adj. 尖酸刻薄的，激烈的

3

acrimony [ˈækrɪmoʊni] *n.* 尖刻，刻薄

[记] 词根记忆：acri(尖，酸) + mony(表示名词) → 尖刻

activate [ˈæktɪveɪt] *v.* 刺激，使活动

actuate [ˈæktʃueɪt] *v.* 开动，促使

[记] 词根记忆：act(行动) + uate(动词后缀) → 使行动起来 → 促使

acute [əˈkjuːt] *adj.* 灵敏的，敏锐的；剧烈的；急性的

[记] 联想记忆：a + cut(切) + e → 一刀切 → 剧烈的

adamant [ˈædəmənt] *adj.* 坚决的，固执的；强硬的

[记] 联想记忆：adam(亚当) + ant(蚂蚁) → 亚当和蚂蚁都很固执 → 固执的

adaptability [əˌdæptəbɪləti] *adj.* 适应性

[记] 来自 adapt(*v.* 适应)

adaptable [əˈdæptəbl] *adj.* 有适应能力的；可改编的

[记] 词根记忆：adapt(适应) + able(能…的) → 有适应能力的

adaptive [əˈdæptɪv] *adj.* 适应的

addict [ˈædɪkt] *v.* 沉溺；上瘾

[记] 词根记忆：ad(一再) + dict(说，要求) → 一再要求 → 上瘾

address [əˈdres] *v.* 处理，对付，设法解决；致辞

adept [əˈdept] *adj.* 熟练的，擅长的

adequate [ˈædɪkwət] *adj.* 足够的

[记] 词根记忆：ad(加强) + equ(平等) + ate(…的) → 比平等多的 → 足够的

adhere [ədˈhɪr] *v.* 粘着，坚持

[记] 词根记忆：ad + here(粘连) → 粘着

adhesive [ədˈhiːsɪv] *adj.* 黏着的，带黏性的 *n.* 黏合剂

[记] 联想记忆：ad + hes (=stick 粘住) + ive → 带粘性的；粘合剂

admonish [ədˈmɑːnɪʃ] *v.* 训诫；警告

[记] 词根记忆：ad(一再) + mon(警告) + ish → 训诫；警告

4

adopt [əˈdɑːpt] v. 采纳, 采用; 正式接受, 通过

[记] 词根记忆: ad + opt (选择) → 通过选择 → 采纳, 采用

adoration [ˌædəˈreɪʃn] n. 崇拜, 爱慕

[记] 来自 adore(v. 崇拜)

adore [əˈdɔːr] v. 崇拜; 爱慕

[记] 词根记忆: ad + ore (讲话) → 不断想对某人讲话 → 爱慕(某人)

adorn [əˈdɔːrn] v. 装饰

[记] 词根记忆: ad + orn(装饰) → 装饰

adulation [ˌædʒəˈleɪʃn] n. 奉承, 谄媚

adulatory [ˈædʒələtɔːri] adj. 奉承的

adumbrate [ˈædəmbreɪt] v. 预示

[记] 词根记忆: ad + umbr (影子) + ate → 影子提前来到 → 预示

advantage [ədˈvæntɪdʒ] n. 利益, 益处 v. 有利于, 有益于

adventurous [ədˈventʃərəs] adj. 爱冒险的, 大胆的, 充满危险的

adversary [ˈædvərseri] n. 对手, 敌手 adj. 对手的, 敌对的

adverse [ˈædvɜːrs] adj. 有害的, 不利的; 敌对的, 相反的

[记] 词根记忆: ad (坏) + vers (转) + e → 不利的; 敌对的

adversity [ədˈvɜːrsəti] n. 逆境, 不幸

advertise [ˈædvərtaɪz] v. 做广告; 通知

advocacy [ˈædvəkəsi] n. 拥护, 支持

[记] 来自 advocate(v. 拥护, 支持)

aesthetic [esˈθetɪk] adj. 美学的, 审美的

[记] 词根记忆: a + esthe(感觉) + tic(…的) → 美学的; 审美的

aesthetically [esˈθetɪkli] adv. 审美地; 美学观点上地

affable [ˈæfəbl] adj. 和蔼的; 友善的

[记] 词根记忆: af + fable (说, 讲) → 可以说话的 → 易于交谈的 → 友善的

affection [əˈfekʃn] n. 喜爱

[记] 词根记忆: affect(v. 影响, 感染) + ion → 喜爱

affectionate [ə'fekʃənət] *adj.* 亲爱的，挚爱的

affective [ə'fektɪv] *adj.* 感情的，表达感情的

affinity [ə'fɪnəti] *n.* 相互吸引；密切关系

[记] 词根记忆：af + fin(范围) + ity → 在范围内 → 密切关系

affirmation [ˌæfər'meɪʃn] *n.* 肯定；断言

afflict [ə'flɪkt] *v.* 折磨；使痛苦

affluent ['æfluənt] *adj.* 富有的，丰富的

affordable [ə'fɔːrdəbl] *adj.* 负担得起的

[记] 词根记忆：afford(买得起) + able(能) → 负担得起的

affront [ə'frʌnt] *v.* 侮辱，冒犯

[记] 词根记忆：af + front (前面，脸面) → 冲着别人的脸 → 冒犯

aggrandize [ə'ɡrænˌdaɪz] *v.* 增大，扩张；吹捧

[记] 词根记忆：ag + grand(大) + ize → 增大

aggravate ['æɡrəveɪt] *v.* 加重，恶化；激怒，使恼火

[记] 词根记忆：ag + grav(重) + ate → 加重

aggressive [ə'ɡresɪv] *adj.* 好斗的；有进取心的

[记] 词根记忆：ag(加强) + gress(行走) + ive → 到处乱走的 → 好斗的

aghast [ə'ɡæst] *adj.* 惊骇的，吓呆的

[记] 联想记忆：a(⋯的) + ghast(=ghost 鬼) → 像看到鬼似的 → 吓呆的

agility [ə'dʒɪləti] *n.* 敏捷

[记] 来自 agile(*adj.* 灵活的，敏捷的)

agitate ['ædʒɪteɪt] *v.* 鼓动，煽动；使不安，使焦虑

[记] 词根记忆：ag (做) + itate (表示不断的动作) → 使不断地做 → 鼓动，煽动

agitation [ˌædʒɪ'teɪʃn] *n.* 焦虑，不安；公开辩论，鼓动宣传

agony ['æɡəni] *n.* 极大的痛苦

[记] 词根记忆：agon(挣扎) + y → 拼命挣扎 → 极大的痛苦；谐音："爱过你"

agoraphobic [ˌæɡərə'foʊbɪk] *n./adj.* 患旷野恐惧症的(人)

agrarian [əˈɡreriən] *adj.* 土地的

[记] 词根记忆：agr(田地，农业) + arian(表形容词) → 土地的

airborne [ˈerbɔːrn] *adj.* 空运的，空降的；空气传播的

akin [əˈkɪn] *adj.* 同族的；类似的

alienate [ˈeɪliəneɪt] *v.* 使疏远，离间

[记] 词根记忆：alien(外国的) + ate → 把别人当外国人 → 使疏远

alienation [ˌeɪliəˈneɪʃn] *n.* 疏远，离间

allegiance [əˈliːdʒəns] *n.* 忠诚，拥护

[记] 词根记忆：al(加强) + leg(法律) + iance → 拥护法律 → 拥护

allegory [ˈæləɡɔːri] *n.* 寓言

[记] 联想记忆：all + ego（自己）+ ry → 全部关于自己的寓言 → 寓言

allot [əˈlɑːt] *v.* 分配；拨出

alloy [ˈælɔɪ] *n.* 合金

[记] 联想记忆：all(所有的) + oy → 把所有金属混在一起 → 合金

allude [əˈluːd] *v.* 暗指，影射，间接提到

[记] 词根记忆：al + lud（嬉笑）+ e → 在嬉笑中说 → 暗指，影射

allure [əˈlʊr] *v.* 引诱，诱惑

allusion [əˈluːʒn] *adj.* 暗指，间接提到

[记] 来自 allude(*v.* 暗指，间接提到)

allusive [əˈluːsɪv] *adj.* 暗指的，间接提到的

[记] 词根记忆：allu（=allude 暗指）+ sive → 暗指的

ally [əˈlaɪ] *v.* (使)结盟，(使)联合 [ˈælaɪ] *n.* 同盟者，伙伴

[记] 联想记忆：all(全部) + y → 把全部人都聚集在一起 → (使)结盟

aloof [əˈluːf] *adj.* 远离的；冷淡的，冷漠的

also-ran [ˈɔːlsoʊræn] *n.* 落选者；不重要的参与者

alternate [ˈɔːltərnət] *adj.* 轮流的，交替的
[ˈɔːltərneɪt] *v.* 轮流，交替
[ˈɔːltərnət] *n.* 候选人，代替者
[记] 词根记忆：alter（改变）+ nate → 来回改变 → 轮流的，交替的

alternative [ɔːlˈtɜːrnətɪv] *adj.* 轮流的，交替的；两者择一的
[记] 词根记忆：alter（改变状态）+ native（…的）→ 改变状态的 → 轮流的，交替的

altruism [ˈæltruɪzəm] *n.* 利他主义；无私
[记] 词根记忆：altru（其他）+ ism（主义）→ 利他主义

amalgam [əˈmælgəm] *n.* 混合物
[记] 联想记忆：am + alg + am → 前后两个 am 结合 → 混合物

amateur [ˈæmətər] *n.* 业余爱好者
[记] 词根记忆：amat（=amor 爱）+ eur（人）→ 爱好的人 → 业余爱好者

amaze [əˈmeɪz] *v.* 使大为吃惊，使惊奇
[记] 发音记忆："啊美死" → 使惊奇

ambidextrous [ˌæmbiˈdekstrəs] *adj.* 十分灵巧的
[记] 词根记忆：ambi（两个）+ dextr（右的）+ ous → 两只手都像右手一样灵巧 → 十分灵巧的

ambiguity [ˌæmbɪˈgjuːəti] *n.* 模棱两可的话；不明确

ambiguous [æmˈbɪgjuəs] *adj.* 含糊的

ambitious [æmˈbɪʃəs] *adj.* 有抱负的，雄心勃勃的

ambivalent [æmˈbɪvələnt] *adj.* （对人或物）有矛盾看法的

amble [ˈæmbl] *v.* 缓行，漫步
[记] 词根记忆：amble 本身就是一个词根 = ambul（走路）

ameliorate [əˈmiːliəreɪt] *v.* 改善，改良
[记] 词根记忆：a + melior（=better 更好）+ ate → 改善，改良

amenable [əˈmiːnəbl] *adj.* 顺从的；愿意接受的
[记] 联想记忆：a + men（人）+ able（能…的）→ 一个能接受的人 → 顺从的

8

amend [ə'mend] *v.* 改正，修正；改善

[记] 词根记忆：a(加强) + mend(修理) → 修正

amendment [ə'mendmənt] *n.* 改正，修正；修正案

amiability [ˌeɪmiə'bɪləti] *n.* 亲切，友善

amicable ['æmɪkəbl] *adj.* 友好的

[记] 联想记忆：am(是) + i(我) + cable(电缆) → 我是电缆，友好地通向别人 → 友好的

amicably ['æmɪkəbli] *adv.* 友善地

amorphous [ə'mɔːrfəs] *adj.* 无固定形状的

[记] 词根记忆：a + morph (形状) + ous → 无固定形状的

anachronistic [əˌnækrə'nɪstɪk] *adj.* 时代错误的

[记] 词根记忆：ana(错) + chron(时间) + istic → 时代错误的

anaerobic [ˌæne'roʊbɪk] *adj.* 厌氧的 *n.* 厌氧微生物

[记] 词根记忆：an(不，无) + aero(空气) + bic → 不要空气的 → 厌氧的

analogous [ə'næləgəs] *adj.* 相似的，可比拟的

anarchy ['ænərki] *n.* 无政府；政治混乱

[记] 词根记忆：an(不，无) + archy(统治) → 无统治 → 无政府

anathema [ə'næθəmə] *n.* 被诅咒的人；(天主教的)革出教门，诅咒

[记] 联想记忆：ana(错误) + them(他们) + a → 他们做错了所以被诅咒 → 被诅咒的人

anatomical [ˌænə'tɑːmɪkl] *adj.* 解剖学的

[记] 来自 anatomy (*n.* 解剖学，解剖)；ana (分开) + tomy(切) → 切开 → 解剖

ancestor ['ænsestər] *n.* 祖先，祖宗

[记] 词根记忆：ance(看作 ante，先) + stor → 祖先，祖宗

ancestral [æn'sestrəl] *adj.* 祖先的，祖传的

[记] 词根记忆：ances(原始的) + tral → 祖先的

anecdotal [ˌænɪkˈdoʊtl] *adj.* 轶事的，趣闻的

[记] 来自 anecdot(*n.* 逸事，趣闻)

angular [ˈæŋɡjələr] *adj.* 生硬的，笨拙的

animated [ˈænɪmeɪtɪd] *adj.* 活生生的，生动的

[记] 来自 animate(*adj.* 有生气的)

animosity [ˌænɪˈmɑːsəti] *n.* 憎恶，仇恨

[记] 词根记忆：anim(生命) + osity → 用整个生命去恨 → 仇恨

annex [əˈneks] *v.* 兼并；附加

annotate [ˈænəteɪt] *v.* 注解

[记] 词根记忆：an + not(标示) + ate → 注解

anomalous [əˈnɑːmələs] *adj.* 反常的；不协调的

anomaly [əˈnɑːməli] *n.* 异常，反常；异常事物

[记] 词根记忆：a(否) + nomal(看作 normal, 正常的) + y → 异常

antagonism [ænˈtæɡənɪzəm] *n.* 对抗，敌对

antagonistic [ænˌtæɡəˈnɪstɪk] *adj.* 敌对的，对抗性的

antagonize [ænˈtæɡənaɪz] *v.* 使…敌对；与…对抗

[记] 词根记忆：ant(反) + agon(打斗，比赛) + ize → 对着打 → 与…对抗

antecedent [ˌæntɪˈsiːdnt] *n.* 前事；祖先 *adj.* 先行的

antedate [ˌæntiˈdeɪt] *v.* (在信、支票等上)填写比实际日期早的日期；早于

[记] 词根记忆：ante(前面) + date(日期) → 在现在的日期前面 → 早于

anterior [ænˈtɪriər] *adj.* 较早的，以前的

antibiotic [ˌæntibaɪˈɑːtɪk] *adj.* 抗菌的 *n.* 抗生素

[记] 词根记忆：anti(反) + bio(生命) + tic → 抗生素

Word List 2

anticipatory [ænˈtɪsəpətɔːri] *adj.* 预想的，预期的
[记] 来自 anticipate(*v.* 预测，预料)

anticlimactic [ˌæntiklaɪˈmæktɪk] *adj.* 突减的
[记] 词根记忆：anti(相反) + climac(=climax 顶点) + tic → 与顶点相反 → 突减的

antidote [ˈæntidoʊt] *n.* 解药
[记] 词根记忆：anti(反) + dote(药剂) → 反毒的药 → 解药

antipathy [ænˈtɪpəθi] *n.* 反感，厌恶
[记] 词根记忆：anti + pathy(感情) → 反感

antiquarianism [ˌæntiˈkweəriənɪzəm] *n.* 古物研究，好古癖
[记] 词根记忆：antiqu(古老的) + arian + ism → 古物研究

antiquated [ˈæntikweɪtɪd] *adj.* 陈旧的，过时的；年老的

antique [ænˈtiːk] *adj.* 古时的，古老的 *n.* 古物，古董
[记] 词根记忆：anti（前）+ que → 以前的 → 古时的

antiquity [ænˈtɪkwəti] *n.* 古老；古人；古迹

antiseptic [ˌæntiˈseptɪk] *n.* 杀菌剂 *adj.* 防腐的
[记] 词根记忆：anti(反) + sept(菌) + ic → 杀菌剂

antithesis [ænˈtɪθəsɪs] *n.* 对立；相对
[记] 词根记忆：anti(反) + thesis(放) → 反着放 → 对立

antithetical [ˌæntɪˈθetɪkl] *adj.* 相反的；对立的

apathetic [ˌæpəˈθetɪk] *adj.* 无感情的；无兴趣的

apex [ˈeɪpeks] *n.* 顶点，最高点

aphorism [ˈæfərɪzəm] *n.* 格言
[记] 词根记忆：a + phor(带来) + ism → 带来智慧的话 → 格言

appall [ə'pɔːl] v. 使惊骇, 使胆寒

[记] 词根记忆: ap + pal(=pale 苍白) + l → 脸色变白 → 使惊骇

apparition [ˌæpə'rɪʃn] n. 幽灵; 特异景象

[记] 词根记忆: appar(出现) + ition → 出现的幽灵 → 幽灵

appearance n. 出现; 外貌

appease [ə'piːz] v. 使平静, 安抚

[记] 词根记忆: ap + pease(和平) → 使平静

appetizing ['æpɪtaɪzɪŋ] adj. 美味可口的, 促进食欲的

applaud [ə'plɔːd] v. 鼓掌; 称赞

[记] 词根记忆: ap(加强) + plaud(鼓掌) → 鼓掌

applicability [əˌplɪkə'bɪləti] n. 适用性, 适应性

[记] 来自 apply(v. 应用, 适用)

apply [ə'plaɪ] v. 应用; 适用

[记] 和 supply(v. 提供)一起记

apportion [ə'pɔːrʃn] v. (按比例或计划)分配

apposite ['æpəzɪt] adj. 适当的, 贴切的

[记] 词根记忆: ap + pos(放) + ite → 放在一起 → 适当的; 注意不要和 opposite(adj. 相反的)相混淆

appreciate [ə'priːʃieɪt] v. 欣赏; 感激

[记] 词根记忆: ap + preci(价值) + ate → 给以价值 → 欣赏

appreciative [ə'priːʃətɪv] adj. 赞赏的; 感激的

[记] 来自 appreciate(v. 欣赏, 感激)

apprehensive [ˌæprɪ'hensɪv] adj. 害怕的; 有悟性的

[记] 联想记忆: ap + prehen(看作 prehend, 抓住) + sive → 抓住不放 → (因为)害怕的

apprise [ə'praɪz] v. 通知, 告知

[记] 联想记忆: app(看作 appear) + rise(升起) → 出现 + 升起 → 通知

approach [ə'proʊtʃ] v. 接近, 靠近; 着手处理 n. 方法

[记] 词根记忆: ap + proach(接近) → 靠近

12

approaching [əˈprəʊtʃɪŋ] *adj.* 接近的，逼近的

approbation [ˌæprəˈbeɪʃn] *n.* 赞许；认可
[记] 词根记忆：ap + prob (=prove 证实) + ation → 证实是好的 → 赞许

appropriate [əˈprəʊprieɪt] *v.* 拨款；盗用 *adj.* 恰当的
[记] 词根记忆：ap + propr(拥有) + iate → 自己拥有 → 盗用

approximate [əˈprɑːksɪmət] *adj.* 近似的，大约的
[记] 词根记忆：ap + proxim(接近) + ate → 近似的，大约的

apropos [ˌæprəˈpəʊ] *adj./adv.* 适当的(地)；有关的(地)
[记] 联想记忆：a + prop (看作 proper，适当的) + os → 适当的/地

aptitude [ˈæptɪtuːd] *n.* 适宜；才能，资质
[记] 词根记忆：apt(能力) + itude(状态) → 才能，资质

aquatic [əˈkwætɪk] *adj.* 水生的，水中的
[记] 词根记忆：aqua(水) + tic → 水中的

arable [ˈærəbl] *adj.* 适于耕种的
[记] 联想记忆：ar(看作 are) + able → 是能够耕种的 → 适于耕种的

arbiter [ˈɑːrbɪtər] *n.* 权威人士，泰斗
[记] 词根记忆：arbit(判断，裁决) + er → 判断之人 → 权威人士，泰斗

arbitrary [ˈɑːrbətreri] *adj.* 专横的，武断的
[记] 词根记忆：arbitr(判断) + ary(…的) → 自己作判断 → 武断的

arboreal [ɑːrˈbɔːriəl] *adj.* 树木的
[记] 词根记忆：arbor(树) + eal → 树木的

arcane [ɑːrˈkeɪn] *adj.* 神秘的，秘密的

archaeological [ˌɑːrkiəˈlɑːdʒɪkl] *adj.* 考古学的

archaic [ɑːrˈkeɪk] *adj.* 古老的

archetypally [ˈɑːrkiˈtaɪpəli] *adv.* 典型地
[记] 来自 archetype(*n.* 典型)

13

architect	[ˈɑːrkɪtekt] n. 建筑师
	[记] 联想记忆：archi(统治者，主要的) + tect (做) → 统治造房的人 → 建筑师
architectural	[ˌɑːrkɪˈtektʃərəl] adj. 建筑上的；建筑学的
archive	[ˈɑːrkaɪv] n. 档案室
arduous	[ˈɑːrdʒuəs] adj. 费力的，艰难的
argumentative	[ˌɑːrgjuˈmentətɪv] adj. 好争辩的，好争吵的
	[记] 来自 argument(n. 争论，争辩)
arid	[ˈærɪd] adj. 干旱的；枯燥的
aristocratic	[əˌrɪstəˈkrætɪk] adj. 贵族(化)的
armored	[ˈɑːrmərd] adj. 披甲的，装甲的
aromatic	[ˌærəˈmætɪk] adj. 芬芳的，芳香的
	[记] 词根记忆：aroma(芳香，香味)+tic → 芳香的
arresting	[əˈrestɪŋ] adj. 醒目的，引人注意的
	[记] 来自 arrest(v. 吸引，注意)
arrogant	[ˈærəgənt] adj. 傲慢的，自大的
articulate	[ɑːrˈtɪkjuleɪt] v. 清楚地说话；(用关节)连接
	[记] 词根记忆：articul(接合) + ate → 连接
artisan	[ˈɑːrtəzn] n. 技工
	[记] 词根记忆：arti(技术) + san(人) → 技工
artistry	[ˈɑːrtɪstri] n. 艺术技巧
	[记] 词根记忆：artist(艺术家) + ry → 艺术技巧
artless	[ˈɑːrtləs] adj. 朴实的，自然的；粗俗的
ascent	[əˈsent] n. 上升，攀登；上坡路；提高，提升
ascetic	[əˈsetɪk] adj. 禁欲的 n. 苦行者
	[记] 来自希腊文，原意是"刻苦锻炼并隐居的人"
asceticism	[əˈsetɪsɪzəm] n. 禁欲主义
ascribe	[əˈskraɪb] v. 归因于，归咎于
	[记] 词根记忆：a + scrib(写) + e → 把…写上去 → 归因于，归咎于
aseptic	[ˌeɪˈseptɪk] adj. 净化的；无菌的
	[记] 词根记忆：a(无) + sept(菌) + ic → 无菌的
aspect	[ˈæspekt] n. (问题等的)方面；面貌，外表
	[记] 词根记忆：a + spect(看) → 看向的地方 → (问题等的)方面

14

aspen ['æspən] *n.* 白杨

[记] 联想记忆：as + pen（笔）→ 像笔一样直的树木 → 白杨

aspiration [ˌæspə'reɪʃn] *n.* 抱负，渴望

[记] 词根记忆：a + spir（呼吸）+ ation → 屏住呼吸下决心 → 抱负

aspiring [ə'spaɪərɪŋ] *adj.* 有抱负的，有理想的

[记] 来自 aspire（*v.* 渴望成就…，有志成于…）

assail [ə'seɪl] *v.* 质问；攻击

[记] 词根记忆：as + sail（跳上去）→ 跳上去打 → 攻击

assertion [ə'sɜːrʃn] *n.* 断言，声明；主张

[记] 来自 assert（*v.* 明确肯定，断言）

assertive [ə'sɜːrtɪv] *adj.* 断言的，肯定的

assessment [ə'sesmənt] *n.* 估价，评价

[记] 来自 assess（*v.* 评价，评定）

assiduous [ə'sɪdʒuəs] *adj.* 勤勉的；专心的

[记] 词根记忆：as + sid（坐）+ uous → 坐得多的 → 勤勉的

assimilate [ə'sɪməleɪt] *v.* 同化；吸收

[记] 词根记忆：as + simil（相同）+ ate → 使相同 → 同化

assorted [ə'sɔːrtəd] *adj.* 各式各样的；混杂的

[记] 词根记忆：as + sort（种类）+ ed → 把各种东西放到一起 → 混杂的

assume [ə'suːm] *v.* 假定；承担，担任

[记] 联想记忆：as（加强）+ sume（拿，取）→ 拿住 → 承担

assuming [ə'suːmɪŋ] *adj.* 傲慢的，自负的

assure [ə'ʃʊr] *v.* 保证

[记] 词根记忆：as（一再）+ sure（肯定）→ 一再肯定 → 使确信

assuredness [ə'ʃʊrdnəs] *n.* 确定；自信

[记] 来自 assure（*v.* 使确信）

astigmatic [ˌæstɪɡˈmætɪk] *adj.* 散光的，乱视的

[记] 词根记忆：a + stigma(污点) + tic → 看不见污点 → 散光的

astound [əˈstaʊnd] *v.* 使震惊

[记] 联想记忆：as + tound(看作 sound) → 像被大声吓倒 → 使震惊

astounding [əˈstaʊndɪŋ] *adj.* 令人震惊的

astray [əˈstreɪ] *adj.* 迷路的，误入歧途的

[记] 联想记忆：a + stray(走离) → 走离正道 → 误入歧途的

astronomical [ˌæstrəˈnɑːmɪkl] *adj.* 极大的；天文学的

[记] 词根记忆：astro (星星) + nomical → 星星的，星体的 → 极大的

astute [əˈstuːt] *adj.* 机敏的，精明的

[记] 来自拉丁文 astus(灵活)

asunder [əˈsʌndər] *adj./adv.* 分离的(地)；化为碎片的(地)

[记] 分拆记忆：as + under → 好像在下面 → 分离的(地)

asymmetric [ˌeɪsɪˈmetrɪk] *adj.* 不对称的

[记] 词根记忆：a(不) + sym(相同) + metr(测量) + ic → 测量不同 → 不对称的

atheist [ˈeɪθiɪst] *n.* 无神论者

atomic [əˈtɑːmɪk] *adj.* 原子的；微小的

[记] 来自 atom(*v.* 原子)

atonement [əˈtoʊnmənt] *n.* 弥补

[记] 来自 atone(*v.* 弥补，赎罪)

atrocity [əˈtrɑːsəti] *n.* 邪恶；暴行

atrophy [ˈætrəfi] *n.* 萎缩，衰退

[记] 词根记忆：a(无) + troph(营养) + y → 无营养会萎缩 → 萎缩

attenuation [əˌtenjuˈeɪʃn] *n.* 变瘦；减少；减弱

attest [əˈtest] *v.* 证明，证实

[记] 词根记忆：at + test(证明) → 证明

attribute [əˈtrɪbjuːt] v. 把…归于

[ˈætrɪbjuːt] n. 属性，特质

[记] 词根记忆：at + tribute (给与) → 把…归于

attrition [əˈtrɪʃn] n. 摩擦，磨损

[记] 词根记忆：at + trit(摩擦) + ion → 摩擦，磨损

attune [əˈtuːn] v. 使调和

[记] 联想记忆：at + tune (调子) → 使调子一致 → 使调和

audacious [ɔːˈdeɪʃəs] adj. 大胆的

[记] 词根记忆：aud(大胆) + acious(多…的) → 大胆的

audible [ˈɔːdəbl] adj. 听得见的

[记] 词根记忆：audi(听) + able → 能听的 → 听得见的

audience [ˈɔːdiəns] n. 听众，观众；读者

[记] 词根记忆：audi(听) + ence → 听众

audit [ˈɔːdɪt] v. 旁听；审计，查账

augment [ɔːgˈment] v. 提高，增加

[记] 词根记忆：aug(提高) + ment → 提高

auspices [ˈɔːspɪsɪz] n. 支持，赞助

[记] 词根记忆：au + spic (看) + es → 看到 (好事) → 赞助

auspicious [ɔːˈspɪʃəs] adj. 幸运的；吉兆的

[记] 联想记忆：au + spic(看) + ious → 看到(好事)的 → 吉兆的

austere [ɔːˈstɪr] adj. 朴素的

[记] 词根记忆：au + stere (冷) → 冷面孔 → 朴素的

authentic [ɔːˈθentɪk] adj. 真正的，真实的；可信的

[记] 词根记忆：authent(=author 作家) + ic → 自己就是作家 → 真正的

authenticate [ɔːˈθentɪkeɪt] v. 证明…是真实的

authoritative [əˈθɑːrəteɪtɪv] adj. 权威的，官方的

17

autobiographical [ˌɔ:təˌbaɪə'græfɪkl] *adj.* 自传的，自传体的

[记] 词根记忆：auto（自己的）+ biography（传记）+ ical → 自传的

autobiography [ˌɔ:təbaɪ'ɑːgrəfi] *n.* 自传

[记] 词根记忆：auto（自己）+ bio（生命）+ graphy（写）→ 写自己的一生 → 自传

autograph ['ɔ:təgræf] *n.* 亲笔稿，手迹 *v.* 在…上亲笔签名 *adj.* 亲笔的

automated ['ɔ:təmeɪtɪd] *adj.* 自动的

automotive [ˌɔ:tə'moʊtɪv] *adj.* 汽车的；自动的

autonomous [ɔ:'tɑːnəməs] *adj.* 自治的；自主的

autonomy [ɔ:'tɑːnəmi] *n.* 自治，自主

[记] 词根记忆：auto（自己）+ nomy（治理）→ 自治

avarice ['ævərɪs] *n.* 贪财，贪婪

[记] 发音记忆："爱不释手" → 贪婪

avaricious [ˌævə'rɪʃəs] *adj.* 贪婪的，贪心的

[记] 来自 avarice（*n.* 贪婪，贪心）

averse [ə'vɜːrs] *adj.* 反对的，不愿意的

[记] 词根记忆：a + vers（转）+ e → 转开 → 反对的，不愿意的

avid ['ævɪd] *adj.* 渴望的；热心的

avocational [ˌævoʊ'keɪʃənl] *adj.* 副业的；嗜好的

avoid [ə'vɔɪd] *v.* 避开，躲避

[记] 词根记忆：a + void（空）→ 使落空 → 避开

awe [ɔ:] *n./v.* 敬畏

[记] 发音记忆：发音像"噢" → 表示敬畏的声音 → 敬畏

awe-inspiring [ˌɔ:ɪn'spaɪərɪŋ] *adj.* 令人敬畏的

[记] 组合词：awe（敬畏）+ inspiring（鼓舞人心的）→ 令人敬畏的

awe-struck ['ɔ:strʌk] *adj.* 充满敬畏的

[记] 组合词：awe（敬畏）+ struck（打动）→ 充满敬畏的

awkward ['ɔ:kwərd] *adj.* 笨拙的；难用的；不便的

[记] 发音记忆："拗口的" → 笨拙的；难用的

18

axiom [ˈæksɪəm] *n.* 公理；定理
[记]联想记忆：ax（斧子）+ iom → 斧子之下出公理 → 公理

bacterium [bækˈtɪriəm] *n.* 细菌

baffle [ˈbæfl] *v.* 使困惑，难倒
[记]发音记忆："拜服了" → 被难倒了，所以拜服了 → 难倒

balk [bɔːk] *n.* 梁木，大梁 *v.* 妨碍；畏缩不前

ballad [ˈbæləd] *n.* 歌谣，小曲
[记]联想记忆：ball（球）+ ad → 像球一样一代代传下来 → 歌谣

balm [bɑːm] *n.* 香油，药膏；镇痛剂，安慰物
[记]来自 balsam（*n.* 凤仙花；香脂）

balmy [ˈbɑːmi] *adj.* 芳香的；（空气）温和的；止痛的

banal [bəˈnɑːl] *adj.* 乏味的，陈腐的
[记]联想记忆：ban（禁止）+ al → 应该禁止的 → 陈腐的

bane [beɪn] *n.* 祸根
[记]发音记忆："背运" → 因为有祸根而背运 → 祸根

banish [ˈbænɪʃ] *v.* 放逐
[记]发音记忆："把你死" → 通过放逐把你弄死 → 放逐

banter [ˈbæntər] *n.* 打趣，玩笑
[记]发音记忆：绊他 → 打趣，玩笑

barbarous [ˈbɑːrbərəs] *adj.* 野蛮的；残暴的
[记]发音记忆："把爸勒死" → 残暴的

baroque [bəˈroʊk] *adj.* 过分装饰的
[记]由 17 世纪"巴洛克"艺术而来，以古怪精巧为特色

barren [ˈbærən] *adj.* 不育的；贫瘠的；不结果实的
[记]发音记忆："拔了" → 拔了所有植物 → 贫瘠的

barrier [ˈbæriər] *n.* 路障；障碍
[记]联想记忆：bar（栅栏）+ rier → 路障；障碍

base [beɪs] *adj.* 卑鄙的

bashfulness ['bæʃflnəs] *n.* 羞怯

[记] 来自 bashful(*adj.* 羞怯的，忸怩的)

bask [bæsk] *v.* 晒太阳，取暖

[记] 联想记忆：把 basket 去掉 et，就是 bask → 拎着篮子晒太阳 → 取暖

bastion ['bæstiən] *n.* 保垒，防御工事

beaded ['biːdɪd] *adj.* 以珠装饰的

befriend [bɪ'frend] *v.* 以朋友态度对待

[记] 词根记忆：be + friend（朋友）→ 当作朋友 → 以朋友态度对待

beleaguer [bɪ'liːɡə] *v.* 围攻；骚扰

[记] 联想记忆：be + leaguer（围攻的部队或兵营）→ 围攻

belie [bɪ'laɪ] *v.* 掩饰；证明为假

[记] 联想记忆：be + lie（谎言）→ 使…成谎言 → 证明为假

believable [bɪ'liːvəbl] *adj.* 可信的

belittle [bɪ'lɪtl] *v.* 轻视，贬低

[记] 联想记忆：be + little(小) → 把(人)看小 → 轻视

bellicose ['belɪkoʊs] *adj.* 好战的，好斗的

[记] 词根记忆：bell(战争) + icose(形容词后缀) → 好斗的

Word List 3

belligerent [bəˈlɪdʒərənt] *adj.* 发动战争的；好斗的，好挑衅的

bemuse [bɪˈmjuːz] *v.* 使昏头昏脑，使迷惑

benefactor [ˈbenɪfæktər] *n.* 行善者，捐助者
[记]词根记忆：bene(好) + fact(做) + or → 做好事的人 → 行善者

beneficent [bɪˈnefɪsnt] *adj.* 慈善的，仁爱的；有益的
[记]词根记忆：bene(好) + fic(做) + ent(的) → 做好事的 → 慈善的

beneficiary [ˌbenɪˈfɪʃieri] *n.* 受益人
[记]来自 benefit(*n.* 益处，好处)

benevolent [bəˈnevələnt] *adj.* 善心的，仁心的
[记]词根记忆：bene(好) + vol(意志) + ent → 好意的 → 善心的，仁心的

benign [bɪˈnaɪn] *adj.* (病)良性的；亲切和蔼的；慈祥的
[记]词根记忆：ben(好) + ign(形容词后缀) → 好的 → 亲切和蔼的

bereave [bɪˈriːv] *v.* 夺去，丧亲
[记]词根记忆：be + reave (抢夺) → 亲人被抢夺掉 → 丧亲；reave 本身是一个单词

beset [bɪˈset] *v.* 镶嵌；困扰

besiege [bɪˈsiːdʒ] *v.* 围攻；困扰
[记]词根记忆：be + siege (围攻，siege 本身是一个单词) → 围攻

bestow [bɪˈstoʊ] *v.* 给予，赐赠
[记]联想记忆：be + stow(收藏) → 给予以便收藏 → 赐赠

betray [bɪˈtreɪ] *v.* 背叛；暴露
[记]词根记忆：be + tray (背叛) → 背叛；联想记忆：bet(打赌) + ray(光线) → 打赌打到了光线下 → 暴露

bewilder [bɪˈwɪldər] *v.* 使迷惑，混乱

[记] 词根记忆：be（使…成为）+ wilder（迷惑）
→ 使迷惑

bias [ˈbaɪəs] *n.* 偏见 *v.* 使有偏见

[记] 联想记忆：bi(两)+ as → 两者只取其一 →
偏见

bibliomania [ˌbɪbliəˈmeɪniə] *n.* 藏书癖

bilateral [ˌbaɪˈlætərəl] *adj.* 两边的；双边的

bilingual [ˌbaɪˈlɪŋgwəl] *adj.* (说)两种语言的

[记] 词根记忆：bi(两个)+ lingu(语言)+ al →
(说)两种语言的

billion [ˈbɪljən] *num.* 十亿

birthright [ˈbɜːrθraɪt] *n.* 与生俱来的权利

bizarre [bɪˈzɑːr] *adj.* 奇异的，古怪的

[记] 比较记忆：bazaar(*n.* 集市)，集市上有各种
古怪的东西

blackmail [ˈblækmeɪl] *v./n.* 敲诈，勒索

[记] 组合词：black(黑)+ mail(寄信)→ 寄黑信
→ 敲诈

blameworthy [ˈbleɪmwɜːrði] *adj.* 该责备的，有过失的

bland [blænd] *adj.* (人)情绪平稳的；(食物)无味的

[记] 发音记忆："布蓝的"→ 布是清淡的蓝色的
→ 无味的

blatant [ˈbleɪtnt] *adj.* 厚颜无耻的；显眼的；炫耀的

[记] 词根记忆：blat（闲聊）+ ant → 侃大山 →
喧哗的 → 炫耀的

blazing [ˈbleɪzɪŋ] *adj.* 燃烧的，闪耀的

[记] 来自 blaze(*v.* 燃烧；照耀)

bleach [bliːtʃ] *v.* 去色，漂白

[记] 联想记忆：b + leach（过滤）→ 将其他颜色
滤去 → 去色

blighted [ˈblaɪtɪd] *adj.* 枯萎的

[记] 来自 blight(*v.* 使枯萎)

blindness [ˈblaɪndnəs] *n.* 失明

blissful ['blɪsfl] *adj.* 极幸福的

[记] 来自 bliss(*n.* 天赐之福)

blithe [blaɪð] *adj.* 快乐的，无忧无虑的

blockbuster ['blɑːkbʌstər] *n.* 巨型炸弹；一鸣惊人的事物；非常成功的书或电影

blueprint ['bluːprɪnt] *n.* 蓝图；方案

[记] 组合词：blue(蓝) + print(印刷图) → 蓝图

bluff [blʌf] *n.* 虚张声势；悬崖峭壁

[记] 联想记忆：和 buffalo（美洲野牛）一起记，buffalo bluffs(野牛虚张声势)

blur [blɜːr] *n.* 模糊不清的事物 *v.* 使模糊

[记] 和 slur(*v.* 含糊不清地说)一起记

boastfulness ['boʊstflnəs] *n.* 自吹自擂；浮夸

[记] 来自 boast(*v.* 自夸，自吹自擂)

boisterous ['bɔɪstərəs] *adj.* 喧闹的；猛烈的

[记] 词根记忆：boister(喧闹) + ous → 喧闹的

bolster ['boʊlstər] *n.* 枕垫 *v.* 支持，鼓励

[记] 联想记忆：bol(倒着看 lob) + ster → lobster(龙虾)，拿龙虾当枕垫 → 枕垫

bombastic [bɑːm'bæstɪk] *adj.* 夸夸其谈的

bonanza [bə'nænzə] *n.* 富矿脉，贵金属矿

boon [buːn] *n.* 恩惠，天赐福利

[记] 联想记忆：从月亮(moon)得到恩惠(boon) → 天赐福利

boost [buːst] *v.* 增加，提高；促进；往上推

[记] 联想记忆：boo(看作 boot，靴子) + st → 穿上靴子往高处走 → 提高

bootless ['buːtlɪs] *adj.* 无益处的；无用的

boredom ['bɔːrdəm] *n.* 厌烦；令人厌烦的事物

[记] 词根记忆：bore(厌烦) + dom(表名词，参考 kingdom) → 厌烦

boundless ['baʊndləs] *adj.* 无限的，无边无际的

[记] 组合词：bound（边界，范围）+ less（较少的）→ 无边无际的

bowlegged [ˌboʊˈlegɪd] *adj.* 弯脚的，弓形腿的

braggart [ˈbrægərt] *n.* 吹牛者

braid [breɪd] *v.* 编织 *n.* 穗子；发辫

brassy [ˈbræsi] *adj.* 厚脸皮的，无礼的
[记] 联想记忆：brass（黄铜）+ y → 脸皮像黄铜一样厚 → 厚脸皮的

bravado [brəˈvɑːdoʊ] *n.* 故作勇敢，虚张声势
[记] 来自 bravo（*interj.* 欢呼；好极了）；词根记忆：brav(勇敢) + ado(状态) → 故作勇敢

brazen [ˈbreɪzn] *adj.* 厚脸皮的
[记] 词根记忆：braz (=brass 黄铜) + en → 像黄铜一样 → 厚脸皮的

breach [briːtʃ] *v.* 打破，突破；违背 *n.* 裂缝，缺口
[记] 来自 break(*v.* 打破)

breed [briːd] *v.* 繁殖；教养 *n.* 品种，种类

brevity [ˈbrevəti] *n.* 短暂
[记] 词根记忆：brev(短的) + i + ty → 短暂

brilliant [ˈbrɪliənt] *adj.* 卓越的，出众的；辉煌的，壮丽的
[记] 词根记忆：brilli(发光) + ant(⋯的) → 发光的 → 辉煌的

brink [brɪŋk] *n.* (峭壁的)边沿，边缘
[记] 和 blink(*v.* 眨眼睛)一起记

briny [ˈbraɪni] *adj.* 盐水的，咸的
[记] 来自 brine(*n.* 盐水)

brook [brʊk] *n.* 小河

brownish [ˈbraʊnɪʃ] *adj.* 成褐色的
[记] 来自 brown(*n.* 褐色)

brusqueness [ˈbrʌsknəs] *n.* 唐突；直率

brutality [bruːˈtæləti] *n.* 野蛮；暴行

brute [bruːt] *n./adj.* 野兽(的)；残忍的(人)

buckle [ˈbʌkl] *n.* 皮带扣环 *v.* 扣紧

bulky [ˈbʌlki] *adj.* 庞大的；笨重的
[记] 来自 bulk(*n.* 巨大的体重或形状)

bumper [ˈbʌmpər] *adj.* 特大的 *n.* 保险杠

24

buoyant ['bu:jənt] *adj.* 有浮力的; 快乐的

burdensome ['bɜːrdnsəm] *adj.* 繁重的, 劳累的
[记] 来自 burden(*n.* 负担, 重担)

burgeon ['bɜːrdʒən] *v.* 迅速成长, 发展
[记] 词根记忆: burg (=bud 花蕾) + eon → 迅速成长; burg 本身是单词, 意为 "城, 镇" → 成长的地方 → 发展

burning ['bɜːrnɪŋ] *adj.* 燃烧的; 强烈的

burst [bɜːrst] *v.* 爆炸; 爆裂; 突然发生

buttress ['bʌtrəs] *n.* 拱墙, 拱壁 *v.* 支持

bygone ['baɪɡɔːn] *adj.* 过去的

byproduct ['baɪˌprɑːdʌkt] *n.* 副产品; 副作用
[记] 词根记忆: by(在旁边; 副的) + product(产品) → 副产品

byzantine ['bɪzəntiːn] *adj.* 错综复杂的
[记] 来自 Byzantine (*adj.* 拜占庭帝国的), 拜占庭帝国以政治错综复杂而著名

cabinet ['kæbɪnət] *n.* 橱柜; 内阁

cacophonous [kə'kɑːfənəs] *adj.* 发音不和谐的, 不协调的
[记] 词根记忆: caco(不好的) + phon(声音) + ous → 发音不和谐的

calamity [kə'læməti] *n.* 大灾祸, 不幸之事
[记] 词根记忆: calam (=destruction 破坏) + ity → 大灾祸

callous ['kæləs] *adj.* 结硬块的; 无情的
[记] 来自 callus(*n.* 老茧)

calumny ['kæləmni] *n.* 诽谤, 中伤
[记] 词根记忆: calumn (=beguile 欺诈) + y → 欺诈性的话 → 诽谤

camaraderie [ˌkɑːmə'rɑːdəri] *n.* 同志之情, 友情

candid ['kændɪd] *adj.* 率直的
[记] 词根记忆: cand(白, 发光) + id → 白的 → 坦白的 → 率直的

candor ['kændər] *n.* 坦白, 率直
[记] 词根记忆: cand(白) + or(表状态) → 坦白

cannily	[ˈkænɪli]	*adv.* 机灵地
canny	[ˈkæni]	*adj.* 精明仔细的

[记]联想记忆：can(能)+ny → 能干的 → 精明仔细的

cantankerous	[kænˈtæŋkərəs]	*adj.* 脾气坏的；好争吵的

[记]联想记忆：cant(黑话)+anker(看作 anger, 愤怒)+ous → 用黑话愤怒地争吵 → 脾气坏的

capitulate	[kəˈpɪtʃuleɪt]	*v.* (有条件地)投降

[记]词根记忆：capit(头)+ulate → 低头 → 投降

capricious	[kəˈprɪʃəs]	*adj.* 变化无常的, 任性的
captious	[ˈkæpʃəs]	*adj.* 吹毛求疵的

[记]联想记忆：capt(拿)+ious → 拿(别人的缺点) → 吹毛求疵的

captivating	[ˈkæptɪveɪtɪŋ]	*adj.* 吸引人的
capture	[ˈkæptʃər]	*v.* 俘获；夺取, 赢得 *n.* 战利品
cardiac	[ˈkɑːrdiæk]	*adj.* 心脏的

[记]词根记忆：card(心)+iac → 心脏的

cardinal	[ˈkɑːrdɪnl]	*adj.* 首要的, 主要的 *n.* 红衣主教

[记]词根记忆：card (心)+inal → 心一样的 → 首要的, 主要的

caricature	[ˈkærɪkətʃər]	*n.* 讽刺画；滑稽模仿

[记]联想记忆：car(汽车)+i(我)+cat(猫)+ure → 我在汽车和猫之间 → 很滑稽的样子 → 滑稽模仿

carnage	[ˈkɑːrnɪdʒ]	*n.* 大屠杀, 残杀

[记]联想记忆：carn (肉)+age → 大堆的肉 → 大屠杀

carnivorous	[kɑːrˈnɪvərəs]	*adj.* 肉食动物的

[记]词根记忆：carn(肉)+i+vor(吃)+ous → 肉食动物的

carve	[kɑːrv]	*v.* 雕刻；(把肉等)切成片
cast	[kæst]	*n.* 演员阵容；剧团 *v.* 扔；铸造
caste	[kæst]	*n.* 社会等级, 等级

[记]原指印度教的种姓制度；发音记忆："卡死他" → 在一个等级上卡死他, 不让他上来 → 社会等级

castigate ['kæstɪgeɪt] *v.* 惩治，责罚

[记] 联想记忆：cast(扔) + i(我) + gate(门) → 向我的门扔东西 → 惩治，严责

catalyze ['kætəlaɪz] *v.* 促使；激励

catastrophe [kə'tæstrəfi] *n.* 突如其来的大灾难

[记] 词根记忆：cata(向下) + strophe(转) → 天地向下转 → 突如其来的大灾难

category ['kætəgɔːri] *n.* 类别，范畴

[记] 联想记忆：cat(猫) + ego(自我) + ry → 猫和我是两类生物 → 类别

cater ['keɪtər] *v.* 迎合；提供饮食及服务

[记] 联想记忆：毛毛虫 caterpillar 的前半部分为 cater，原意为"猫"，引申为"迎合"

caterpillar ['kætərpɪlər] *n.* 毛毛虫，蝴蝶的幼虫

[记] 来自中古英语：cater(猫) + pillar(毛) → 原意为有毛的猫 → 毛毛虫

causal ['kɔːzl] *adj.* 原因的，因果关系的

[记] 来自 cause(*n.* 原因)

caustic ['kɔːstɪk] *adj.* 腐蚀性的；刻薄的 *n.* 腐蚀剂

[记] 词根记忆：caus(烧灼) + tic → 腐蚀性的

cautionary ['kɔːʃəneri] *adj.* 劝人谨慎的，警戒的

[记] 词根记忆：caution(小心，谨慎) + ary → 劝人谨慎的，警戒的

cautious ['kɔːʃəs] *adj.* 小心的，谨慎的

[记] 联想记忆：caut(看作 cat) + ious(…的) → 像猫一样的 → 小心的，谨慎的

cavil ['kævl] *v.* 挑毛病，吹毛求疵

cavity ['kævəti] *n.* (牙齿等的)洞，腔

celestial [sə'lestʃl] *adj.* 天体的，天上的

[记] 词根记忆：celest(天空) + ial → 天上的

celibate ['selɪbət] *n.* 独身者 *adj.* 不结婚的

[记] 词根记忆：celib(独身) + ate → 独身者

cellular ['seljələr] *adj.* 细胞的；蜂窝式的

censorious [sen'sɔːriəs] *adj.* 挑剔的

[记] 词根记忆：cens(评价) + orious → 爱评价他人的 → 挑剔的

censure ['senʃər] *n./v.* 指责，谴责

centralization [ˌsentrələˈzeɪʃn] *n.* 集中；集权化

[记] 来自 centralize(*v.* 集中)

ceramic [səˈræmɪk] *adj.* 陶器的 *n.* 陶瓷制品

[记] 词根记忆：ceram(陶瓷) + ic → 陶器的

cerebral [səˈriːbrəl] *adj.* 大脑的；深思的

[记] 词根记忆：cerebr(脑) + al → 大脑的

ceremonious [ˌserəˈmoʊniəs] *adj.* 仪式隆重的

certainty ['sɜːrtnti] *n.* 确定的事情

[记] 来自 certain(*adj.* 确定的，必然的)

certitude ['sɜːrtɪtuːd] *n.* 确定无疑

[记] 词根记忆：cert(确定) + itude(状态) → 确定的状态 → 确定无疑

cessation [seˈseɪʃn] *n.* 中止，(短暂的)停止

[记] 词根记忆：cess(走) + ation → 不走的状态 → 中止

chafe [tʃeɪf] *v.* (将皮肤等)擦热，擦破；激怒

chagrin [ʃəˈɡrɪn] *n.* 失望，懊恼

[记] 联想记忆：cha(拼音：茶) + grin(苦笑) → 喝茶苦笑 → 失望，懊恼

chancy ['tʃænsi] *adj.* 不确定的，不安的

chantey ['ʃænti] *n.* (水手唱的)船歌

chaotic [keɪˈɑːtɪk] *adj.* 混乱的

characteristic [ˌkærəktəˈrɪstɪk] *adj.* 有特色的；典型性的 *n.* 与众不同的特征

[记] 来自 character(*n.* 性格；特征)

characterize ['kærəktəraɪz] *v.* 表现…的特色，刻画…的性格

[记] 来自 character(*n.* 人或事物的特点、特征)

charismatic [ˌkærɪzˈmætɪk] *adj.* 有魅力的

charitable ['tʃærətəbl] *adj.* 行善的；仁爱的

charlatan	[ˈʃɑːrlətən] *n.* 江湖郎中，骗子
	[记] 联想记忆：意大利有个地方叫 Charlat，专卖假药并出江湖郎中 (quack)，所以叫 charlatan
chart	[tʃɑːrt] *n.* 图表 *v.* 绘制地图，制订计划
charter	[ˈtʃɑːrtər] *n.* 特权，豁免权
chary	[ˈtʃeri] *adj.* 小心的，审慎的
chastisement	[tʃæˈstaɪzmənt] *n.* 惩罚
chip	[tʃɪp] *n.* 薄片，碎片；集成电路片
chivalrous	[ˈʃɪvlrəs] *adj.* 骑士精神的；对女人彬彬有礼的
	[记] 词根记忆：chival(=caval 骑马) + rous → 骑马的 → 骑士精神的
choppy	[ˈtʃɑːpi] *adj.* 波浪起伏的；(风)不断改变方向的
chorale	[kəˈræl] *n.* 赞美诗；合唱队
choreographic	[ˌkɔːriəˈɡræfɪk] *adj.* 舞蹈的，舞台舞蹈的
	[记] 来自 choreography (*n.* 舞蹈设计)
chorus	[ˈkɔːrəs] *n.* 合唱队，歌舞团
	[记] 词根记忆：chor(跳舞) + us → 跳舞的人 → 歌舞团
chromatic	[krəˈmætɪk] *adj.* 彩色的，五彩的
	[记] 词根记忆：chrom(颜色) + atic → 彩色的
chromosome	[ˈkroʊməsoʊm] *n.* 染色体
	[记] 词根记忆：chrom(颜色) + o + some(体) → 染色体
chronological	[ˌkrɑːnəˈlɑːdʒɪkl] *adj.* 按年代顺序排列的
chubby	[ˈtʃʌbi] *adj.* 丰满的，圆胖的
circuitous	[sərˈkjuːɪtəs] *adj.* 迂回的，绕圈子的
	[记] 词根记忆：circu(绕圈) + it(走) + ous → 迂回的；circuit 本身是个单词，意为"圆，电路"
circulate	[ˈsɜːrkjəleɪt] *v.* 循环；流通；发行
	[记] 词根记忆：circ (圆，环) + ulate → 绕圈走 → 循环
circulation	[ˌsɜːrkjəˈleɪʃn] *n.* 循环，流通；发行量
circumlocution	[ˌsɜːrkəmləˈkjuːʃn] *n.* 迂回累赘的陈述
	[记] 词根记忆：circum (绕圈) + locu (说话) + tion → 说话绕圈子 → 迂回累赘的陈述

Word List 4

circumscribe ['sɜːrkəmskraɪb] *v.* 划界限；限制

[记] 词根记忆：circum(绕圈) + scribe(画) → 画地为牢 → 限制

circumspect ['sɜːrkəmspekt] *adj.* 慎重的

circumstantial [ˌsɜːrkəm'stænʃl] *adj.* 不重要的，偶然的；描述详细的

[记] 词根记忆：circum(绕圈) + stant(站，立) + ial → 处于周围 → 不重要的

circumvent [ˌsɜːrkəm'vent] *v.* 回避；用计谋战胜、回避

[记] 词根记忆：circum(绕圈) + vent(来) → 绕着圈过来 → 回避

cite [saɪt] *v.* 引用，引述

[记] 词根记忆：cit(引用；唤起) + e → 引用，引述

civil ['sɪvl] *adj.* 国内的；公民的；文明的

civility [sə'vɪləti] *n.* 彬彬有礼，斯文

[记] 词根记忆：civil (文明的，市民的) + ity → 彬彬有礼

claim [kleɪm] *v.* 要求，索要 *n.* 声称拥有的权利

[记] 本身为词根，意为"大叫" → 要求，索要

clamber ['klæmbər] *v.* 吃力地爬上，攀登

clamor ['klæmər] *n.* 吵闹，喧哗

clannish ['klænɪʃ] *adj.* 排他的，门户之见的

[记] 词根记忆：clan(宗派，家族) + nish → 门户之见的

clarification [ˌklærəfɪ'keɪʃn] *n.* 解释，澄清

[记] 来自 clarify(*v.* 澄清)

clarify ['klærəfaɪ] *v.* 澄清

[记] 词根记忆：clar(清楚，明白) + ify(…化) → 澄清

clause [klɔːz] *n.* 从句；(法律等)条款

[记]联想记忆：cause(原因，事业)中加"l"，有事业必有条款加以限制

claustrophobic [ˌklɔːstrəˈfoʊbɪk] *adj.* (患)幽闭恐怖症的，导致幽闭恐怖症的

cleave [kliːv] *v.* 劈开；分裂

[记]联想记忆：c + leave (分开) → 把 c 分开 → 劈开

clemency [ˈklemənsi] *n.* 温和；仁慈，宽厚

[记]和 cement(水泥)一起记

cliche [kliːˈʃeɪ] *n.* 陈词滥调

climactic [klaɪˈmæktɪk] *adj.* 高潮的

[记]来自 climax(*n.* 高潮)

climate [ˈklaɪmət] *n.* 气候；风气

climax [ˈklaɪmæks] *n.* 顶点；高潮

[记]联想记忆：cli (m)(看作 climb) + max (最大) → 爬到最大值 → 顶点

clinical [ˈklɪnɪkl] *adj.* 临床的；冷静客观的

[记]词根记忆：clinic(医疗诊所) + al → 临床的

clog [klɑːg] *v.* 阻塞 *n.* 障碍

[记]联想记忆：c + log (木头) → 放上木头 → 阻塞

closet [ˈklɑːzət] *adj.* 秘密的 *n.* 壁橱

clumsy [ˈklʌmzi] *adj.* 笨拙的；拙劣的

[记]联想记忆：c + lum (亮度) + sy → 没有亮光，不灵光 → 笨拙的

clutter [ˈklʌtər] *v.* 弄乱 *n.* 零乱

coalesce [ˌkoʊəˈles] *v.* 联合，合并

[记]词根记忆：co + al(=ally 联盟) + esce → 一起联盟 → 联合

coarse [kɔːrs] *adj.* 粗糙的；低劣的；粗俗的

[记]联想记忆：coar (看作 coal，煤炭) + se → 煤炭是很粗糙的 → 粗糙的

coax [koʊks] *v.* 巧言诱哄

code	[koʊd] *n.* 密码; 法典 *v.* 将…编写成密码
codify	[ˈkɑːdɪfaɪ] *v.* 编成法典, 编辑成书
	[记] 来自 code(*n.* 法典)
coerce	[koʊˈɜːrs] *v.* 强迫; 压制
	[记] 发音记忆: "可扼死" → 可以扼死 → 压制
coercion	[koʊˈɜːrʒn] *n.* 强制, 高压统治
coercive	[koʊˈɜːrsɪv] *adj.* 强制的, 强迫性的
cogent	[ˈkoʊdʒənt] *adj.* 有说服力的
	[记] 联想记忆: cog(齿轮牙) + ent → 像齿轮牙咬合一样严谨 → 有说服力的
cognitive	[ˈkɑːgnətɪv] *adj.* 认知的; 感知的
	[记] 词根记忆: cognit(看作 cognis, 知道) + ive → 认知的
cognizant	[ˈkɑːgnɪzənt] *adj.* 知道的, 认识的
	[记] 词根记忆: co + gn(知道) + izant → 知道的
coherence	[koʊˈhɪrəns] *n.* 条理性, 连贯性
coherent	[koʊˈhɪrənt] *adj.* 连贯的, 一致的
	[记] 词根记忆: co + her (粘连) + ent → 粘连在一起 → 连贯的, 一致的
cohesive	[koʊˈhiːsɪv] *adj.* 凝聚的
	[记] 词根记忆: co + hes (粘着) + ive → 有粘合力的 → 凝聚的
coincidental	[koʊˌɪnsɪˈdentl] *adj.* 巧合的; 同时发生的
coincidentally	[koʊˌɪnsɪˈdentəli] *adv.* 巧合地
	[记] 来自 coincident(*adj.* 巧合的)
cold-blooded	[ˌkoʊldˈblʌdɪd] *adj.* 冷血的; 残酷的
collaborate	[kəˈlæbəreɪt] *v.* 合作, 协作; 通敌
	[记] 词根记忆: col (共同) + labor (劳动) + ate → 共同劳动 → 合作
collaborative	[kəˈlæbəreɪtɪv] *adj.* 协作的
collateral	[kəˈlætərəl] *adj.* 平行的; 附属的; 旁系的 *n.* 担保品
	[记] 词根记忆: col(共同) + later(边缘) + al → 共同的边 → 平行的

colloquial [kəˈloukwiəl] *adj.* 口语的，口头的

[记] 词根记忆：col(共同) + loqu(说) + ial → 两人一起说 → 口语的

collusion [kəˈluːʒn] *n.* 共谋，勾结

collusive [kəˈluːsɪv] *adj.* 共谋的

[记] 词根记忆：col(共同) + lus(大笑，玩) + ive → 一起玩 → 共谋的

colonize [ˈkɑːlənaɪz] *v.* 建立殖民地，拓殖；定居，居于

colony [ˈkɑːləni] *n.* 菌群；殖民地

coloration [ˌkʌləˈreɪʃn] *n.* 着色法，染色法；颜色，色泽

[记] 来自 color(*n.* 颜色)

colorful [ˈkʌlərfl] *adj.* 富有色彩的；有趣的

colossal [kəˈlɑːsl] *adj.* 巨大的，庞大的

[记] 词根记忆：coloss(大) + al → 巨大的

combative [kəmˈbætɪv] *adj.* 好斗的

[记] 来自 combat(*v.* 与…博斗)

combine [kəmˈbaɪn] *v.* (使)联合，结合；协力

[记] 词根记忆：com(共同) + bi(两个) + ne → 使两个在一起 → (使)联合

combustible [kəmˈbʌstəbl] *adj.* 易燃的；易激动的

[记] 词根记忆：com + bust(燃烧) + ible → 易燃的

cometary [ˈkɔmɪtəri] *adj.* 彗星的，彗星似的

[记] 来自 comet(*n.* 彗星)

comic [ˈkɑːmɪk] *adj.* 可笑的；喜剧的 *n.* 喜剧演员

commend [kəˈmend] *v.* 推荐；举荐；表扬；称赞

commensurate [kəˈmenʃərət] *adj.* 同样大小的；相称的

[记] 词根记忆：com(共同) + mensur(测量) + ate → 测量结果相同 → 同样大小的

commentary [ˈkɑːmənteri] *n.* 实况报道；(对书等的)集注

[记] 词根记忆：comment(评论) + ary → 集注

commentator [ˈkɑːmənteɪtər] *n.* 评论员

commercialize [kəˈmɜːrʃlaɪz] *v.* 使商业化，使商品化

commingle [kəˈmɪŋgl] *v.* 掺和，混合

[记] 词根记忆：com(共同) + mingle(结合，混合) → 掺和，混合

33

commiserate [kəˈmɪzəreɪt] v. 同情，怜悯

[记] 词根记忆：com + miser（可怜）+ ate → 同情，怜悯

commission [kəˈmɪʃn] n. 委托；佣金

[记] 词根记忆：com + miss（送，放出）+ ion → 共同送出 → 委托

commitment [kəˈmɪtmənt] n. 承诺，许诺

committed [kəˈmɪtɪd] adj. (对事业，本职工作等)尽忠的

[记] 来自 commit(v. 忠于某个人或机构等)

commodious [kəˈmoʊdiəs] adj. 宽敞的

[记] 词根记忆：com + mod（=code 方式，范围）+ ious → 大的范围 → 宽敞的

commodity [kəˈmɑːdəti] n. 商品

communal [kəˈmjuːnl] adj. 全体共用的，共享的

[记] 词根记忆：com + mun（公共）+ al → 公共的 → 全体共用的，共享的

comparison [kəmˈpærɪsn] n. 比较，对照；比喻

[记] 来自 compare(v. 比较)

compass [ˈkʌmpəs] n. 指南针，罗盘；界限，范围

[记] 词根记忆：com(共同) + pass(通过) → 共同通过的地方 → 界限

compassion [kəmˈpæʃn] n. 同情，怜悯

[记] 词根记忆：com + pass(感情) + ion → 共同的感情 → 同情

compassionate [kəmˈpæʃənət] adj. 有同情心的

compel [kəmˈpel] v. 强迫

[记] 词根记忆：com + pel(推) → 一起推 → 强迫

compelling [kəmˈpelɪŋ] adj. 引起兴趣的

compendium [kəmˈpendiəm] n. 简要，概略

compensatory [kəmˈpensətɔːri] adj. 补偿性的，报酬的

competence [ˈkɑːmpɪtəns] n. 胜任，能力

[记] 来自 compete(v. 竞争，对抗)

competing [kəmˈpiːtɪŋ] adj. 有竞争性的；不相上下的

[记] 来自 compete(v. 竞争，对抗)

complacence [kəmˈpleɪsns] *n.* 自满

complacency [kəmˈpleɪsnsi] *n.* 满足, 安心
[记] 词根记忆: com + plac (平静, 满足) + ency → 满足, 安心

complacent [kəmˈpleɪsnt] *adj.* 自满的, 得意的
[记] 注意不要和 complaisant(*adj.* 随和的)相混

complementary [ˌkɑːmplɪˈmentri] *adj.* 互补的
[记] 来自 complement(*n.* 补充物)

compliance [kəmˈplaɪəns] *n.* 顺从, 遵从
[记] 来自 comply(*v.* 顺从)

compliant [kəmˈplaɪənt] *adj.* 服从的, 顺从的
[记] 词根记忆: com + pliant(柔顺的) → 顺从的

complicate [ˈkɑːmplɪkeɪt] *v.* 使复杂化
[记] 词根记忆: com (全部) + plic (重叠) + ate → 全部重叠起来 → 使复杂化

compliment [ˈkɑːmplɪmənt] *n./v.* 恭维, 称赞

component [kəmˈpoʊnənt] *n.* 成分; 零部件
[记] 词根记忆: com(共同) + pon(放) + ent → 放到一起(的东西) → 成分

composed [kəmˈpoʊzd] *adj.* 镇定的, 沉着的; 由…组成的

composure [kəmˈpoʊʒər] *n.* 镇静, 沉着; 自若
[记] 词根记忆: com + pos(放) + ure(状态) → 放在一起的状态 → 沉着

compound [kəmˈpaʊnd] *n.* 复合物 *v.* 掺和
[记] 词根记忆: com + pound (放) → 放到一起 → 掺和

comprehend [ˌkɑːmprɪˈhend] *v.* 理解; 包括
[记] 词根记忆: com(全部) + prehend(抓住) → 全部抓住 → 理解; 包括

comprehensible [ˌkɑːmprɪˈhensəbl] *adj.* 可理解的, 易于理解的
[记] 词根记忆: comprehen (=comprehend 理解) + sible(能够) → 能够理解的 → 可理解的

comprehensively [ˌkɑːmprɪˈhensɪvli] *adv.* 包括地; 全面地
[记] 词根记忆: comprehen (=comprehend 理解) + sive + ly → 完全理解地 → 全面地

compromise ['kɑːmprəmaɪz] *v.* 妥协; 危害

[记] 联想记忆: com(共同) + promise(保证) → 相互保证 → 妥协

concede [kən'siːd] *v.* 承认; 让步

[记] 词根记忆: con + ced (割让) + e → 让出去 → 让步

conceive [kən'siːv] *v.* 想象, 构想; 怀孕

[记] 词根记忆: con(共同) + ceiv(抓) + e → 一起抓(思想) → 构想

concentrate ['kɑːnsntreɪt] *v.* 聚集, 浓缩

[记] 词根记忆: con (加强) + centr (中心) + ate (做) → 重点放在一个中心 → 聚集

concentration [ˌkɑːnsn'treɪʃn] *n.* 专心, 专注; 集中; 浓度

concentric [kən'sentrɪk] *adj.* 同心的

[记] 词根记忆: con + centr (中心) + ic → 共同的中心 → 同心的

conceptual [kən'septʃuəl] *adj.* 概念上的

[记] 来自 concept(*n.* 概念)

conciliatory [kən'sɪliətɔːri] *adj.* 抚慰的, 调和的

[记] 来自 conciliate(*v.* 调和, 安慰)

conclusive [kən'kluːsɪv] *adj.* 最后的, 结论的, 决定性; 确凿的, 消除怀疑的

concoction [kən'kɑːkʃn] *n.* (古怪或少见的)混合(物)

concomitant [kən'kɑːmɪtənt] *adj.* 伴随的

[记] 联想记忆: con(共同) + com(看作 come) + itant → 一起来 → 伴随的

concurrent [kən'kɜːrənt] *adj.* 并发的; 协作的, 一致的

condemnation [ˌkɑːndem'neɪʃn] *n.* 谴责

condense [kən'dens] *v.* 浓缩

[记] 联想记忆: con + dense(浓密) → 使变浓密 → 浓缩

condescending [ˌkɑːndɪ'sendɪŋ] *adj.* 谦逊的, 屈尊的

condone [kən'doʊn] *v.* 宽恕, 原谅

[记] 词根记忆: con(共同) + done(给予) → 全部给予 → 大度, 宽容 → 宽恕

cone [koʊn] *n.* 松果；圆锥体

confide [kən'faɪd] *v.* 吐露(心事)；倾诉
[记] 词根记忆：con + fid(相信) + e → 相信别人 → 吐露

confidently ['kɑːnfɪdəntli] *adv.* 确信地；肯定地
[记] 来自 confident(*adj.* 有信心的)

configuration [kənˌfɪɡjə'reɪʃn] *n.* 结构，配置；轮廓
[记] 来自 configure(*v.* 配置，使成型)

confine [kən'faɪn] *v.* 限制，禁闭
[记] 词根记忆：con(全部) + fin(限制) + e → 全部限制 → 禁闭

conflagration [ˌkɑːnflə'ɡreɪʃn] *n.* (建筑物或森林)大火

conflate [kən'fleɪt] *v.* 合并
[记] 联想记忆：con (共同) + flat (吹气) + e → 吹到一起 → 合并

conflict [kən'flɪkt] *v.* 斗争，冲突，抵触 ['kɑːnflɪkt] *n.* 冲突
[记] 词根记忆：con(共同) + flict(打击) → 共同打击 → 冲突

conformity [kən'fɔːrməti] *n.* 一致，遵从；顺从

confound [kən'faʊnd] *v.* 使迷惑，搞混
[记] 词根记忆：con + found(基础) → 把基础的东西全放到一起了 → 搞混

confront [kən'frʌnt] *v.* 面临；对抗

confrontation [ˌkɑːnfrən'teɪʃn] *n.* 对抗
[记] 来自 confront(*v.* 面临；对抗)

confusion [kən'fjuːʒn] *n.* 困惑，糊涂；混乱，骚乱

congenial [kən'dʒiːniəl] *adj.* 意气相投的，趣味相投的
[记] 词根记忆：con + geni(=genius 才能) + al → 有共同才能的 → 意气相投的，趣味相投的

congenital [kən'dʒenɪtl] *adj.* 先天的，天生的
[记] 词根记忆：con + gen (产生) + ital → 与生俱来的 → 天生的

37

congruent [ˈkɑːŋgruənt] *adj.* 【数】全等的；一致的

[记] 词根记忆：con + gru（=gree 一致）+ ent → 全等的；一致的

congruity [kənˈgruɪti] *n.* 一致性，适合性；共同点

congruous [ˈkɔŋgruːəs] *adj.* 一致的，符合的；[数] 全等的

conifer [ˈkɑːnɪfər] *n.* 针叶树

[记] 联想记忆：con(=cone 圆锥，松果) + i + fer (带来) → 带来松果的树 → 针叶树

conjecture [kənˈdʒektʃər] *v./n.* 推测，臆测

[记] 词根记忆：con + ject(推，扔) + ure → 全部是推出来的 → 臆测

conjure [ˈkʌndʒər] *v.* 召唤，想起；变魔术，变戏法

connive [kəˈnaɪv] *v.* 默许；纵容；共谋

[记] 词根记忆：con + nive（眨眼睛）→ 互相眨眼睛 → 共谋

connoisseur [ˌkɑːnəˈsɜːr] *n.* 鉴赏家，行家

[记] 词根记忆：con + nois(知道) + s + eur(人) → 什么都知道的人 → 行家

connotation [ˌkɑːnəˈteɪʃn] *n.* 言外之意，内涵

[记] 词根记忆：con + not(注意) + ation → 全部注意到的内容 → 言外之意

conquer [ˈkɑːŋkər] *v.* 以武力征服

[记] 词根记忆：con(全部) + quer(寻求；询问) → 全部寻求到 → 以武力征服

conscientious [ˌkɑːnʃiˈenʃəs] *adj.* 尽责的；小心谨慎的

[记] 词根记忆：con + sci(知道) + entious(多…的) → 所有事情都了解 → 尽责的

consciousness [ˈkɑːnʃəsnəs] *n.* 意识，观念；清醒状态；知觉

consecutive [kənˈsekjətɪv] *adj.* 连续的

conserve [kənˈsɜːrv] *v.* 保存，保藏

[记] 词根记忆：con(全部) + serv(服务，保持) + e → 全都保持下去 → 保存

considerable [kənˈsɪdərəbl] *adj.* 相当多的；重要的；值得考虑的

38

consign [kən'saɪn] *v.* 托运; 托人看管

[记] 词根记忆: con + sign(签名) → 签完名后交托运 → 托运

consort [kən'sɔːrt] *v.* 陪伴; 结交

['kɑːnsɔːrt] *n.* 配偶

[记] 词根记忆: con(共同) + sort(类型) → 同类相聚 → 结交

conspiracy [kən'spɪrəsi] *n.* 共谋, 阴谋

constant ['kɑːnstənt] *adj.* 稳定的, 不变的 *n.* 常数

[记] 词根记忆: con(始终) + stant(站, 立) → 始终站立 → 不变的

consternation [ˌkɑːnstər'neɪʃn] *n.* 大为吃惊, 惊骇

[记] 词根记忆: con + stern (僵硬) + ation → 全身僵硬 → 惊骇

constituent [kən'stɪʃuənt] *n.* 成分; 选区内的选民

[记] 词根记忆: con + stit (=stat 站) + uent → 站在一起投票 → 选区内的选民

constitute ['kɑːnstətuːt] *v.* 组成, 构成; 建立

[记] 词根记忆: con + stitut(建立, 放) + e → 建立

Word List 5

constitution [ˌkɑːnstəˈtuːʃn] *n.* 宪法；体质
[记] 词根记忆：con + stitut（建立，放）+ ion → 国无法不立 → 宪法

constrain [kənˈstreɪn] *v.* 束缚；强迫；限制
[记] 词根记忆：con + strain（拉紧）→ 拉到一起 → 束缚；强迫

constraint [kənˈstreɪnt] *n.* 强制，强迫；对感情的压抑

constrict [kənˈstrɪkt] *v.* 约束；收缩
[记] 词根记忆：con + strict（拉紧）→ 拉到一起 → 收缩

construction [kənˈstrʌkʃn] *n.* 结构，句法关系；解释，理解

constructive [kənˈstrʌktɪv] *adj.* 建设性的

construe [kənˈstruː] *v.* 解释；翻译
[记] 词根记忆：con + strue（=struct 结构）→ 弄清结构 → 解释

consult [kənˈsʌlt] *v.* 请教，咨询；商量 *n.* 咨询

consummate [ˈkɑːnsəmət] *adj.* 完全的，完善的
[ˈkɑːnsəmeɪt] *v.* 完成
[记] 词根记忆：con + sum（总数）+ mate → 总数的，全数的 → 完全的

consumption [kənˈsʌmpʃn] *n.* 消费，消耗
[记] 来自 consume（*v.* 消耗，耗费）

contact [ˈkɑːntækt] *v.* 接触；互通信息
[记] 词根记忆：con + tact（接触）→ 接触

contagious [kənˈteɪdʒəs] *adj.* 传染的，有感染力的
[记] 词根记忆：con + tag（接触）+ ious → 接触（疾病的）→ 传染的

containment [kənˈteɪnmənt] *n.* 阻止，遏制

contemplate ['kɑːntəmpleɪt] v. 深思；凝视
[记] 词根记忆：con + templ (看作 temple，庙) + ate → 像庙中人一样 → 深思

contemplation [ˌkɑːntəm'pleɪʃn] n. 注视；凝视；意图；期望

contemplative [kən'templətɪv] adj. 沉思的 n. 沉思者

contemporary [kən'tempəreri] adj. 同时代的；当代的，现代的
[记] 词根记忆：con(共同) + tempor(时间) + ary (人) → 同时代的人 → 同时代的

contempt [kən'tempt] n./v. 轻视，鄙视
[记] 联想记忆：con + tempt(尝试) → 大家都敢尝试 → 小意思 → 轻视

contemptible [kən'temptəbl] adj. 令人轻视的
[记] 来自 contempt(n. 蔑视，轻视)

contemptuous [kən'temptʃuəs] adj. 鄙视的，表示轻蔑的
[记] 注意 contemptible 和 contemptuous 都来自 contempt

content [kən'tent] adj. 知足的，满意的 v. (使)满意；(使)满足 n. 满意
[记] 词根记忆：con + tent (拉) → 全部拉开 → 全身舒展 → 满意的

contention [kən'tenʃn] n. 争论；论点
[记] 词根记忆：con + tent (拉) + ion → 你拉我夺 → 争论

contentious [kən'tenʃəs] adj. 好争吵的；有争议的

context ['kɑːntekst] n. (语句等的)上下文
[记] 词根记忆：con(共同) + text(编织) → 共同编织在一起的 → 上下文

continental [ˌkɑːntɪ'nentl] adj. 大陆的，大陆性的

continuation [kənˌtɪnju'eɪʃn] n. 继续，延续
[记] 来自 continue(v. 继续)

contradict [ˌkɑːntrə'dɪkt] v. 反驳，驳斥
[记] 词根记忆：contra(反) + dict(说话，断言) → 反说 → 反驳

contradictory [ˌkɑːntrə'dɪktəri] adj. 反驳的，反对的，抗辩的

41

contrary [ˈkɑːntreri] *adj.* 相反的

[记] 词根记忆：contra(相反) + ry → 相反的

contravene [ˌkɑːntrəˈviːn] *v.* 违背(法规、习俗等)

[记] 词根记忆：contra(反) + ven(走) + e → 反着走 → 违背

contrite [kənˈtraɪt] *adj.* 悔罪的，痛悔的

[记] 词根记忆：con + trit(摩擦) + e → (心灵)摩擦 → 痛悔的

contrition [kənˈtrɪʃn] *n.* 悔罪，痛悔

[记] 来自 contrite(*adj.* 痛悔的)

contrive [kənˈtraɪv] *v.* 计划，设计

[记] 词根记忆：contri(反) + ve(=ven 走) → (和普通人)反着走 → 设计(新东西) → 计划，设计

control [kənˈtroʊl] *n.* (科学实验的)对照标准，对照物

[记] control 的基本意思是"控制"

controversial [ˌkɑːntrəˈvɜːrʃl] *adj.* 引起或可能引起争论的

[记] 词根记忆：contro(相反) + vers(转) + ial → 反着转 → 引起或可能引起争论的

controversy [ˈkɑːntrəvɜːrsi] *n.* 公开辩论，论战

[记] 词根记忆：contro(相反) + vers(转) + y → 意见转向相反的方向 → 论战

conventional [kənˈvenʃənl] *adj.* 因循守旧的，传统的

[记] 来自 convention(*n.* 习俗，惯例)

conventionalize [kənˈvenʃənəlaɪz] *v.* 使按惯例，使习俗化

[记] 词根记忆：convention(*n.* 习俗) + alize(使…) → 使习俗化

converge [kənˈvɜːrdʒ] *v.* 聚合，集中于一点；汇聚

[记] 词根记忆：con + verg(转) + e → 转到一起 → 汇聚

conversant [kənˈvɜːrsnt] *adj.* 精通的，熟悉的

[记] 词根记忆：con + vers(转) + ant → 全方位转 → 精通的

converse [kənˈvɜːrs] *v.* 谈话，交谈

[ˈkɑːnvɜːrs] *adj.* 逆向的 *n.* 相反的事物

[记] 词根记忆：con + vers(转) + e → 全部转换方向 → 逆向的

convertible [kən'vɜːrtəbl] *adj.* 可转换的 *n.* 敞篷车

[记] 词根记忆：con + vert(转) + ible → 能够转动的 → 可转换的

convex [ˈkɑːnveks] *adj.* 凸出的

[记] 和 concave(*adj.* 凹的)一起记

convince [kən'vɪns] *v.* 使某人确信；说服

[记] 词根记忆：con(全部) + vinc(征服，克服) + e → 彻底征服对方 → 使某人确信

convivial [kən'vɪviəl] *adj.* 欢乐的，快乐的

[记] 词根记忆：con + viv(活) + ial → 一起活跃 → 欢乐的

convoluted [ˈkɑːnvəluːtɪd] *adj.* 旋绕的；费解的

[记] 词根记忆：con + volut (转) + ed → 全部转 → 旋绕的

coordinate [koʊ'ɔːrdɪneɪt] *v.* 使各部分协调

[koʊ'ɔːrdɪnət] *adj.* 同等的

[记] 词根记忆：co + ordin (顺序) + ate → 顺序一样 → 同等的

copious [ˈkoʊpiəs] *adj.* 丰富的，多产的

[记] 联想记忆：copi (看作 copy) + ous → 能拷贝很多 → 丰富的

cordiality [ˌkɔːr'dʒiləti] *n.* 诚恳，热诚

core [kɔːr] *n.* 果心；核心 *v.* 去掉某物的中心部分

correlate [ˈkɔːrəleɪt] *v.* 使相互关联；使相互影响

correlated [ˈkɔːrəleɪtɪd] *adj.* 有相互关系的

corroborate [kə'rɑːbəreɪt] *v.* 支持，证实；强化

[记] 词根记忆：cor + robor(力量) + ate → 加强力量 → 强化

corroboration [kəˌrɑːbə'reɪʃn] *n.* 证实，支持

[记] 来自 corroborate (*v.* 支持；强化)

corrosive [kə'roʊsɪv] *adj.* 腐蚀性的，腐蚀的，蚀坏的

corruption [kə'rʌpʃn] *n.* 腐败，堕落

[记] 来自 corrupt(*v.* 使腐化)

cosmic [ˈkɑːzmɪk] *adj.* 宇宙的

[记] 词根记忆：cosm(宇宙) + ic → 宇宙的

cosmopolitan [ˌkɑːzməˈpɑːlɪtən] *adj.* 世界性的，全球的 *n.* 世界主义者，四海为家的人

coterie [ˈkoʊtəri] *n.* (有共同兴趣的)小团体
[记] 来自 cote(小屋，笼) + rie → 一个屋子里的人 → 小团体

countenance [ˈkaʊntənəns] *v.* 支持，赞成 *n.* 表情

counteract [ˌkaʊntərˈækt] *v.* 消除，抵消
[记] 词根记忆：counter(反) + act(动作) → 做相反的动作 → 消除，抵消

counterbalance [ˌkaʊntərˈbæləns] *v.* 起平衡作用
[记] 组合词：counter(反对，相反) + balance(平衡) → 相反的两边保持平衡 → 起平衡作用

counterclockwise [ˌkaʊntərˈklɑːkwaɪz] *adj./adv.* 逆时针方向的(地)

counterfeit [ˈkaʊntərfɪt] *v.* 伪造，仿造 *adj.* 伪造的，假冒的
[记] 词根记忆：counter(反) + feit(=fact 做) → 和真的对着干 → 伪造

counterpart [ˈkaʊntərpɑːrt] *n.* 相对应或具有相同功能的人或物
[记] 组合词：counter(相反地) + part(部分) → 相对物 → 相对应或具有相同功能的人或物

counterproductive [ˌkaʊntərprəˈdʌktɪv] *adj.* 事与愿违的
[记] 组合词：counter(相反的) + productive(有成效的) → 与想象有相反效果 → 事与愿违的

countless [ˈkaʊntləs] *adj.* 无数的

court [kɔːrt] *n.* 法庭；宫廷 *v.* 献殷勤；追求

courteous [ˈkɜːrtiəs] *adj.* 有礼貌的

covet [ˈkʌvət] *v.* 贪求，妄想
[记] 联想记忆：covert 去掉一个 r 变成 covet，由秘密变成公开的贪求

cozy [ˈkoʊzi] *adj.* 舒适的，惬意的；亲切友好的

craft [kræft] *n.* 行业；手艺

crash [kræʃ] *v.* 猛撞；猛冲直闯；撞碎
[记] 象声词：破裂声 → 撞碎

crater [ˈkreɪtər] *n.* 火山口

crawl [krɔːl] *v.* 爬，爬行

[记] 联想记忆：c + raw(生疏的) + l → 对地形生疏，就要缓慢地行进 → 爬行

credible ['kredəbl] *adj.* 可信的，可靠的

[记] 词根记忆：cred(相信) + ible (能…的) → 可靠的

credulous ['kredʒələs] *adj.* 轻信的，易上当的

[记] 词根记忆：cred + ulous(多…的) → 太过信任别人的 → 轻信的

creed [kriːd] *n.* 教义；信条

crestfallen ['krestfɔːlən] *adj.* 挫败的，失望的

[记] 联想记忆：crest(鸡冠) + fallen → 鸡冠下垂 → 斗败了的 → 挫败的

crimson ['krɪmzn] *n.* 绯红色 *adj.* 绯红色的 *v.* (使)变得绯红

cringe [krɪndʒ] *v.* 畏缩；谄媚

[记] 联想记忆：c + ring(响铃) + e → 一响铃就退缩 → 畏缩

criss-cross ['krɪs krɔːs] *v.* 交叉往来

criterion [kraɪ'tɪriən] *n.* 评判的标准，尺度

[记] 词根记忆：crit(判断) + er(看作 err, 错误) + ion → 判断对错的标准 → 尺度；注意其复数形式为 criteria

critic ['krɪtɪk] *n.* 批评者

critical ['krɪtɪkl] *adj.* 挑毛病的；关键的；危急的

criticize ['krɪtɪsaɪz] *v.* 评论，批评；挑剔

critique [krɪ'tiːk] *n.* 批评性的分析

crooked ['krʊkɪd] *adj.* 不诚实的；弯曲的

[记] 来自 crook(*v.* 弯曲)

crossfire ['krɔːsfaɪər] *n.* 交叉火力

[记] 组合词：cross (交叉) + fire(火) → 交叉火力

crumple ['krʌmpl] *v.* 把…弄皱；起皱；破裂

cryptic ['krɪptɪk] *adj.* 秘密的，神秘的

[记] 词根记忆：crypt(秘密) + ic → 秘密的

45

crystalline ['krɪstəlaɪn] *adj.* 水晶的；透明的

[记] 来自 crystal(*n.* 水晶)

culinary ['kʌlɪneri] *adj.* 厨房的

culminate ['kʌlmɪneɪt] *v.* 达到顶点；使达到最高点

culpable ['kʌlpəbl] *adj.* 有罪的，该受谴责的

[记] 词根记忆：culp(罪行) + able → 有罪的

cumbersome ['kʌmbərsəm] *adj.* 笨重的，难处理的

[记] 联想记忆：cumber(阻碍) + some → 受到阻碍的 → 笨重的

cursory ['kɜːrsəri] *adj.* 粗略的；草率的

[记] 词根记忆：curs(跑) + ory → 匆忙地跑过去 → 草率的

curt [kɜːrt] *adj.* (言词、行为)简略而草率的

curtail [kɜːr'teɪl] *v.* 削减，缩短

[记] 联想记忆：cur(看作 curt，短) + tail(尾巴) → 使尾巴短 → 缩短

custodian [kʌ'stoʊdiən] *n.* 管理员，监护人

[记] 发音记忆："卡死偷电" → 管理比较严，卡死偷电的 → 管理员

customary ['kʌstəmeri] *adj.* 合乎习俗的

[记] 来自 custom(*n.* 习俗)

cyclical ['saɪklɪkl] *adj.* 愤世嫉俗的

damped [dæmpt] *adj.* 潮湿的；沮丧的

dampen ['dæmpən] *v.* (使)潮湿；使沮丧，泼凉水

[记] 来自 damp(*adj.* 潮湿的)

dappled ['dæpld] *adj.* 有斑点的，斑驳的

[记] 联想记忆：d + apple + d → 苹果上有斑点 → 有斑点的

daunt [dɔːnt] *v.* 使胆怯，使畏缩

[记] 联想记忆：d(看作 devil，魔鬼) + aunt(姑奶奶) → 像鬼一样的姑奶奶 → 使胆怯

dearth [dɜːrθ] *n.* 缺乏，短缺

[记] 联想记忆：dear(珍贵的) + th → 物以稀为贵 → 缺乏，短缺

debase [dɪ'beɪs] v. 贬低，贬损

[记] 词根记忆：de + base（低）→ 使低下去 → 贬低

debatable [dɪ'beɪtəbl] adj. 未决定的，有争执的

[记] 来自 debate(v. 辩论)

debate [dɪ'beɪt] n. 正式的辩论，讨论 v. 讨论，辩论

[记] 词根记忆：de(加强) + bat(打，击) + e → 加强打击 → 正式的辩论

debauch [dɪ'bɔːtʃ] v. 使堕落，败坏 n. 堕落

debilitate [dɪ'bɪlɪteɪt] v. 使衰弱

decadence ['dekədəns] n. 衰落，颓废

[记] 词根记忆：de(=down) + cad(落) + ence → 往下落 → 衰落，颓废

decelerate [ˌdiː'seləreɪt] v. (使)减速

deceptive [dɪ'septɪv] adj. 欺骗的，导致误解的

deciduous [dɪ'sɪdʒuəs] adj. 非永久的；短暂的；脱落的；落叶的

[记] 词根记忆：de + cid(落下) + uous → 脱落的

decimate ['desɪmeɪt] v. 毁掉大部分；大量杀死

[记] 词根记忆：decim (十分之一) + ate → 杀…十分之一 → 大量杀死

decipher [dɪ'saɪfər] v. 破译；解开(疑团)

[记] 词根记忆：de(去掉) + cipher(密码) → 解开密码 → 破译

decisive [dɪ'saɪsɪv] adj. 决定性的；坚定的，果断的

decisiveness [dɪ'saɪsɪvnəs] n. 坚决，果断

[记] 来自 decisive(adj. 坚决的，果断的)

decline [dɪ'klaɪn] v. 拒绝；变弱，变小 n. 消减

[记] 词根记忆：de(向下) + clin(倾斜，斜坡) + e → 向下斜 → 消减

decompose [ˌdiːkəm'pouz] v. (使)腐烂

[记] 词根记忆：de(否定) + compose(组成) → 腐烂

47

decorous ['dekərəs] *adj.* 合宜的, 高雅的

[记] 词根记忆: decor (*n.* 装饰, 布局) + ous → 经过装饰的 → 合宜的, 高雅的

decorum [dɪ'kɔːrəm] *n.* 礼节, 礼貌

[记] 词根记忆: decor (美, 装饰) + um → 美的行为 → 礼节

decrepit [dɪ'krepɪt] *adj.* 衰老的, 破旧的

[记] 词根记忆: de + crepit(破裂声) → 破旧的

decry [dɪ'kraɪ] *v.* 责难; 贬低

[记] 联想记忆: de + cry (喊) → 向下喊 → 贬低; 注意不要和 descry(*v.* 看见, 望到)相混

defamation [ˌdefə'meɪʃn] *n.* 诽谤, 中伤

default [dɪ'fɔːlt] *n.* 违约; 未履行的责任; 拖欠

[记] 联想记忆: de + fault (错误) → 错下去 → 不履行

defecate ['defəkeɪt] *v.* 澄清; 净化

defect ['diːfekt] *n.* 缺点, 瑕疵 *v.* 变节, 脱党

[记] 词根记忆: de + fect(做) → 没做好 → 缺点

defense [dɪ'fens] *n.* 防御, 防护

[记] 来自 defend(*v.* 防御, 防护)

defensive [dɪ'fensɪv] *adj.* 自卫的 *n.* 戒备; 防御

defer [dɪ'fɜːr] *v.* 遵从, 听从; 延期

deference ['defərəns] *n.* 敬意, 尊重

deferential [ˌdefə'renʃl] *adj.* 顺从的, 恭顺的

defiance [dɪ'faɪəns] *n.* 挑战; 违抗, 反抗

[记] 来自 defy(*v.* 公然反抗)

defiant [dɪ'faɪənt] *adj.* 反抗的, 挑衅的

deficiency [dɪ'fɪʃnsi] *n.* 缺陷; 不足

[记] 词根记忆: de + fic (做) + iency → 没做好 → 缺陷

deficient [dɪ'fɪʃnt] *adj.* 有缺点的; 缺少的; 不足的

[记] 词根记忆: de(变坏) + fic(做) + ient → 做得不好的 → 有缺点的; 不足的

definite ['defɪnət] *adj.* 清楚的, 明确的

[记] 来自 define(*v.* 下定义)

48

definitive [dɪ'fɪnətɪv] *adj.* 明确的；有权威的；最终的

defrost [ˌdiː'frɔːst] *v.* 解冻；将…除霜

[记] 联想记忆：de + frost(霜冻) → 将霜除去 → 解冻

deft [deft] *adj.* 灵巧的，熟练的

defunct [dɪ'fʌŋkt] *adj.* 死亡的

[记] 词根记忆：de + funct (功能) → 无功能的 → 死亡的

defy [dɪ'faɪ] *v.* 违抗，藐视

dehumanize [ˌdiː'hjuːmənaɪz] *v.* 使失掉人性

[记] 联想记忆：de + humanize(使人性化) → 使失掉人性

dehydrate [diː'haɪdreɪt] *v.* 使脱水

[记] 词根记忆：de(去除) + hydr(水) + ate → 使脱水

deign [deɪn] *v.* 屈尊，俯就

[记] 和 condescend(*v.* 屈尊)一起记

deleterious [ˌdelə'tɪriəs] *adj.* 有害的，有毒的

[记] 词根记忆：delete (删除) + rious → 要删除的东西 → 有害的

Word List 6

deliberate [dɪˈlɪbərət] *adj.* 深思熟虑的；故意的
[dɪˈlɪbəreɪt] *v.* 慎重考虑
[记] 词根记忆：de(表加强) + liber(权衡) + ate → 反复权衡 → 深思熟虑的

deliberation [dɪˌlɪbəˈreɪʃn] *n.* 细想，考虑

delight [dɪˈlaɪt] *n.* 快乐，高兴；乐事 *v.* 使高兴，使欣喜
[记] 联想记忆：de(向下) + light(阳光) → 沐浴在阳光下 → 使高兴

delimit [diˈlɪmɪt] *v.* 定界，划界
[记] 联想记忆：de + limit(界限) → 划界

delineate [dɪˈlɪnieɪt] *v.* 勾画，描述
[记] 联想记忆：de(加强) + line(线条) + ate → 加强线条 → 勾画

delude [dɪˈluːd] *v.* 欺骗，哄骗
[记] 词根记忆：de + lud(玩弄) + e → 玩弄别人 → 欺骗

deluge [ˈdeljuːdʒ] *n.* 大洪水；暴雨
[记] 词根记忆：de + lug(=luv 冲洗) + e → 冲掉 → 大洪水

demagnetize [diːˈmægnətaɪz] *v.* 消磁，使退磁

demean [dɪˈmiːn] *v.* 贬抑，降低
[记] 联想记忆：de(加强) + mean(低下的) → 使低下 → 贬抑

demobilize [diːˈmoʊbəlaɪz] *v.* 遣散；使复员

demolish [dɪˈmɑːlɪʃ] *v.* 破坏，摧毁；拆除
[记] 词根记忆：de(加强) + mol(碾碎) + ish → 摧毁

demonstrate [ˈdemənstreɪt] *v.* 证明，论证；示威
[记] 词根记忆：de(加强) + monstr(显示) + ate → 加强显示 → 证明

demotic [dɪ'mɑːtɪk] *adj.* 民众的，通俗的

[记] 词根记忆：demo(人民) + tic(…的) → 民众的

demur [dɪ'mɜːr] *v.* 表示异议，反对

[记] 词根记忆：de(加强) + mur(延迟) → 一再拖延 → 反对

demystify [ˌdiː'mɪstɪfaɪ] *v.* 减少…的神秘性

[记] 联想记忆：de(去掉) + mystify(使迷惑) → 去掉迷惑 → 减少…的神秘性

denigrate ['denɪɡreɪt] *v.* 污蔑，诽谤

[记] 词根记忆：de + nigr(黑色的) + ate → 弄黑 → 诽谤

denote [dɪ'nout] *v.* 指示，表示

[记] 词根记忆：de + not(知道) + e → 让人知道 → 表示

denounce [dɪ'naʊns] *v.* 指责

[记] 词根记忆：de + nounc(报告) + e → 坏报告 → 指责

dense [dens] *adj.* 密集的，浓密的

[记] 和 sense(*n.* 感觉)一起记

density ['densəti] *n.* 密集，稠密

dental ['dentl] *adj.* 牙齿的，牙科的

[记] 词根记忆：dent(牙齿) + al(…的) → 牙齿的

dependable [dɪ'pendəbl] *adj.* 可靠的，可信赖的

[记] 来自 depend(*v.* 依靠；信任)

depict [dɪ'pɪkt] *v.* 描绘；描写，描述

[记] 词根记忆：de(加强) + pict(描画) → 描绘

deplete [dɪ'pliːt] *v.* 大量减少；耗尽，使枯竭

[记] 词根记忆：de + plet(满) + e → 不满 → 倒空 → 使枯竭

deplore [dɪ'plɔːr] *v.* 悲悼，哀叹；谴责

[记] 词根记忆：de(向下) + plor(喊) + e → 哀叹

deploy [dɪ'plɔɪ] *v.* 部署；拉长(战线)，展开

deprave [dɪˈpreɪv] v. 使堕落，使恶化

[记] 词根记忆：de(向下) + prav(弯曲的) + e → 使弯曲 → 使堕落

deprecate [ˈdeprəkeɪt] v. 反对；轻视

[记] 词根记忆：de(去掉) + prec(价值) + ate → 去掉价值 → 轻视

deprecation [ˌdeprɪˈkeɪʃn] n. 反对

[记] 来自 deprecate(v. 反对)

deprecatory [ˈdeprɪkətɔːri] adj. 不赞成的，反对的

depreciate [dɪˈpriːʃieɪt] v. 轻视；贬值

[记] 词根记忆：de + prec(价值) + iate → 贬值

deprive [dɪˈpraɪv] v. 剥夺，使丧失

[记] 词根记忆：de(去掉) + priv(单个) + e → 从个人身边拿走 → 剥夺

derelict [ˈderəlɪkt] adj. 荒废的；玩忽职守的；疏忽的 n. 被遗弃的人

[记] 词根记忆：de + re(向后) + lict(=linqu 留下) → 完全置后 → 被遗弃的人

deride [dɪˈraɪd] v. 嘲笑，愚弄

[记] 词根记忆：de + rid(笑) + e → 嘲笑

derivative [dɪˈrɪvətɪv] adj. 派生的；无创意的

derogatory [dɪˈrɑːgətɔːri] adj. 不敬的，贬损的

[记] 词根记忆：de(向下) + rog(询问) + at + ory → 为贬低某人而询问 → 贬损的

descend [dɪˈsend] v. 下降；降格，屈尊

[记] 词根记忆：de(向下) + scend(爬) → 向下爬 → 下降

descriptive [dɪˈskrɪptɪv] adj. 描述的

[记] 词根记忆：de(加强) + script(写) + ive → 描述的

descry [dɪˈskraɪ] v. 看见，察觉

[记] 词根记忆：de(向下) + scry(写) → 写下 → 看见；不要和 decry(v. 谴责)或 outcry(v. 呐喊)相混

52

desecrate ['desɪkreɪt] v. 玷辱，亵渎
[记] 词根记忆：de(向下) + secr(神圣) + ate →
玷辱

designate ['dezɪgneɪt] v. 指定，任命；指明，指出 adj. (已
受委派)尚未上任的
[记] 词根记忆：de + sign(标出) + ate → 标出来
→ 指定

desirable [dɪ'zaɪərəbl] adj. 值得要的
[记] 来自 desire(v./n. 渴望)

despicable [dɪ'spɪkəbl] adj. 可鄙的，卑劣的
[记] 词根记忆：de + spic(看) + able → 不值得
看的 → 卑劣的

despondent [dɪ'spɑːndənt] adj. 失望的，意气消沉的
[记] 词根记忆：de + spond(允诺) + ent → 没有
得到允诺 → 失望的

destine ['destɪn] v. 命运注定，预定

desultory ['desəltɔːri] adj. 不连贯的；散漫的
[记] 词根记忆：de + sult(跳) + ory → 跳来跳去
→ 散漫的

detect [dɪ'tekt] v. 洞察；查明，探测
[记] 词根记忆：de(去掉) + tect (=cover 遮盖)
→ 去除遮盖 → 查明

detection [dɪ'tekʃn] n. 查明，探测
[记] 来自 detect(v. 洞察；查明)

deter [dɪ'tɜːr] v. 威慑，吓住；阻止
[记] 词根记忆：de + ter(=terr 吓唬) → 威慑，吓住

deteriorate [dɪ'tɪriəreɪt] v. (使)变坏，恶化
[记] 词根记忆：de(向下) + ter(=terr 地) + iorate
→ 向着地面下降 → (使)变坏，恶化

determinant [dɪ'tɜːrmɪnənt] n. 决定因素 adj. 决定性的
[记] 来自 determine(v. 决定，下决心)

deterrent [dɪ'tɜːrənt] adj. 威慑的，制止的
[记] 来自 deter(v. 威慑，吓住)

detest [dɪˈtest] v. 厌恶，憎恨

[记] 联想记忆：de + test（测试）→ 有的学生十分憎恶测试 → 厌恶

detour [ˈdiːtʊr] v. 绕道，迂回 n. 弯路；绕行之路

[记] 联想记忆：de + tour（旅行，走）→ 绕着走 → 绕道

detriment [ˈdetrɪmənt] n. 损害，伤害

[记] 词根记忆：de(加强) + tri(擦) + ment → 用力擦 → 损害

detrimental [ˌdetrɪˈmentl] adj. 损害的，造成伤害的

[记] 来自 detriment(n. 损害，伤害)

devastate [ˈdevəsteɪt] v. 摧毁，破坏

[记] 联想记忆：de(变坏) + vast(大量的) + ate → 大量弄坏 → 破坏

deviant [ˈdiːviənt] adj. 越出常规的

[记] 词根记忆：de(偏离) + vi(路) + ant → 偏离道路 → 越轨 → 越出常规的

deviation [ˌdiːviˈeɪʃn] n. 背离

devious [ˈdiːviəs] adj. 不坦诚的；弯曲的，迂回的

[记] 词根记忆：de（偏离）+ vi（道路）+ ous → 偏离正常道路的 → 弯曲的

devoid [dɪˈvɔɪd] adj. 空的，全无的

[记] 词根记忆：de + void(空的) → 空的

devour [dɪˈvaʊər] v. 狼吞虎咽地吃，吞食；贪婪地看（或听、读等）

[记] 词根记忆：de + vour(吃) → 吞食

devout [dɪˈvaʊt] adj. 虔诚的；忠诚的，忠心的

[记] 可能来自 devote(v. 投身于，献身)

dexterous [ˈdekstrəs] adj. 灵巧的，熟练的

[记] 词根记忆：dexter(右手) + ous → 如右手般灵活的 → 灵巧的

diagnostic [ˌdaɪəgˈnɑːstɪk] adj. 诊断的 n. 诊断

dialect [ˈdaɪəlekt] n. 方言

[记] 词根记忆：dia(对面) + lect(讲) → 对面讲话 → 方言

dichotomy [daɪˈkɑːtəmi] *n.* 两分法; 矛盾对立, 分歧; 具有两分特征的事物

dictate [ˈdɪkteɪt] *v.* 口述; 命令
[记] 词根记忆: dict(讲话; 命令) + ate → 口述; 命令

didactic [daɪˈdæktɪk] *adj.* 教诲的; 说教的
[记] 联想记忆: did(做) + act(行动) + ic → 教人如何做或行动 → 教诲的

die [daɪ] *n.* 金属模子, 金属印模
[记] 注意不是"死亡"的意思

diehard [ˈdaɪhɑːrd] *n.* 顽固分子
[记] 组合词: die(死) + hard(硬的) → 死硬(分子) → 顽固分子

dietary [ˈdaɪəteri] *adj.* 饮食的
[记] 来自 diet(*n.* 饮食)

diffident [ˈdɪfɪdənt] *adj.* 缺乏自信的

diffusion [dɪˈfjuːʒn] *n.* 扩散, 弥漫; 冗长; 反射; 漫射

digressive [daɪˈgresɪv] *adj.* 离题的, 枝节的

dilapidated [dɪˈlæpɪdeɪtɪd] *adj.* 破旧的, 毁坏的
[记] 词根记忆: di (=dis 分离) + lapid (石头) + ated → 石头裂或碎片的 → 毁坏的

dilate [daɪˈleɪt] *v.* 使膨胀, 使扩大
[记] 词根记忆: di + lat(搬运) + e → 分开搬运 → 使扩大; 注意不要和 dilute(*v.* 冲淡, 稀释)相混

dilatory [ˈdɪlətɔːri] *adj.* 慢吞吞的, 磨蹭的
[记] 词根记忆: di + lat(搬运) + ory → 分开搬运 → 慢吞吞的

dilettante [ˌdɪləˈtænti] *n.* 一知半解者, 业余爱好者
[记] 词根记忆: di + let(=delect 引诱) + tante → 受到了诱惑 → 业余爱好者

diligent [ˈdɪlɪdʒənt] *adj.* 勤奋的, 勤勉的

dilute [daɪˈluːt] *v.* 稀释, 冲淡
[记] 词根记忆: di + lut(冲洗) + e → 冲开 → 稀释

diminish [dɪˈmɪnɪʃ] *v.* (使)减少, 缩小
[记] 词根记忆: di + mini(小) + sh → 缩小

diminution [ˌdɪmɪˈnuːʃn] *n.* 减少，缩减

[记] 词根记忆：di + minu(变小，减少) + tion →
减少，缩减

diplomatic [ˌdɪpləˈmætɪk] *adj.* 外交的；圆滑的

[记] 词根记忆：di(双，两) + plo(折叠) + matic
→ 有着双重手段的 → 外交的

disabuse [ˌdɪsəˈbjuːz] *v.* 打消(某人的)错误念头，使醒悟

[记] 联想记忆：dis(分离) + abuse(滥用，误用)
→ 解除错误 → 使醒悟

disarm [dɪsˈɑːrm] *v.* 使缴械；使缓和

[记] 联想记忆：dis(除去) + arm(武器) → 除去
某人的武器 → 使缴械

disarray [ˌdɪsəˈreɪ] *n.* 混乱，无秩序

[记] 联想记忆：dis(离开) + array(排列) → 没
有进行排列 → 无秩序

disavowal [ˌdɪsəˈvaʊəl] *n.* 否认

[记] 词根记忆：dis(不) + a(=ad 向) + vow(=voc
叫喊) + al → 向人们大喊说不是 → 否认

discernible [dɪˈsɜːrnəbl] *adj.* 可识别的，可辨的

[记] 联想记忆：discern(洞悉，辨别) + ible(可…
的) → 可识别的，可辨的

discharge [dɪsˈtʃɑːrdʒ] *v.* 排出，流出；释放；解雇；履行义
务；放电

[记] 联想记忆：dis(离开) + charge(充电) → 放电

disciple [dɪˈsaɪpl] *n.* 信徒，弟子

[记] 和 discipline (*n.* 纪律) 一起记：信徒
(disciple)必须遵守纪律(discipline)

discipline [ˈdɪsəplɪn] *n.* 纪律；惩罚，处分 *v.* 训练，训导

[记] 联想记忆：dis(不) + cip + line(线) → 不站
成一线就要受惩罚 → 惩罚

discomfit [dɪsˈkʌmfɪt] *v.* 使难堪，使困惑

[记] 联想记忆：dis(不) + comfit(看作 comfort，
舒适) → 使不舒服 → 使难堪

discomfited [dɪsˈkʌmfɪtɪd] *adj.* 困惑的，尴尬的

discomfort [dɪsˈkʌmfərt] *v.* 使不适 *n.* 不适

disconsolate [dɪs'kɑːnsələt] *adj.* 闷闷不乐的，郁郁寡欢的

[记] 词根记忆：dis(不) + con + sol(安慰) + ate
→ 没有安慰的 → 闷闷不乐的

discontent [ˌdɪskən'tent] *n.* 不满 *v.* 使不满 *adj.* 不满的

discount ['dɪskaʊnt] *n.* 折扣

[记] 词根记忆：dis(除去) + count(数量) → 除
去一定的数 → 打折 → 折扣

discourage [dɪs'kɜːrɪdʒ] *v.* 使气馁，使沮丧；阻碍

[记] 联想记忆：dis(消失) + courage(精神) →
使精神消失 → 使沮丧

discouraging [dɪs'kɜːrɪdʒɪŋ] *adj.* 令人气馁的

discourse ['dɪskɔːrs] *n.* 演讲，论述

[记] 联想记忆：dis + course(课程) → 进行课堂
演讲 → 演讲

discourteous [dɪs'kɜːrtiəs] *adj.* 失礼的，粗鲁的

[记] 联想记忆：dis(离开) + court(宫庭) + eous
→ 远离宫庭的 → 村野匹夫的 → 失礼的，粗鲁的

discredit [dɪs'kredɪt] *v.* 怀疑 *n.* 丧失名誉

[记] 词根记忆：dis(不) + cred(相信) + it → 不
相信 → 怀疑

discreet [dɪ'skriːt] *adj.* 小心的，言行谨慎的

[记] 词根记忆：dis + creet(分辨) → 分辨出不同
来 → 小心的；注意不要和 discrete(*adj.* 个别的)
相混

discrete [dɪ'skriːt] *adj.* 个别的，分离的；不连续的

[记] 词根记忆：dis(分离) + cre(生产) + te →
个别的，分离的

discretion [dɪ'skreʃn] *n.* 谨慎，审慎

discriminatory [dɪ'skrɪmɪnətɔːri] *adj.* 歧视的，差别对待的，偏
见的

[记] 来自 discriminate(*v.* 歧视，差别对待)

discursive [dɪs'kɜːrsɪv] *adj.* 散漫的，不得要领的

[记] 词根记忆：dis + curs(跑) + ive → 到处乱跑
→ 散漫的

disdain [dɪsˈdeɪn] *v./n.* 轻视, 鄙视

[记] 词根记忆: dis(不) + dain(=dign 高贵) → 把人弄得不高贵 → 轻视

disenfranchise [ˌdɪsɪnˈfræntʃaɪz] *v.* 剥夺…的权利

disgruntled [dɪsˈɡrʌntld] *adj.* 不悦的, 不满意的

[记] 联想记忆: dis(不) + gruntle(使高兴) + d → 使不高兴的 → 不悦的

disillusion [ˌdɪsɪˈluːʒn] *v.* 使梦想破灭, 使醒悟

[记] 联想记忆: dis(不) + illusion(幻想) → 不再有幻想 → 使梦想破灭, 使醒悟

disinclination [ˌdɪsɪnklɪˈneɪʃn] *n.* 不愿意, 不情愿

disingenuous [ˌdɪsɪnˈdʒenjuəs] *adj.* 不坦率的

[记] 词根记忆: dis(不) + in + gen(出生) + uous → 失去刚出生时的状态 → 不坦率的

disinterest [dɪsˈɪntrəst] *v.* 使失去兴趣

disinterested [dɪsˈɪntrəstɪd] *adj.* 公正的, 客观的

[记] 注意区别 uninterested(*adj.* 不感兴趣的)

disjunctive [dɪsˈdʒʌŋktɪv] *adj.* 分离的; 转折的, 反意的

[记] 词根记忆: dis(分离) + junct(捆绑) + ive → 分开绑的 → 分离的; 转折的

dismal [ˈdɪzməl] *adj.* 沮丧的, 阴沉的

[记] 来自拉丁文 dies mail, 意为 "不吉利的日子", 后转变为"沮丧的, 阴沉的"的意思

dismember [dɪsˈmembər] *v.* 肢解; 分割

dismiss [dɪsˈmɪs] *v.* 解散; 解雇

[记] 词根记忆: dis(分开) + miss(送, 放出) → 解散

disorganize [dɪsˈɔːɡənaɪz] *v.* 扰乱, 使混乱

disparage [dɪˈspærɪdʒ] *v.* 贬低, 轻蔑

[记] 词根记忆: dis(除去) + par(平等) + age → 剥夺平等 → 贬低

disparate [ˈdɪspərət] *adj.* 迥然不同的

[记] 词根记忆: dis(不) + par(平等) + ate → 不等的 → 迥然不同的

58

dispassionate [dɪs'pæʃənət] *adj.* 平心静气的

[记] 联想记忆：dis(不) + passionate(激情的) → 不表现激情的 → 平心静气的

dispel [dɪ'spel] *v.* 驱散，消除

[记] 词根记忆：dis(分开) + pel(推) → 推开 → 驱散

dispensable [dɪ'spensəbl] *adj.* 不必要的，可有可无的

[记] 词根记忆：dis(分离) + pens(重量) + able → 重量可被分割的 → 不必要的

disperse [dɪ'spɜːrs] *v.* 消散，驱散

[记] 词根记忆：di(分开) + spers(散开) + e → 分散开 → 驱散

disposable [dɪ'spouzəbl] *adj.* 一次性的；可自由使用的

disproportionate [ˌdɪsprə'pɔːrʃənət] *adj.* 不成比例的

[记] 联想记忆：dis(不) + proportion(比例) + ate → 不成比例的

disprove [ˌdɪs'pruːv] *v.* 证明…有误

[记] 词根记忆：dis(分离) + prov(试验) + e → 经试验后被否定 → 证明…有误

disputable [dɪ'spjuːtəbl] *adj.* 有争议的

dispute [dɪ'spjuːt] *v.* 争论

[记] 词根记忆：dis + put(思考) + e → 思考相悖 → 争论

disrupt [dɪs'rʌpt] *v.* 使混乱；使中断

[记] 词根记忆：dis(分开) + rupt(断) → 使断裂开 → 使中断

dissect [dɪ'sekt] *v.* 解剖；剖析

[记] 词根记忆：dis(分开) + sect(切) → 切开 → 解剖

disseminate [dɪ'semɪneɪt] *v.* 传播，宣传

[记] 词根记忆：dis(分开) + semin(种子) + ate → 散布(种子) → 传播

dissent [dɪ'sent] *n.* 异议 *v.* 不同意，持异议

[记] 词根记忆：dis(分开) + sent(感觉) → 感觉不同 → 不同意

dissident [ˈdɪsɪdənt] *n.* 唱反调者

[记] 词根记忆：dis(分开) + sid(坐) + ent → 分开坐的人 → 唱反调者

dissimilar [dɪˈsɪmɪlər] *adj.* 不同的，不相似的

dissipate [ˈdɪsɪpeɪt] *v.* (使)消失，(使)消散；浪费

[记] 联想记忆：dis(表加强) + sip(喝，饮) + ate → 到处吃喝 → 浪费；sip 本身是一个常考单词

dissolve [dɪˈzɑːlv] *v.* (使)溶解

[记] 词根记忆：dis(分开) + solv(松开) + e → 松开 → (使)溶解

dissonant [ˈdɪsənənt] *adj.* 不和谐的，不一致的

[记] 词根记忆：dis(分开) + son(声音) + ant → 声音分散的 → 不和谐的

distant [ˈdɪstənt] *adj.* 疏远的，冷淡的

[记] 联想记忆：dis(分开) + tant → 分开了的 → 疏远的

distasteful [dɪsˈteɪstfl] *adj.* (令人)不愉快的，讨厌的

[记] 联想记忆：dis(不) + tasteful(好吃的) → 不好吃的 → 讨厌的

distent [dɪsˈtent] *adj.* 膨胀的；扩张的

[记] 词根记忆：dis(分开) + tent(延伸) → 向外延伸的 → 扩张的

distinct [dɪˈstɪŋkt] *adj.* 清楚的，明显的

[记] 词根记忆：di(分开) + stinct(刺) → 把刺分开 → 与众不同的 → 明显的

distinctive [dɪˈstɪŋktɪv] *adj.* 出众的，有特色的

distinguish [dɪˈstɪŋgwɪʃ] *v.* 成为…的特征，使有别于；把…分类；区别，辨别

[记] 词根记忆：di(分开) + sting(刺) + uish → 将刺挑出来 → 区别，辨别

distort [dɪˈstɔːrt] *v.* 扭曲，弄歪

[记] 词根记忆：dis(坏) + tort(扭曲) → 扭坏了 → 弄歪

distortion [dɪˈstɔːrʃn] *n.* 扭曲；曲解
distraught [dɪˈstrɔːt] *adj.* 心神狂乱的，发狂的；心烦意乱的
[记] 由 distract(*v.* 分散注意力；使不安)变化而来

Every day I remind myself that my inner and outer life are based on the labors of other men, living and dead, and that I must exert myself in order to give in the same measure as I have received and am still receiving.

每天我都提醒着自己：我的精神生活和物质生活都是以别人的劳动为基础的，我必须尽力以同样的分量来报偿我所获得的和至今仍在接受着的东西。

———美国科学家 爱因斯坦
（Albert Einstein, American scientist）

Word List 7

distribute [dɪ'strɪbjuːt] *v.* 分发，分配
[记] 词根记忆：dis(分开) + tribut(给予) + e → 分开给 → 分发

diurnal [daɪ'ɜːrnl] *adj.* 白昼的，白天的
[记] 词根记忆：di(白天) + urnal(…的) → 白天的

diverge [daɪ'vɜːrdʒ] *v.* 分歧，分开
[记] 词根记忆：di(离开) + verg(转向) + e → 转开 → 分歧

divergent [daɪ'vɜːrdʒənt] *adj.* 分叉的，叉开的；发散的，扩散的；不同的
[记] 词根记忆：di(二) + verg(倾斜) + ent → 向两边倾斜的 → 发散的

diverse [daɪ'vɜːrs] *adj.* 不同的；多样的
[记] 词根记忆：di(离开) + vers(转) + e → 转开 → 不同的

diversify [daɪ'vɜːrsɪfaɪ] *v.* (使)多样化
[记] 来自 diverse(*adj.* 多样的)

divert [daɪ'vɜːrt] *v.* 转移，(使)转向；使娱乐
[记] 词根记忆：di(离开) + vert(转) → (使)转向

dividend ['dɪvɪdend] *n.* 红利；股息
[记] 词根记忆：di(分开) + vid(看) + end → 往不同方向看 → 红利

divisive [dɪ'vaɪsɪv] *adj.* 引起分歧的，导致分裂的
[记] 词根记忆：di(分开) + vis(看) + ive → 往不同方向看的 → 引起分歧的

divulge [daɪ'vʌldʒ] *v.* 泄露，透露
[记] 词根记忆：di(分离) + vulg(人们) + e → 使从秘密状态中脱离并被人们知道 → 透露

docile ['dɑːsl] *adj.* 驯服的，听话的

[记] 词根记忆：doc(教导) + ile(能…的) → 能教的 → 听话的

doctrinaire [,dɑːktrə'ner] *n.* 教条主义者 *adj.* 教条的，迂腐的

[记] 来自 doctrine(*n.* 教条)

doctrine ['dɑːktrɪn] *n.* 教义，教条，主义，学说

[记] 词根记忆：doc(教导) + trine → 教义

document ['dɑːkjumənt] *n.* 文件

['dɑːkjument] *v.* 为…提供书面证明

dogged ['dɔːgɪd] *adj.* 顽强的

[记] 联想记忆：dog(狗) + ged → 像狗一样顽强 → 顽强的

dogma ['dɔːgmə] *n.* 教条，信条

dogmatist ['dɔːgmətɪst] *n.* 独断家，独断论者

[记] 来自 dogma(*n.* 教条，信条)

domain [dou'meɪn] *n.* 领土；领域

[记] 词根记忆：dom(家) + ain → 领土；领域

domesticated [də'mestɪkeɪtɪd] *adj.* 驯养的，家养的

[记] 词根记忆：dom(家) + esticated → 家养的

dominate ['dɑːmɪneɪt] *v.* 控制，支配

[记] 词根记忆：domin(支配) + ate → 控制，支配

domination [,dɑːmɪ'neɪʃn] *n.* 控制，支配，管辖

[记] 词根记忆：domin (支配) + ation → 控制，支配，管辖

domineer [,dɑːmɪ'nɪə] *v.* 压制

dormant ['dɔːrmənt] *adj.* 冬眠的；静止的

[记] 词根记忆：dorm(睡眠) + ant → 冬眠的

dorsal ['dɔːrsl] *adj.* 背部的，背脊的

[记] 词根记忆：dors(背) + al → 背部的

dose [dous] *n.* 剂量，(一)剂

[记] 词根记忆：dos (给予) + e → 给予力量 → 剂量

dossier ['dɔːsieɪ] *n.* 卷宗，档案

[记] 发音记忆："东西压" → 被东西压着的东西 → 堆在一起的档案 → 档案

down	[daʊn] *n.* 绒毛；软毛
downfall	[ˈdaʊnfɔːl] *n.* 垮台
downplay	[ˌdaʊnˈpleɪ] *v.* 贬低，不予重视
	[记] 组合词：down(向下) + play(玩) → 玩下去 → 不予重视
drab	[dræb] *adj.* 黄褐色的；单调的，乏味的
draft	[dræft] *n.* 草稿，草案；汇票
dramatic	[drəˈmætɪk] *adj.* 戏剧的；引人注目的；戏剧般的
	[记] 来自 drama(*n.* 戏剧)
drastic	[ˈdræstɪk] *adj.* 猛烈的，激烈的
drizzly	[ˈdrɪzli] *adj.* 毛毛细雨的
	[记] 注意该单词虽以-ly 结尾，但不是副词，而是形容词
drollery	[ˈdroʊləri] *n.* 滑稽
	[记] 来自 droll(*adj.* 滑稽的)
drone	[droʊn] *v.* 嗡嗡地响；单调地说 *n.* 单调的低音
drowsy	[ˈdraʊzi] *adj.* 昏昏欲睡的
	[记] 来自 drowse(*v.* 打瞌睡)
drudgery	[ˈdrʌdʒəri] *n.* 苦工，苦活
	[记] 来自 drudge(*v.* 做苦工)
dual	[ˈduːəl] *adj.* 双重的
	[记] 词根记忆：du(二，双) + al → 两个的 → 双重的
dubious	[ˈduːbiəs] *adj.* 可疑的；有问题的，靠不住的
	[记] 词根记忆：dub(二，双) + ious → 两种状态 → 不肯定的，怀疑的 → 可疑的
ductile	[ˈdʌktaɪl] *adj.* 易延展的；可塑的
	[记] 词根记忆：duct(引导) + ile → 易引导的 → 可塑的
dull	[dʌl] *adj.* 不鲜明的；迟钝的；乏味的 *v.* 变迟钝
	[记] 联想记忆：和充实的(full)相反的是乏味的(dull)
dumbbell-like	[ˈdʌmbelˌlaɪk] *adj.* 哑铃状的
	[记] 组合词：dumbell(哑铃) + like(像) → 哑铃状的

dumbfound [dʌmˈfaʊnd] v. 使…惊讶

[记] 组合词: dumb(哑) + found(被发现) → 惊讶得说不出话来 → 使…惊讶

dupe [duːp] n. 易上当者

[记] 发音记忆: "丢谱" → 瞎摆谱, 结果上了当, 丢了面子 → 易上当者

duplicate [ˈduːplɪkət] adj. 复制的, 两重的

[ˈduːplɪkeɪt] v. 复制 n. 复制品, 副本

duplicity [duːˈplɪsəti] n. 欺骗, 口是心非

[记] 词根记忆: du(二) + plic(重叠) + ity → 有两种(态度) → 口是心非

durable [ˈdʊrəbl] adj. 持久的; 耐用的

[记] 词根记忆: dur(持续) + able → 持久的

dutiful [ˈduːtɪfl] adj. 尽职的

[记] 来自 duty(n. 责任)

dwindle [ˈdwɪndl] v. 变小, 减少

[记] 联想记忆: d + wind(风) + le → 随风而去, 越来越小 → 变小; 注意不要和 swindle(n./v. 欺骗, 诈骗)相混

dynamic [daɪˈnæmɪk] adj. 动态的; 有活力的

[记] 词根记忆: dynam(力量) + ic → 有活力的

dysfunctional [dɪsˈfʌŋkʃənl] adj. 功能失调的

[记] 联想记忆: dys (坏) + function (功能) + al → 功能坏了的 → 功能失调的

earnest [ˈɜːrnɪst] adj. 诚挚的, 认真的

[记] 联想记忆: earn(挣钱) + est → 要想挣钱就得认真地干 → 认真的

earthiness [ˈɜːrθinəs] n. 土质, 土性

[记] 来自 earthy(adj. 泥土的, 土的)

ebb [eb] v. 退潮; 衰退

[记] 发音记忆: "二步" → 退后一步 → 衰退

eccentric [ɪkˈsentrɪk] adj. 古怪的, 反常的; (指圆形)没有共同圆心的 n. 古怪的人

[记] 词根记忆: ec(出) + centr(中心) + ic → 离开中心 → 古怪的

echo [ˈekoʊ] *n.* 回声；反响；共鸣 *v.* 回响，回荡；重复，模仿

eclectic [ɪˈklektɪk] *adj.* 折衷的；兼容并蓄的

[记] 词根记忆：ec(出) + lect(选) + ic → 选出的 → 折衷的

eclipse [ɪˈklɪps] *n.* 日食，月食；黯然失色，衰退

[记] 联想记忆：ec + lipse（看作 lapse，滑走）→ 日月的光华滑走 → 日食，月食

ecological [ˌiːkəˈlɑːdʒɪkl] *adj.* 生态的；生态学的

economize [ɪˈkɑːnəmaɪz] *v.* 节约，节省

[记] 来自 economy(*adj.* 经济的 *n.* 经济；节约)

economy [ɪˈkɑːnəmi] *n.* 节约；经济 *adj.* 经济的

[记] 发音记忆："依靠农民" → 中国是农业大国，经济发展离不开农民 → 经济

edifice [ˈedɪfɪs] *n.* 宏伟的建筑(如宫殿、教堂等)

[记] 词根记忆：edi(建筑) + fic(做) + e → 宏伟的建筑

edify [ˈedɪfaɪ] *v.* 陶冶，启发

[记] 词根记忆：ed(吃) + ify(表动作) → 吃下去 → 陶冶，启发

efface [ɪˈfeɪs] *v.* 擦掉，抹去

[记] 词根记忆：ef + fac(脸，表面) + e → 从表面去掉 → 擦掉

effective [ɪˈfektɪv] *adj.* 有效的，生效的；给人印象深刻的

[记] 来自 effect(*n.* 影响，效果)

effervescence [ˌefərˈvesns] *n.* 冒泡；活泼

effete [ɪˈfiːt] *adj.* 无生产力的；虚弱的

[记] 词根记忆：ef(没有) + fet(生产性的) + e → 无生产力的

efficacious [ˌefɪˈkeɪʃəs] *adj.* 有效的

efficacy [ˈefɪkəsi] *n.* 功效，有效性

[记] 词根记忆：ef(出) + fic(做) + acy → 做出了成绩 → 功效，有效性

egalitarian [iˌɡælɪˈteriən] *adj.* 主张人人平等的

[记] 词根记忆：egalit（平等的）+ arian → 主张人人平等的；该词等同于 equalitarian（*adj.* 平等主义的）

egocentric [ˌiːɡoʊˈsentrɪk] *adj.* 利己的

[记] 词根记忆：ego（我）+ centr（中心）+ ic → 以自我为中心的 → 利己的

egoist [ˈiːɡoʊɪst] *n.* 自我主义者

[记] 来自 ego（*n.* 自我）

egoistic(al) [ˌeɡoʊˈɪstɪk(l)] *adj.* 自我中心的，自私自利的

egregious [ɪˈɡriːdʒəs] *adj.* 极端恶劣的

[记] 词根记忆：e（出）+ greg（团体）+ ious → 超出一般人 → 极端恶劣的

elaborate [ɪˈlæbərət] *adj.* 精致的；复杂的

[ɪˈlæbəreɪt] *v.* 详尽地说明，阐明

[记] 联想记忆：e（出）+ labor（劳动）+ ate（使）→ 辛苦劳动做出来的 → 精心制作的 → 精致的

elapse [ɪˈlæps] *v.* 消逝，(时间)过去 *n.* 消逝

[记] 词根记忆：e（出）+ laps（落下）+ e → 滑落 → 消逝

elate [iˈleɪt] *v.* 使高兴，使得意

electromagnetic [ɪˌlektroʊmæɡˈnetɪk] *adj.* 电磁的

[记] 词根记忆：electr（电）+ o + magnetic（磁的）→ 电磁的

elegiac [ˌelɪˈdʒaɪək] *adj.* 哀歌的，挽歌的 *n.* 哀歌，挽歌

elementary [ˌelɪˈmentri] *adj.* 初级的

elicit [iˈlɪsɪt] *v.* 得出，引出

[记] 词根记忆：e（出）+ licit（引导）→ 引出

eligible [ˈelɪdʒəbl] *adj.* 合格的，有资格的

[记] 词根记忆：e + lig（=lect 选择）+ ible → 能被选出来的 → 合格的

eliminate [ɪˈlɪmɪneɪt] *v.* 除去，淘汰

[记] 联想记忆：e（出）+ limin（看作 limit，界限）+ ate → 划到界限之外 → 除去，淘汰

elite [eɪ'liːt] *n.* 精英；主力，中坚

[记] 词根记忆：e + lit (=lig 选择) + e → 选出来的 → 精英

elongate [ɪ'lɔːŋgeɪt] *v.* 延长，伸长

[记] 词根记忆：e + long(长的) + ate → 向外变长 → 伸长

eloquent ['eləkwənt] *adj.* 雄辩的，流利的

[记] 词根记忆：e + loqu(说) + ent(…的) → 能说会道的 → 雄辩的

elucidate [i'luːsɪdeɪt] *v.* 阐明，说明

[记] 词根记忆：e + luc(清晰的) + id + ate → 弄清晰 → 阐明

elude [i'luːd] *v.* 逃避；搞不清，理解不了

[记] 词根记忆：e + lud (玩弄) + e → 通过玩弄的方式出去 → 逃避

elusive [i'luːsɪv] *adj.* 难懂的，难以描述的；不易被抓获的

[记] 词根记忆：e(出) + lus(光) + ive → 没有灵光出来的 → 难懂的

emancipate [ɪ'mænsɪpeɪt] *v.* 解放，释放

[记] 词根记忆：e + man (手) + cip (落下) + ate → 使从手中落下 → 解放

embed [ɪm'bed] *v.* 牢牢插入，使嵌入

[记] 联想记忆：em(进入) + bed(床) → 深深进入内部 → 牢牢插入

embellish [ɪm'belɪʃ] *v.* 装饰，美化

[记] 词根记忆：em + bell(美的) + ish → 使…美丽 → 装饰，美化

embellishment [ɪm'belɪʃmənt] *n.* 装饰；装饰品

embezzlement [ɪm'bezlmənt] *n.* 贪污，盗用

[记] 联想记忆：em + bezzle(看作 bezzant，金银币) + ment → 将金钱据为己有 → 贪污，盗用

emblematic [ˌembləˈmætɪk] *adj.* 作为象征的

[记] 来自 emblem(*n.* 象征)

embrace [ɪmˈbreɪs] v. 拥抱；包含

[记] 词根记忆：em(进入) + brac(胳膊) + e → 进入怀抱 → 拥抱

embroider [ɪmˈbrɔɪdər] v. 刺绣，镶边；装饰

[记] 联想记忆：em + broider(刺绣) → 刺绣

embryological [ˌembriəˈlɑːdʒɪkl] adj. 胚胎学的

[记] 联想记忆：embryo(胚胎) + olog(y)(…学) + ical → 胚胎学的

embryonic [ˌembriˈɑːnɪk] adj. 胚胎的；萌芽期的

[记] 来自 embryo(n. 胚胎)；em + bryo(变大) → (种子)变大 → 胚胎

emend [iˈmend] v. 订正，校订

[记] 词根记忆：e(出) + mend(错误) → 找出错误 → 订正

eminence [ˈemɪnəns] n. 卓越，显赫，杰出

eminent [ˈemɪnənt] adj. 显赫的，杰出的

[记] 词根记忆：e + min (突出) + ent → 突出来 → 显赫的

empathy [ˈempəθi] n. 同感，移情(作用)；全神贯注

[记] 词根记忆：em + path(感情) + y → 感情移入 → 移情

emphatic [ɪmˈfætɪk] adj. 重视的，强调的

[记] 词根记忆：em(表加强) + pha(说话) + tic → 用力说话的 → 重视的，强调的

empirically [ɪmˈpɪrɪkli] adv. 凭经验地

[记] 词根记忆：em(在里面) + pir(实验) + ical + ly → 在内部进行严密的实验 → 凭经验地

empiricism [ɪmˈpɪrɪsɪzəm] n. 经验主义

[记] 来自 empiric(n. 经验主义者)

empty [ˈempti] adj. 空的；缺乏的 v.(使)变空，把…弄空

emulate [ˈemjuleɪt] v. 与…竞争，努力赶上

[记] 词根记忆：em(模仿) + ulate → 与…竞争

enamored [ɪˈnæmərd] adj. 倾心的，被迷住

[记] 词根记忆：en + amor (爱) + ed → 珍爱的 → 倾心的

encapsulation [ɪnˈkæpsjuleɪʃən] *n.* 包装

[记] 来自 encapsulate(*v.* 封装)

encounter [ɪnˈkaʊntər] *v.* 遭遇; 邂逅

[记] 联想记忆: en(使) + counter(相反的) → 使从两个相反的方向而来 → 邂逅

encroach [ɪnˈkroʊtʃ] *v.* 侵占，蚕食

[记] 词根记忆: en(进入) + croach(钩) → 钩进去 → 侵占

encumber [ɪnˈkʌmbər] *v.* 妨碍，阻碍

[记] 联想记忆: en + cumber(妨碍) → 妨碍

endear [ɪnˈdɪr] *v.* 使受喜爱

[记] 联想记忆: en(使) + dear(珍爱的) → 使受喜爱

endemic [enˈdemɪk] *adj.* 地方性的

[记] 词根记忆: en + dem(人民) + ic → 在人民之内 → 地方性的

endorse [ɪnˈdɔːrs] *v.* 赞同; 背书

[记] 词根记忆: en + dors(背) + e → 在背后签字 → 背书

endow [ɪnˈdaʊ] *v.* 捐赠; 赋予

endure [ɪnˈdʊr] *v.* 忍受，忍耐

[记] 联想记忆: end(结束) + ure → 坚持到结束 → 忍受，忍耐

enduring [ɪnˈdʊrɪŋ] *adj.* 持久的; 不朽的

[记] 词根记忆: en + dur(持续) + ing → 持久的

energize [ˈenərdʒaɪz] *v.* 给予…精力、能量

enervate [ˈenərveɪt] *v.* 使虚弱，使无力

[记] 词根记忆: e + nerv (力量; 神经) + ate → 力量出去 → 使无力

engage [ɪnˈgeɪdʒ] *v.* 从事，参加; 雇用，聘用; 使参与; 引起…的注意

[记] 联想记忆: en(使…) + gage(挑战) → 使接受挑战 → 从事

engender [ɪnˈdʒendər] v. 产生，引起

[记] 词根记忆：en + gen(出生) + der → 使出生 → 产生，引起

engrave [ɪnˈgreɪv] v. 雕刻，铭刻；牢记，铭记

enigma [ɪˈnɪgmə] n. 谜一样的人或事物

enmity [ˈenməti] n. 敌意，仇恨

[记] 来自 enemy(n. 敌人)

enormous [ɪˈnɔːrməs] adj. 极大的，巨大的

[记] 词根记忆：e(出) + norm(规范) + ous(…的) → 超出规范的 → 巨大的

enrage [ɪnˈreɪdʒ] v. 激怒，触怒

[记] 联想记忆：en(进入) + rage(狂怒) → 进入狂怒 → 激怒

entangle [ɪnˈtæŋgl] v. 使卷入

[记] 联想记忆：en + tangle(纠缠，混乱) → 使卷入

enterprise [ˈentərpraɪz] n. 公司，企业；进取心

entertain [ˌentərˈteɪn] v. 款待，招待；使欢乐，娱乐

[记] 联想记忆：enter(进入) + tain(拿住) → 拿着东西进去 → 款待，招待

enthral [ɪnˈθrɔːl] v. 迷惑

[记] 词根记忆：en(使) + thral(奴隶) → 使成为奴隶 → 迷惑

entice [ɪnˈtaɪs] v. 诱使，引诱

[记] 联想记忆：ent(看作 enter，进入) + ice(冰) → 引诱人进入冰中 → 引诱

entitle [ɪnˈtaɪtl] v. 使有权(做某事)

[记] 联想记忆：en(使) + title(权力) → 使有权

entrenched [ɪnˈtrentʃt] adj. (权利、传统)确立的，牢固的

entrepreneur [ˌɑːntrəprəˈnɜːr] n. 企业家，创业人

[记] 来自法语，等同于 enterpriser

enumerate [ɪˈnuːməreɪt] v. 列举，枚举

[记] 词根记忆：e + numer(数字) + ate → 用数字表示出来 → 列举

enviable [ˈenviəbl] *adj.* 令人羡慕的

[记] 来自 envy(*n./v.* 美慕)

envision [ɪnˈvɪʒn] *v.* 想象，预想

[记] 词根记忆：en + vis(看) + ion → 想象，预想

enzyme [ˈenzaɪm] *n.* 酵素，酶

[记] 词根记忆：en(在…里) + zym(发酵) + e → 酵素，酶

ephemeral [ɪˈfemərəl] *adj.* 朝生暮死的；生命短暂的

[记] 词根记忆：e + phem(出现) + eral → 一出现就消失 → 生命短暂的

epic [ˈepɪk] *n.* 叙事诗，史诗 *adj.* 史诗的，叙事诗的；英雄的；大规模的

epidemic [ˌepɪˈdemɪk] *adj.* 传染性的，流行性的

[记] 词根记忆：epi(在…中) + dem(人民) + ic → 在一群人之中 → 流行性的

episodic [ˌepɪˈsɑːdɪk] *adj.* 偶然发生的；分散性的

[记] 来自 episode(*n.* 片断)

epitome [ɪˈpɪtəmi] *n.* 典型；梗概

[记] 词根记忆：epi (在…上) + tom (切) + e → 切下来放在最上面 → 梗概；单词 tome 意为"卷，册"

epoch [ˈepək] *n.* 新纪元；重大的事件

equate [iˈkweɪt] *v.* 认为…相等或相仿

[记] 词根记忆：equ(相等的) + ate(表动作) → 使相等 → 认为…相等或相仿

equation [ɪˈkweɪʒn] *n.* 等式；等同，相等

Word List 8

equator [ɪ'kweɪtər] *n.* 赤道
[记] 词根记忆：equ(相等的) + ator → 使(地球)平分 → 赤道

equestrian [ɪ'kwestriən] *adj.* 骑马的；骑士阶层的 *n.* 骑师
[记] 词根记忆：equ(古意：马) + estrian(人) → 骑在马上的人 → 骑师

equilibrium [ˌekwɪ'lɪbriəm] *n.* 平衡
[记] 词根记忆：equi(平等的) + libr(平衡) + ium → 平衡

equitable ['ekwɪtəbl] *adj.* 公正的，合理的

equivalent [ɪ'kwɪvələnt] *adj.* 相等的，等值的
[记] 词根记忆：equi(平等的) + val(力量) + ent → 力量平等的 → 相等的

equivocal [ɪ'kwɪvəkl] *adj.* 模棱两可的；不明确的，不确定的

equivocator [ɪ'kwɪvəkeɪtər] *n.* 说话模棱两可的人，说话支吾的人
[记] 词根记忆：equi(相同的) + voc(叫喊) + at + or → 发出相同声音的人 → 说模棱话的人

eradicate [ɪ'rædɪkeɪt] *v.* 根除；扑灭
[记] 词根记忆：e(出) + radic(根) + ate → 根除

erode [ɪ'roʊd] *v.* 侵蚀；受到侵蚀
[记] 词根记忆：e + rod(咬) + e → 咬掉 → 侵蚀

erratic [ɪ'rætɪk] *adj.* 无规律的，不稳定的；古怪的
[记] 联想记忆：err(出错) + atic → 性格出错 → 古怪的

erratically [ɪ'rætɪkli] *adv.* 不规律地，不定地
[记] 来自 erratic(*adj.* 无规律的)

erudite ['erudaɪt] *adj.* 博学的，饱学的
[记] 词根记忆：e(出) + rud(原始的，无知的) + ite → 走出无知 → 博学的

erudition [ˌeruˈdɪʃn] *n.* 博学

escalate [ˈeskəleɪt] *v.* (战争等)升级；扩大，上升，增强

escapism [ɪˈskeɪpɪzəm] *n.* 逃避现实

eschew [ɪsˈtʃuː] *v.* 避开，戒绝
[记] 联想记忆：es(出) + chew(咀嚼；深思) → 通过深思而去掉 → 戒绝

esoteric [ˌesəˈterɪk] *adj.* 秘传的；机密的，隐秘的
[记] 联想记忆：es(出) + oter(看作 outer, 外面的) + ic → 不出外面的 → 秘传的

espouse [ɪˈspaʊz] *v.* 支持，拥护
[记] 词根记忆：e(出) + spous(约定) + e → 给出约定 → 支持

essentially [ɪˈsenʃəli] *adv.* 本质上；基本上
[记] 来自 essential(*adj.* 本质的；基本的)

estimable [ˈestɪməbl] *adj.* 值得尊敬的；可估计的
[记] 来自 estimate(*v.* 估计；评价)

estrange [ɪˈstreɪndʒ] *v.* 使疏远
[记] 联想记忆：e + strange(陌生的) → 使…陌生 → 使疏远

estranged [ɪˈstreɪndʒd] *adj.* 疏远的，不和的
[记] 联想记忆：e + strange(陌生的) + d → 使…陌生的 → 疏远的

ethereal [iˈθɪriəl] *adj.* 太空的；轻巧的，轻飘飘的
[记] 来自 ether(*n.* 太空；苍天)

ethnic [ˈeθnɪk] *adj.* 民族的，种族的
[记] 词根记忆：ethn(民族，种族) + ic → 民族的，种族的

ethos [ˈiːθɑːs] *n.* (个人、团体或民族)风貌，气质
[记] 词根记忆：eth (=ethn 民族，种族) + os → 风貌

eulogistic [ˌjuːləˈdʒɪstɪk] *adj.* 颂扬的，歌功颂德的
[记] 词根记忆：eu(好的) + log(说) + istic → 说好话的 → 颂扬的

eulogize ['juːlədʒaɪz] v. 称赞，颂扬

[记] 词根记忆：eu(好的) + log(说) + ize → 说好话 → 称赞

euphemism ['juːfəmɪzəm] n. 婉言，委婉的说法

[记] 词根记忆：eu (好的) + phem (出现) + ism → 以好的语言出现 → 委婉的说法

euphemistic [ˌjuːfə'mɪstɪk] adj. 委婉的

euphonious [juː'fəʊniəs] adj. 悦耳的

[记] 词根记忆：eu (好的) + phon (声音) + ious → 声音好听的 → 悦耳的

euphoric [juː'fɔːrɪk] adj. 欢欣的

evade [ɪ'veɪd] v. 躲避，逃避；规避

[记] 词根记忆：e + vad(走) + e → 走出去 → 逃避

evaluation [ɪˌvælju'eɪʃn] n. 评价，评估

[记] 来自 evaluate(v. 评价，评估)

evanescent [ˌevə'nesnt] adj. 易消失的，短暂的

[记] 词根记忆：e + van(空) + escent(开始…的) → 一出现就空了的 → 短暂的

evasive [ɪ'veɪsɪv] adj. 回避的，逃避的，推脱的

[记] 来自 evade(v. 躲避，逃避)

evenhanded [ˌiːvn'hændɪd] adj. 公平的，不偏不倚的

[记] 组合词：even(平的) + hand(手) + ed → 两手放得一样平 → 公平的

eventful [ɪ'ventfl] adj. 多事的；重要的

[记] 来自 event(n. 事件)

eventual [ɪ'ventʃuəl] adj. 最终的

evergreen ['evərɡriːn] adj. 常绿的

evil ['iːvl] adj. 邪恶的，罪恶的 n. 坏事，恶行

[记] 联想记忆：live → evil, 位置颠倒 → 黑白颠倒，罪恶丛生 → 邪恶的

evince [ɪ'vɪns] v. 表明，表示

[记] 词根记忆：e + vinc(展示) + e → 向外展示 → 表明

eviscerate [ɪ'vɪsəreɪt] v. 取出内脏；除去主要部分

[记] 联想记忆：e + viscera(内脏) + te → 取出内脏

evocative	[ɪˈvɑːkətɪv] *adj.* 唤起的，激起的
evoke	[ɪˈvoʊk] *v.* 引起；唤起
	[记] 词根记忆：e + vok(喊) + e → 喊出来 → 唤起
exacerbate	[ɪɡˈzæsərbeɪt] *v.* 使加重，使恶化
	[记] 词根记忆：ex(表加强) + acerb(苦涩的) + ate → 非常苦涩 → 使恶化
exaggerate	[ɪɡˈzædʒəreɪt] *v.* 夸大，夸张；过分强调
	[记] 词根记忆：ex(出) + ag(表加强) + ger(搬运) + ate → 全部运出 → 夸张
exaggeration	[ɪɡˌzædʒəˈreɪʃn] *n.* 夸张
	[记] 来自 exaggerate(*v.* 夸张，夸大)
exalted	[ɪɡˈzɔːltɪd] *adj.* 崇高的，高贵的
	[记] 词根记忆：ex + alt(高的) + ed → 崇高的
exasperate	[ɪɡˈzæspəreɪt] *v.* 激怒，使恼怒
	[记] 词根记忆：ex + asper(粗鲁的) + ate → 显出粗鲁 → 激怒
exasperation	[ɪɡˌzæspəˈreɪʃn] *n.* 激怒，恼怒
excavate	[ˈekskəveɪt] *v.* 开洞，凿洞；挖掘，发掘
	[记] 词根记忆：ex + cav(洞) + ate → 挖出洞 → 凿洞
excess	[ɪkˈses] *n.* 过分，过度
	[记] 词根记忆：ex + cess(走) → 走出常规 → 过分
excessive	[ɪkˈsesɪv] *adj.* 过度的，过分的
excessively	[ɪkˈsesɪvli] *adv.* 过度地
excise	[ˈeksaɪz] *v.* 切除，删去
	[记] 词根记忆：ex + cis(切) + e → 切出去 → 切除
excite	[ɪkˈsaɪt] *v.* 激发；使动感情，使激动；使增加能量
exclusive	[ɪkˈskluːsɪv] *adj.* (人)孤僻的；(物)专用的
	[记] 词根记忆：ex(出) + clus(关闭) + ive → 关在外面的 → 孤僻的
execute	[ˈeksɪkjuːt] *v.* 执行，履行；将(某人)处死
	[记] 联想记忆：exe (电脑中的可执行文件) + cute → 执行，履行
exemplar	[ɪɡˈzemplɑːr] *n.* 模范，榜样

76

exemplary [ɪgˈzempləri] *adj.* 模范的，典范的；可仿效的

[记] 来自 exemplar(*n.* 模范，榜样)

exemplify [ɪgˈzemplɪfaɪ] *v.* 是…的典型，作为…的例子

exempt [ɪgˈzempt] *adj.* 被免除的，被豁免的 *v.* 免除，豁免

[记] 词根记忆：ex + empt(拿；买) → 拿出去 → 被免除的

exert [ɪgˈzɜːrt] *v.* 运用，行使，施加

[记] 词根记忆：ex(出) + ert(=sert 放置) → 将力量等放出来 → 运用

exhale [eksˈheɪl] *v.* 呼出；呼气；散发

[记] 词根记忆：ex(出) + hale(呼吸) → 呼出

exhaust [ɪgˈzɔːst] *v.* 耗尽；使筋疲力尽 *n.* (机器排出的)废气

[记] 词根记忆：ex(出) + haust(抽) → 把水全部抽出 → 耗尽

exhaustiveness [ɪgˈzɔːstɪvnəs] *n.* 全面，详尽，彻底

exhilarate [ɪgˈzɪləreɪt] *v.* 使兴奋，使高兴；使振作，鼓舞

[记] 词根记忆：ex + hilar(高兴的) + ate → 使高兴

exhilaration [ɪgˌzɪləˈreɪʃn] *n.* 高兴，兴奋

exigency [ˈeksɪdʒənsi] *n.* 紧急要求，迫切需要

[记] 词根记忆：ex(外) + ig(驱赶) + ency → 赶到外边 → 紧急要求

exodus [ˈeksədəs] *n.* 大批离去，成群外出

[记] 词根记忆：ex(外面) + od(=hod 路) + us → 走上外出的道路 → 成群外出

exonerate [ɪgˈzɑːnəreɪt] *v.* 免除责任；确定无罪

[记] 词根记忆：ex + oner(负担) + ate → 走出负担 → 免除责任

exoneration [ɪgˌzɑːnəˈreɪʃn] *n.* 免除(责任、义务、苦难等)

exorbitant [ɪgˈzɔːrbɪtənt] *adj.* 过分的，过度的

[记] 联想记忆：ex + orbit(轨道，常规) + ant → 走出常规 → 过分的

exorcise [ˈeksɔːrsaɪz] *v.* 驱除妖魔；去除(坏念头等)

[记] 词根记忆：ex + or(说) + cise → 通过说话把不好的东西赶出 → 驱除妖魔

exotic [ɪgˈzɑːtɪk] *adj.* 异国的，外来的；奇异的，珍奇的

[记] 词根记忆：exo(外面) + tic → 外来的

expand [ɪkˈspænd] *v.* 扩大，膨胀

[记] 词根记忆：ex + pand(分散) → 分散出去 → 扩大

expediency [ɪkˈspiːdiənsi] *n.* 方便；权宜之计

[记] 词根记忆：ex + ped (脚) + iency → 把脚迈出去 → 权宜之计

expedient [ɪkˈspiːdiənt] *n.* 权宜之计，临时手段 *adj.* (指行动)有用的

expeditiously [ˌekspəˈdɪʃəsli] *adv.* 迅速地，敏捷地

expertise [ˌekspɜːrˈtiːz] *n.* 专门技术，专业知识

[记] 来自 expert(*n.* 专家)

explanatory [ɪkˈsplænətɔːri] *adj.* 说明的，解释的

explicate [ˈeksplɪkeɪt] *v.* 详细解说

explicit [ɪkˈsplɪsɪt] *adj.* 明白的，清楚的；不含糊的，明确的

[记] 词根记忆：ex + plic(重叠) + it → 把重叠在一起的弄清楚 → 清楚的

explicitly [ɪkˈsplɪsɪtli] *adv.* 明白地；明确地

exploit [ɪkˈsplɔɪt] *v.* 剥削；充分利用

[ˈeksplɔɪt] *n.* 英勇行为

[记] 词根记忆：ex + plo (折) + it → 向外折 → 充分利用

explore [ɪkˈsplɔːr] *v.* 探究；勘探；考察

[记] 联想记忆：ex + pl + ore(矿石) → 把矿石挖出来 → 勘探

exposition [ˌekspəˈzɪʃn] *n.* 阐释；博览会

[记] 词根记忆：ex + pos (放) + ition → 放出来(让人看) → 博览会

expository [ɪkˈspɑːzətɔːri] *adj.* 说明的

[记] 来自 exposit(*v.* 解释，说明)

exposure [ɪkˈspoʊʒər] *n.* 暴露，显露，曝光

[记] 词根记忆：ex(出) + pos(放) + ure → 放出来 → 暴露，显露

78

expressly [ɪkˈspresli] *adv.* 清楚地；特意地

[记] 来自 express(*v.* 表达 *adj.* 特别的；清楚的)

exquisite [ɪkˈskwɪzɪt] *adj.* 精致的；近乎完美的

[记] 词根记忆：ex + quis(要求，寻求) + ite → 按要求做出的 → 精致的

extant [ekˈstænt] *adj.* 现存的，现有的

[记] 联想记忆：ex + tant (看作 stand，站) → 站出来 → 现存的

extend [ɪkˈstend] *v.* 延伸，扩大；舒展(肢体)；宽延，延缓

[记] 词根记忆：ex(出) + tend(伸展) → 伸出去 → 延伸

extension [ɪkˈstenʃn] *n.* 延伸，扩展

extensive [ɪkˈstensɪv] *adj.* 广大的，广阔的；多方面的，广泛的

exterminate [ɪkˈstɜːrmɪneɪt] *v.* 消灭，灭绝

[记] 词根记忆：ex + termin (范围；结束) + ate → 从范围中消除 → 消灭

extinct [ɪkˈstɪŋkt] *adj.* 绝种的，灭绝的

[记] 词根记忆：ex + tinct(刺) → 用针刺使失去 → 绝种的

extinction [ɪkˈstɪŋkʃn] *n.* 消灭，灭绝

extol [ɪkˈstoʊl] *v.* 赞美

[记] 词根记忆：ex + tol(举起) → 举起来 → 赞美

extract [ɪkˈstrækt] *v.* 拔出；强索

[记] 词根记忆：ex (出) + tract (拉) → 拉出 → 拔出

extraneous [ɪkˈstreɪniəs] *adj.* 外来的；无关的

[记] 词根记忆：extra(外面) + neous → 外来的

extrapolate [ɪkˈstræpəleɪt] *v.* 预测，推测

[记] 词根记忆：extra(外面) + pol(放) + ate → 放出想法 → 预测，推测

extravagance [ɪkˈstrævəgəns] *n.* 奢侈，挥霍

[记] 词根记忆：extra(外面) + vag(走) + ance → 走到外面，超过限度 → 奢侈

extremity [ɪk'streməti] *n.* 极度；绝境，险境；临终

extricable ['ekstrɪkəbl] *adj.* 可解救的，能脱险的

[记]词根记忆：ex（外面）+ tric（小障碍物）+ able → 能摆脱小障碍物的 → 可解救的

exuberant [ɪg'zu:bərənt] *adj.* (人)充满活力的；(植物)茂盛的

[记]词根记忆：ex（出）+ uber（=udder 乳房，引申为"果实"）+ ant → 出果实的 → 充满活力的；茂盛的

fabricate ['fæbrɪkeɪt] *v.* 捏造；制造

[记]来自 fabric（*n.* 构造）

facetious [fə'si:ʃəs] *adj.* 滑稽的，好开玩笑的

[记]联想记忆：face（脸）+ tious → 做鬼脸 → 好开玩笑的

facile ['fæsl] *adj.* 易做到的；肤浅的

[记]词根记忆：fac（做）+ ile（能…的）→ 能做的 → 易做到的

facilitate [fə'sɪlɪteɪt] *v.* 使容易，促进

factorable ['fæktərəbl] *adj.* 能分解成因子的

[记]联想记忆：factor（因素）+ able（能…的）→ 能分解成因素 → 能分解成因子的

factual ['fæktʃuəl] *adj.* 事实的，实际的

[记]来自 fact（*n.* 事实）

faddish ['fædɪʃ] *adj.* 流行一时的，时尚的

[记]来自 fad（*n.* 时尚）

fade [feɪd] *v.* 变暗，褪色，枯萎，凋谢

fallacious [fə'leɪʃəs] *adj.* 欺骗性的，误导的；谬误的

[记]词根记忆：fall（错误）+ aci + ous（多…的）→ 谬误的

fallible ['fæləbl] *adj.* 易犯错的

fallow ['fæloʊ] *n.* 休耕地 *adj.* 休耕的

[记]和 fellow（*n.* 伙伴，同伙）一起记

falsify ['fɔ:lsɪfaɪ] *v.* 篡改；说谎

[记]词根记忆：fals（假的）+ ify → 造假 → 篡改

falter ['fɔ:ltər] *v.* 蹒跚；支吾地说

fanatic [fə'nætɪk] *adj.* 狂热的, 盲信的 *n.* 狂热者

[记] 来自 fan(*n.* 入迷者)

fanciful ['fænsɪfl] *adj.* 幻想的, 奇特的

fantasy ['fæntəsi] *n.* 想象, 幻想

[记] 发音记忆: "范特西" → 听着周杰伦的范特西, 陷入无限的想象 → 想象, 幻想

farce [fɑːs] *n.* 闹剧, 滑稽剧; 可笑的行为, 荒唐的事情

far-reaching [ˌfɑː'riːtʃɪŋ] *adj.* 影响深远的

[记] 组合词: far(远的) + reaching(到达) → 影响到达很远的地方 → 影响深远的

fascinate ['fæsɪneɪt] *v.* 迷惑, 迷住

[记] 词根记忆: fas (说话) + cin + ate → 巫婆通过说话把人迷住 → 迷住

fascinating ['fæsɪneɪtɪŋ] *adj.* 迷人的, 醉人的

fast [fæst] *n.* 禁食, 斋戒 *adv.* 很快地; 紧紧地; 深沉地

fastidious [fæ'stɪdiəs] *adj.* 难取悦的, 挑剔的

[记] 联想记忆: fast (绝食) + idious (看作 tedious, 乏味的) → 因乏味而绝食 → 挑剔的

fault [fɔːlt] *n.* 错误; 【地】断层

favorable ['feɪvərəbl] *adj.* 有利的; 赞成的

[记] 来自 favor(*n.* 好意; 喜爱)

fearsome ['fɪrsəm] *adj.* 吓人的, 可怕的

[记] 来自 fear(*n./v.* 害怕)

feckless ['fekləs] *adj.* 无效的, 效率低的; 不负责任的

[记] 联想记忆: feck (效果) + less (无…的) → 没有效果 → 无效的; 注意不要和 reckless(*adj.* 轻率的)相混

fecund ['fekənd] *adj.* 肥沃的, 多产的; 创造力旺盛的

[记] 发音记忆: "翻垦" → 可翻垦的土地 → 肥沃的

feign [feɪn] *v.* 假装, 装作

feigned [feɪnd] *adj.* 假装的; 假的; 不真诚的

[记] 和 feint(*n.* 佯攻)一起记: A feint is a feigned attack. 佯攻是假装进攻。

81

feminist [ˈfemənɪst] *n.* 女权运动者

[记] 词根记忆：femin(女人) + ist → 女权运动者

ferment [fərˈment] *v.* 使发酵；(使)激动，(使)动乱

[ˈfɜːrment] *n.* 发酵；骚动

[记] 词根记忆：ferm(=ferv 热) + ent → 生热 → 发酵

ferocity [fəˈrɑːsəti] *n.* 凶猛，残暴

ferromagnetic [ˌferoʊmægˈnetɪk] *adj.* 铁磁的，铁磁体的

[记] 联想记忆：ferr(铁) + o + magnetic(磁的) → 铁磁的

fertilize [ˈfɜːrtəlaɪz] *v.* 使受精；使肥沃

[记] 词根记忆：fer(带来) + il + ize → 带来果实 → 使受精

fertilizer [ˈfɜːrtəlaɪzər] *n.* 肥料，化肥

fervent [ˈfɜːrvənt] *adj.* 炙热的；热情的

fervid [ˈfɜːrvɪd] *adj.* 炽热的；热情的

[记] 词根记忆：ferv(沸腾) + id → 炽热的；热情的

fervor [ˈfɜːrvər] *n.* 热诚，热烈

festive [ˈfestɪv] *adj.* 欢宴的，节日的

[记] 词根记忆：fest(=feast 盛宴) + ive → 欢宴的

fetid [ˈfetɪd] *adj.* 有恶臭的

fickle [ˈfɪkl] *adj.* (尤指在感情方面)易变的，变化无常的，不坚定的

[记] 和 tickle(*v.* 呵痒)一起记

fickleness [ˈfɪklnəs] *n.* 浮躁；变化无常

fictitious [fɪkˈtɪʃəs] *adj.* 假的；虚构的

[记] 词根记忆：fict(做) + itious → 做出来的 → 假的

figment [ˈfɪɡmənt] *n.* 虚构的事

[记] 词根记忆：fig(做) + ment → 做出来的 → 虚构的事

Word List 9

financial [faɪ 'nænʃl] *adj.* 财政的，金融的

finicky ['fɪnɪki] *adj.* 苛求的，过分讲究的

[记] 单词 finical 的变体；fin（fine，精细的）+ ical → 精细的 → 过分讲究的

fireproof ['faɪərpruːf] *adj.* 耐火的，防火的

flabby ['flæbi] *adj.* (肌肉等)不结实的，松弛的；意志薄弱的

flag [flæg] *v.* 减弱，衰退；枯萎

[记] flag "旗，国旗" 之意众所周知

flagging ['flægɪŋ] *adj.* 下垂的；衰弱的

flaggy ['flægi] *adj.* 枯萎的；松软无力的

flagrant ['fleɪgrənt] *adj.* 罪恶昭彰的；公然的

[记] 不要和 fragrant(*adj.* 芳香的)相混

flake [fleɪk] *v.* 使成薄片

[记] 联想记忆：f(看作 fly，飞)+ lake(湖) → 飞向湖中的薄片 → 使成薄片

flamboyant [flæm 'bɔɪənt] *adj.* 艳丽的，显眼的，炫耀的

[记] 联想记忆：flam(火)+ boy(男孩)+ ant(蚂蚁) → 男孩高举火把照亮蚂蚁 → 显眼的

flatter ['flætər] *v.* 恭维，奉承

flaunt [flɔːnt] *v.* 炫耀，夸耀

[记] 联想记忆：fl(看作 fly，飞)+ aunt(姑姑) → 到处飞的姑姑 → 炫耀

flaunty ['flɔːnti] *adj.* 炫耀的，虚华的

[记] 来自 flaunt(*v.* 炫耀，夸耀)

flaw [flɔː] *n.* 瑕疵 *v.* 生裂缝；变得有缺陷

flawed [flɔːd] *adj.* 有缺点的；错误的

fleeting ['fliːtɪŋ] *adj.* 短暂的；飞逝的

[记] 来自 fleet(*v.* 疾飞，掠过)

flexible ['fleksəbl] *adj.* 易弯曲的；灵活的
[记] 词根记忆：flex(弯曲) + ible(能…的) → 易弯曲的

flickering ['flɪkərɪŋ] *adj.* 闪烁的，摇曳的，忽隐忽现的
[记] 来自 flicker(*v.* 闪烁，摇曳)

flimsy ['flɪmzi] *adj.* 轻而薄的；易损坏的
[记] 联想记忆：flim (看作 film，胶卷) + sy → 像胶卷一样的东西 → 易损坏的

flip [flɪp] *v.* 用指轻弹；蹦蹦跳跳 *adj.* 无礼的；冒失的；轻率的

flippant ['flɪpənt] *adj.* 无礼的；轻率的

flock [flɑːk] *n.* 羊群；鸟群

floral ['flɔːrəl] *adj.* 花的，植物的

florid ['flɑːrɪd] *adj.* 华丽的；(脸)红润的
[记] 词根记忆：flor (花) + id → 像花一样的 → 华丽的

flounder ['flaʊndər] *v.* 挣扎；艰苦地移动 *n.* 比目鱼
[记] 联想记忆：flo(看作 flow，流) + under(在…下面) → 在下面流动 → 挣扎

flourish ['flɜːrɪʃ] *v.* 繁荣，兴旺；活跃而有影响力
[记] 词根记忆：flour(=flor 花) + ish → 花一样开放 → 繁荣，兴旺

flout [flaʊt] *v.* 蔑视；违抗
[记] 联想记忆：fl(=fly，飞) + out(出去) → 飞出去 → 不再服从命令 → 违抗

fluctuate ['flʌktʃueɪt] *v.* 波动；变动
[记] 词根记忆：fluct(=flu，流动) + uate → 波动；变动

fluctuation [ˌflʌktʃu'eɪʃn] *n.* 波动，起伏，涨落
[记] 来自 fluctuate(*v.* 波动；变动)

fluffy ['flʌfi] *adj.* 有绒毛的；无聊的，琐碎的
[记] 来自 fluff(*n.* 绒毛)

fluid ['fluːɪd] *adj.* 流体的，流动的；易变的，不固定的
[记] 词根记忆：flu(流动) + id → 流动的

84

fluorescent [ˌflɔːˈresnt] *adj.* 荧光的，发亮的

[记] 词根记忆：fluor(荧光) + escent(发生…的) → 荧光的，发亮的

flustered [ˈflʌstərd] *adj.* 慌张的，激动不安的

foible [ˈfɔɪbl] *n.* 小缺点，小毛病

[记] 与 feeble(*adj.* 虚弱的，衰弱的)一起记

foliage [ˈfoʊliɪdʒ] *n.* 叶子

[记] 词根记忆：foli(树叶) + age → 叶子

folklore [ˈfoʊklɔːr] *n.* 民间传说；民俗学

[记] 组合词：folk(乡民) + lore(传说，学问) → 民间传说

folly [ˈfɑːli] *n.* 愚蠢；愚蠢的想法或做法

foodstuff [ˈfuːdstʌf] *n.* 食料，食品

[记] 组合词：food(食物) + stuff(东西) → 食品

forbear [fɔːrˈber] *v.* 克制；忍耐

forebode [fɔːˈboʊd] *v.* 预感，预示(灾祸等)，预兆

[记] 组合词：fore(提前) + bode(兆头) → 预兆

foreknowledge [fɔːrˈnɑːlɪdʒ] *n.* 预知，先见之明

[记] 组合词：fore(预先) + knowledge(知道) → 预知

foreshadow [fɔːrˈʃædoʊ] *v.* 成为先兆，预示

[记] 组合词：fore(预先) + shadow(影子) → 影子先来 → 预示

foresight [ˈfɔːrsaɪt] *n.* 远见，深谋远虑

[记] 组合词：fore(预先) + sight(看见) → 远见

forestall [fɔːrˈstɔːl] *v.* 预先阻止，先发制人

[记] 组合词：fore(前面) + stall(停止) → 预先阻止

forested [ˈfɔːrɪstɪd] *adj.* 树木丛生的

[记] 来自 forest(*n.* 森林)

forfeit [ˈfɔːrfət] *v.* 丧失；被罚没收 *n.* 丧失的东西

[记] 词根记忆：for (出去) + feit (=fect, 做) → 做出去 → 丧失

☆ **forlorn** [fərˈlɔːrn] *adj.* 孤独的；凄凉的

[记] 词根记忆：for(出去) + lorn(被弃的)→ 抛弃 → 孤独的

formalized [ˈfɔːrməlaɪzd] *adj.* 形式化的，正式的

[记] 来自 formalize(*v.* 使形式化，使正式)

formation [fɔːrˈmeɪʃn] *n.* 组成，形成；编队，排列

[记] 词根记忆：form(形状) + ation → 形成形状 → 形成

☆ **formidable** [ˈfɔːrmɪdəbl] *adj.* 令人畏惧的，可怕的；难以克服的

formidably [ˈfɔːrmɪdəbli] *adv.* 可怕地，难对付地，强大地

[记] 来自 formidable(*adj.* 可怕的，难对付的)

formulaic [ˌfɔːrmjuˈleɪɪk] *adj.* 公式的，刻板的

forsake [fərˈseɪk] *v.* 遗弃，放弃

[记] 联想记忆：for(出去) + sake(缘故)→ 为了某种缘故而抛出去 → 遗弃

☆ **forte** [fɔːrt] *n.* 长处，特长 *adj.* (音乐)强音的

forthright [ˈfɔːrθraɪt] *adj.* 直率的

fortify [ˈfɔːrtɪfaɪ] *v.* 加强，巩固

[记] 词根记忆：fort(强大) + ify → 力量化 → 巩固

fortitude [ˈfɔːrtɪtuːd] *n.* 坚毅，坚忍不拔

[记] 词根记忆：fort(强) + itude(状态)→ 坚毅

☆ **fortuitous** [fɔːrˈtuːɪtəs] *adj.* 偶然发生的，偶然的；幸运的

[记] 词根记忆：fortun (看作 fortune, 运气) + itous → 运气的 → 偶然发生的

fossilized [ˈfɑːsəlaɪzd] *adj.* 变成化石的

[记] 来自 fossilize(*v.* 使变成化石)

☆ **foster** [ˈfɔːstər] *v.* 鼓励，促进；养育，抚养

[记] 联想记忆：fost (看作 fast, 快速的) + er → 鼓励，促进

foul [faʊl] *adj.* 污秽的，肮脏的；恶臭的；邪恶的 *v.* 弄脏 *n.* (体育等)犯规

founder [ˈfaʊndər] *v.* (船)沉没；(计划)失败

[记] founder "创建者"之意众所周知

fractious [ˈfrækʃəs] *adj.* (脾气)易怒的，好争吵的

[记]词根记忆：fract(碎裂) + ious(易…的) → 脾气易碎 → (脾气)易怒的

fragile [ˈfrædʒl] *adj.* 易碎的，易损坏的

[记]词根记忆：frag(=fract 断裂) + ile(易…的) → 易碎的

fragment [ˈfrægmənt] *n.* 碎片；片段

[记]词根记忆：frag(打碎) + ment(表名词) → 碎片

fragmentary [ˈfrægmənteri] *adj.* 碎片的，片段的

frail [freɪl] *adj.* 脆弱的；不坚实的

[记]可能是 fragile(*adj.* 易碎的)的变体

frantic [ˈfræntɪk] *adj.* 疯狂的，狂乱的

[记]联想记忆：fr(看作 fry，炸) + ant(蚂蚁) + ic(看作 ice，冰) → 在冰上炸蚂蚁吃 → 疯狂的

fraternity [frəˈtɜːrnəti] *n.* 同行；友爱

fraud [frɔːd] *n.* 欺诈，欺骗；骗子

[记]frau 是德语"妻子，太太"之意；如果妻子(frau)欺骗丈夫，那就是欺骗(fraud)

fraudulent [ˈfrɔːdʒələnt] *adj.* 欺骗的，不诚实的

fraught [frɔːt] *adj.* 充满的

[记]和 freight(*n.* 货物)一起记

fray [freɪ] *n.* 吵架，打斗 *v.* 磨破

[记]联想记忆：f + ray(光线) → 时光催人老 → 磨破

frenetic [frəˈnetɪk] *adj.* 狂乱的，发狂的

[记]联想记忆：fren(=phren 心灵) + etic → 心灵承受不了的 → 狂乱的，发狂的

frequency [ˈfriːkwənsi] *n.* 频率

[记]来自 frequent(*adj.* 频繁的)

fret [fret] *v.* (使)烦躁，焦虑 *n.* 烦躁，焦虑

friend [frend] *n.* 赞助者，支持者

frigid [ˈfrɪdʒɪd] *adj.* 寒冷的；冷漠的，冷淡的

[记]词根记忆：frig(冷) + id(…的) → 寒冷的

frisky	['frɪski] *adj.* 活泼的，快活的	
frivolity	[frɪ'vɑ:ləti] *n.* 轻浮的行为	
frivolous	['frɪvələs] *adj.* 轻薄的，轻佻的	

[记] 词根记忆：friv(愚蠢) + olous → 愚蠢的 → 轻佻的

frugal	['fru:gl] *adj.* 节约的，节俭的	

[记] 发音记忆："腐乳过日"→ 吃腐乳过日子 → 节约的

frugality	[fru'gæləti] *n.* 朴素；节俭	
fruitlessly	['fru:tləsli] *adv.* 徒劳地，无益地	
frustrate	['frʌstreɪt] *v.* 挫败，使沮丧	

[记] 联想记忆：frust (一部分) + rate (费用) → 买东西只带了一部分钱，买不成 → 挫败

fulsome	['fʊlsəm] *adj.* 虚情假意的；充足的	

[记] 组合词：ful(l)(满) + some(带有…的) → 充足的

fumigate	['fju:mɪgeɪt] *v.* 用烟熏消毒	

[记] 词根记忆：fum(=fume 烟) + igate(用…的) → 用烟熏消毒

function	['fʌŋkʃn] *v.* 运行 *n.* 功能；职责	

[记] 发音记忆："放颗心"→ 公务员的职责就是让人民放心 → 职责

fundamental	[ˌfʌndə'mentl] *adj.* 根本的，基本的；十分重要的	

[记] 来自 fundament(*n.* 基础)

furtive	['fɜ:rtɪv] *adj.* 偷偷的，秘密的	
fuse	[fju:z] *v.* 熔化；融合	
fused	[fju:zd] *adj.* 熔化的	

[记] 来自 fuse(*v.* 熔化；融合)

fusion	['fju:ʒn] *n.* 融合；核聚变	
fussy	['fʌsi] *adj.* 爱挑剔的，难取悦的	
futile	['fju:tl] *adj.* 无效的，无用的；(人)没出息的；琐细的	

[记] 联想记忆：f(看作 fail, 失败) + uti(用) +le → 无法利用的 → 无效的，无用的

gain [geɪn] *n.* 利润，收获

gainsay [ˌgeɪn'seɪ] *v.* 否认

[记] 联想记忆：gain(=against 反) + say(说) → 反着说 → 否认

galaxy ['gæləksi] *n.* 星系；一群(杰出人物)

gall [gɔːl] *n.* 胆汁；怨恨

[记] 和 wall(*n.* 墙)一起记

gallant ['gælənt] *adj.* 勇敢的，英勇的；(对女人)献殷勤的

[记] 词根记忆：gall (胆) + ant → 有胆量的 → 勇敢的，英勇的

galvanize ['gælvənaɪz] *v.* 刺激，激起；电镀；通电

[记] 来自 galvanic(*adj.* 电流的)

garble ['gɑːbl] *v.* 曲解，篡改

[记] 联想记忆：美国女影星嘉宝(Garbo)

garish ['gerɪʃ] *adj.* 俗丽的，过于艳丽的

[记] 词根记忆：gar(花) + ish → 花哨的 → 俗丽的；注意不要和 garnish(*v.* 装饰)相混

garrulous ['gærələs] *adj.* 唠叨的，多话的

gaudy ['gɔːdi] *adj.* 俗丽的

[记] 发音记忆："高低" → 花衣服穿得高高低低 → 俗丽的

gene [dʒiːn] *n.* 基因

generalize ['dʒenrəlaɪz] *v.* 概括，归纳

[记] 联想记忆：general (概括的) + ize → 概括，归纳

generate ['dʒenəreɪt] *v.* 造成；产生

[记] 词根记忆：gener(种属；产生) + ate → 产生

generation [ˌdʒenə'reɪʃn] *n.* 一代人；(产品类型的)代；产生，发生

generic [dʒə'nerɪk] *adj.* 种类的，类属的

[记] 来自 genus (*n.* 种类)；注意不要和 genetic (*adj.* 遗传的；起源的)相混

generosity [ˌdʒenə'rɑːsəti] *n.* 慷慨，大方

generous ['dʒenərəs] *adj.* 慷慨的; 大量的

[记]词根记忆: gener (产生) + ous → 产生很多的 → 大量的

genetic [dʒə'netɪk] *adj.* 遗传的; 起源的

genial ['dʒiːniəl] *adj.* 友好的, 和蔼的

[记]联想记忆: 做个和蔼的 (genial) 天才 (genius)

genre ['ʒɑːnrə] *n.* (文学、艺术等的)类型, 体裁

[记]词根记忆: gen(种属) + re → 类型, 体裁

genus ['dʒiːnəs] *n.* (动植物的)属, 类

geomagnetic [ˌdʒiːoʊmæg'netɪk] *adj.* 地磁的

[记]和 geomagnetism(*n.* 地磁学)一起记

germinate ['dʒɜːrmɪneɪt] *v.* 发芽; 发展

[记]词根记忆: germ(种子, 幼芽) + inate → 发芽

gibe [dʒaɪb] *v./n.* 嘲弄, 讥笑

[记]联想记忆: 也写作 jibe, 但 jibe 还有另一个意思"与…一致", 是 GRE 常考的释义

giddy ['gɪdi] *adj.* 轻浮的, 轻率的

glacial ['gleɪʃl] *adj.* 冰河期的; 寒冷的

[记]词根记忆: glaci(冰) + al → 冰河期的

glamorous ['glæmərəs] *adj.* 迷人的, 富有魅力的

glamour

[记]来自苏格兰语 glamour(魔法), 因作家司各特常用 cast the glamour(施魔法)这一习语而成为人所共知的单词

glance [glæns] *v.* 瞥见 *n.* 一瞥

glandular ['glændʒələr] *adj.* 腺状的, 腺的

glaze [gleɪz] *v.* 上釉于; 使光滑 *n.* 釉

gloat [gloʊt] *v.* 幸灾乐祸地看; 心满意足地看

gloom [gluːm] *n.* 昏暗; 忧郁

glossary ['glɑːsəri] *n.* 词汇表; 难词表

[记]词根记忆: gloss(舌头, 语言) + ary → 词汇表

glossy ['glɔːsi] *adj.* 有光泽的, 光滑的

glucose ['gluːkoʊs] *n.* 葡萄糖

glutinous ['gluːtənəs] *adj.* 黏的, 胶状的

[记]来自 glue(*n.* 胶, 胶水)

gluttonous ['glʌtənəs] *adj.* 贪吃的，暴食的

gorgeous ['gɔːrdʒəs] *adj.* 华丽的；极好的
[记]联想记忆：gorge(峡谷) + ous → 峡谷是美丽的 → 华丽的

gospel ['gɑːspl] *n.* 教义，信条
[记]来自《圣经·新约》中的福音书(Gospel)；Go(看作 God，上帝) + spel (看作 spell，符咒、咒语) → 上帝的话 → 教义，信条

gouge [gaʊdʒ] *v.* 挖出；敲竹杠 *n.* 半圆凿
[记]不要和 gauge(*n.* 准则，规范)相混

graft [græft] *v./n.* 嫁接，结合；贪污
[记]联想记忆：g(看作 go) + raft(木筏) → 用木筏运送嫁接的树苗 → 嫁接

grain [greɪn] *n.* 谷物；小的硬粒

grandeur ['grændʒər] *n.* 壮丽，宏伟
[记]来自 grand(*adj.* 宏伟的，壮丽的)

grandiloquence [græn'dɪləkwəns] *n.* 豪言壮语，夸张之言

grandiose ['grændious] *adj.* 宏伟的；浮夸的
[记]词根记忆：grandi(大的) + ose(多…的) → 多大(话)的 → 浮夸的

graphic ['græfɪk] *adj.* 图表的；生动的
[记]来自 graph(*n.* 图表，图解)

grateful ['greɪtfl] *adj.* 感激的，感谢的
[记]不要和 grate(*v.* 磨碎)相混

gratify ['grætɪfaɪ] *v.* 使高兴，使满足
[记]词根记忆：grat(高兴) + ify → 使高兴

grating ['greɪtɪŋ] *adj.* (声音)刺耳的；恼人的

gratuitous [grə'tuːɪtəs] *adj.* 无缘无故的；免费的
[记]来自 gratuity(*n.* 小费)；付小费严格说不是义务，所以有"无缘无故"之意

grave [greɪv] *adj.* 严肃的，庄重的 *n.* 墓穴
[记]词根记忆：grav(重) + e → 庄重的

gravitational [ˌgrævɪ'teɪʃnl] *adj.* 万有引力的，重力的
[记]来自 gravitation(*n.* 引力；倾向)

gravity ['grævəti] *n.* 严肃，庄重

[记] 词根记忆：grav(重) + ity → 庄重

graze [greɪz] *v.* (让动物)吃草；放牧

[记] 来自 grass(*n.* 草)；和 glaze(*v.* 装玻璃，上釉于)一起记

gregarious [grɪ'geriəs] *adj.* 群居的；爱社交的

[记] 词根记忆：greg(群体) + arious → 群居的

A man is not old as long as he is seeking something. A man is not old until regrets take the place of dreams.

只要一个人还有所追求，他就没有老。直到后悔取代了梦想，一个人才算老。

——美国演员 巴里穆尔

(J. Barrymore, American actor)

Word List 10

grief [griːf] *n.* 忧伤，悲伤

grieve [griːv] *v.* 使某人极为悲伤

grim [grɪm] *adj.* 冷酷的，可怕的

grind [graɪnd] *v.* 磨碎，碾碎 *n.* 苦差事

gripping [ˈɡrɪpɪŋ] *adj.* 吸引注意力的，扣人心弦的

grope [grəʊp] *v.* 摸索，探索
[记] 联想记忆：g（看作 grasp，抓住）+ rope（绳子）→ 抓住绳子 → 摸索，探索

groundless [ˈɡraʊndləs] *adj.* 无理由的，无根据的

grudge [ɡrʌdʒ] *v.* 吝惜，勉强给或承认；不满，怨恨
[记] 联想记忆：去做苦工（drudge）肯定会怨恨（grudge）

grumble [ˈɡrʌmbl] *v.* 嘟囔，抱怨，发牢骚

guile [ɡaɪl] *n.* 欺骗，欺诈；狡猾
[记] 发音记忆："贵了" → 东西买贵了 → 被欺骗了 → 欺骗

guilt [ɡɪlt] *n.* 罪行；内疚

gullible [ˈɡʌləbl] *adj.* 易受骗的
[记] 来自 gull（*v.* 欺骗）

gush [ɡʌʃ] *v.* 涌出，迸出；滔滔不绝地说 *n.* 涌出，迸发

gymnastic [dʒɪmˈnæstɪk] *adj.* 体操的，体育的

habituate [həˈbɪtʃueɪt] *v.* 使习惯于
[记] 词根记忆：habit（住；习惯）+ uate → 使习惯于

hackneyed [ˈhæknid] *adj.* 陈腐的，老一套的
[记] 来自 Hackney（*n.* 伦敦近郊城镇），以养马闻名，hack 的意思是"出租的老马"，引申为"陈腐的"

haggle [ˈhæɡl] *v.* 讨价还价

hale [heɪl] *adj.* 健壮的，矍铄的

[记] 词根记忆：hal(呼吸) + e → 呼吸得很好的 → 精神矍铄的 → 健壮的

halfhearted [ˌhæf'hɑːrtid] *adj.* 不认真的，不热心的

[记] 组合词：half(半) + heart(心) + ed → 只花一半心思的 → 不认真的

hallow ['hæləʊ] *v.* 把…视为神圣；尊敬，敬畏

[记] 注意不要和 hollow(*adj.* 空洞的)相混

halting ['hɔːltɪŋ] *adj.* 蹒跚的，迟疑不决的

[记] 来自 halt(*v.* 停住，停顿)

hamper ['hæmpər] *v.* 妨碍，阻挠 *n.* (有盖的)大篮子

haphazardly [hæp'hæzərdli] *adv.* 偶然地；随意地；杂乱地

[记] 联想记忆：hap (机会，运气) + hazard (危险；意外) + ly → 偶然地；随意地

harass ['hærəs] *v.* 侵扰，烦扰

hardheaded [ˌhɑːrd'hedid] *adj.* (尤指做生意时)讲究实际的，冷静的，精明的

[记] 组合词：hard(硬的) + head(头) + ed → 头脑坚硬的 → 冷静的

hardship ['hɑːrdʃip] *n.* 困苦，拮据

[记] 联想记忆：hard (艰苦的) + ship (表状态) → 困苦

harmonic [hɑːr'mɑːnɪk] *adj.* 和声的；和谐的

[记] 来自 harmony(*n.* 和声，和谐)

harsh [hɑːrʃ] *adj.* 严厉的；粗糙的；刺耳的

[记] 联想记忆：har(看作 hard，坚硬的) + sh → 态度强硬 → 严厉的

hatch [hætʃ] *n.* 船舱盖 *v.* 孵化；策划

haughty ['hɔːti] *adj.* 傲慢的，自大的

[记] 词根记忆：haught(=haut 高的) + y → 自视甚高的 → 傲慢的

haunt [hɔːnt] *v.* (思想，回忆等)萦绕心头；经常去(某地)；(鬼魂)常出没于 *n.* 常去的地方

[记] 联想记忆：姑妈常去的地方是商店

94

hazard [ˈhæzərd] *n.* 危险

hazardous [ˈhæzərdəs] *adj.* 危险的，冒险的

headstrong [ˈhedstrɔːŋ] *adj.* 刚愎自用的
[记] 组合词：head（头）+ strong（强的）→ 头很强 → 刚愎自用的

hearten [ˈhɑːrtn] *v.* 鼓励，激励
[记] 联想记忆：heart（心）+ en → 鼓励别人的心 → 鼓励

heartfelt [ˈhɑːrtfelt] *adj.* 衷心的，诚挚的
[记] 组合词：heart（心）+ felt（感觉到的）→ 能感觉到心意的 → 衷心的，诚挚的

heavenly [ˈhevnli] *adj.* 天空的，天上的

hedonist [ˈhiːdənɪst] *n.* 享乐主义者
[记] 联想记忆：he（他）+ don（看作 done，做）+ ist → 他做了自己想做的一切 → 享乐主义者

heed [hiːd] *v.* 注意，留心 *n.* 注意，留心
[记] 和 need（*n.* 需要）一起记；需要（need）的东西格外注意、留心（heed）

heinous [ˈheɪnəs] *adj.* 十恶不赦的，可憎的
[记] 联想记忆：he（他）+ in + ous（音似：恶死）→ 他在恶死中 → 十恶不赦的

herald [ˈherəld] *v.* 宣布…的消息；预示…的来临 *n.* 传令官；信使；先驱
[记] 联想记忆：her（她）+ ald（看作 old，老的）→ 她带来老人的告诫 → 信使

herbaceous [ɜːrˈbeɪʃəs] *adj.* 草本的
[记] 词根记忆：herb（草）+ aceous → 草本的

hereditary [həˈredɪteri] *adj.* 祖传的，世袭的；遗传的
[记] 词根记忆：her（=heir，继承人）+ editary → 祖传的

heretical [həˈretɪkl] *adj.* 异端的，异教的

hesitant [ˈhezɪtənt] *adj.* 犹豫的

heterodox [ˈhetərədɑːks] *adj.* 异端的，非正统的
[记] 词根记忆：hetero（其他的；相异的）+ dox（思想）→ 持异端思想的 → 异端的

heterogeneous [ˌhetərə'dʒi:niəs] *adj.* 异类的，多样化的

[记] 词根记忆：hetero(其他的；相异的) + gene (产生，基因) + ous → 异类的

hiatus [haɪ'eɪtəs] *n.* 空隙，裂缝

[记] 联想记忆：hi(音似："嗨") + at + us → 对我们喊"嗨"，我们能听到，说明有空隙 → 空隙

hibernate ['haɪbərneɪt] *v.* 冬眠

[记] 词根记忆：hibern(冬天) + ate → 冬眠

hierarchy ['haɪərɑːrki] *n.* 阶层；等级制度

[记] 词根记忆：hier(神圣的) + archy(统治) → 神圣的统治 → 等级制度

hieroglyph ['haɪərəglɪf] *n.* 象形文字，神秘符号

[记] 词根记忆：hier (神圣的) + o + glyph (写，刻) → 神写的字 → 神秘符号

hilarity [hɪ'lærəti] *n.* 欢闹，狂欢

histrionic [ˌhɪstri'ɑːnɪk] *adj.* 做作的；戏剧的

[记] 词根记忆：histrion (演员) + ic → 戏剧的；注意不要和 historic(*adj.* 历史的)相混

hitherto [ˌhɪðər'tuː] *adv.* 到目前为止

hive [haɪv] *n.* 蜂房，蜂巢；热闹的场所

hoard [hɔːrd] *v./n.* 贮藏，秘藏

[记] 把东西藏(hoard)在木板(board)后

homemade [ˌhəum'meid] *adj.* 自制的，家里做的

homespun ['houmspʌn] *adj.* 朴素的；家织的

homogeneity [ˌhɑːmədʒə'niːəti] *n.* 同种，同质

[记] 词根记忆：homo(同类的) + gene(基因) + ity(表性质) → 具有同种基因 → 同种，同质

homogeneous [ˌhoumə'dʒi:niəs] *adj.* 同类的，相似的

homogenize [hə'mɑːdʒənaɪz] *v.* 使均匀

hormone ['hɔːrmoun] *n.* 荷尔蒙，激素

[记] 发音记忆："荷尔蒙"

horrific [hə'rɪfɪk] *adj.* 可怕的

hospitable [hɑː'spɪtəbl] *adj.* 热情好客的；易接受的

[记] 联想记忆：hospita(l)(医院) + (a)ble(能…的) → 在医院治疗要接受医生的安排 → 易接受的

96

host [houst] *n.* 东道主;(寄生动植物的)寄主, 宿主

hostile ['hɑːstl] *adj.* 敌对的, 敌意的

[记] 联想记忆:host(主人) + ile → 反客为主 → 敌对的

hostility [hɑːˈstɪləti] *n.* 敌意, 敌对状态

hot-tempered [ˌhɔt ˈtempərd] *adj.* 性急的, 易怒的, 暴躁的

hover ['hʌvər] *v.* 翱翔;(人)徘徊

[记] 联想记忆:爱人(lover)在自己身边徘徊(hover)

huckster ['hʌkstə] *n.* 叫卖小贩, 零售商

[记] 词根记忆:huck(=back, 背) + ster(人) → 背东西卖的人 → 叫卖小贩

huddle ['hʌdl] *v.* 挤成一团 *n.* 一堆人(或物)

[记] 联想记忆:聚集在一起(huddle)处理(handle)问题

humane [hjuːˈmeɪn] *adj.* 人道的, 慈悲的;人文主义的

humanistic [ˌhjuːməˈnɪstɪk] *adj.* 人性的;人文主义的

humanitarian [hjuːˌmænɪˈteriən] *n.* 人道主义者

humble ['hʌmbl] *adj.* 卑微的;谦虚的 *v.* 使谦卑

[记] 词根记忆:hum(地面) + ble → 接近地面的 → 低下的 → 卑微的

humdrum ['hʌmdrʌm] *adj.* 单调的, 乏味的

[记] 组合词:hum(嗡嗡声) + drum(鼓声) → 单调的

humidity [hjuːˈmɪdəti] *n.* 湿度, 湿气

[记] 来自 humid(*adj.* 潮湿的)

humiliate [hjuːˈmɪlieɪt] *v.* 羞辱, 使丢脸

[记] 词根记忆:hum(地) + iliate(使…) → 使人靠近地面 → 羞辱

humility [hjuːˈmɪləti] *n.* 谦逊, 谦恭

hunch [hʌntʃ] *n.* 直觉, 预感

hurl [hɜːrl] *v.* 用力投掷;大声叫骂

hydrate ['haɪdreɪt] *n.* 水合物 *v.* (使)水合

[记] 词根记忆:hydr(水) + ate → 水合物

hyperbole [haɪ'pɜːrbəli] *n.* 夸张法

[记] 词根记忆：hyper(过度) + bole(扔) → 扔得过度 → 夸张法

hypersensitive [ˌhaɪpər'sensətɪv] *adj.* 非常敏感的

hypnotic [hɪp'nɑːtɪk] *adj.* 催眠的 *n.* 催眠药

hypochondriac [ˌhaɪpə'kɑːndriæk] *n.* 忧郁症患者 *adj.* 忧郁症的

hypocrisy [hɪ'pɑːkrəsi] *n.* 伪善，虚伪

hypocritical ['hɪpəkrɪtɪkl] *adj.* 虚伪的，伪善的

hypothesis [haɪ'pɑːθəsɪs] *n.* 假设，假说

[记] 词根记忆：hypo(在…下面) + thesis(论点) → 下面的论点 → 假说

hypothetical [ˌhaɪpə'θetɪkl] *adj.* 假设的

hysteria [hɪ'stɪriə] *n.* 歇斯底里症；过度兴奋

[记] 联想记忆：hyster(=hystero，子宫；癔症) + ia → 像患了癔症一样 → 歇斯底里症

iconoclasm [aɪ'kɑːnəklæzəm] *n.* 破坏偶像的理论，打破旧习

iconoclastic [aɪˌkɑːnə'klæstɪk] *adj.* 偶像破坏的，打破旧习的

iconographic [aɪˌkɔnə'græfɪk] *adj.* 肖像的，肖像学的；图解的

idealism [aɪ'diːəlɪzəm] *n.* 理想主义；唯心主义

identifiable [aɪˌdentɪ'faɪəbl] *adj.* 可辨认的

ideological [ˌaɪdiə'lɑːdʒɪkl] *adj.* 意识形态的，思想体系的；思想上的

ideology [ˌaɪdi'ɑːlədʒi] *n.* 思想体系，思想意识

[记] 联想记忆：ide (看作 idea，思想) + ology (学科) → 思想体系

idiomatic [ˌɪdiə'mætɪk] *adj.* 符合语言习惯的；惯用的

idiosyncracy [ˌɪdiːəʊ'sɪŋkrəsi] *n.* 特质

idiosyncratic [ˌɪdiəsɪŋ'krætɪk] *adj.* 特殊物质的，特殊的；异质的

idyllic [aɪ'dɪlɪk] *adj.* 田园诗的

igneous ['ɪgniəs] *adj.* 火的，似火的

[记] 词根记忆：ign(点燃) + eous → 火的

ignoble [ɪg'noʊbl] *adj.* 卑鄙的

[记] 词根记忆：ig(不) + noble(高贵) → 不高贵的 → 卑鄙的

ignominious [ˌɪgnəˈmɪnɪəs] *adj.* 可耻的; 耻辱的

ignominy [ˈɪgnəmɪni] *n.* 羞耻, 耻辱
[记] 词根记忆: ig(不) + nomin(名声) + y → 名声不好 → 耻辱

ignorance [ˈɪgnərəns] *n.* 无知, 愚昧
[记] 词根记忆: ig(不) + (g)nor(知道) + ance → 什么都不知道 → 无知, 愚昧

ignore [ɪgˈnɔːr] *v.* 不顾, 不理, 忽视
[记] 联想记忆: ig+nore(看作 nose, 鼻子) → 翘起鼻子不理睬 → 不理

illegitimate [ˌɪləˈdʒɪtəmət] *adj.* 不合法的; 私生的
[记] 联想记忆: il(不) + legitimate(合法的) → 不合法的

illicit [ɪˈlɪsɪt] *adj.* 违法的
[记] 词根记忆: il(不) + licit(合法的) → 违法的

illiterate [ɪˈlɪtərət] *adj.* 文盲的
[记] 联想记忆: il(不) + literate(识字的) → 不识字的 → 文盲的

ill-paying [ˌɪlˈpeɪɪŋ] *adj.* 工资低廉的

ill-prepared [ˌɪlprɪˈperd] *adj.* 准备不足的

ill-repute [ˌɪlrɪˈpjuːt] *n.* 名誉败坏

illusory [ɪˈluːsəri] *adj.* 虚幻的

illustrative [ɪˈlʌstrətɪv] *adj.* 解说性的, 用作说明的

ill-will [ˌɪlˈwɪl] *n.* 敌意, 仇视, 恶感

imbue [ɪmˈbjuː] *v.* 浸染, 浸透; 使充满, 灌输, 激发

imitate [ˈɪmɪteɪt] *v.* 模仿
[记] 联想记忆: im + it(它) + ate(eat 的过去式, 吃) → 它照着别人的样子吃 → 模仿

immaculate [ɪˈmækjələt] *adj.* 洁净的, 无瑕的
[记] 词根记忆: im(不) + macul(斑点) + ate → 无斑点的 → 洁净的, 无瑕的

immature [ˌɪməˈtʃʊr] *adj.* 未充分成长的, 未完全发展的; (行为等)不成熟的
[记] 联想记忆: im(不) + mature(成熟的) → 不成熟的

immense [ɪˈmens] *adj.* 极大的；无限的

[记] 词根记忆：im（不）+ mense（=measure 测量）→ 不能测量的 → 极大的

imminent [ˈɪmɪnənt] *adj.* 即将发生的，逼近的

[记] 词根记忆：im(进入) + min(突出) + ent → 突进来 → 逼近的

immobile [ɪˈmoʊbl] *adj.* 稳定的，不动的，静止的

immodest [ɪˈmɑːdɪst] *adj.* 不谦虚的；不正派的

immutability [ɪˌmjuːtəˈbɪləti] *n.* 不变，不变性

impair [ɪmˈper] *v.* 损害，削弱

[记] 词根记忆：im(进入) + pair(坏) → 使…变坏 → 损害

impart [ɪmˈpɑːrt] *v.* 传授，赋予；传递；告知，透露

[记] 词根记忆：im(进入) + part(部分) → 使成为一部分 → 告知

impartial [ɪmˈpɑːrʃl] *adj.* 公平的，无私的

[记] 联想记忆：im(不) + partial(偏见的) → 没有偏见的 → 公平的

impartiality [ɪmˌpɑːrʃiˈæləti] *n.* 公平，公正

impassable [ɪmˈpæsəbl] *adj.* 不能通行的，无法通过的

impassioned [ɪmˈpæʃnd] *adj.* 充满激情的，慷慨激昂的

[记] 联想记忆：im(进入) + passion(激情) + ed → 投入激情的 → 慷慨激昂的

impassive [ɪmˈpæsɪv] *adj.* 无动于衷的，冷漠的

[记] 词根记忆：im(没有) + passi(感情) + ve → 没有感情的；注意不要和 impassioned(*adj.* 充满激情的)相混

impatience [ɪmˈpeɪʃns] *n.* 不耐烦，焦躁

[记] 来自 patient（*adj.* 有耐心的）

impeccable [ɪmˈpekəbl] *adj.* 无瑕疵的

[记] 词根记忆：im(无) + pecc(斑点) + able → 无斑点的 → 无瑕疵的

impecunious [ˌɪmpɪˈkjuːniəs] *adj.* 不名一文的，没钱的

[记] 词根记忆：im(无) + pecun(钱) + ious → 没钱的

impede [ɪmˈpiːd] *v.* 妨碍

[记] 词根记忆：im(进入) + ped(脚) + e → 把脚放入 → 妨碍

impediment [ɪmˈpedɪmənt] *n.* 妨碍，阻碍物

impending [ɪmˈpendɪŋ] *adj.* 即将发生的，逼近的

[记] 词根记忆：im (进入) + pend (挂) + ing → 挂到眼前 → 即将发生的，逼近的

impenetrable [ɪmˈpenɪtrəbl] *adj.* 不能穿透的；不可理解的

[记] 联想记忆：im(不) + penetrable(可刺穿的) → 不能穿透的

imperative [ɪmˈperətɪv] *adj.* 紧急的

[记] 词根记忆：imper(命令) + ative → 命令的，紧急的 → 紧急的

imperial [ɪmˈpɪriəl] *adj.* 帝王的，至尊的

imperious [ɪmˈpɪriəs] *adj.* 傲慢的，专横的

[记] 词根记忆：imper (命令) + ious → 命令的 → 专横的

impermanent [ɪmˈpɜːrmənənt] *adj.* 暂时的

[记] 联想记忆：im(不) + permanent(永久的) → 不能永久的 → 暂时的

impermeable [ɪmˈpɜːrmiəbl] *adj.* 不可渗透的，不透水的

[记] 联想记忆：im(不) + permeable(可渗透的) → 不可渗透的

impermissible [ˌɪmpɜːrˈmɪsəbl] *adj.* 不容许的

impersonal [ɪmˈpɜːrsənl] *adj.* 不受个人感情影响的

[记] 联想记忆：im(不) + personal(个人的) → 不投入个人感情的 → 不受个人感情影响的

impersonate [ɪmˈpɜːrsəneɪt] *v.* 模仿；扮演

[记] 联想记忆：im(进入) + person(人，角色) + ate → 进入角色 → 扮演

impertinent [ɪmˈpɜːrtnənt] *adj.* 不切题的；无礼的，莽撞的

imperturbable [ˌɪmpərˈtɜːrbəbl] *adj.* 冷静的，沉着的

[记] 联想记忆：im (不) + perturb (打扰) + able → 不能被打扰的 → 冷静的，沉着的

101

Word List 11

impervious [ɪmˈpɜːrviəs] *adj.* 不能渗透的；不为所动的
[记] 联想记忆：im(不) + pervious(渗透的) →
不能渗透的

impetuous [ɪmˈpetʃuəs] *adj.* 冲动的，鲁莽的

impiety [ɪmˈpaɪəti] *n.* 不虔诚，无信仰

implausible [ɪmˈplɔːzəbl] *adj.* 难以置信的
[记] 联想记忆：im(不) + plausible(可信的) →
难以置信的

implement [ˈɪmplɪmənt] *n.* 工具，器具
[ˈɪmplɪment] *v.* 实现，实施
[记] 词根记忆：im (进入) + ple (满的) + ment
→ 进入圆满 → 实现

implication [ˌɪmplɪˈkeɪʃn] *n.* 暗示
[记] 来自 imply(*v.* 暗示，暗指)

imply [ɪmˈplaɪ] *v.* 暗示，暗指
[记] 词根记忆：im(进入) + ply(重叠) → 重叠
表达 → 暗示

impolitic [ɪmˈpɑːlətɪk] *adj.* 不明智的，失策的
[记] 联想记忆：im(不) + politic(有手腕的，有
策略的) → 失策的

imponderabl [ɪmˈpɑːndərəbl] *adj.* (重量等)无法衡量的
[记] 联想记忆：im(不) + ponder(仔细考量) +
able → 无法衡量的

imposing [ɪmˈpoʊzɪŋ] *adj.* 给人深刻印象的；壮丽的，雄
伟的

impostor [ɪmˈpɑːstər] *n.* 冒充者，骗子
[记] 词根记忆：im(进入) + pos(放) + tor → 把
自己放入别人的角色 → 冒充者

imposture [ɪmˈpɑːstʃər] *n.* 冒充

[记] 词根记忆：im(进入) + pos(放) + ture → 把别的东西放进去 → 冒充

impound [ɪmˈpaʊnd] *v.* 限制；依法没收，扣押

impracticability [ɪmˌpræktɪkəˈbɪləti] *n.* 无法实施；不能实施的事项

impractical [ɪmˈpræktɪkl] *adj.* 不切实际的

imprecise [ˌɪmprɪˈsaɪs] *adj.* 不精确的

[记] 联想记忆：im(不) + precise(精确的) → 不精确的

impressed [ɪmˈprest] *adj.* 被打动的，被感动的

impressionable [ɪmˈpreʃənəbl] *adj.* 易受影响的

impressive [ɪmˈpresɪv] *adj.* 给人印象深刻的，感人的

impromptu [ɪmˈprɑːmptuː] *adj.* 即席的，即兴的

[记] 联想记忆：im（不）+ prompt（按时的）+ u → 不按照时间来的 → 即席的

improper [ɪmˈprɑːpər] *adj.* 不合适的，不适当的

impropriety [ˌɪmprəˈpraɪəti] *n.* 不得体的言行举止；不合适，不适当

improvident [ɪmˈprɑːvɪdənt] *adj.* 无远见的，不节俭的

[记] 联想记忆：im(不) + provident(有远见的；节俭的) → 无远见的，不节俭的

improvise [ˈɪmprəvaɪz] *v.* 即席创作

[记] 词根记忆：im（不）+ pro（在…前面）+ vis（看）+ e → 没有预先看过 → 即席创作

improvised [ˈɪmprəvaɪzd] *adj.* 临时准备的，即席而作的

imprudent [ɪmˈpruːdnt] *adj.* 轻率的；不理智的

impudent [ˈɪmpjədənt] *adj.* 鲁莽的，无礼的

impugn [ɪmˈpjuːn] *v.* 提出异议，对…表示怀疑

[记] 词根记忆：im(进入) + pugn(打斗) → 马上就要进入打斗状态 → 提出异议

impulse [ˈɪmpʌls] *n.* 动力，刺激

[记] 词根记忆：im(在内) + puls（推）+ e → 在内推 → 动力

impulsive [ɪmˈpʌlsɪv] *adj.* 冲动的，由冲动引起的；易冲动的

impunity [ɪmˈpjuːnəti] *n.* 免受惩罚
[记] 词根记忆：im(不) + pun(惩罚) + ity → 免受惩罚

impute [ɪmˈpjuːt] *v.* 归咎于；归于
[记] 词根记忆：im(进入) + put(认为) + e → 认为某人有罪 → 归咎于

inadvertent [ˌɪnədˈvɜːrtənt] *adj.* 疏忽的；不经意的，无心的

inadvisable [ˌɪnədˈvaɪzəbl] *adj.* 不明智的，不妥当的

inalienable [ɪnˈeɪliənəbl] *adj.* 不能转让的；不可剥夺的
[记] 联想记忆：in(不) + alien(转让) + able → 不能转让的

inane [ɪˈneɪn] *adj.* 无意义的，空洞的；愚蠢的

inappropriate [ˌɪnəˈproupriət] *adj.* 不恰当的，不适宜的

inaugurate [ɪˈnɔːgjəreɪt] *v.* 举行就职典礼；创始，开创
[记] 联想记忆：in(进入) + augur(预示) + ate → 通过预示创新 → 开创

inborn [ˌɪnˈbɔːrn] *adj.* 天生的，先天的
[记] 联想记忆：in(内) + born(出生) → 与生俱来的 → 天生的

incandescent [ˌɪnkænˈdesnt] *adj.* 遇热发光的，发白热光的

incapacitate [ˌɪnkəˈpæsɪteɪt] *v.* 使无能力，使不适合

incarnate [ɪnˈkɑːrnət] *adj.* 具有人体的；化身的，拟人化的
[记] 词根记忆：in(进入) + carn(肉体) + ate → 变成肉体的 → 具有人体的

incendiary [ɪnˈsendieri] *adj.* 放火的，纵火的
[记] 词根记忆：in(进入) + cend(=cand 发光) + iary → 燃烧发光 → 放火的

incense [ˈɪnsens] *n.* 香味
[ɪnˈsens] *v.* 激怒
[记] 词根记忆：in(进入) + cens(=cand 发光) + e → 焚烧 → 点燃怒气 → 激怒

incentive [ɪnˈsentɪv] *n.* 刺激，诱因，动机；刺激因素
[记] 词根记忆：in(进入) + cent(=cant 唱，说) + ive → 说服他人做某事 → 刺激，诱因

incessant [ɪnˈsesnt] *adj.* 不停的，不断的
[记] 词根记忆：in(不) + cess(走) + ant → 不停的

incidence [ˈɪnsɪdəns] *n.* 发生，出现；发生率
[记] 词根记忆：in + cid(落下) + ence → 落下来的事 → 发生，出现

incidental [ˌɪnsɪˈdentl] *adj.* 作为自然结果的，伴随而来的；偶然发生的

incipient [ɪnˈsɪpiənt] *adj.* 初期的，起初的
[记] 词根记忆：in + cip (掉) + ient → 掉进来的 → 初期的

incise [ɪnˈsaɪz] *v.* 切入，切割
[记] 词根记忆：in(进入) + cis(切) + e → 切入

incisive [ɪnˈsaɪsɪv] *adj.* 尖锐的，深刻的

incoherent [ˌɪnkoʊˈhɪrənt] *adj.* 不连贯的；语无伦次的

incommensurate [ˌɪnkəˈmenʃərət] *adj.* 不成比例的，不相称的
[记] 联想记忆：in(不) + commensurate(成比例的，相称的) → 不成比例的，不相称的

incompatibility [ˈɪnkəmˌpætəˈbɪləti] *n.* 不相容(性)

incompatible [ˌɪnkəmˈpætəbl] *adj.* 无法和谐共存的，不相容的
[记] 联想记忆：in(不) + compatible(和谐共存的) → 无法和谐共存的，不相容的

incompetent [ɪnˈkɑːmpɪtənt] *adj.* 无能力的，不胜任的
[记] 联想记忆：in(不) + competent(有能力的) → 无能力的

incomplete [ˌɪnkəmˈpliːt] *adj.* 不完全的，不完整的

incomprehensible [ɪnˌkɑːmprɪˈhensəbl] *adj.* 难以理解的，难懂的

inconclusive [ˌɪnkənˈkluːsɪv] *adj.* 非决定性的；无定论的

incongruity [ˌɪnkɑːnˈɡruːəti] *n.* 不协调，不相称
[记] 联想记忆：in(不) + congruity(一致，和谐) → 不协调，不相称

incongruous [ɪnˈkɑːŋɡruəs] *adj.* 不协调的，不一致的

inconsequential [ɪnˌkɑːnsɪˈkwenʃl] *adj.* 不重要的，微不足道的
[记] 联想记忆：in(不) + consequential(重要的) → 不重要的

inconsolable [ˌɪnkənˈsoʊləbl] *adj.* 无法慰藉的，悲痛欲绝的

incontrovertible [ˌɪnkɑːntrəˈvɜːrtəbl] *adj.* 无可辩驳的，不容置疑的

[记] 联想记忆：in（不）+ controvertible（可辩论的）→ 无可辩驳的

inconvenient [ˌɪnkənˈviːniənt] *adj.* 不便的，打扰的，造成麻烦的

incorporate [ɪnˈkɔːrpəreɪt] *v.* 合并，并入

[记] 词根记忆：in（进入）+ corp（身体）+ orate → 进入体内 → 合并

incorrigible [ɪnˈkɔːrɪdʒəbl] *adj.* 积习难改的，不可救药的

[记] 联想记忆：in（不）+ corrigible（可改正的）→ 积习难改的

incorruptible [ˌɪnkəˈrʌptəbl] *adj.* 廉洁的，不腐败的

[记] 联想记忆：in（不）+ corrupt（变腐败）+ ible → 不会腐败的 → 廉洁的

incredulity [ˌɪnkrəˈduːləti] *n.* 怀疑，不相信

[记] 词根记忆：in（不）+ cred（信任）+ ulity → 怀疑，不相信

incumbent [ɪnˈkʌmbənt] *n.* 在职者，现任者 *adj.* 义不容辞的

[记] 词根记忆：in + cumb（躺）+ ent → 躺在（职位）上的人 → 在职者

indebted [ɪnˈdetɪd] *adj.* 感激的，蒙恩的

[记] 联想记忆：in（进入）+ debt（债务）+ ed → 欠人情债的 → 感激的，蒙恩的

indecipherable [ˌɪndɪˈsaɪfrəbl] *adj.* 无法破译的

[记] 联想记忆：in（不）+ decipher（破解，破译）+ able → 无法破译的

indefatigable [ˌɪndɪˈfætɪɡəbl] *adj.* 不知疲倦的

[记] 联想记忆：in（不）+ de（表强调）+ fatigable（易疲倦的）→ 不知疲倦的

indent [ɪnˈdent] *v.* 切割成锯齿状

[记] 联想记忆：in（进入）+ dent（牙齿）→ 切割成锯齿状

indented [ɪnˈdentɪd] *adj.* 锯齿状的；高低不平的

indenture [ɪnˈdentʃər] *n.* 契约，合同 *v.* 以契约约束

[记] 来自 indent(*v.* 切割成锯齿状)，原指古代师徒间分割成锯齿状的契约

indestructible [ˌɪndɪˈstrʌktəbl] *adj.* 不能破坏的，不可毁灭的

indicate [ˈɪndɪkeɪt] *v.* 指示，指出；象征，显示

[记] 词根记忆：in + dic(说) + ate → 指示，指出

indict [ɪnˈdaɪt] *v.* 控诉，起诉

[记] 词根记忆：in(进入) + dict(说) → (在法庭上)把…说出来 → 控诉

indigence [ˈɪndɪdʒəns] *n.* 贫穷，贫困

[记] 联想记忆：in(无) + dig(挖) + ence → 挖不出东西 → 贫穷

indigenous [ɪnˈdɪdʒənəs] *adj.* 土产的，本地的；生来的，固有的

[记] 词根记忆：indi (内部) + gen (产生) + ous → 产生于内部的 → 本地的

indigent [ˈɪndɪdʒənt] *adj.* 贫穷的，贫困的

[记] 联想记忆：in(无) + dig(挖) + ent → 挖不出东西 → 贫穷的

indignation [ˌɪndɪɡˈneɪʃn] *n.* 愤慨，义愤

indiscriminate [ˌɪndɪˈskrɪmɪnət] *adj.* 不加选择的；随意的，任意的

indiscriminately [ˌɪndɪˈskrɪmɪnətli] *adv.* 随意地，任意地

indistinguishable [ˌɪndɪˈstɪŋɡwɪʃəbl] *adj.* 无法区分的，难以分辨的

individual [ˌɪndɪˈvɪdʒuəl] *adj.* 单独的，单个的；特有的；个人的，个体的 *n.* 个人，个体

[记] 联想记忆：in + divid(e)(分割) + ual → 分割开的 → 单独的，单个的

individualism [ˌɪndɪˈvɪdʒuəlɪzəm] *n.* 个人主义

indolent [ˈɪndələnt] *adj.* 懒惰的

[记] 词根记忆：in(不) + dol(悲痛) + ent → 不悲痛的 → 不因时间的流逝而悲痛的 → 懒惰的

107

indubitable [ɪnˈduːbɪtəbl] *adj.* 不容置疑的

[记] 词根记忆：in(不) + dub(不确定的) + it + able → 不容置疑的

indubitably [ɪnˈduːbɪtəbli] *adv.* 无疑地，确实地

inducement [ɪnˈduːsmənt] *n.* 引诱；引诱物，诱因，动机

[记] 来自 induce(*v.* 引诱)

inducible [ɪnˈduːsəbl] *adj.* 可诱导的

indulge [ɪnˈdʌldʒ] *v.* 放纵，纵容；满足

indulgent [ɪnˈdʌldʒənt] *adj.* 放纵的，纵容的

inedible [ɪnˈedəbl] *adj.* 不能吃的，不可食的

inefficient [ˌɪnɪˈfɪʃnt] *adj.* 无效率的；无能的，不称职的

inelastic [ˌɪnɪˈlæstɪk] *adj.* 无弹性的

[记] 联想记忆：in(不) + elastic(有弹性的) → 无弹性的

ineligible [ɪnˈelɪdʒəbl] *adj.* 不合格的

[记] 联想记忆：in(不) + eligible(合格的) → 不合格的

inept [ɪˈnept] *adj.* 无能的；不适当的

[记] 联想记忆：in(不) + ept(能干的) → 无能的

ineptitude [ɪˈneptɪtuːd] *n.* 无能；不适当

inert [ɪˈnɜːrt] *adj.* 惰性的；呆滞的，迟缓的

[记] 词根记忆：in(不) + ert(动) → 不动的 → 惰性的

inestimable [ɪnˈestɪməbl] *adj.* 无法估计的；无价的，极有价值的

inevitable [ɪnˈevɪtəbl] *adj.* 不可避免的，必然的

[记] 联想记忆：in(不) + evitable(可避免的) → 不可避免的

inexcusable [ˌɪnɪkˈskjuːzəbl] *adj.* 不可原谅的，不可宽恕的

inexhaustible [ˌɪnɪgˈzɔːstəbl] *adj.* 用不完的，无穷无尽的

[记] 联想记忆：in(不) + exhaust(耗尽) + ible → 用不完的

inexorable [ɪnˈeksərəbl] *adj.* 不为所动的；无法改变的

[记] 词根记忆：in(不) + ex(出) + or(说) + able → 不可被说服的 → 不为所动的

108

inexpensive [ˌɪnɪkˈspensɪv] *adj.* 廉价的，便宜的

inexplicable [ˌɪnɪkˈsplɪkəbl] *adj.* 无法解释的
[记] 联想记忆：in(不) + explicable(可解释的) → 无法解释的

infamous [ˈɪnfəməs] *adj.* 臭名昭著的

infant [ˈɪnfənt] *n.* 婴儿
[记] 联想记忆：in + fant(看作 faint, 虚弱的) → 尚处于无力虚弱的状态 → 婴儿

infantile [ˈɪnfəntaɪl] *adj.* 幼稚的，孩子气的
[记] 来自 infant(*n.* 婴儿)

infect [ɪnˈfekt] *v.* 传染；使感染，侵染；污染

infection [ɪnˈfekʃn] *n.* 传染；感染
[记] 词根记忆：in(进入) + fect(做) → 在里面做 → 传染

infectious [ɪnˈfekʃəs] *adj.* 传染的，有传染性的

infer [ɪnˈfɜːr] *v.* 推断，推论，推理
[记] 词根记忆：in（进入）+ fer（带来）→ 带进（意义）→ 推断

inferable [ɪnˈfɜːrəbl] *adj.* 能推理的，能推论的

inferior [ɪnˈfɪriər] *adj.* 下级的，下属的；低等的，较差的

infertile [ɪnˈfɜːrtl] *adj.* 贫瘠的，不结果实的

infest [ɪnˈfest] *v.* 大批出没于，骚扰；寄生于
[记] 联想记忆：in(进入) + fest(集会) → 全部来参加集会 → 大批出没于，骚扰

infiltrate [ˈɪnfɪltreɪt] *v.* 渗透，渗入
[记] 词根记忆：in(进入) + filtr(过滤) + ate → 过滤进去 → 渗透，渗入

infinitesimal [ˌɪnfɪnɪˈtesɪml] *adj.* 极微小的 *n.* 极小量
[记] 词根记忆：in（不）+ fin（边界）+ ite + sim（百分之一）+ al → 无穷小的 → 极微小的

infirm [ɪnˈfɜːrm] *adj.* 虚弱的
[记] 联想记忆：in(不) + firm(坚定的) → 不坚定的 → 虚弱的

109

inflamed [ɪnˈfleɪmd] *adj.* 发炎的，红肿的

[记] 联想记忆：in(在…里面) + flame(火焰) + d
→ 像有火焰在里面烧 → 发炎的，红肿的

inflate [ɪnˈfleɪt] *v.* 使充气，使膨胀

[记] 词根记忆：in(朝内) + flat(吹气) + e → 朝
内吹气 → 使充气

inflexible [ɪnˈfleksəbl] *adj.* 坚定的，不屈不挠的

inflict [ɪnˈflɪkt] *v.* 使遭受(痛苦、损伤等)

[记] 词根记忆：in(进入) + flict(击，打) → 使进
入打斗状态 → 使遭受(痛苦、损伤等)

influence [ˈɪnfluəns] *n.* 影响 *v.* 影响

[记] 联想记忆：in(进入) + flu(流感) + ence →
患上流感容易影响别人 → 影响

influential [ˌɪnfluˈenʃl] *adj.* 有影响力的

inform [ɪnˈfɔːrm] *v.* 对…有影响；使活跃，使有生气；告
诉，通知

[记] 词根记忆：in(进入) + form(形成) → 形成
文字，进行通知 → 通知

informal [ɪnˈfɔːrml] *adj.* 随便的，日常的；不拘礼节的，非
正式的

informality [ˌɪnfɔːrˈmæləti] *n.* 非正式，不拘礼节

informative [ɪnˈfɔːrmətɪv] *adj.* 提供信息的；见闻广博的

infrared [ˌɪnfrəˈred] *adj.* 红外线的

infrequently [ɪnˈfriːkwəntli] *adv.* 稀少地，罕见地

infuriate [ɪnˈfjʊrieɪt] *v.* 使恼怒，激怒

[记] 词根记忆：in (进入) + furi (=fury 狂怒) +
ate → 进入狂怒 → 使恼怒，激怒

infuse [ɪnˈfjuːz] *v.* 注入，灌输；鼓励

[记] 词根记忆：in(进入) + fus(流) + e → 流进
去 → 注入，灌输

ingenious [ɪnˈdʒiːniəs] *adj.* 聪明的；善于创造发明的，心灵
手巧的

[记] 词根记忆：in(在里面) + gen(产生) + ious
→ 聪明产生于内 → 聪明的；注意不要和
ingenuous(*adj.* 纯真的，纯朴的；坦率的)相混

110

ingeniousness	[ɪnˈdʒiːniəsnəs] *n.* 独创性
ingenuity	[ˌɪndʒəˈnuːəti] *n.* 聪明才智；独创性
ingenuous	[ɪnˈdʒenjuəs] *adj.* 纯真的，纯朴的；坦率的
ingenuously	[ɪnˈdʒenjuəsli] *adv.* 纯真地；坦率地
ingest	[ɪnˈdʒest] *v.* 咽下，吞下
	[记] 词根记忆：in(进入) + gest(搬运) → 搬进去 → 咽下，吞下
ingrain	[ɪnˈɡreɪn] *adj.* 根深蒂固的 *n.* 本质
	[记] 联想记忆：in(进入) + grain(木头的纹理) → 进入纹理 → 根深蒂固的
ingrained	[ɪnˈɡreɪnd] *adj.* 根深蒂固的
ingrate	[ɪnˈɡreɪt] *n.* 忘恩负义的人
	[记] 词根记忆：in(不) + grat(感激) + e → 不知感激 → 忘恩负义的人

If you would go up high, then use your own legs! Do not let yourselves carried aloft; do not seat yourselves on other people's backs and heads.

如果你想要走到高处,就要使用自己的两条腿! 不要让别人把你抬到高处;不要坐在别人的背上和头上。

——德国哲学家 尼采

(F. W. Nietzsche, German philosopher)

Word List 12

ingratiating [ɪnˈɡreɪʃieɪtɪŋ] *adj.* 讨人喜欢的, 迷人的; 讨好的, 献媚的

inhabit [ɪnˈhæbɪt] *v.* 居住于; 占据
[记] 词根记忆: in(进入) + hab(拥有) + it → 在里面拥有 → 居住于; 占据

inherent [ɪnˈhɪrənt] *adj.* 固有的, 内在的
[记] 词根记忆: in(在里面) + her(黏附) + ent → 黏附在内的 → 固有的, 内在的

inherently [ɪnˈhɪrəntli] *adv.* 固有地, 天性地

inhibit [ɪnˈhɪbɪt] *v.* 阻止; 抑制
[记] 词根记忆: in(不) + hib(拿) + it → 不许拿 → 阻止; 抑制

inhibition [ˌɪn(h)ɪˈbɪʃn] *n.* 阻止; 抑制; 抑制物

inimical [ɪˈnɪmɪkl] *adj.* 敌意的, 不友善的
[记] 词根记忆: in(不) + im(爱) + ical → 不爱的 → 敌意的, 不友善的

inimitable [ɪˈnɪmɪtəbl] *adj.* 无法仿效的
[记] 词根记忆: in(不) + imit(模仿) + able → 不可模仿的 → 无法仿效的

iniquitous [ɪˈnɪkwɪtəs] *adj.* 邪恶的, 不公正的
[记] 词根记忆: in(不) + iqu(公正的) + itous → 不公正的

initial [ɪˈnɪʃl] *adj.* 开始的, 最初的 *n.* (姓名的)首字母
[记] 词根记忆: in(朝内) + it(走) + ial → 朝内走 → 开始的, 最初的

initiate [ɪˈnɪʃieɪt] *v.* 发起, 开始; 接纳
[记] 词根记忆: in(朝内) + it(走) + ial → 朝内走 → 发起, 开始

112

injurious [ɪnˈdʒʊəriəs] *adj.* 有害的

[记]来自 injury(*n.* 伤害)

innate [ɪˈneɪt] *adj.* 天生的，固有的

[记]词根记忆：in(在内) + nat(出生) + e → 出生时带来的 → 天生的

innermost [ˈɪnərmoʊst] *adj.* 最里面的

[记]组合词：inner(里面的) + most(最) → 最里面的

innocence [ˈɪnəsns] *n.* 无辜，清白

[记]词根记忆：in(无) + noc(伤害) + ence → 无辜，清白

innocuous [ɪˈnɑːkjuəs] *adj.* (行为、言论等)无害的

[记]词根记忆：in (无) + noc (伤害) + uous → 无害的

innovative [ˈɪnəveɪtɪv] *adj.* 革新的，创新的

[记]来自 innovate(*v.* 革新，创新)

inoffensive [ˌɪnəˈfensɪv] *adj.* 无害的；不讨厌的

inordinate [ɪnˈɔːrdɪnət] *adj.* 过度的，过分的

[记]词根记忆：in(不) + ordin(次序) + ate → 无序的 → 不正常的 → 过度的，过分的

inquiry [ˈɪnkwəri] *n.* 询问

inquisitive [ɪnˈkwɪzətɪv] *adj.* 好奇的，好问的；爱打听的

[记]词根记忆：in(进入) + quis(询问) + itive → 进入询问 → 好奇的，好问的

insatiable [ɪnˈseɪʃəbl] *adj.* 不知足的，贪得无厌的

[记]词根记忆：in(不) + sati(填满) + able → 填不满的 → 不知足的

insatiably [ɪnˈseɪʃəbli] *adv.* 不知足地，贪得无厌地

insecure [ˌɪnsɪˈkjʊr] *adj.* 无保障的，不安全的

insider [ɪnˈsaɪdər] *n.* 局内人，圈内人

insidious [ɪnˈsɪdiəs] *adj.* 暗中危害的，阴险的

[记]词根记忆：in(在里面) + sid(坐) + ious → (祸害)坐在里面的 → 暗中危害的

113

insight ['ɪnsaɪt] *n.* 洞察力；洞悉

[记] 联想记忆：in(进入) + sight(眼光) → 眼光深入 → 洞察力

insightful ['ɪnsaɪtfʊl] *adj.* 富有洞察力的，有深刻见解的

insignificant [ˌɪnsɪɡ'nɪfɪkənt] *adj.* 无价值的，无意义的，无用的

insincere [ˌɪnsɪn'sɪr] *adj.* 不诚恳的，虚伪的

insinuate [ɪn'sɪnjueɪt] *v.* 暗指，暗示

[记] 词根记忆：in(进入) + sinu(弯曲) + ate → 绕弯说出来 → 暗指

insipid [ɪn'sɪpɪd] *adj.* 乏味的，枯燥的

[记] 词根记忆：in(不) + sip(有味道) + id → 没味道的 → 乏味的

insolent ['ɪnsələnt] *adj.* 粗野的，无礼的

insoluble [ɪn'sɑːljəbl] *adj.* 不能溶解的；不能解决的

[记] 词根记忆：in(不) + solu(溶解；解决) + ble → 不能溶解的；不能解决的

inspire [ɪn'spaɪər] *v.* 鼓舞，激励

[记] 词根记忆：in(使) + spir(呼吸) + e → 使⋯ 呼吸澎湃 → 鼓舞

instantaneous [ˌɪnstən'teɪniəs] *adj.* 立即的，即刻的；瞬间的

[记] 来自 instant (*adj.* 立即的，即刻的 *n.* 瞬间，顷刻)

instantly ['ɪnstəntli] *adv.* 立即，即刻 *conj.* 一⋯就

instigate ['ɪnstɪɡeɪt] *v.* 怂恿，鼓动，煽动

[记] 词根记忆：in(进入) + stig(=sting 刺激) + ate → 刺激起来 → 怂恿，鼓动，煽动

instinctive [ɪn'stɪŋktɪv] *adj.* 本能的

[记] 来自 instinct (*n.* 本能)

institute ['ɪnstɪtuːt] *v.* 设立，创立（社团等）；制定（政策等）*n.* 学院，学会，协会

[记] 词根记忆：in(进入) + stit(站) + ute → 站进去 → 设立，创立

institution [ˌɪnstɪ'tuːʃn] *n.* 机构；制度

[记] 来自 institute(*v.* 设立，创立；制定)

institutionalize [ˌɪnstɪˈtuːʃənəlaɪz] v. 使制度化

[记] 和 institutionalization(n. 制度化)一起记

institutionalized [ˌɪnstɪˈtuːʃənəlaɪzd] adj. 制度化的

instructive [ɪnˈstrʌktɪv] adj. 传授知识的, 教育的; 有益的

[记] 来自 instruct(v. 教导, 教授)

instrumental [ˌɪnstrəˈmentl] adj. 作为手段的, 有帮助的; 器械的

[记] 来自 instrument(n. 器械; 手段)

insubordinate [ˌɪnsəˈbɔːrdɪnət] adj. 不服从的, 违抗的

[记] 联想记忆: in(不) + subordinate(服从的) → 不服从的

insubstantial [ˌɪnsəbˈstænʃl] adj. 无实体的; 脆弱的

[记] 联想记忆: in(不) + substantial(实体的; 坚固的) → 无实体的; 脆弱的

insular [ˈɪnsələr] adj. 岛屿的; 心胸狭窄的

[记] 词根记忆: insul(岛) + ar → 岛屿的

insulting [ɪnˈsʌltɪŋ] adj. 侮辱的, 污蔑的

[记] 来自 insult(v. 侮辱, 辱骂)

insurgent [ɪnˈsɜːrdʒənt] adj. 叛乱的, 起义的 n. 叛乱分子

[记] 联想记忆: in(内部) + surge(浪涛; 升起) + nt → 内部起浪潮 → 叛乱的

insurmountable [ˌɪnsərˈmaʊntəbl] adj. 不能克服的, 不能超越的

intact [ɪnˈtækt] adj. 完整的, 完好无缺的

[记] 词根记忆: in(不) + tact(接触) → 未被接触过的 → 完整的

intangible [ɪnˈtændʒəbl] adj. 触摸不到的; 无形的

[记] 词根记忆: in(不) + tang(触摸) + ible → 触摸不到的

integrate [ˈɪntɪɡreɪt] v. 使成整体, 使一体化

[记] 词根记忆: in(不) + tegr(触摸) + ate → 未被触摸 → 使成整体

intellectual [ˌɪntəˈlektʃuəl] adj. 智力的; 理性的 n. 知识分子

[记] 词根记忆: intel(在…中间) + lect(选择) + ual → 能从中选择的 → 智力的

intelligible [ɪnˈtelɪdʒəbl] *adj.* 可理解的, 易于理解的

[记] 词根记忆: intel (在…中间) + lig (选择) + ible → 能从中间选择出来的 → 可理解的

intemperance [ɪnˈtempərəns] *n.* 放纵, 不节制, 过度

intensification [ɪnˌtensɪfɪˈkeɪʃn] *n.* 增强, 加剧; 激烈化

[记] 来自 intensify(*v.* 增强, 加剧)

intent [ɪnˈtent] *adj.* 专心的, 专注的; 热切的, 渴望的 *n.* 目的, 意向

[记] 来自 intend(*v.* 打算)

intentional [ɪnˈtenʃənl] *adj.* 存心的, 故意的

interactive [ˌɪntərˈæktɪv] *adj.* 交互式的

[记] 来自 interact(*v.* 相互作用, 相互影响)

interchangeable [ˌɪntərˈtʃeɪndʒəbl] *adj.* 可换的

[记] 来自 interchange(*v.* 互换)

interchangeably [ˌɪntərˈtʃeɪndʒəbli] *adv.* 可互换地

interconnected [ˌɪntərkəˈnektɪd] *adj.* 相互连接的

[记] 联想记忆: inter (在…中间) + connect (连接) + ed → 在中间连接 → 相互连接的

interdependent [ˌɪntərdɪˈpendənt] *adj.* 相互依赖的, 互助的

[记] 联想记忆: inter(在…中间) + dependent(依赖的) → 在中间依赖的 → 相互依赖的

interlocking [ˌɪntərˈlɑːkɪŋ] *adj.* 连锁的; 关联的

[记] 来自 interlock(*v.* 连锁; 连结)

interminable [ɪnˈtɜːrmɪnəbl] *adj.* 无止境的, 没完没了的

[记] 词根记忆: in(不) + termin(尽头) + able → 无尽头的 → 无止境的

interplay [ˈɪntərpleɪ] *v.* 相互影响 *n.* 相互影响

[记] 联想记忆: inter(在…之间) + play(扮演角色) → 在两者中间扮演角色 → 相互影响

interpolate [ɪnˈtɜːrpəleɪt] *v.* 插入; (通过插入新语句)篡改

[记] 词根记忆: inter + pol (修饰) + ate → 通过在中间放入某物来修饰 → 插入; 篡改

interpret [ɪnˈtɜːrprɪt] *v.* 解释, 说明; 演绎

[记] 词根记忆: inter(在…之间) + pret(传播) → 在两种语言中间说 → 解释

interpretation	[ɪnˌtɜːrprɪ'teɪʃn] *n.* 解释，说明；演绎
interrelate	[ˌɪntərɪ'leɪt] *v.* 相互关联，相互影响
interrogation	[ɪnˌterə'geɪʃn] *n.* 审问，质问；疑问句
interruption	[ˌɪntə'rʌpʃn] *n.* 中断，打断
intersect	[ˌɪntər'sekt] *v.* 相交；贯穿，横穿

[记] 词根记忆：inter + sect(切，割) → 从中间切 → 横穿

intimate	['ɪntɪmət] *adj.* 亲密的 *n.* 密友

['ɪntɪmeɪt] *v.* 暗示

[记] 词根记忆：intim（最深入的）+ ate → 亲密的

intimation	[ˌɪntɪ'meɪʃn] *n.* 暗示
intimidate	[ɪn'tɪmɪdeɪt] *v.* 恐吓；胁迫

[记] 词根记忆：in(使⋯) + timid(害怕) + ate → 使害怕 → 恐吓

intractable	[ɪn'træktəbl] *adj.* 倔强的，难以管理的；难以加工的，难以操作的

[记] 词根记忆：in(不) + tract(拉) + able → 拉不动的 → 倔强的

intransigent	[ɪn'trænzɪdʒənt] *adj.* 不妥协的

[记] 联想记忆：in(不) + transigent(妥协的) → 不妥协的

intrepid	[ɪn'trepɪd] *adj.* 勇敢的，刚毅的

[记] 词根记忆：in(不) + trep(害怕) + id → 不害怕 → 勇敢的

intricacy	['ɪntrɪkəsi] *n.* 错综复杂

[记] 词根记忆：in(在里面) + tric(小障碍物) + acy → 在里面放入很多小障碍物 → 错综复杂

intricate	['ɪntrɪkət] *adj.* 错综复杂的；难懂的

[记] 词根记忆：in(在里面) + tric(小障碍物) + ate → 在里面放入很多小障碍物 → 错综复杂的

intrigue	[ɪn'triːg] *v.* 密谋；引起⋯的兴趣

[记] 词根记忆：in + trig(=tric 小障碍物) + ue → 在里面放入很多小障碍物 → 密谋

intrinsic	[ɪn'trɪnsɪk] *adj.* 固有的，内在的，本质的

introspective [ˌɪntrə'spektɪv] *adj.* 内省的，自省的

[记] 来自 introspect(*v.* 内省，反省)

introvert ['ɪntrəvɜːrt] *n.* 性格内向的人

intruding [ɪn'truːdɪŋ] *adj.* 入侵的，入侵性的

[记] 来自 intrude(*v.* 侵入，侵扰)

intrusively [ɪn'truːsɪvli] *adv.* 入侵地

[记] 来自 intrusive(*adj.* 入侵的，入侵性)

intuition [ˌɪntu'ɪʃn] *n.* 直觉；直觉知识

[记] 来自 intuit(*v.* 由直觉知道)

intuitive [ɪn'tuːɪtɪv] *adj.* 直觉的

inure [ɪ'njʊr] *v.* 使习惯于；生效

invade [ɪn'veɪd] *v.* 侵略，侵入

[记] 词根记忆：in(进入) + vad(走) + e → 走进
(其他国家) → 侵略

invalidate [ɪn'vælɪdeɪt] *v.* 使无效，使作废

invariable [ɪn'verəriəbl] *adj.* 恒定的，不变的

invention [ɪn'venʃn] *n.* 发明，创造；发明才能，创造力；发
现，找到

inventive [ɪn'ventɪv] *adj.* 善于发明的，有创造力的；发明的

inverse [ˌɪn'vɜːrs] *adj.* 相反的；倒转的

[记] 词根记忆：in (反) + vers (转) + e → 反转
→ 相反的；倒转的

investigate [ɪn'vestɪɡeɪt] *v.* 调查

[记] 联想记忆：in + vest(背心) + i + gate(大门)
→ 穿上背心出大门去调查 → 调查

investigative [ɪn'vestɪɡeɪtɪv] *adj.* 调查的

[记] 来自 investigate(*v.* 调查)

investor [ɪn'vestər] *n.* 投资者

[记] 来自 invest(*v.* 投资)

invigorate [ɪn'vɪɡəreɪt] *v.* 鼓舞，使精力充沛

[记] 联想记忆：in(使…) + vigor(活力) + ate →
使有活力 → 鼓舞，使精力充沛

inviolate [ɪn'vaɪələt] *adj.* 不受侵犯的，未受损害的

[记] 联想记忆：in(不) + violate(侵犯，妨碍) →
不受侵犯的

involuntary [ɪnˈvɑːləntəri] *adj.* 无意的

[记] 词根记忆：in(无) + volunt(意识) + ary → 无意的

involve [ɪnˈvɑːlv] *v.* 包含，含有；参与；牵涉，牵连

[记] 词根记忆：in(使…) + volv(卷) + e → 使卷入 → 牵涉，牵连

involvement [ɪnˈvɑːlvmənt] *n.* 参与；连累；投入

invulnerable [ɪnˈvʌlnərəbl] *adj.* 不会受伤害的，刀枪不入的

[记] 词根记忆：in(不) + vuln(伤害) + erable → 不易被伤害的 → 不会受伤害的

irascible [ɪˈræsəbl] *adj.* 易怒的

[记] 词根记忆：ira(愤怒) + sc + ible → 易怒的

irate [aɪˈreɪt] *adj.* 发怒的

[记] 联想记忆：i(我) + rate(责骂) → 我被责骂了 → 发怒的

iridescent [ˌɪrɪˈdesnt] *adj.* 色彩斑斓的

[记] 词根记忆：irid(=iris 彩虹) + escent(开始…的) → 闪着彩虹般的光的 → 色彩斑斓的

ironic [aɪˈrɑːnɪk] *adj.* 挖苦的，讽刺的；出乎意料的

irony [ˈaɪrəni] *n.* 反话；出乎意料的结果

[记] 联想记忆：iron(铁) + y → 像铁一样冷冰冰的话 → 反话

irradiate [ɪˈreɪdieɪt] *v.* 照射；照耀，照亮

[记] 词根记忆：ir(在里面) + rad(光线) + iate → 使在光线里面 → 照射；照耀

irradicable [ɪˈrædɪkəbl] *adj.* 无法根除的，根深蒂固的

irrational [ɪˈræʃnl] *adj.* 不理智的；失去理性的，不合理的

irreconcilable [ɪˈrekənsaɪləbl] *adj.* 无法调和的，矛盾的

[记] 联想记忆：ir(不) + reconcilable(可调和的) → 无法调和的

irredeemable [ˌɪrɪˈdiːməbl] *adj.* 无法挽回的，不可救药的

[记] 联想记忆：ir(不) + redeem(挽回，弥补) + able → 无法挽回的，不可救药的

irrefutable [ˌɪrɪˈfjuːtəbl] *adj.* 无可辩驳的，毋庸置疑的

irrelevant [ɪ'reləvənt] *adj.* 不相关的；不切题的

irreparable [ɪ'repərəbl] *adj.* 不能挽回的，无法弥补的

irrepressible [ˌɪrɪ'presəbl] *adj.* 抑制不住的，压抑不住的
[记] 联想记忆：ir(不) + repress(抑制) + ible → 抑制不住的

irreproachable [ˌɪrɪ'proutʃəbl] *adj.* 无可指责的，无瑕疵的

irresistible [ˌɪrɪ'zɪstəbl] *adj.* 无法抗拒的；不能压制的
[记] 联想记忆：ir(不) + resist(抵抗，抑制) + ible(能…的) → 无法抗拒的；不能压制的

irresolute [ɪ'rezəluːt] *adj.* 未决定的；犹豫不决的

irresponsible [ˌɪrɪ'spɑːnsəbl] *adj.* 不对更高一级负责的；不承担责任的；无责任感的；无负责能力的 *n.* 不负责任的人，无责任感的人

irreverent [ɪ'revərənt] *adj.* 不尊敬的

irreversible [ˌɪrɪ'vɜːrsəbl] *adj.* 不能撤回的，不能取消的

irrevocable [ɪ'revəkəbl] *adj.* 不能撤回的，无法取消的
[记] 词根记忆：ir(不) + re(向后) + voc(叫喊) + able → 不能向后叫喊的 → 不能撤回的，无法取消的

irrigate ['ɪrɪɡeɪt] *v.* 灌溉；冲洗(伤口)
[记] 词根记忆：ir(进入) + rig(水) + ate → 把水引进 → 灌溉

irritable ['ɪrɪtəbl] *adj.* 易怒的，急躁的；易受刺激的
[记] 词根记忆：irrit(痒) + able → 易怒的，急躁的

irritate ['ɪrɪteɪt] *v.* 激怒；刺激
[记] 词根记忆：irrit(痒) + ate → 激怒；刺激

irritating ['ɪrɪteɪtɪŋ] *adj.* 刺激的；使人愤怒的，气人的

isolate ['aɪsəleɪt] *v.* 孤立
[记] 词根记忆：isol(岛) + ate → 使成为孤岛 → 孤立

iterate ['ɪtəreɪt] *v.* 重申，重做
[记] 词根记忆：iter(=again 再) + ate → 再来一次 → 重申，重做

itinerant [aɪ'tɪnərənt] *adj.* 巡回的
[记] 词根记忆：it(走) + iner + ant → 巡回的

120

jaded [ˈdʒeɪdɪd] *adj.* 疲惫的; 厌倦的

jeopardize [ˈdʒepərdaɪz] *v.* 危及, 危害
[记] 发音记忆: "皆怕打死" → 当危及到自身安全时, 谁都怕死 → 危及

jest [dʒest] *n.* 笑话, 俏皮话 *v.* 说笑, 开玩笑

jocular [ˈdʒɑːkjələr] *adj.* 滑稽的, 幽默的; 爱开玩笑的
[记] 词根记忆: joc (=joke 笑话) + ular → 爱开玩笑的

jolting [ˈdʒoʊltɪŋ] *adj.* 令人震惊的

journalistic [ˌdʒɜːrnəˈlɪstɪk] *adj.* 新闻业的, 新闻工作者的

jubilant [ˈdʒuːbɪlənt] *adj.* 欢呼的, 喜气洋洋的
[记] 词根记忆: jubil(大叫) + ant → 高兴得大叫的 → 欢呼的

judicious [dʒuˈdɪʃəs] *adj.* 有判断力的; 审慎的
[记] 词根记忆: jud(判断) + icious → 有判断力的

jumble [ˈdʒʌmbl] *v.* 使混乱, 混杂 *n.* 混杂, 杂乱
[记] 联想记忆: jum(看作 jump, 跳) + ble → 上蹿下跳, 群魔乱舞 → 混杂

juncture [ˈdʒʌŋktʃər] *n.* 关键时刻, 危急关头; 结合处, 接合点

justifiable [ˈdʒʌstɪfaɪəbl] *adj.* 有理由的, 无可非议的
[记] 来自 justify(*v.* 证明…是正当或合理的)

justify [ˈdʒʌstɪfaɪ] *v.* 证明…是正当或合理的
[记] 词根记忆: just(正确的) + ify(使…) → 证明…是正当或合理的

juvenile [ˈdʒuːvənl] *adj.* 青少年的; 孩子气的, 幼稚的
[记] 词根记忆: juven(年轻的) + ile → 青少年的

keen [kiːn] *adj.* 锋利的, 锐利的; 敏锐的, 灵敏的; 热心的

kidney [ˈkɪdni] *n.* 肾
[记] 联想记忆: kid (孩子) + ney → 这个孩子爱吃腰花 → 肾

121

Word List 13

misalliance [ˌmɪsəˈlaɪəns] *n.* 不适当的结合

[记] 联想记忆：mis(坏) + alliance(结盟，联盟)
→ 坏的联盟 → 不适当的结合

misanthrope [ˈmɪsənθroʊp] *n.* 厌恶人类者

[记] 词根记忆：mis(恨) + anthrop(人类) + e →
恨人类的人 → 厌恶人类者

misapprehension [ˌmɪsæprɪˈhenʃn] *n.* 误会，误解

mischievous [ˈmɪstʃɪvəs] *adj.* 淘气的；有害的

[记] 联想记忆：mis(坏) + chiev(看作 achieve，
完成，达到) + ous → 带来坏结果的 → 有害的

misconstrue [ˌmɪskənˈstruː] *v.* 误解，曲解

misdirect [ˌmɪsdəˈrekt] *v.* 误导

[记] 联想记忆：mis(坏) + direct(指导) → 坏的
指导 → 误导

miserable [ˈmɪzrəbl] *adj.* 痛苦的，悲惨的；少得可怜的

[记] 来自 misery(*n.* 痛苦；悲惨的境遇)

misery [ˈmɪzəri] *n.* 悲惨的境遇；痛苦，苦恼

misnomer [ˌmɪsˈnoʊmər] *n.* 名称的误用；误用的名称

[记] 词根记忆：mis(错) + nom(名字) + er → 名
称的误用

misogyny [mɪˈsɑːdʒɪni] *n.* 厌恶女人

mite [maɪt] *n.* 极小量；小虫

[记] mite 原指"螨虫"

mitigant [ˈmɪtəgənt] *adj.* 缓和的，减轻的 *n.* 缓和物

[记] 来自 mitigate(*v.* 使缓和，使减轻)

mitigate [ˈmɪtɪgeɪt] *v.* 使缓和，使减轻

[记] 词根记忆：miti(小的；轻的) + gat(=ag 做)
+ e → 弄轻 → 使缓和，使减轻

moderately ['mɑːdərətli] *adv.* 适度地，有节制地

[记] 来自 moderate(*adj.* 适当的，有节制的)

modernize ['mɑːdərnaɪz] *v.* 使现代化

modest ['mɑːdɪst] *adj.* 谦虚的，谦逊的；适度的

[记] 词根记忆：mod（方式；风度）+ est → 做事有风度 → 谦虚的；适度的

modestly ['mɑːdɪstli] *adv.* 谦虚地，谦逊地；适度地

[记] 来自 modest(*adj.* 谦虚的，谦逊的；适度的)

modifier ['mɑːdɪfaɪər] *n.* 修改者；修饰语

modify ['mɑːdɪfaɪ] *v.* 修改，更改

[记] 词根记忆：mod(方式)+ify → 使改变方式 → 修改，更改

modulate ['mɑːdʒəleɪt] *v.* 调整，调节；调音

[记] 词根记忆：mod(方式)+ ulate → 改变方式 → 调整

moisten ['mɔɪsn] *v.* 弄湿，使湿润

[记] 来自 moist(*adj.* 潮湿的)

molecular [mə'lekjələr] *adj.* 分子的

[记] 来自 molecule(*n.* 分子)

mollify ['mɑːlɪfaɪ] *v.* 抚慰，安抚；使减轻，缓和

molten ['moʊltən] *adj.* 熔融的，熔化的

[记] 来自 melt(*v.* 融化，熔化)

momentarily [ˌmoʊmən'terəli] *adv.* 暂时地；片刻，立刻

[记] 来自 momentary(*adj.* 短暂的，瞬间的)

momentous [moʊ'mentəs] *adj.* 极为重要的，重大的

monetary ['mʌnɪteri] *adj.* 金钱的；货币的

[记] 来自 money(*n.* 金钱；货币)

monochromatic [ˌmɑːnəkroʊ'mætɪk] *adj.* 单色的

[记] 词根记忆：mono（单一）+ chrom（颜色）+ atic → 单色的

monolith ['mɑːnəlɪθ] *n.* 单块巨石；单一的庞大组织

monopolize [mə'nɑːpəlaɪz] *v.* 垄断，独占

[记] 词根记忆：mono(单一)+ pol(=poly 出售)+ ize → 由一个人出售的 → 垄断，独占

monotony [məˈnɑːtəni] *n.* 单调，千篇一律

monumental [ˌmɑːnjuˈmentl] *adj.* 极大的；纪念碑的

[记] 来自 monument(*n.* 纪念碑)

moralistic [ˌmɔːrəˈlɪstɪk] *adj.* 道学的，说教的

[记] 来自 moral(*n.* 道德)

moratorium [ˌmɔːrəˈtɔːriəm] *n.* 延缓偿付；活动中止

[记] 词根记忆：mor(推迟) + at + orium → 延缓偿付

morbid [ˈmɔːrbɪd] *adj.* 病态的，不健康的

[记] 词根记忆：morb(病) + id → 病态的

mordant [ˈmɔːrdnt] *adj.* 讥讽的，尖酸的

[记] 词根记忆：mord(咬) + ant → 咬人的 → 尖酸的

morose [məˈroʊs] *adj.* 郁闷的

[记] 联想记忆：mo(音似"没") + rose(玫瑰) → 情人节没收到玫瑰 → 不高兴的 → 郁闷的

mortality [mɔːrˈtæləti] *n.* 死亡率

[记] 词根记忆：mort(死亡) + ality(表性质) → 死亡率

mortify [ˈmɔːrtɪfaɪ] *v.* 使丢脸，侮辱

[记] 词根记忆：mort (死) + ify → 让人想死 → 使丢脸，侮辱

motif [moʊˈtiːf] *n.* (文艺作品等的)主题，主旨

[记] 词根记忆：mot (动) + if → 促成移动的原因 → 主题，主旨

motivate [ˈmoʊtɪveɪt] *v.* 激发，刺激

[记] 词根记忆：mot(动) + iv + ate(使…) → 激发

motley [ˈmɑːtli] *adj.* 混杂的；多色的，杂色的

[记] 词根记忆：mot (=mote 微粒) + ley → 各种微粒混合 → 混杂的

mournful [ˈmɔːrnfl] *adj.* 悲伤的

movement [ˈmuːvmənt] *n.* 乐章

muddle [ˈmʌdl] *n.* 迷惑，困惑；混乱

[记] 联想记忆：mud (泥浆) + dle → 混入泥浆 → 混乱

multicellular [ˌmʌltiˈseljələr] *adj.* 多细胞的

[记] 联想记忆：multi(多的) + cellular(细胞的；由细胞组成的) → 多细胞的

multifaceted [ˌmʌltiˈfæsɪtɪd] *adj.* 多方面的

multiple [ˈmʌltɪpl] *adj.* 多样的，多重的

[记] 词根记忆：multi(多的) + ple(折叠) → 多次折叠 → 多样的，多重的

multiply [ˈmʌltɪplaɪ] *v.* 乘；增加；繁殖

[记] 词根记忆：multi(多的) + ply(折叠) → 多次折叠 → 乘；增加

mundane [mʌnˈdeɪn] *adj.* 现世的，世俗的；平凡的，普通的

[记] 词根记忆：mund (世界) + ane → 现世的，世俗的

munificence [mjuːˈnɪfɪsns] *n.* 慷慨给予，宽宏大量

[记] 词根记忆：muni(公共) + fic(做) + ence → 为公共着想 → 慷慨给予，宽宏大量

munificent [mjuːˈnɪfɪsnt] *adj.* 慷慨的；丰厚的

mural [ˈmjʊrəl] *adj.* 墙壁的 *n.* 壁画

[记] 词根记忆：mur(墙) + al → 墙壁的

murderous [ˈmɜːrdərəs] *adj.* 蓄意谋杀的，凶残的；极厉害的，要命的

murky [ˈmɜːrki] *adj.* 黑暗的，昏暗的；朦胧的

[记] 来自 murk(*n.* 黑暗，昏暗)

mutable [ˈmjuːtəbl] *adj.* 可变的；易变的

myriad [ˈmɪriəd] *adj.* 许多的，无数的

mystic [ˈmɪstɪk] *adj.* 神秘的；谜样的，难解的 *n.* 神秘主义者

mysticism [ˈmɪstɪsɪzəm] *n.* 神秘主义

mythic [ˈmɪθɪk] *adj.* 神话的；虚构的

naivete [naɪˈiːvəti] *n.* 天真的言行举止；天真无邪

narcotic [nɑːrˈkɑːtɪk] *n.* 麻醉剂 *adj.* 麻醉的，催眠的

[记] 词根记忆：narc(麻木；昏迷) + ot + ic → 麻醉的；催眠的

narrative [ˈnærətɪv] *adj.* 叙述性的

[记] 来自 narrate(*v.* 叙述)

125

narrow	['nærəʊ] *adj.* 狭窄的；狭隘的 *v.* 变窄
natty	['næti] *adj.* 整洁的；敏捷的，灵巧的
naturalistic	[ˌnætʃrə'lɪstɪk] *adj.* 自然主义的
navigate	['nævɪgeɪt] *v.* 驾驶；航行；使通过
	[记] 词根记忆：nav(船) + ig(走) + ate → 坐船走 → 航行
nebulous	['nebjələs] *adj.* 模糊的；云状的
	[记] 词根记忆：neb(云，雾) + bl + ous → 云状的
negate	[nɪ'geɪt] *v.* 取消；否认
	[记] 词根记忆：neg(否认) + ate → 否认
negligent	['neglɪdʒənt] *adj.* 疏忽的，粗心大意的
negligible	['neglɪdʒəbl] *adj.* 可以忽略的，微不足道的
negligibly	['neglɪdʒəbli] *adv.* 无足轻重地，不值一提地
	[记] 来自 negligible(*adj.* 可以忽略的，微不足道的)
negotiable	[nɪ'gəʊʃiəbl] *adj.* 可协商的；可通行的
negotiate	[nɪ'gəʊʃieɪt] *v.* 协商，商定，议定
neolithic	[ˌniːə'lɪθɪk] *adj.* 新石器时代的
	[记] 词根记忆：neo(新的) + lith(石头) + ic → 新石头的 → 新石器时代的
neutron	['nuːtrɑːn] *n.* 中子
newsworthy	['nuːzwɜːrði] *adj.* 有新闻价值的，有报道价值的
nibble	['nɪbl] *v.* 一点点地咬，慢慢啃
	[记] 联想记忆：nib(笔尖) + ble → 每次只咬笔尖那么多 → 一点点地咬；注意不要和 nipple (*n.* 乳头)相混
nocturnal	[nɑːk'tɜːrnl] *adj.* 夜晚的，夜间发生的
	[记] 词根记忆：noct(夜) + urnal → 夜晚的
noisome	['nɔɪsəm] *adj.* 有恶臭的；令人作呕的，令人讨厌的
	[记] 词根记忆：noi (=annoy 讨厌) + some → 讨厌的 → 令人讨厌的
nomadic	[nəʊ'mædɪk] *adj.* 游牧的；流浪的
nominally	['nɑːmɪnəli] *adv.* 名义上地；有名无实地
	[记] 来自 nominal(*adj.* 名义上的；有名无实的)

nonchalance [ˌnɑːnʃəˈlɑːns] *n.* 冷漠, 冷淡

[记] 词根记忆: non(不) + chal(关心) + ance → 不关心 → 无动于衷 → 冷漠

nonchalant [ˌnɑːnʃəˈlɑːnt] *adj.* 冷淡的, 冷漠的

nonchalantly [ˌnɑːnʃəˈlɑːntli] *adv.* 冷淡地, 冷漠地

noncommittal [ˌnɑːnkəˈmɪtl] *adj.* 态度暧昧的; 不承担义务的

[记] 联想记忆: non(不) + committal(承担义务) → 不承担义务的

nonconformist [ˌnɑːnkənˈfɔːrmɪst] *adj.* 不墨守成规的 *n.* 不墨守成规的人

[记] 联想记忆: non(不) + conform(遵守) + ist → 不墨守成规的人

nonentity [nɑːˈnentəti] *n.* 无足轻重的人或事

[记] 联想记忆: non(不) + entity(存在) → 不存在 → 无足轻重的人或事

nonflammable [ˌnɑːnˈflæməbl] *adj.* 不易燃的

[记] 联想记忆: non(不) + flammable(易燃的) → 不易燃的; 注意不要和 inflammable(*adj.* 易燃的)相混

nonplussed [ˌnɑːnˈplʌst] *adj.* 不知所措的, 陷于困境的

[记] 来自 nonplus(*v.* 使迷惑)

nonporous [ˌnɑːnˈpɔːrəs] *adj.* 无孔的; 不渗透的

[记] 联想记忆: non(不) + porous(多孔的; 能渗透的) → 无孔的; 不渗透的

nonradioactive [ˌnɑːnˈreɪdioʊˈæktɪv] *adj.* 非放射性的

[记] 联想记忆: non (不) + radioactive (放射性的) → 非放射性的

nonsensical [nɑːnˈsensɪkl] *adj.* 无意义的; 荒谬的

nonthreatening [nɑːnˈθretnɪŋ] *adj.* 不构成威胁的

[记] 联想记忆: non(不) + threatening(威胁的) → 不构成威胁的

nonviable [nɑːnˈvaɪəbl] *adj.* 无法生存的, 不能成活的

[记] 联想记忆: non(不) + viable(能存活的) → 无法生存的

nostalgia [nəˈstældʒə] *n.* 思乡；怀旧之情

[记] 词根记忆：nost(家) + alg(痛) + ia → 想家想到心痛 → 思乡

notable [ˈnoʊtəbl] *adj.* 值得注意的，显著的

[记] 词根记忆：not(标示) + able → 能被标示的 → 值得注意的

notate [ˈnoʊteɪt] *v.* 以符号表示

[记] 词根记忆：not(标示) + ate → (用符号)标示 → 以符号表示

notch [nɑːtʃ] *n.* V 字形切口，刻痕；等级，档次

notoriety [ˌnoʊtəˈraɪəti] *n.* 臭名昭著；臭名昭著的人

notorious [noʊˈtɔːriəs] *adj.* 臭名昭著的

[记] 词根记忆：not(知道) + orious → 人所共知的 → 臭名昭著的

notoriously [noʊˈtɔːriəsli] *adv.* 臭名昭著地

novelty [ˈnɑːvlti] *n.* 新奇；新奇的事物

[记] 词根记忆：nov(新的) + el + ty → 新奇

novice [ˈnɑːvɪs] *n.* 生手，新手

[记] 联想记忆：no(不) + vice(副的) → 连副的都不是 → 新手

nuance [ˈnuːɑːns] *n.* 细微差异

nubile [ˈnuːbaɪl] *adj.* 适婚的；性感的

[记] 词根记忆：nub(结婚) + ile → 适婚的

null [nʌl] *adj.* 无效的；等于零的

numerous [ˈnuːmərəs] *adj.* 许多的，很多的

[记] 词根记忆：numer(计数) + ous → 不计其数的 → 许多的，很多的

nurture [ˈnɜːrtʃər] *v.* 养育，教养 *n.* 养育；营养物

[记] 联想记忆：大自然(nature)像母亲一样养育(nurture)着人类

nutrient [ˈnuːtriənt] *n.* 营养品，滋养物

[记] 词根记忆：nutri(滋养) + ent(表物) → 滋养物

nutritional [nuˈtrɪʃnl] *adj.* 营养的，滋养的

nutritious [nuˈtrɪʃəs] *adj.* 有营养的，滋养的

obdurate [ˈɑːbdərət] *adj.* 固执的，顽固的
[记] 词根记忆：ob（表加强）+ dur（持续）+ ate → 非常坚持的 → 固执的

obese [oʊˈbiːs] *adj.* 极胖的
[记] 发音记忆："O 必死" → 对怕胖的女人来说，O 形身材必死无疑 → 极胖的

obfuscate [ˈɑːbfʌskeɪt] *v.* 使困惑，使迷惑
[记] 词根记忆：ob（在…之上）+ fusc（黑暗的）+ ate → 使变成全黑 → 使困惑，使迷惑

obligated [ˈɑːblɪɡeɪtɪd] *adj.* 有义务的，有责任的

obligatory [əˈblɪɡətɔːri] *adj.* 强制性的，义不容辞的

obliging [əˈblaɪdʒɪŋ] *adj.* 乐于助人的
[记] 来自 oblige（*v.* 施恩惠于，帮助）

obliqueness [əˈbliːknəs] *n.* 斜度；倾斜
[记] 来自 oblique（*adj.* 斜的，歪的）

obliterate [əˈblɪtəreɪt] *v.* 涂掉，擦掉
[记] 词根记忆：ob（去掉）+ liter（文字）+ ate → 去掉（文字等）→ 涂掉，擦掉

oblivious [əˈblɪviəs] *adj.* 遗忘的，忘却的；疏忽的
[记] 词根记忆：ob + liv（使光滑）+ ious → 使记忆变得完全光滑 → 遗忘的；疏忽的

obscure [əbˈskjʊr] *adj.* 难以理解的，含糊的；不清楚的，模糊的 *v.* 使变模糊；隐藏
[记] 词根记忆：ob（在…之上）+ scur（覆盖）+ e → 盖上一层东西 → 使变模糊；隐藏

obscurity [əbˈskjʊrəti] *n.* 费解；不出名

obsequious [əbˈsiːkwiəs] *adj.* 逢迎的，谄媚的
[记] 词根记忆：ob（在…后面）+ sequ（跟随）+ ious → 跟在后面的 → 逢迎的，谄媚的

obsequiousness [əbˈsiːkwiəsnəs] *n.* 谄媚

observant [əbˈzɜːrvənt] *adj.* 密切注意的，警惕的；遵守的，遵从的；敏锐的

obsessed [əbˈsest] *adj.* 着迷的，沉迷的
[记] 来自 obsess（*v.* 迷住；困扰）

129

obsolescent [ˌɑːbsəˈlesnt] *adj.* 逐渐荒废的

[记] 和 obsolescence(*n.* 废弃, 陈旧)一起记

obstacle [ˈɑːbstəkl] *n.* 障碍, 妨碍物

[记] 词根记忆: ob(反) + sta(站) + (a)cle(表东西) → 反着站, 挡住了去路 → 障碍

obstinacy [ˈɑːbstɪnəsi] *n.* 固执, 倔强, 顽固

[记] 词根记忆: ob(反) + stin(=stand 站) + acy → 反着站 → 固执, 倔强

obstinateness [ˈɑːbstɪnətnəs] *n.* 固执, 顽固

[记] 来自 obstinate(*adj.* 顽固的, 固执的)

obstruct [əbˈstrʌkt] *v.* 阻塞(道路等); 妨碍, 阻挠

[记] 词根记忆: ob(反) + struct(建造) → 反着建 → 阻塞

obtainable [əbˈteɪnəbl] *adj.* 能得到的

[记] 来自 obtain(*v.* 得到)

obviate [ˈɑːbvieɪt] *v.* 排除, 消除(困难、危险等)

[记] 词根记忆: ob(反) + vi(路) + ate → 使障碍等离开道路 → 排除, 消除

obvious [ˈɑːbviəs] *adj.* 明显的, 显而易见的

[记] 词根记忆: ob + vi(路) + ous → 在路上的, 随处可见 → 明显的

occasional [əˈkeɪʒənl] *adj.* 偶尔的; 特殊场合的; 不经常的

[记] 来自 occasion(*n.* 场合; 时机)

occupation [ˌɑːkjuˈpeɪʃn] *n.* 工作, 职业; 占有, 占领

[记] 来自 occupy(*v.* 占有, 占领; 忙于)

odious [ˈoʊdiəs] *adj.* 可憎的, 令人作呕的

[记] 发音记忆: "呕得要死" → 可憎的, 令人作呕的

odorless [ˈoʊdərləs] *adj.* 无嗅的, 没有气味的

[记] 来自 odor(*n.* 气味, 香气)

offhand [ˌɔːfˈhænd] *adj.* 无准备的, 即席的; 随便的 *adv.* 无准备地, 即席地; 随便地

officious [əˈfɪʃəs] *adj.* 过于殷勤的, 多管闲事的; 非官方的

off-key [ˌɔːfˈkiː] *adj.* 走调的, 不和谐的

130

offspring [ˈɔːfsprɪŋ] n. 〈总称〉后代; 儿女

offstage [ˌɔːfˈsteɪdʒ] adj. 台后的, 幕后的

[记] 组合词: off(离开…) + stage(舞台) → 离开舞台 → 台后的

oligarch [ˈɑːləgɑːrk] n. 寡头政治; 寡头统治集团

[记] 词根记忆: olig(少数) + arch(统治) → 由少数人来统治 → 寡头政治

ominous [ˈɑːmɪnəs] adj. 恶兆的, 不祥的

[记] 来自 omen(n. 预兆, 征兆)

omit [əˈmɪt] v. 忽略, 遗漏; 不做, 未能做

[记] 联想记忆: om(音似: "呕") + it(它) → 把它呕出去 → 忽略

omnipotent [ɑːmˈnɪpətənt] adj. 全能的, 万能的

[记] 词根记忆: omni (全) + pot (有力的) + ent → 全能的

onerous [ˈɑːnərəs] adj. 繁重的, 费力的

[记] 词根记忆: oner (负担) + ous → 负担重的 → 繁重的

ongoing [ˈɑːngoʊɪŋ] adj. 进行中的; 前进的; 不间断的

Word List 14

opacity [oʊ'pæsəti] *n.* 不透明性；晦涩

opalescent [ˌoʊpə'lesnt] *adj.* 发乳白色光的

operable ['ɑːpərəbl] *adj.* 可操作的，可使用的；可手术治疗的

operative ['ɑːpərətɪv] *adj.* (计划等)实施中的，运行着的；生效的

[记] 词根记忆：oper（做）+ ative → 在做的 → 实施中的

opinionated [ə'pɪnjəneɪtɪd] *adj.* 固执己见的

[记] 来自 opinion(*n.* 观点)

opponent [ə'poʊnənt] *n.* 对手，敌手

[记] 词根记忆：op(反) + pon(放) + ent → 处于对立位置 → 对手

opportune [ˌɑːpər'tuːn] *adj.* 合适的，适当的

[记] 词根记忆：op(向) + port(搬运) + une → 向着某物搬 → 合适的，适当的

opposed [ə'poʊzd] *adj.* 反对的

opposite ['ɑːpəzət] *adj.* 相反的，对立的

[记] 词根记忆：op(反) + pos(放) + ite(表形容词) → 放在反面的 → 相反的，对立的

oppressive [ə'presɪv] *adj.* 高压的，压制性的；压抑的

opprobrious [ə'proʊbriəs] *adj.* 辱骂的，侮辱的

[记] 词根记忆：op(反) + pro(向前) + br(=fer 搬运) + ious → 以相反的方向往前搬运 → 辱骂的

optical ['ɑːptɪkl] *adj.* 视觉的；光学的

[记] 词根记忆：opt(眼睛) + ical → 视觉的

optimal ['ɑːptɪməl] *adj.* 最佳的，最理想的

optimism ['ɑːptɪmɪzəm] *n.* 乐观主义

[记] 词根记忆：optim(最好的) + ism → 什么都往最好的一面想 → 乐观主义

optimist [ˈɑːptɪmɪst] *n.* 乐观主义者

optimistic [ˌɑːptɪˈmɪstɪk] *adj.* 乐观的

[记] 词根记忆：optim(最好的) + istic → 最好的 → 乐观的

optimum [ˈɑːptɪməm] *adj.* 最有利的，最理想的

[记] 词根记忆：optim(最好的) + um → 最有利的

opulent [ˈɑːpjələnt] *adj.* 富裕的；充足的

[记] 词根记忆：opul(财富) + ent → 富裕的

orbital [ˈɔːrbɪtl] *adj.* 轨道的

[记] 来自 orbit(*n.* 轨道 *v.* 绕轨道运行)

orchestrate [ˈɔːrkɪstreɪt] *v.* 给…配管弦乐；精心安排，组织

ordeal [ɔːrˈdiːl] *n.* 严峻的考验

[记] 发音记忆："恶地儿" → 险恶之地 → 严峻的考验

ordinary [ˈɔːrdneri] *adj.* 普通的，平常的；拙劣的，质量差的 *n.* 惯例，寻常情况

organism [ˈɔːrgənɪzəm] *n.* 生物，有机体

[记] 词根记忆：organ (器官) + ism → 生物，有机体

original [əˈrɪdʒənl] *adj.* 最初的，最早的；有创意的，有创造性的

[记] 来自 origin(*n.* 起源，由来)

ornamental [ˌɔːrnəˈmentl] *adj.* 装饰性的

[记] 词根记忆：orn(装饰) + amental → 装饰性的

ossify [ˈɑːsɪfaɪ] *v.* 骨化；僵化

[记] 词根记忆：oss(骨头) + ify(…化) → 骨化；僵化

ostentation [ˌɑːstenˈteɪʃn] *n.* 夸示，炫耀

[记] 词根记忆：os(在前面) + tent(伸展) + ation → 在他人面前伸展 → 显现出来 → 夸示，炫耀

ostentatious [ˌɑːstenˈteɪʃəs] *adj.* 华美的；炫耀的

ostracize [ˈɑːstrəsaɪz] *v.* 排斥；放逐

[记] 词根记忆：ostrac (贝壳) + ize → 用投贝壳的方法决定是否放逐某人 → 放逐

133

oust [aʊst] *v.* 驱逐，把…赶走

[记]联想记忆：out(出去)中加上 s → 死也要让他出去 → 驱逐

outburst ['aʊtbɜːrst] *n.* 爆发，进发；激增

outdated [ˌaʊt'deɪtɪd] *adj.* 过时的

outgoing ['aʊtɡoʊɪŋ] *adj.* 友善的；即将离去的

outgrow [ˌaʊt'ɡroʊ] *v.* 生长速度超过…，长得比…快

[记]组合词：out(向外；超越) + grow(生长) → 生长速度超过…

outgrowth ['aʊtɡroʊθ] *n.* 结果；副产品

[记]组合词：out (出来) + growth (生长) → 结果；副产品

outlast [ˌaʊt'læst] *v.* 比…持久

[记]组合词：out(超越) + last(坚持) → 比…持久

outline ['aʊtlaɪn] *n.* 轮廓；概要

[记]组合词：out(出来) + line(线条) → 划出线条 → 轮廓

outlying ['aʊtlaɪɪŋ] *adj.* 边远的，偏僻的

outmoded [ˌaʊt'moʊdɪd] *adj.* 过时的

[记]联想记忆：out(出) + mode(时尚) + d → 不再时尚的 → 过时的

outspoken [aʊt'spoʊkən] *adj.* 坦率的，直言不讳的

[记]组合词：out(出) + spoken(口头的，说的) → 说出来的 → 直言不讳的

outstrip [ˌaʊt'strɪp] *v.* 超过，超越；比…跑得快

[记]联想记忆：out(出) + strip(剥去，夺去) → 比别人夺得多 → 超过

outweigh [ˌaʊt'weɪ] *v.* 比…重，比…更重要

oval ['oʊvl] *adj.* 卵形的，椭圆形的

[记]联想记忆：o (音似：喔) + val (音似：哇哦) → 发哇哦这些音时嘴要张成椭圆形 → 椭圆形的

overawe [ˌoʊvər'ɔː] *v.* 威慑

[记]联想记忆：over(过度) + awe(敬畏) → 过度敬畏 → 威慑

134

overbalance	[ˌoʊvərˈbæləns] v. 使失去平衡	
overbear	[ˌoʊvərˈber] v. 压倒；镇压；比…更重要，超过	
✗ **overblown**	[ˌoʊvərˈbloʊn] adj. 盛期已过的，残败的；夸张的	
✗ **overcast**	[ˌoʊvərˈkæst] adj. 阴天的，阴暗的	
overconfident	[ˌoʊvərˈkɑːnfɪdənt] adj. 过于自信的，自负的	
overcrowd	[ˌoʊvərˈkraʊd] v. (使)过度拥挤	
overdraw	[ˌoʊvərˈdrɔː] v. 透支；夸大	
overdue	[ˌoʊvərˈduː] adj. 到期未付的；晚来的，延误的	

[记]组合词：over（越过）+ due（应付的；约定的）→ 过了应付或约定的时间的 → 到期未付的；晚来的

overemphasize	[ˌoʊvərˈemfəsaɪz] v. 过分强调	
overestimate	[ˌoʊvərˈestɪmeɪt] v. 评价过高	

[记]组合词：over(在…上)+ estimate(评估)→ 评价过高

overinflated	[ˌoʊvərɪnˈfleɪtɪd] adj. 过度充气的	
overlap	[ˌoʊvərˈlæp] v. 部分重叠	

[记]组合词：over(在…上)+ lap(大腿)→ 把一条腿放在另一条腿上 → 部分重叠

overload	[ˌoʊvərˈloʊd] v. 使超载	
overlook	[ˌoʊvərˈlʊk] v. 俯视；忽视	

[记]组合词：over(在…上)+ look(看)→ 在上面看 → 俯视；引申为"忽视"

overpower	[ˌoʊvərˈpaʊər] v. 压倒	
overpowering	[ˌoʊvərˈpaʊərɪŋ] adj. 压倒性的，不可抗拒的	

[记]来自 overpower(v. 压倒)

overrate	[ˌoʊvərˈreɪt] v. 对…估价过高，对…评价过高	
override	[ˌoʊvərˈraɪd] v. 驳回；蹂躏，践踏	

[记]组合词：over(在…上)+ ride(骑)→ 骑在…之上 → 蹂躏

✗ **overrule**	[ˌoʊvərˈruːl] v. 驳回，否决	

[记]组合词：over(在…上)+ rule(统治)→ 凌驾于他人之上 → 驳回，否决

overshadow [ˌoʊvərˈʃædoʊ] v. 使蒙上阴影；使黯然失色

[记] 组合词：over（在…上）+ shadow（阴影）→ 蒙上一层阴影 → 使蒙上阴影；使黯然失色

overstate [ˌoʊvərˈsteɪt] v. 夸张，对…言过其实

[记] 组合词：over（过分）+ state（陈述）→ 夸张

overt [oʊˈvɜːrt] adj. 公开的，非秘密的

[记] 词根记忆：o（出）+ vert（转）→ 转出来 → 公开的

overtax [ˌoʊvərˈtæks] v. 课税过重

overtire [ˌoʊvərˈtaɪər] v. 使过度疲劳

overturn [ˌoʊvərˈtɜːrn] v. 翻倒；推翻，倾覆

overwhelm [ˌoʊvərˈwelm] v. 战胜，征服，压倒，淹没，席卷

[记] 组合词：over（在…上）+ whelm（淹没）→ 压倒；淹没

overwrought [ˌoʊvərˈrɔːt] adj. 紧张过度的，兴奋过度的

pacifist [ˈpæsɪfɪst] n. 和平主义者，反战主义者

[记] 词根记忆：pac（和平的，宁静的）+ if（使）+ ist → 和平主义者

pack [pæk] n. 兽群

[记] 该词的"包裹"一义大家应该比较熟悉

packed [pækt] adj. 压紧的，压实的；充满人的，拥挤的

[记] 来自 pack（v. 打包，包装）

paean [ˈpiːən] n. 赞美歌，颂歌

[记] 参考：hymn（n. 赞美歌）

painstakingly [ˈpeɪnzteɪkɪŋli] adv. 细心地，专注地；辛苦地

palatable [ˈpælətəbl] adj. 美味的

paleolithic [ˌpæliəˈlɪθɪk] adj. 旧石器时代的

[记] 词根记忆：paleo（古老的）+ lith（石头）+ ic → 旧石器的 → 旧石器时代的

palpable [ˈpælpəbl] adj. 可触知的，可察觉的；明显的

[记] 词根记忆：palp（摸）+ able → 摸得到的 → 可触知的；明显的

paltry [ˈpɔːltri] adj. 无价值的，微不足道的

[记] 联想记忆：pal（=pale 苍白的）+ try（努力）→ 白努力 → 无价值的

☆ **panacea** [ˌpænəˈsiːə] n. 万灵药

[记] 词根记忆：pan（全部）+ acea（治疗）→ 包治百病 → 万灵药

☆ **pancreas** [ˈpæŋkriəs] n. 胰腺

[记] 词根记忆：pan（全部）+ cre（肉）+ as → 给身体生长提供养分的器官 → 胰腺

☆ **pantomime** [ˈpæntəmaɪm] n. 哑剧

[记] 词根记忆：panto（=pan 全部）+ mim（模仿）+ e → 模仿他人进行的表演 → 哑剧

☆ **parable** [ˈpærəbl] n. 寓言

[记] 词根记忆：para（旁边）+ bl（扔）+ e → 向旁边仍，能平行比较 → 寓言

paradigm [ˈpærədaɪm] n. 范例，示范

[记] 词根记忆：para（旁边）+ digm（显示）→ 在一旁显示 → 范例，示范

paradox [ˈpærədɑːks] n. 似非而是的理论；矛盾的人或物；与通常的见解相反的观点

[记] 词根记忆：para（相反的）+ dox（观点）→ 与一般观点相反的观点 → 与通常见解相反的观点

☆ **paradoxical** [ˌpærəˈdɑːksɪkl] adj. 矛盾的；不正常的

☆ **paragon** [ˈpærəgɑːn] n. 模范，典范

[记] 词根记忆：para（旁边）+ gon（比较）→ 放在旁边作为比较的对象 → 模范，典范

paramount [ˈpærəmaʊnt] adj. 最重要的；最高权力的，至高无上的

[记] 词根记忆：para（旁边）+ mount（山）→ 在山坡旁边的 → 最重要的

paraphrase [ˈpærəfreɪz] n./v. 释义，解释，改写

[记] 词根记忆：para（旁边）+ phras（告诉）+ e → 在旁边说 → 释义，解释

parasite [ˈpærəsaɪt] n. 食客；寄生物

[记] 词根记忆：para（旁边）+ sit（食物）+ e → 坐在旁边吃的人或物 → 食客；寄生物

parasitic [ˌpærəˈsɪtɪk] adj. 寄生的

137

✡	**parliamentary**	[ˌpɑːrlə'mentri] *adj.* 议会(制)的
	parody	['pærədi] *n.* 拙劣的模仿；滑稽模仿作品或表演
		[记] 词根记忆：par(旁边) + ody(=ode 唱) → 在旁边唱 → 拙劣的模仿
✡	**parsimony**	['pɑːrsəmoʊni] *n.* 过分节俭，吝啬
✡	**partiality**	[ˌpɑːrʃi'æləti] *n.* 偏袒，偏心
		[记] 来自 partial(*adj.* 有偏见的)
	participate	[pɑːr'tɪsɪpeɪt] *v.* 分担；参与；分享
		[记] 联想记忆：parti (看作 party，晚会) + cip (抓，拿) + ate → 找人参加晚会 → 参与
	participation	[pɑːrˌtɪsɪ'peɪʃn] *n.* 参加，参与
	particular	[pər'tɪkjələr] *n.* 细节，详情
	particularity	[pərˌtɪkju'lærəti] *n.* 独特性
	particulate	[pɑːr'tɪkjələt] *adj.* 微粒的 *n.* 微粒
✡	**partisan**	['pɑːrtəzn] *n.* 党派支持者，党羽
		[记] 来自 party(*n.* 党，政党)
	passionate	['pæʃənət] *adj.* 充满激情的
		[记] 来自 passion(*n.* 激情)
	passively	['pæsɪvli] *adv.* 被动地，顺从地
		[记] 来自 passive(*adj.* 被动的)
✡	**pathological**	[ˌpæθə'lɑːdʒɪkl] *adj.* 病态的，不理智的；病理学的
	patience	['peɪʃns] *n.* 耐性
✡	**patriarchal**	[ˌpeɪtri'ɑːrkl] *adj.* 家长的，族长的；父权制的
	patronage	['pætrənɪdʒ] *n.* 资助，赞助；惠顾
		[记] 来自 patron(*n.* 赞助人)
✡	**patronize**	['peɪtrənaɪz] *v.* 屈尊俯就；光顾，惠顾
		[记] 来自 patron(*n.* 赞助人)
	patronizing	['peɪtrənaɪzɪŋ] *adj.* 以恩惠态度对待的，要人领情的
✡	**paucity**	['pɔːsəti] *n.* 少量；缺乏
		[记] 词根记忆：pauc(少的) + ity → 少量；缺乏
	peculiar	[pɪ'kjuːliər] *adj.* 独特的；古怪的
✡	**pecuniary**	[pɪ'kjuːnieri] *adj.* 金钱的
		[记] 词根记忆：pecu(钱) + ni + ary → 金钱的

pedagogic [ˌpedə'gɑːdʒɪk] *adj.* 教育学的

[记] 词根记忆：ped(= child 儿童) + agog(引导) + ic → 教育学的

pedant ['pednt] *n.* 迂腐之人，学究

[记] 词根记忆：ped(教育) + ant → 与儿童教育相关的人 → 学究

pedantry ['pedntri] *n.* 迂腐

pedestrian [pə'destriən] *adj.* 徒步的；缺乏想象力的 *n.* 行人

[记] 词根记忆：ped(脚) + estr + ian(表人) → 用脚走路的人 → 行人

peerless ['pɪrləs] *adj.* 出类拔萃的，无可匹敌的

[记] 联想记忆：peer (同等的人) + less (无) → 无可匹敌的

peevish ['piːvɪʃ] *adj.* 不满的，抱怨的；暴躁的，坏脾气的，易怒的

[记] 来自 peeve(v. 使气恼，使焦躁)

pejorative [pɪ'dʒɔːrətɪv] *adj.* 轻视的，贬低的

[记] 词根记忆：pejor (坏的) + ative → 变坏的 → 轻视的，贬低的

penal ['piːnl] *adj.* 惩罚的，刑罚的

penalize ['piːnəlaɪz] *v.* 置…于不利地位；处罚

[记] 来自 penal(adj. 惩罚的，刑罚的)

penchant ['pentʃənt] *n.* 爱好，嗜好

[记] 词根记忆：pench (=pend 挂) + ant → 对…挂着一颗心 → 爱好

pending ['pendɪŋ] *adj.* 即将发生的；未决的

[记] 词根记忆：pend(挂)+ing→挂着的→未决的

penetrating ['penɪtreɪtɪŋ] *adj.* (声音)响亮的，尖锐的；(气味)刺激的；(思想)敏锐的，有洞察力的

penitent ['penɪtənt] *adj.* 悔过的，忏悔的

[记] 词根记忆：pen (处罚) + it + ent → 受了处罚所以后悔 → 悔过的

pensive ['pensɪv] *adj.* 沉思的；忧心忡忡的

[记] 词根记忆：pens (挂) + ive → 挂在心上 → 沉思的；忧心忡忡的

perception [pər'sepʃn] *n.* 感知，知觉；洞察力

[记] 来自 percept(*n.* 感知；感知对象)

perceptive [pər'septɪv] *adj.* 感知的，知觉的；有洞察力的，敏锐的

perennial [pə'reniəl] *adj.* 终年的，全年的；永久的，持久的

[记] 词根记忆：per(全部) + enn(年) + ial → 全年的；永久的

perfervid [pə'fɜːrvɪd] *adj.* 过于热心的

[记] 词根记忆：per(十分，完全) + ferv(热的) + id → 十分热的 → 过于热心的

perfidious [pər'fɪdiəs] *adj.* 不忠的，背信弃义的

[记] 词根记忆：per(假装) + fid(相信) + ious → 不相信的 → 不忠的，背信弃义的

perfume [pər'fjuːm] *n.* 香味；香水

[记] 联想记忆：per(贯穿) + fume(气体) → 缭绕在身上的气体 → 香味

perfunctory [pər'fʌŋktəri] *adj.* 例行公事般的，敷衍的

perilous ['perələs] *adj.* 危险的，冒险的

[记] 来自 peril(*n.* 危险)

periodic [ˌpɪri'ɑːdɪk] *adj.* 周期的，定期的

[记] 来自 period(*n.* 一段时间)

peripatetic [ˌperipə'tetɪk] *adj.* 巡游的，流动的

[记] 词根记忆：peri(周围) + pat(走) + et + ic → 巡游的，流动的

peripheral [pə'rɪfərəl] *adj.* 周边的，外围的

[记] 词根记忆：peri(周围) + pher(带) + al → 带到周围 → 周边的，外围的

periphery [pə'rɪfəri] *n.* 次要部分；外围，周围；外表面

[记] 词根记忆：peri(周围) + pher(带) + y → 带到周围 → 外围，周围

perishable ['perɪʃəbl] *adj.* 易腐烂的，易变质的 *n.* 易腐烂的东西

[记] 来自 perish(*v.* 毁灭；腐烂)

permeable ['pɜːrmiəbl] *adj.* 可渗透的

[记] 词根记忆：per(贯穿) + mea(通过) + ble → 可通过的 → 可渗透的

permeate ['pɜːrmieɪt] *v.* 扩散，弥漫；穿透

[记] 词根记忆：per(贯穿) + mea(通过) + te → 通过 → 扩散；穿透

permissive [pərˈmɪsɪv] *adj.* 许可的，容许的；过分纵容的

pernicious [pərˈnɪʃəs] *adj.* 有害的；致命的

[记] 词根记忆：per(表加强) + nic(伤害) + ious → 带来极大伤害的 → 有害的；致命的

perpendicular [ˌpɜːrpənˈdɪkjələr] *adj.* 垂直的，竖直的

[记] 词根记忆：per (彻底) + pend (挂) + icular → 彻底挂着的 → 垂直的

perpetrate ['pɜːrpətreɪt] *v.* 犯罪；负责

perpetuate [pərˈpetʃueɪt] *v.* 使永存

[记] 词根记忆：per(贯穿) + pet(追求) + uate → 永远追求 → 使永存

perquisite ['pɜːrkwɪzɪt] *n.* 额外收入，津贴；小费

[记] 词根记忆：per(全部) + quis(要求) + ite → 要求全部得到 → 额外收入，津贴

persevere [ˌpɜːrsəˈvɪr] *v.* 坚持不懈

persist [pərˈsɪst] *v.* 坚持不懈，执意；坚持问，不停地说；继续存在，长存

[记] 词根记忆：per(始终) + sist(坐) → 始终坐着 → 坚持不懈

Word List 15

personally [ˈpɜːrsənəli] *adv.* 亲自；作为个人

perspective [pərˈspektɪv] *n.* 思考方法；观点，看法；透视法
[记] 词根记忆：per（贯穿）+ spect（看）+ ive → 贯穿看 → 透视法

perspicacious [ˌpɜːrspɪˈkeɪʃəs] *adj.* 独具慧眼的，敏锐的
[记] 词根记忆：per（全部）+ spic（=spect 看）+ acious → 全部都看到的 → 独具慧眼的，敏锐的

perspicuous [ˌpɜːrˈspɪkjʊəs] *adj.* 明晰的，明了的

perspire [pərˈspaɪər] *v.* 出汗
[记] 词根记忆：per + spir（呼吸）+ e → 全身都呼吸 → 出汗

persuasive [pərˈsweɪsɪv] *adj.* 易使人信服的，有说服力的

pertinent [ˈpɜːrtnənt] *adj.* 有关的，相关的
[记] 词根记忆：per（始终）+ tin（拿住）+ ent → 始终拿着不放的 → 有关的

pervade [pərˈveɪd] *v.* 弥漫，遍及
[记] 词根记忆：per（贯穿）+ vad（走）+ e → 走遍 → 弥漫，遍及

pervasive [pərˈveɪsɪv] *adj.* 弥漫的，遍布的
[记] 来自 pervade（*v.* 弥漫，遍及）

pesticide [ˈpestɪsaɪd] *n.* 杀虫剂
[记] 词根记忆：pest（害虫）+ i + cide（杀）→ 杀虫剂

pestilential [ˌpestɪˈlenʃl] *adj.* 引起瘟疫的，致命的；〈口〉极讨厌的

petroleum [pəˈtroʊliəm] *n.* 石油

petulant [ˈpetʃələnt] *adj.* 暴躁的，易怒的
[记] 来自 pet（*n.* 不高兴，不悦）

pharmaceutical [ˌfɑːrməˈsuːtɪkl] *adj.* 制药的，卖药的
[记] 来自 pharmacy（*n.* 药房；药剂学）

142

phenomenal [fə'nɑːmɪnl] *adj.* 显著的, 非凡的

[记] 来自 phenomenon (*n.* 现象; 奇迹); phen (出现)+omen(征兆)+on→出现征兆→现象; 奇迹

philanthropic [ˌfɪlæn'θrəpik] *adj.* 慈善(事业)的, 博爱的

[记] 词根记忆: phil(爱)+anthrop(人)+ic→爱人的→博爱的

philistine ['fɪlɪstiːn] *n.* 庸俗的人, 对文化艺术无知的人

[记] 来自腓力斯人(Philistia), 是庸俗的市侩阶层

philosophic [ˌfɪlə'sɑːfɪk] *adj.* 哲学(家)的

[记] 来自 philosophy(*n.* 哲学)

phlegmatic [fleg'mætɪk] *adj.* 冷淡的, 不动感情的

[记] 来自 phlegm (痰), 西方人认为痰多的人不易动感情

phobia ['foʊbiə] *n.* 恐惧症

[记] 词根记忆: phob(恐惧)+ia(病)→恐惧症

phonetic [fə'netɪk] *adj.* 语音的

[记] 词根记忆: phon(声音)+etic→语音的

photosensitive [ˌfoʊtoʊ'sensətɪv] *adj.* 感光性的

photosynthesis [ˌfoʊtoʊ'sɪnθəsɪs] *n.* 光合作用

[记] 联想记忆: photo(光)+synthesis(合成)→光合作用

physical ['fɪzɪkl] *adj.* 实质的, 有形的; 身体的, 肉体的

physiological [ˌfɪziə'lɑːdʒɪkl] *adj.* 生理(技能)的; 生理学的

[记] 来自 physiology(*n.* 生理学)

picturesque [ˌpɪktʃə'resk] *adj.* 如画的; 独特的, 别具风格的

piercing ['pɪrsɪŋ] *adj.* 冷得刺骨的; 敏锐的

piety ['paɪəti] *n.* 孝顺, 孝敬; 虔诚

pilgrim ['pɪlgrɪm] *n.* 朝圣者; (在国外的)旅行者

pine [paɪn] *n.* 松树 *v.* (因疾病等)憔悴; 渴望

[记] 联想记忆: 松树(pine)的叶尖尖细细的, 就像针(pin)

pinpoint ['pɪnpɔɪnt] *v.* 准确地确定; 使突出, 引起注意 *adj.* 极精确的

[记] 组合词: pin(针)+point(尖)→像针尖一样精确→极精确的

pious ['paɪəs] *adj.* 虔诚的

piousness ['paɪəsnəs] *n.* 虔诚

[记] 来自 pious(*adj.* 虔诚的)

pitcher ['pɪtʃər] *n.* 有柄水罐

pitfall ['pɪtfɔːl] *n.* 陷阱，隐患

[记] 组合词：pit(坑，洞) + fall(落下) → 让人
下落的坑 → 陷阱

pithy ['pɪθi] *adj.* (讲话或文章)简练有力的，言简意赅的

pitiful ['pɪtɪfl] *adj.* 值得同情的，可怜的

[记] 来自 pity(*n.* 同情)

pivotal ['pɪvətl] *adj.* 中枢的，枢轴的；极其重要的，
关键的

placate ['pleɪkeɪt] *v.* 抚慰，平息

[记] 词根记忆：plac (平静的) + ate → 使平静
→ 抚慰，平息

placebo [plə'siːboʊ] *n.* 安慰剂；起安慰作用的东西

[记] 词根记忆：plac(平静的) + ebo → 安慰剂

placid ['plæsɪd] *adj.* 安静的，平和的

[记] 词根记忆：plac (平静的) + id → 平和的，
安静的

plainspoken ['pleɪn'spoʊkən] *adj.* 直言不讳的

plaintive ['pleɪntɪv] *adj.* 哀伤的，悲伤的

[记] 来自 plaint(*n.* 哀诉)

plastic ['plæstɪk] *adj.* 创造性的，塑造的；易受影响的；
可塑的；塑性的

platitude ['plætɪtuːd] *n.* 陈词滥调

[记] 词根记忆：plat(平的) + itude → 平庸之词
→ 陈词滥调

platitudinous [ˌplætɪ'tuːdənəs] *adj.* 陈腐的

plausible ['plɔːzəbl] *adj.* 看似有理的，似是而非的；有道
理的，可信的

[记] 词根记忆：plaus(鼓掌) + ible → 值得鼓掌
的 → 看似有理的，似是而非的

plethora ['pleθərə] *n.* 过多，过剩

[记] 词根记忆：plet(满的) + hora → 满满的 →
过多，过剩

144

pliable ['plaɪəbl] *adj.* 易弯曲的，柔软的；易受影响的

[记] 词根记忆：pli(=ply 弯，折)+able→易弯曲的

pliant ['plaɪənt] *adj.* 易受影响的；易弯的

plot [plɑːt] *n.* 情节；阴谋 *v.* 密谋，策划

plumb [plʌm] *n.* 测深锤，铅锤 *adj.* 垂直的 *adv.* 精确地 *v.* 深入了解；测量深度

plump [plʌmp] *adj.* 丰满的 *v.* 使丰满，使变圆

plunge [plʌndʒ] *v.* 跳进，陷入；俯冲

[记] 发音记忆："扑浪急"→掉入水里，着急地扑打着浪花→跳进

poignant ['pɔɪnjənt] *adj.* 令人痛苦的，伤心的；尖锐的，尖刻的

[记] 词根记忆：poign(刺)+ant→用针刺的→尖锐的

poise [pɔɪz] *v.* 使平衡 *n.* 泰然自若，沉着自信

polar ['poʊlər] *adj.* 极地的，两极的，近地极的；磁极的

[记] 来自 pole(*n.* 地极；磁极)

polarize ['poʊləraɪz] *v.* (使人、观点等)两极化，(使)截然对立

[记] 来自 polar(*adj.* 两极的)

polish ['poʊlɪʃ] *v.* 磨光，擦亮 *n.* 上光剂；优雅

[记] 联想记忆：波兰（Polish）产的擦光剂（polish）

polite [pə'laɪt] *adj.* 文雅的，有教养的

politically [pə'lɪtɪkli] *adv.* 政治上

pollen ['pɑːlən] *n.* 花粉

pollinate ['pɑːləneɪt] *v.* 对…授粉

pomposity [pɑːm'pɑːsəti] *n.* 自大的行为或言论

[记] 来自 pomp(*n.* 炫耀；盛况)

pompous ['pɑːmpəs] *adj.* 自大的

ponderous ['pɑːndərəs] *adj.* 笨重的，沉重的

[记] 词根记忆：pond(重量)+er+ous(多…的)→重的→笨重的

pop [pɑːp] *v.* 发出"砰"的一声；突然出现

populous [ˈpɑːpjələs] *adj.* 人口稠密的

[记] 词根记忆：popul(人) + ous(多…的) → 人口稠密的

porous [ˈpɔːrəs] *adj.* 可渗透的；多孔的

[记] 来自 pore(*n.* 孔)

portend [pɔːrˈtend] *v.* 预兆，预示

[记] 联想记忆：port(港口) + end(尽头) → 港口到了尽头，预示着临近海洋 → 预示

portray [pɔːrˈtreɪ] *v.* 描述；描绘，描画

[记] 联想记忆：por(看作 pour，倒) + tray(碟) → 将(颜料)倒在碟子上 → 描绘，描画

positive [ˈpɑːzətɪv] *adj.* 积极的；明确的；有信心的；无条件的 *n.* 正片；积极的要素或特点

[记] 联想记忆：posit (看作 post，邮件) + ive → 邮件上的地址要写清楚 → 明确的

possess [pəˈzes] *v.* 拥有；支配，主宰；受摆布，缠住，迷住

[记] 联想记忆：poss (看作 boss，老板) + ess → 老板拥有很多财产 → 拥有

possessed [pəˈzest] *adj.* 着迷的，入迷的

[记] 来自 possess(*v.* 拥有；迷住)

postdate [ˌpəʊst ˈdeɪt] *v.* 填迟…的日期

posthumous [ˈpɑːstʃəməs] *adj.* 死后的，身后的

[记] 词根记忆：post(在…之后) + hum(地面) + ous → 埋到地下以后 → 死后的，身后的

posthumously [ˈpɑːstʃəməsli] *adv.* 死后地

postoperative [ˌpəʊst ˈɑːpərətɪv] *adj.* 手术后的

postulate [ˈpɑːstʃəleɪt] *v.* 要求；假定

[记] 词根记忆：post (放) + ul + ate → 放出观点 → 要求；假定

postwar [ˈpəʊstwɔːr] *adj.* 战后的

[记] 组合词：post(在…之后) + war(战争) → 战后的

potable [ˈpəʊtəbl] *adj.* 适于饮用的

[记] 词根记忆：pot (喝) + able → 可以喝的 → 适于饮用的

potent ['poʊtnt] *adj.* 强有力的，有影响力的，有权力的；有效力的，有效能的

potential [pə'tenʃl] *adj.* 潜在的，可能的

[记] 词根记忆：pot（有力的）+ ent + ial → 潜在的，可能的

potshot ['pɑːtʃɑːt] *n.* 盲目射击；肆意抨击 *v.* 肆意抨击

potted ['pɑːtɪd] *adj.* 盆栽的；瓶装的，罐装的，壶装的

pottery ['pɑːtəri] *n.* 制陶；制陶工艺；陶器

pounce [paʊns] *n.* (猛禽的)爪；猛扑 *v.* 猛扑；突然袭击

pragmatic [præg'mætɪk] *adj.* 实际的；务实的，注重实效的；实用主义的

[记] 词根记忆：prag(做) + matic → 付诸行动的 → 务实的，注重实效的

precarious [prɪ'kerəriəs] *adj.* 根据不足的，未证实的；不稳固的，危险的

[记] 联想记忆：pre(在前面) + car(汽车) + ious → 在汽车前面 → 危险的

precede [prɪ'siːd] *v.* 在…之前，早于

[记] 词根记忆：pre (在前面) + ced (走) + e → 走在…之前 → 早于

precedent ['presɪdənt] *adj.* 在先的，在前的 *n.* 先例；判例

precipitate [prɪ'sɪpɪteɪt] *v.* 使突然降临，加速，促成

[prɪ'sɪpɪtət] *adj.* 鲁莽的，轻率的

[记] 词根记忆：pre(预先) + cip(落下) + it + ate → 预先落下 → 使突然降临，加速

precipitous [prɪ'sɪpɪtəs] *adj.* 陡峭的

precise [prɪ'saɪs] *adj.* 精确的，准确的，确切的

[记] 词根记忆：pre(表加强) + cis(切) + e → 细心地切下 → 精确的

preclude [prɪ'kluːd] *v.* 预防，排除；阻止

[记] 词根记忆：pre(预先) + clud(关闭) + e → 预先关闭 → 预防，排除

preconception [ˌpriːkən'sepʃn] *n.* 先入之见；偏见

[记] 联想记忆：pre(在前面) + conception(观念) → 先入之见

precursor	[priˈkɜːrsər] *n.* 先驱，先兆
	[记] 词根记忆：pre(在前面) + curs(跑) + or → 跑在前面的人 → 先驱
predator	[ˈpredətər] *n.* 食肉动物
	[记] 词根记忆：pred(掠夺) + at + or → 食肉动物
predatory	[ˈpredətɔːri] *adj.* 掠夺的；食肉的
predecessor	[ˈpredəsesər] *n.* 前任，前辈；原有事物，前身
	[记] 词根记忆：pre(在前面) + de + cess(走) + or → 在前面走的人 → 前任，前辈
predestine	[ˌpriːˈdestɪn] *v.* 预先注定
	[记] 联想记忆：pre(在前面) + destine(注定) → 预先注定
predetermine	[ˌpriːdɪˈtɜːrmɪn] *v.* 预先注定；预先决定
	[记] 联想记忆：pre(在前面) + determine(决定) → 预先决定
predictable	[prɪˈdɪktəbl] *adj.* 可预知的
predispose	[ˌpriːdɪˈspoʊz] *v.* 使预先有倾向；(使)易受感染
predominant	[prɪˈdɑːmɪnənt] *adj.* 支配的，占优势的，主导的
	[记] 联想记忆：pre (在前面) + dominant (统治的) → 在前面统治的 → 支配的，占优势的
predominate	[prɪˈdɑːmɪneɪt] *v.* 统治；(数量上)占优势，以…为主
preeminent	[priˈemɪnənt] *adj.* 出类拔萃的，杰出的
	[记] 联想记忆：pre(在前面) + eminent(著名的) → 比著名的人还著名 → 出类拔萃的
preempt	[priˈempt] *v.* 以优先权获得；取代
	[记] 词根记忆：pre(预先) + empt(拿到) → 预先拿到 → 以优先权取得
prefabricated	[ˌpriːˈfæbrɪkeɪtɪd] *adj.* 预制构件的
	[记] 来自 prefabricate(*v.* 预制)
preferably	[ˈprefrəbli] *adv.* 更可取地，更好地，宁可
	[记] 来自 prefer(*v.* 宁可，更喜欢)
pregnant	[ˈpregnənt] *adj.* 怀孕的；充满的
	[记] 词根记忆：pre (在前面) + gn (出生) + ant → 尚未出生的 → 怀孕的

prehistoric [ˌpriːhɪˈstɔːrɪk] adj. 史前的

[记] 联想记忆：pre（在前面）+ historic（历史的）→ 史前的

prejudice [ˈpredʒudɪs] n. 偏见，成见 v. 使产生偏见

[记] 词根记忆：pre（预先）+ jud（判断）+ ice → 预先判断 → 偏见，成见

preliminary [prɪˈlɪmɪneri] adj. 预备的，初步的，开始的

[记] 词根记忆：pre（预先）+ limin（门槛；起点）+ ary → 预先跨入 → 预备的

premature [ˌpriːməˈtʃʊr] adj. 早熟的，过早的

[记] 联想记忆：pre（预先）+ mature（成熟的）→ 还没成熟的 → 早熟的，过早的

premeditate [ˌpriːˈmedɪteɪt] v. 预谋，预先考虑或安排

[记] 词根记忆：pre（预先）+ med（注意）+ itate → 事先就加以注意 → 预谋

premise [ˈpremɪs] n. 前提

[记] 词根记忆：pre（在前面）+ mis（放）+ e → 放在前面的东西 → 前提

premonition [ˌpriːməˈnɪʃn] n. 预感，预兆

[记] 词根记忆：pre（预先）+ mon（警告）+ it + ion → 预先给出的警告 → 预感，预兆

preoccupation [priˌɑːkjuˈpeɪʃn] n. 全神贯注，专注；使人专注的东西

prerequisite [ˌpriːˈrekwəzɪt] n. 先决条件

[记] 词根记忆：pre（预先）+ re（一再）+ quis（要求）+ ite → 预先一再要求 → 先决条件

prerogative [prɪˈrɑːɡətɪv] n. 特权

[记] 词根记忆：pre（预先）+ rog（要求）+ ative → 预先要求的权力 → 特权

prescient [ˈpresiənt] adj. 有先见的，预知的

prescribe [prɪˈskraɪb] v. 开处方；规定

[记] 词根记忆：pre（预先）+ scrib（写）+ e → 预先写好 → 规定

preservative [prɪˈzɜːrvətɪv] adj. 保护的；防腐的 n. 防腐剂

[记] 来自 preserve（v. 保护；保存）

preserve	[prɪ'zɜːrv] v. 保护；保存
	[记]联想记忆：pre（在前面）+ serve（服务）→ 提前提供服务 → 保护；保存
press	[pres] v. 挤压
prestigious	[pre'stɪdʒəs] adj. 有名望的，有威望的
	[记]来自 prestige（声望，威望）；pre（预先）+ stig（捆绑）+ e → 事先把人捆住 → 声望，威望
presume	[prɪ'zuːm] v. 推测，假定；认定
	[记]词根记忆：pre（预先）+ sum（抓住）+ e → 预先抓住 → 推测，假定
presumptuous	[prɪ'zʌmptʃuəs] adj. 放肆的，过分的
presuppose	[ˌpriːsə'poʊz] v. 预先假定；以…为先决条件
pretense	[prɪ'tens] n. 妄称，自称；假装，伪装，假象；借口，托词
pretentious	[prɪ'tenʃəs] adj. 夸耀的，炫耀的；自命不凡的，狂妄的
preternatural	[ˌpriːtər'nætʃrəl] adj. 异常的；超自然的
	[记]联想记忆：preter（超越）+ natural（自然的）→ 超自然的
prevail	[prɪ'veɪl] v. 战胜；流行，盛行
	[记]词根记忆：pre（在前面）+ vail（=val 力量）→ 在力量上胜过他人 → 战胜
prevalent	['prevələnt] adj. 流行的，盛行的
	[记]词根记忆：pre（在前面）+ val（力量）+ ent → 有走在前面的力量的 → 流行的
previous	['priːviəs] adj. 在先的，以前的
	[记]词根记忆：pre（在前面）+ vi（道路）+ ous → 走在前面的 → 在先的，以前的
prig	[prɪg] n. 自命清高者，道学先生
primal	['praɪml] adj. 原始的，最初的；首要的
primitive	['prɪmətɪv] adj. 原始的，远古的；基本的
	[记]词根记忆：prim（第一，首先）+ itive（具…性质的）→ 第一时间的 → 原始的
primordial	[praɪ'mɔːrdiəl] adj. 原始的，最初的

prior ['praɪər] *adj.* 在前的；优先的

[记] 词根记忆：pri（=prim 第一，首先）+ or → 在前的；优先的

pristine ['prɪstiːn] *adj.* 原始的；质朴的，纯洁的；新鲜的，干净的

[记] 词根记忆：pri（=prim 第一，首先）+ st（站）+ ine → 站在首位的 → 原始的

privacy ['praɪvəsi] *n.* 隐居，隐退；隐私；秘密

probity ['proʊbəti] *n.* 刚直，正直

problematic [ˌprɑːblə'mætɪk] *adj.* 成问题的；有疑问的，值得怀疑的；未知的，未解决的

procedure [prə'siːdʒər] *n.* 程序，手续

[记] 来自 proceed（*v.* 前进）

proclamation [ˌprɑːklə'meɪʃn] *n.* 宣布，公布

[记] 词根记忆：pro（在前面）+ clam（=claim 叫喊）+ ation → 在前面喊 → 宣布，公布

proclivity [prə'klɪvəti] *n.* 倾向

procurement [prə'kjʊrmənt] *n.* 取得，获得；采购

[记] 来自动词 procure（*v.* 取得，获得）

prod [prɑːd] *v.* 戳，刺；刺激，激励

Word List 16

prodigal ['prɑːdɪgl] *adj.* 挥霍的 *n.* 挥霍者
[记] 词根记忆：prodig(巨大，浪费) + al(…的)
→ 挥霍的

prodigious [prə'dɪdʒəs] *adj.* 巨大的；惊人的，奇异的
[记] 来自 prodigy(*n.* 惊人的事物；奇观)

proficiency [prə'fɪʃnsi] *n.* 进步；熟练，精通

proficient [prə'fɪʃnt] *adj.* 熟练的，精通的
[记] 词根记忆：pro(在前) + fic(做) + ient → 做
在别人前面的 → 熟练的

profile ['prəʊfaɪl] *n.* 轮廓，外形；(尤指人面部的)侧面
[记] 词根记忆：pro(前面) + fil(线条) + e → 外
部的线条 → 轮廓，外形

profitable ['prɑːfɪtəbl] *adj.* 有利可图的

profligacy ['prɑːflɪgəsi] *n.* 放荡；肆意挥霍

profound [prə'faʊnd] *adj.* 深的；深刻的，深远的；渊博的；
深奥的
[记] 联想记忆：pro(在…前) + found(创立) →
有超前创见性的 → 深刻的，深远的

profundity [prə'fʌndəti] *n.* 深奥的事物；深刻，深厚

profuse [prə'fjuːs] *adj.* 丰富的；浪费的
[记] 词根记忆：pro(许多) + fus(流) + e → 多得
向外流 → 丰富的

prohibit [prəʊ'hɪbɪt] *v.* 禁止；阻止
[记] 词根记忆：pro(提前) + hibit(拿住) → 提前
拿住 → 禁止；阻止

prohibitive [prə'hɪbətɪv] *adj.* 禁止的，抑制的；贵得买不起的
[记] 词根记忆：pro (提前) + hibit (拿住) + ive
(…的) → 提前拿住的 → 禁止的，抑制的

proliferate [prə'lɪfəreɪt] v. 激增; (迅速)繁殖, 增生
[记] 词根记忆: pro (许多) + lifer (生命) + ate → 产生许多生命 → 繁殖, 增生

prolific [prə'lɪfɪk] adj. 多产的, 多果实的
[记] 联想记忆: pro(许多) + lif(看作 life, 生命) + ic(…的) → 产生许多生命的 → 多产的

prolong [prə'lɑːŋ] v. 延长, 拉长
[记] 词根记忆: pro(向前) + long(长) → 延长, 拉长

prominence ['prɑːmɪnəns] n. 突出物; 突出, 显著

promote [prə'moʊt] v. 提升; 促进
[记] 词根记忆: pro(向前) + mot(动) + e → 向前动 → 促进

promotion [prə'moʊʃn] n. 晋升; 促进

promptness ['prɑːmptnəs] n. 敏捷, 迅速; 机敏

promulgate ['prɑːmlgeɪt] v. 颁布(法令); 宣传, 传播
[记] 词根记忆: pro (前面) + mulg (人民) + ate → 放到人民前面 → 宣传, 传播

prone [proʊn] adj. 俯卧的; 倾向于…的

pronounced [prə'naʊnst] adj. 显著的, 明确的
[记] 来自 pronounce(v. 宣称, 宣布)

proofread ['pruːfriːd] v. 校正, 校对
[记] 组合词: proof(校对) + read(读) → 校正, 校对

propaganda [ˌprɑːpə' gændə] n. 宣传

propagate ['prɑːpəgeɪt] v. 繁殖; 传播
[记] 词根记忆: pro + pag(砍, 切) + ate → 把树的旁枝剪掉使主干成长 → 繁殖

propel [prə'pel] v. 推进, 促进
[记] 词根记忆: pro(向前) + pel(推) → 推进, 促进

propensity [prə'pensəti] n. 嗜好, 习性
[记] 词根记忆: pro (提前) + pens (挂) + ity → 总是喜欢预先挂好 → 嗜好, 习性

prophesy ['prɑːfəsaɪ] v. 预言

prophetic [prə'fetɪk] adj. 先知的, 预言的, 预示的
[记] 词根记忆: pro(提前) + phe(说) + tic → 提前说出来 → 先知的, 预言的

propitiate [prə'pɪʃieɪt] v. 讨好；抚慰

[记] 词根记忆：pro（向前）+ piti（=pet 寻求）+ ate → 主动寻求和解 → 讨好

propitious [prə'pɪʃəs] adj. 吉利的，顺利的；有利的

[记] 词根记忆：pro（向前）+ piti（=pet 寻求）+ ous → 寻求前进的 → 吉利的，顺利的

proposition [ˌprɑːpə'zɪʃn] n. 看法，主张；提议

[记] 来自 propose(v. 建议，提议)

proprietary [prə'praɪəteri] adj. 私有的

propriety [prə'praɪəti] n. 礼节；适当，得体

[记] 词根记忆：propr(拥有)+ iety → 拥有得体的行为 → 礼节；得体

prosaic [prə'zeɪɪk] adj. 散文(体)的；单调的，无趣的

[记] 来自 prose(n. 散文)

proscribe [proʊ'skraɪb] v. 禁止

[记] 词根记忆：pro(前面)+ scrib(写)+ e → 写在前面 → 禁止

prose [proʊz] n. 散文

[记] 联想记忆：p + rose（玫瑰）→ 散文如玫瑰花瓣，形散而神聚 → 散文

prosecute ['prɑːsɪkjuːt] v. 起诉；告发

[记] 词根记忆：pro(提前)+ secut(追踪)+ e → 事先追踪行进 → 告发

proselytize ['prɑːsələtaɪz] v. (使)皈依

[记] 词根记忆：pros（靠近）+ elyt（来到）+ ize → 走到(佛祖)面前 → (使)皈依

prospect ['prɑːspekt] v. 勘探 n. 期望；前景

prostrate ['prɑːstreɪt] adj. 俯卧的；沮丧的 v. 使下跪鞠躬，使拜服

protective [prə'tektɪv] adj. 保护的，防护的

protest [prə'test] v. 抗议，反对

['proʊtest] n. 抗议，反对

[记] 联想记忆：pro(很多)+ test(测验)→ 考试太多，遭到学生抗议 → 抗议，反对

154

prototype [ˈproʊtətaɪp] *n.* 原型；典型

[记] 词根记忆：proto(起初) + type(形状) → 起初的形状 → 原型

protozoan [ˌproʊtəˈzoʊən] *n.* 原生动物

[记] 词根记忆：proto(起初) + zo(动物) + an → 原生动物

protract [prəˈtrækt] *v.* 延长，拖长

[记] 词根记忆：pro(向前) + tract(拉) → 向前拉 → 延长，拖长

protrude [proʊˈtruːd] *v.* 突出，伸出

[记] 词根记忆：pro (向前) + trud (伸出) + e → 向前伸 → 伸出

proverb [ˈprɑːvɜːrb] *n.* 谚语

[记] 词根记忆：pro(起初) + verb(话) → 早期人们说的话 → 谚语

provident [ˈprɑːvɪdənt] *adj.* 深谋远虑的；节俭的

[记] 词根记忆：pro(向前) + vid(看) + ent(…的) → 向前看的 → 深谋远虑的

provincial [prəˈvɪnʃl] *adj.* 省的，地方的；偏狭的，粗俗的

[记] 来自 province(*n.* 省)

provision [prəˈvɪʒn] *n.* 供应(法律等)条款

provisional [prəˈvɪʒənl] *adj.* 暂时的，临时的

provocation [ˌprɑːvəˈkeɪʃn] *n.* 挑衅，激怒

[记] 来自 provoke(*v.* 激怒)

provocative [prəˈvɑːkətɪv] *adj.* 挑衅的，煽动的

provoke [prəˈvoʊk] *v.* 激怒；引起；驱使

[记] 词根记忆：pro(在前) + vok (呼喊) + e → 在前面呼喊 → 激怒；引起

proximity [prɑːkˈsɪməti] *n.* 接近，临近

[记] 词根记忆：prox(接近) + imity → 接近，临近

prudent [ˈpruːdnt] *adj.* 审慎的，精明的；节俭的，精打细算的

[记] 词根记忆：prud(小心的) + ent → 审慎的

prudish [ˈpruːdɪʃ] *adj.* 过分守礼的，假道学的

pseudonym ['suːdənɪm] *n.* 假名，笔名

[记] 词根记忆：pseudo(假) + nym(名字)→ 假名

psyche ['saɪki] *n.* 心智，精神

psychological [ˌsaɪkə'lɑːdʒɪkl] *adj.* 心理学的；心理的，精神的

[记] 词根记忆：psycho(心灵，精神) + log(说) + ical(…的)→ 心理的，精神的

psychology [saɪ'kɑːlədʒi] *n.* 心理学

[记] 词根记忆：psycho(心灵，精神) + logy(…学) → 心理学

publicize ['pʌblɪsaɪz] *v.* (公开)宣传，宣扬；引人注意

[记] 联想记忆：public(公开的) + ize(使) → 使公开 → 宣传，宣扬

pugnacious [pʌɡ'neɪʃəs] *adj.* 好斗的

[记] 词根记忆：pugn(打斗) + acious(…的) → 好斗的

puncture ['pʌŋktʃər] *v.* 刺穿，戳破 *n.* 刺孔，穿孔

[记] 词根记忆：punct (点) + ure → 点破 → 刺穿，戳破

pungent ['pʌndʒənt] *adj.* 辛辣的，刺激的；尖锐的，尖刻的

[记] 词根记忆：pung(刺) + ent → 尖锐的，尖刻的

punishment ['pʌnɪʃmənt] *n.* 惩罚，刑罚；虐待

purchase ['pɜːrtʃəs] *n.* 支点(阻止东西下滑)

[记] purchase 作为"购买"之意大家都很熟悉

purified ['pjʊrɪfaɪd] *adj.* 纯净的

[记] 来自 purify(*v.* 使洁净；净化)

purport ['pɜːrpɔːrt] *n.* 意义，涵义，主旨

[记] 词根记忆：pur(附近) + port(带) → 带到主要意思附近，领会主旨 → 意义，主旨

purposiveness ['pɜːrpəsɪvnəs] *n.* 目的性

[记] 来自 purpose(*n.* 目的)

pursuit [pər'suːt] *n.* 追赶；职业

[记] 联想记忆：钱包(purse)被小偷偷去，赶忙追赶(pursuit)

quagmire ['kwægmaɪər] *n.* 沼泽地；困境

[记] 组合词：quag（沼泽）+ mire（泥潭）→ quagmire（沼泽地）

quaint [kweɪnt] *adj.* 离奇有趣的；古色古香的

[记] 联想记忆：和 paint（*n.* 油漆）一起记；paint to become quaint（漆上油漆变得离奇有趣）

qualified ['kwɑːlɪfaɪd] *adj.* 合格的；有限制的

[记] 来自动词 qualify（*v.* 具有资格；限制）

qualm [kwɑːm] *n.* 疑惧；紧张不安

quantifiable ['kwɑːntɪfaɪəbl] *adj.* 可以计量的；可量化的

[记] 词根记忆：quant（数量）+ ifi + able（可…的）→ 可以计量的

quantum ['kwɑːntəm] *n.* 量子；定量

[记] 词根记忆：quant（数量）+ um → 定量

quarantine ['kwɔːrəntiːn] *n.* 隔离检疫期，隔离

[记] 联想记忆：quarant（四十）+ ine → 隔开 40 天 → 隔离

quarrel ['kwɔːrəl] *n./v.* 争吵

quash [kwɔːʃ] *v.* 镇压；（依法）取消

querulous ['kwerələs] *adj.* 抱怨的，爱发牢骚的

[记] 联想记忆：que（看作 question，质疑）+ rul（看作 rule，规则）+ ous（…的）→ 质疑规则 → 抱怨的

quiescence [kwi'esns] *n.* 静止，沉寂

quiescent [kwi'esnt] *adj.* 不动的，静止的

[记] 词根记忆：qui（=quiet 安静的）+ escent（状态）→ 静止的

quixotic [kwɪk'sɑːtɪk] *adj.* 不切实际的，空想的

[记] 来自 Don Quixote《堂·吉诃德》；亦作 quixotical

quote [kwoʊt] *v.* 引用，引述

raciness ['reɪsɪnəs] *n.* 生动活泼

radiant ['reɪdiənt] *adj.* 发光的；容光焕发的

[记] 词根记忆：rad（光线）+ i + ant（的）→ 发光的

radicalism ['rædɪkəlɪzəm] *n.* 激进主义

[记] 来自 radical（*adj.* 激进的；彻底的）

radically	[ˈrædɪkli] *adv.* 根本上；以激进方式
rag	[ræg] *n.* 旧布，碎布；破旧衣服
rage	[reɪdʒ] *n.* 盛怒 *v.* 狂怒，大发雷霆
ragged	[ˈrægɪd] *adj.* 褴褛的，破烂的
ragtime	[ˈrægtaɪm] *n.* 雷格泰姆音乐 *adj.* 使人发笑的，滑稽的

[记]联想记忆：rag(破衣服) + time(节拍) → 黑人穿破衣服打拍子 → 使人发笑的

raisin	[ˈreɪzn] *n.* 葡萄干
rampant	[ˈræmpənt] *adj.* 猖獗的，蔓生的

[记]联想记忆：ram(羊) + pant(喘气) → 因为草生长猖獗，所以羊高兴得直喘气 → 猖獗的，蔓生的

ramshackle	[ˈræmʃækl] *adj.* 摇摇欲坠的
ranching	[ˈræntʃɪŋ] *n.* 大牧场
rancid	[ˈrænsɪd] *adj.* 不新鲜的，变味的

[记]联想记忆：ran(跑)+cid(看作 acid，酸) → 变酸了 → 不新鲜的，变味的

rancor	[ˈræŋkər] *n.* 深仇，怨恨
rarefy	[ˈrerəfaɪ] *v.* 使稀少，使稀薄
ratify	[ˈrætɪfaɪ] *v.* 批准

[记]词根记忆：rat(估算，清点) + ify → 一一地清点 → 批准

rationale	[ˌræʃəˈnæl] *n.* 基本原理
raucous	[ˈrɔːkəs] *adj.* 刺耳的，沙哑的；喧嚣的

[记]词根记忆：rauc(=hoarse 沙哑的)+ous→沙哑的

ravage	[ˈrævɪdʒ] *v.* 摧毁，使荒废
rave	[reɪv] *n.* 热切赞扬 *v.* 胡言乱语，说疯语
raze	[reɪz] *v.* 夷为平地；彻底破坏
reactionary	[riˈækʃəneri] *adj.* 极端保守的，反动的

[记]联想记忆：re(反)+action(动)+ary → 反动的

readable	[ˈriːdəbl] *adj.* 易读的
reaffirm	[ˌriːəˈfɜːrm] *v.* 再次确定；重申

[记]分析记忆：re(再次) + affirm(确定) → 再次确定

reaffirmation [ˌriːæfər'meɪʃn] *n.* 再肯定

realistic [ˌriːə'lɪstɪk] *adj.* 现实主义的

realm [relm] *n.* 王国；领域，范围

reassure [ˌriːə'ʃʊr] *v.* 使恢复信心；使确信
[记] 词根记忆：re（再次）+ as + sure（确信）→ 一再地确信 → 使恢复信心

rebellious [rɪ'beljəs] *adj.* 造反的，反叛的；难控制的
[记] 词根记忆：re(反)+bell(打斗，战争)+ious → 打回去 → 造反的

rebroadcast [rɪ'brɔːdkæst] *v.* 重播

rebuke [rɪ'bjuːk] *v.* 指责，谴责
[记] 词根记忆：re(再次)+buk(=beat 打)+e → 反复打 → 指责

recalcitrant [rɪ'kælsɪtrənt] *adj.* 顽抗的
[记] 词根记忆：re(反)+calcitr(=calc 石头)+ant → 像石头一样坚硬顽强地反抗 → 顽抗的

recapitulate [ˌriːkə'pɪtʃuleɪt] *v.* 扼要重述
[记] 词根记忆：re(重新)+ capit(头)+ ulate → 将核心(即"头")重新讲述一遍 → 扼要重述

recast [ˌriː'kæst] *v.* 重铸；更换演员
[记] 词根记忆：re(重新)+ cast(铸) → 重铸

recede [rɪ'siːd] *v.* 后退，撤回
[记] 词根记忆：re（反)+ced（走)+e → 走回去 → 后退

receptive [rɪ'septɪv] *adj.* 善于接受的，能接纳的

recessive [rɪ'sesɪv] *adj.* 隐性遗传的；后退的

recipient [rɪ'sɪpiənt] *n.* 接受者，收受者
[记] 词根记忆：re + cip（拿)+ ient → 拿东西的人 → 接受者，收受者

reciprocally [rɪ'sɪprəkli] *adv.* 相互地；相反地

reciprocate [rɪ'sɪprəkeɪt] *v.* 回报，答谢
[记] 词根记忆：re + cip（收下)+ rocate → 再次收下 → 答谢

reciprocation [rɪˌsɪprə'keɪʃn] *n.* 互换；报答；往复运动

reciprocity	[ˌresɪˈprɑːsəti] *n.* 相互性；互惠
recital	[rɪˈsaɪtl] *n.* 独奏会，独唱会，小型舞蹈表演会；吟诵
recklessness	[ˈrekləsnəs] *n.* 鲁莽，轻率
	[记] 来自 reckless(*adj.* 鲁莽的；不计后果的)
reclaim	[rɪˈkleɪm] *v.* 纠正，改造；开垦(土地)
	[记] 词根记忆：re + claim (喊)→ 喊回来 → 纠正，改造
recluse	[ˈrekluːs] *n.* 隐士 *adj.* 隐居的
	[记] 词根记忆：re + clus (关闭) + e → 把门关上 → 隐居的
reclusive	[rɪˈkluːsɪv] *adj.* 隐遁的，隐居的
recoil	[rɪˈkɔɪl] *v.* 弹回，反冲；退却，退缩
	[记] 词根记忆：re(反) + coil(卷，盘绕)→ 卷回去 → 退缩
recollect	[ˌrekəˈlekt] *v.* 回忆；想起
recommendation	[ˌrekəmenˈdeɪʃn] *n.* 推荐；推荐信
recompose	[ˌriːkəmˈpoʊz] *v.* 重写；重新安排
reconcile	[ˈrekənsaɪl] *v.* 和解，调和
	[记] 联想记忆：re(再次) + con(共同) + cile → 重新回到原来的关系 → 和解
reconciliation	[ˌrekənsɪliˈeɪʃn] *n.* 和解；调解
recondite	[ˈrekəndaɪt] *adj.* 深奥的，晦涩的
	[记] 词根记忆：re(反) + con(共同) + dit(说) + e → 不是对所有人都能说明白 → 深奥的
reconnaissance	[rɪˈkɑːnɪsns] *n.* 侦察，预先勘测
	[记] 注意不要和 renaissance(*n.* 复兴；复活)相混
recount	[rɪˈkaʊnt] *v.* 叙述，描写
recourse	[ˈriːkɔːrs] *n.* 求助，依靠
recreational	[ˌrekriˈeɪʃənl] *adj.* 娱乐的，休闲的
rectify	[ˈrektɪfaɪ] *v.* 改正，矫正；提纯
	[记] 词根记忆：rect(直) + ify → 使…变直 → 改正，矫正

recuperate	[rɪˈkuːpəreɪt] *v.* 恢复(健康、体力),复原
	[记] 词根记忆:re(再次)+ cuper(=gain 获得)+ ate → 再次获得原来的状态 → 复原
recur	[rɪˈkɜːr] *v.* 重现,再发生;复发
recurrent	[rɪˈkɜːrənt] *adj.* 循环的;一再发生的
recurring	[rɪˈkɜːrɪŋ] *adj.* 反复的;再次发生的
redeem	[rɪˈdiːm] *v.* 弥补,赎回,偿还
	[记] 词根记忆:re(重新)+ deem(买)→ 重新买回 → 赎回

When an end is lawful and obligatory, the indispensable means to it are also lawful and obligatory.

如果一个目的是正当而必须做的,则达到这个目的的必要手段也是正当而必须采取的。

——美国政治家 林肯

(Abraham Lincoln, American statesman)

Word List 17

redirect [ˌriːdəˈrekt] *v.* 改寄(信件)；改变方向

[记] 词根记忆：re(重新)＋direct(指向)→改变方向

redistribution [ˌriːdɪˈstrɪbjuːʃn] *n.* 重新分配

[记] 联想记忆：re(重新)＋distribution(分配)→
重新分配

redundant [rɪˈdʌndənt] *adj.* 累赘的，多余的

[记] 词根记忆：red (＝re)＋und (波动)＋ant →
反复波动→反复出现的→累赘的，多余的

reenact [rɪɪˈnækt] *v.* 再制定

reexamination [rɪɪɡˌzæmɪˈneɪʃn] *n.* 重考；复试；再检查

referent [ˈrefərənt] *n.* 指示对象

reflective [rɪˈflektɪv] *adj.* 反射的，反照的；深思熟虑的

refractory [rɪˈfræktəri] *adj.* 倔强的，难管理的；(病)难治的

[记] 词根记忆：re＋fract(断裂)＋ory → 宁折不
弯→倔强的

refrain [rɪˈfreɪn] *v.* 抑制 *n.* (歌曲或诗歌中的)叠句

[记] 词根记忆：re＋frain(笼头)→上笼头→抑制

refrigerate [rɪˈfrɪdʒəreɪt] *v.* 使冷却，冷藏

regale [rɪˈɡeɪl] *v.* 款待，宴请；使…快乐

[记] 词根记忆：re(使)＋gale(高兴)→使客人
高兴→款待

regenerate [rɪˈdʒenəreɪt] *v.* 改造，改进；使再生，新生

regimental [ˌredʒɪˈmentl] *adj.* 团的，团队的

[记] 来自 regiment(*n.* 团；大量)

regressive [rɪˈɡresɪv] *adj.* 退步的，退化的

regretfully [rɪˈɡretfəli] *adv.* 懊悔地

[记] 来自 regret(*v.* 懊悔，惋惜)

regulatory [ˈreɡjələtɔːri] *adj.* 按规矩来的，依照规章的；调
整的

rehabilitate	[ˌriːəˈbɪlɪteɪt] v. 使恢复(健康、能力、地位等)
	[记]词根记忆: re + hab (拥有) + ilit + ate → 使重新拥有 → 使恢复
reigning	[ˈreɪnɪŋ] adj. 统治的，起支配作用的
reimburse	[ˌriːɪmˈbɜːrs] v. 偿还
	[记]词根记忆: re + im(进入) + burse(钱包) → 重新进入钱包 → 偿还
reinstate	[ˌriːɪnˈsteɪt] v. (使)恢复(原来的地位或职位)
	[记]词根记忆: re(重新) + in(进入) + state(状态) → 重新进入原来的状态 → 恢复
reiterate	[riˈɪtəreɪt] v. 重申，反复地说
	[记]词根记忆: re(反复) + iter (重申) + ate → 重申，反复地说
rekindle	[ˌriːˈkɪndl] v. 再点火；使重新振作
relegate	[ˈrelɪgeɪt] v. 使降级，贬谪；交付，托付
	[记]词根记忆: re + leg (选择) + ate → 重新选择职位 → 使降级
relent	[rɪˈlent] adj. 变宽厚，变温和，怜悯
relentless	[rɪˈlentləs] adj. 无情的，残酷的
relevance	[ˈreləvəns] n. 相关性
	[记]来自 relevant(adj. 相关的)
reliable	[rɪˈlaɪəbl] adj. 可信赖的 n. 可信赖的人
relieve	[rɪˈliːv] v. 减轻，解除
	[记]词根记忆: re + liev(=lev 轻) + e → 减轻，解除
relieved	[rɪˈliːvd] adj. 宽慰的，如释重负的
religion	[rɪˈlɪdʒən] n. 宗教；宗教信仰
	[记]联想记忆: reli(=rely, 依赖) + gi(看作 giant, 巨大的) + on → 可以依赖的巨大的力量 → 宗教
relinquish	[rɪˈlɪŋkwɪʃ] v. 放弃，让出
	[记]词根记忆: re + linqu (=leave, 离开) + ish → 放弃，让出
relish	[ˈrelɪʃ] n. 美味，风味；喜好，兴趣 v. 喜好，享受
	[记]联想记忆: rel(看作 real, 真正的) + ish(看作 fish, 鱼) → 真正的鱼 → 美味

reluctance [rɪˈlʌktəns] *n.* 勉强，不情愿

remarkable [rɪˈmɑːrkəbl] *adj.* 值得注意的，显著的

reminiscent [ˌremɪˈnɪsnt] *adj.* 回忆的；使人联想的

remiss [rɪˈmɪs] *adj.* 疏忽的，不留心的
[记] 词根记忆：re(一再) + miss(放) → 一再放掉 → 疏忽的

remorse [rɪˈmɔːrs] *n.* 懊悔，悔恨
[记] 词根记忆：re(反) + mors(咬) + e → 反过去咬自己 → 悔恨

remorselessly [rɪˈmɔːrsləsli] *adv.* 冷酷地，无悔意地

remote [rɪˈmoʊt] *adj.* 遥远的；偏僻的
[记] 词根记忆：re(反) + mot(移动) + e → 向相反方向移动，越来越远的 → 遥远的

remoteness [rɪˈmoʊtnəs] *n.* 遥远，偏僻

remunerative [rɪˈmjuːnərətɪv] *adj.* 报酬高的，有利润的

render [ˈrendər] *v.* 呈递，提供；给予，归还
[记] 联想记忆：给予(render)后自然成为出借人(lender)

renegade [ˈrenɪgeɪd] *n.* 叛教者，叛徒
[记] 词根记忆：re(反) + neg(否定)+ade → 回头否定的人 → 叛教者，叛徒

renewal [rɪˈnuːəl] *n.* 更新；复兴，振兴

renounce [rɪˈnaʊns] *v.* 声明放弃；拒绝，否认
[记] 词根记忆：re(重新) + nounc(讲话，通告) + e → 重新宣布 → 声明放弃

renown [rɪˈnaʊn] *n.* 名望，声誉
[记] 词根记忆：re(反复) + nown(=nomen 名字) → 名字反复出现 → 名望

renowned [rɪˈnaʊnd] *adj.* 有名的

reparable [ˈrepərəbl] *adj.* 能补救的，可挽回的

reparation [ˌrepəˈreɪʃn] *n.* 赔偿，补偿

repeal [rɪˈpiːl] *v.* 废除(法律)
[记] 词根记忆：re(反) + peal(=call 叫) → 叫回 → 废除

repel [rɪ'pel] *v.* 击退; 使反感

[记] 词根记忆: re(反) + pel(推) → 反推 → 击退

repellent [rɪ'pelənt] *adj.* 令人厌恶的

repertoire ['repərtwɑːr] *n.* (剧团等)常备剧目

[记] 联想记忆: 和 report(汇报)一起记, 汇报演出需要常备节目

repetition [ˌrepə'tɪʃn] *n.* 重复; 背诵

[记] 来自 repeat(*v.* 重复)

repetitious [ˌrepə'tɪʃəs] *adj.* 重复的

repetitive [rɪ'petətɪv] *adj.* 重复的; 反复性的

[记] 词根记忆: re(再次) + pet(寻找) + itive → 再次寻找 → 重复的

replenish [rɪ'plenɪʃ] *v.* 补充, 把…再备足

[记] 词根记忆: re(重新) + plen(满) + ish → 重新填满 → 补充

replete [rɪ'pliːt] *adj.* 充满的, 供应充足的

[记] 词根记忆: re + plet(满) + e → 充满的

replicate ['replɪkeɪt] *v.* 复制

[记] 词根记忆: re(再次) + plic(折叠) + ate → 再次折叠 → 复制

reportorial [ˌrepər'tɔːriəl] *adj.* 记者的; 报道的

reprehensible [ˌreprɪ'hensəbl] *adj.* 应受谴责的

represent [ˌreprɪ'zent] *v.* 呈现; 代表, 体现

[记] 联想记忆: re + present(出席) → 代表

repress [rɪ'pres] *v.* 抑制, 压抑; 镇压

repressive [rɪ'presɪv] *adj.* 抑制的; 镇压的, 残暴的

reprimand ['reprɪmænd] *n./v.* 训诫, 谴责

[记] 联想记忆: re (重新) + prim (首要) + (m)and(命令) → 再次给以严厉的命令 → 谴责

reprisal [rɪ'praɪzl] *n.* 报复, 报复行动

[记] 词根记忆: re(回) + pris(=price 代价) + al → 还给对方代价 → 报复

reproach [rɪ'proʊtʃ] *n.* 谴责, 责骂

[记] 联想记忆: re(反) + proach(靠近) → 以反对的方式靠近 → 谴责

repudiate [rɪˈpjuːdieɪt] *v.* 拒绝接受，回绝，抛弃

[记] 词根记忆：re + pudi(=put 想) + ate → 重新思考 → 拒绝接受

repudiation [rɪˌpjuːdiˈeɪʃn] *n.* 拒绝接受，否认

repugnance [rɪˈpʌɡnəns] *n.* 嫌恶，反感

repugnant [rɪˈpʌɡnənt] *adj.* 令人厌恶的

[记] 词根记忆：re + pugn(打斗) + ant → 总是打斗 → 令人厌恶的

repulse [rɪˈpʌls] *v.* 击退；(粗暴无礼地)回绝 *n.* 击退；回绝，拒绝

[记] 词根记忆：re(反) + pulse(推) → 推回去 → 击退

repute [rɪˈpjuːt] *v.* 认为，以为 *n.* 名声，名誉

[记] 词根记忆：re + put(想) + e → 认为，以为

requisite [ˈrekwɪzɪt] *n.* 必需物 *adj.* 必要的，必不可少的

[记] 联想记忆：requi(看作 require，要求) + site → 要求的 → 必要的

rescind [rɪˈsɪnd] *v.* 废除，取消

[记] 词根记忆：re + scind(=cut 砍) → 砍掉 → 废除

rescue [ˈreskjuː] *v.* 解救；把…从法律监管下强行夺回 *n.* 解救

[记] 联想记忆：res(看作 rest，休息) + cue(线索) → 放弃休息紧迫线索，进行营救 → 解救

resemble [rɪˈzembl] *v.* 与…相似，像

[记] 词根记忆：re + sembl(类似) + e → 与…相似，像

resent [rɪˈzent] *v.* 憎恶，怨恨

[记] 词根记忆：re(反)+sent(感情)→反感→憎恶

resentful [rɪˈzentfl] *adj.* 怂恨的，怨恨的

reside [rɪˈzaɪd] *v.* 居住

residential [ˌrezɪˈdenʃl] *adj.* 住宅的，与居住有关的

residual [rɪˈzɪdʒuəl] *n.* 剩余，残余 *adj.* 残余的，剩余的

[记] 词根记忆：re + sid (坐) + ual → 坐下来收拾残余 → 剩余，残余

resign [rɪˈzaɪn] v. 委托; 放弃; 辞职
[记] 联想记忆: re (不) + sign (签名) → 不签名 → 放弃

resignation [ˌrezɪɡˈneɪʃn] n. 听从, 顺从; 辞职
[记] 来自 resign(v. 放弃; 辞职)

resilient [rɪˈzɪliənt] adj. 有弹性的; 能恢复活力的, 适应力强的

resonant [ˈrezənənt] adj. (声音)洪亮的; 回响的, 共鸣的
[记] 词根记忆: re(反) + son(声音) + ant → 回声 → 回响的

resort [rɪˈzɔːrt] v. 求助, 诉诸 n. 度假胜地
[记] 联想记忆: 向上级打报告(report)求助(resort)

respect [rɪˈspekt] v./n. 尊敬
[记] 词根记忆: re + spect(看) → 一再地看望 → 尊敬

respiratory [ˈrespərətɔːri] adj. 呼吸的

respite [ˈrespɪt] n. 休息; 暂缓
[记] 词根记忆: re + spit(=spect 看) + e → 再看一下 → 暂缓

responsive [rɪˈspɑːnsɪv] adj. 响应的, 做出反应的; 敏感的, 反应快的

restatement [ˌriːˈsteɪtmənt] n. 再声明, 重述

restitution [ˌrestɪˈtuːʃn] n. 归还; 赔偿
[记] 词根记忆: re + stitut (站立) + ion → 重新站过去 → 归还

restive [ˈrestɪv] adj. 不安静的, 不安宁的
[记] 注意不要看作 "休息的" 的意思; restive=restless

restoration [ˌrestəˈreɪʃn] n. 恢复, 复原

restore [rɪˈstɔːr] v. 使回复, 恢复; 修复, 修补
[记] 联想记忆: re(重新) + store(储存) → 重新储存能量 → 恢复; 修复

restrict [rɪˈstrɪkt] v. 限制, 约束
[记] 联想记忆: re(一再) + strict(严格的) → 一再对其严格 → 限制, 约束

167

resume [rɪˈzuːm] *v.* 重新开始，继续

[记] 词根记忆：re + sum(拿起) + e → 重新拿起 → 重新开始

resurge [rɪˈsɜːrdʒ] *v.* 复活

[记] 词根记忆：re(再) + surg(起来) → 再次站起来 → 复活

resurrect [ˌrezəˈrekt] *v.* 使复活；复兴

[记] 词根记忆：re + sur(下面) + rect(直) → 再次从下面直立起来 → 使复活

resuscitate [rɪˈsʌsɪteɪt] *v.* 使复活，使苏醒

[记] 词根记忆：re + sus(在下面) + cit(引起) + ate → 再次从下面唤起来 → 使复活

retain [rɪˈteɪn] *v.* 保留，保持；留住，止住

[记] 词根记忆：re + tain(拿) → 拿住 → 保留，保持

retaliate [rɪˈtælieɪt] *v.* 报复，反击

[记] 词根记忆：re + tali（邪恶）+ ate → 把邪恶还回去 → 报复

retentive [rɪˈtentɪv] *adj.* 有记性的，记忆力强的

reticent [ˈretɪsnt] *adj.* 沉默寡言的

[记] 词根记忆：re + tic(=silent 安静) + ent → 安静的 → 沉默寡言的

retire [rɪˈtaɪər] *v.* 撤退，后退；退休，退役

[记] 联想记忆：re + tire（劳累）→ 不再劳累 → 退休，退役

retract [rɪˈtrækt] *v.* 撤回，取消；缩回，拉回

[记] 词根记忆：re(反) + tract(拉) → 拉回去 → 拉回

retribution [ˌretrɪˈbjuːʃn] *n.* 报应，惩罚

[记] 词根记忆：re（反）+ tribut(给予) + ion → 反过来给予 → 报应

retrieve [rɪˈtriːv] *v.* 寻回，取回；挽回(错误)

[记] 词根记忆：re + triev(=find 找到) + e → 重新找到 → 寻回

retrospect [ˈretrəspekt] *v./n.* 回顾

retrospective [ˌretrə'spektɪv] *adj.* 回顾的, 追溯的

return [rɪ'tɜːrn] *v.* 回复; 归还; 回答, 反驳 *n.* 回报 *adj.* 返回的; 重现的

reveal [rɪ'viːl] *v.* (神)启示; 揭露; 显示
[记]联想记忆: re (相反) + veal (看作 veil, 面纱) → 除去面纱 → 显示

revelation [ˌrevə'leɪʃn] *n.* 显示; 揭露的事实
[记]来自 reveal(*v.* 揭露; 显示)

reverberate [rɪ'vɜːrbəreɪt] *v.* 发出回声, 回响
[记]词根记忆: re + verber (打, 振动) + ate → 振动回来 → 发出回声

revere [rɪ'vɪr] *v.* 尊敬
[记]联想记忆: 我们都很敬畏(revere)这位严厉(severe)的老师

reverential [ˌrevə'renʃl] *adj.* 表示尊敬的, 恭敬的

reverse [rɪ'vɜːrs] *n.* 反面; 相反的事物 *v.* 倒车; 反转; 彻底转变
[记]词根记忆: re + vers(转) + e → 反转

reversible [rɪ'vɜːrsəbl] *adj.* 可逆的, 可反转的

revert [rɪ'vɜːrt] *v.* 恢复, 回复到; 重新考虑
[记]词根记忆: re(重新) + vert(转) → 转回去 → 恢复

revile [rɪ'vaɪl] *v.* 辱骂, 恶言相向
[记]词根记忆: re + vil(卑鄙的, 邪恶的) + e → 辱骂

revise [rɪ'vaɪz] *v.* 校订, 修正
[记]词根记忆: re(一再) + vis(看) + e → 反复看 → 校订, 修正

revitalize [ˌriː'vaɪtəlaɪz] *v.* 使重新充满活力
[记]词根记忆: re(反) + vital(有活力的) + ize (使) → 使重新有活力

revival [rɪ'vaɪvl] *n.* 苏醒; 恢复; 复兴
[记]词根记忆: re(又) + viv(生命) + al → 生命重现 → 恢复

revoke [rɪˈvoʊk] v. 撤销，废除；召回

reward [rɪˈwɔːrd] n. 报酬，奖赏 v. 酬谢，奖赏
[记] 联想记忆：re + ward（看作 word，话语）→ 再次发话给予奖赏 → 奖赏

rhapsodic [ræpˈsɑːdɪk] adj. 狂热的，狂喜的；狂想曲的

rhetoric [ˈretərɪk] n. 修辞，修辞学；浮夸的言辞
[记] 来自 Rhetor（古希腊的修辞学教师、演说家）

rhetorical [rɪˈtɔːrɪkl] adj. 修辞的，修辞学的；虚夸的，辞藻华丽的

rhythmic [ˈrɪðmɪk] adj. 有节奏的
[记] 来自 rhythm（n. 节奏）

ribaldry [ˈrɪbldri] n. 下流的语言，粗鄙的幽默

ridge [rɪdʒ] n. 脊（如屋脊、山脊等）；隆起物

ridicule [ˈrɪdɪkjuːl] n. 嘲笑，奚落
[记] 词根记忆：rid（笑）+ icule → 嘲笑

ridiculous [rɪˈdɪkjələs] adj. 荒谬的，可笑的
[记] 词根记忆：rid（笑）+ icul + ous（…的）→ 被人嘲笑的 → 荒谬的，可笑的

rift [rɪft] n. 裂口，断裂；矛盾

righteousness [ˈraɪtʃəsnəs] n. 正当，正义，正直

rigid [ˈrɪdʒɪd] adj. 严格的；僵硬的，刚硬的
[记] 词根记忆：rig(=rog 要求)+ id → 不断要求 → 严格的

rigidity [rɪˈdʒɪdəti] n. 严格；坚硬，僵硬

rigorous [ˈrɪɡərəs] adj. 严格的，严峻的

rip [rɪp] v. 撕，撕裂

ritual [ˈrɪtʃuəl] n. 仪式，惯例

rival [ˈraɪvl] n. 竞争者，对手 v. 竞争，与…匹敌
[记] 联想记忆：对手（rival）隔河（river）相望，分外眼红

rivalry [ˈraɪvlri] n. 竞争，对抗

rivet [ˈrɪvɪt] n. 铆钉 v. 吸引（注意力）

roam [roʊm] v. 漫游，漫步
[记] 联想记忆：他的思绪漫游（roam）在广阔的空间（room）里

170

robust [roʊˈbʌst] *adj.* 健壮的

[记] 联想记忆：中国的矿泉水品牌"乐百氏"就来自这个单词

rocky [ˈrɑːki] *adj.* 多岩石的；坚若磐石的

romance [ˈroʊmæns] *n.* 传奇故事；虚构；浪漫氛围；风流韵事 *v.* 虚构

roseate [ˈroʊziət] *adj.* 玫瑰色的；过分乐观的

If you put out your hands, you are a laborer; if you put out your hands and mind, you are a craftsperson; if you put out your hands, mind, heart and soul, you are an artist.

如果你用双手工作，你是一个劳力；如果你用双手和头脑工作，你是一个工匠；如果你用双手和头脑工作，并且全身心投入，你就是一个艺术家。

——美国电影 *American Heart and Soul*

Word List 18

routine [ruːˈtiːn] *n.* 常规 *adj.* 平常的；常规的
[记]联想记忆：例行公事（routine）就是按常规路线（route）走

rowdy [ˈraʊdi] *adj.* 吵闹的；粗暴的
[记]联想记忆：row（吵闹）+ dy → 吵闹的

rubbery [ˈrʌbəri] *adj.* 橡胶似的，有弹性的

rudimentary [ˌruːdɪˈmentri] *adj.* 初步的；未充分发展的
[记]词根记忆：rudi（无知的，粗鲁的）+ ment + ary → 无知状态 → 初步的

rueful [ˈruːfl] *adj.* 抱憾的；后悔的，悔恨的

rugged [ˈrʌgɪd] *adj.* 高低不平的；崎岖的

ruin [ˈruːɪn] *n.* 废墟；祸根；毁坏 *v.* 毁坏；毁灭；使破产
[记]联想记忆：大雨（rain）毁坏了（ruin）庄稼

ruminant [ˈruːmɪnənt] *adj.* (动物)反刍的；沉思的
[记]词根记忆：rumin（=rumen 反刍动物的第一胃，"瘤胃"）+ ant → 反刍的

rush [rʌʃ] *v.* 急促；匆忙行事 *n.* 冲，奔

rustic [ˈrʌstɪk] *adj.* 乡村的，乡土气的
[记]词根记忆：rust（乡村）+ ic → 乡村的

ruthless [ˈruːθləs] *adj.* 无情的；残忍的

sabotage [ˈsæbətɑːʒ] *n.* 阴谋破坏，颠覆活动

sacred [ˈseɪkrɪd] *adj.* 神圣的，庄严的

sagacious [səˈgeɪʃəs] *adj.* 聪明的，睿智的
[记]来自 sage(*n.* 智者)

sage [seɪdʒ] *adj.* 智慧的 *n.* 智者

salient [ˈseɪliənt] *adj.* 显著的，突出的
[记]词根记忆：sal(跳)+ient → 跳起来 → 突出的

saline [ˈseɪliːn] *adj.* 含盐的，咸的

salubrious [sə'luːbriəs] *adj.* 有益健康的

[记] 词根记忆：sal（健康）+ ubrious → 健康的 → 有益健康的

salutary ['sæljəteri] *adj.* 有益的，有益健康的

[记] 词根记忆：sal（健康）+ utary → 有益的，有益健康的

salvage ['sælvɪdʒ] *v.* (从灾难中)抢救，海上救助 *n.* 海上救助

[记] 词根记忆：salv（救）+ age → 抢救

salvation [sæl'veɪʃn] *n.* 拯救；救助

sanctimonious [ˌsæŋktɪ'məʊniəs] *adj.* 假装虔诚的

sanctuary ['sæŋktʃueri] *n.* 圣地；庇护所，避难所；庇护

sanctum ['sæŋktəm] *n.* (寺庙或教堂的)圣所

sane [seɪn] *adj.* 神志清楚的；明智的

sanguine ['sæŋgwɪn] *adj.* 乐观的；红润的

[记] 词根记忆：sangui（血）+ ne → 有血色的 → 红润的

sanitary ['sænəteri] *adj.* (有关)卫生的，清洁的

[记] 词根记忆：sanit(=sanat 健康)+ ary → 卫生的，清洁的

sap [sæp] *n.* 树液；活力 *v.* 削弱，耗尽

sarcastic [sɑːr'kæstɪk] *adj.* 讽刺的

satiated ['seɪʃieɪtɪd] *adj.* 厌倦的，生腻的；充分满足的

[记] 联想记忆：sat(坐)+ i + ate(吃)+ d → 我可以坐下吃东西了 → 充分满足的

satirize ['sætəraɪz] *v.* 讽刺

saturate ['sætʃəreɪt] *v.* 浸湿，浸透；使大量吸收或充满

[记] 词根记忆：sat（足够）+ urate → 使足够 → 使大量吸收或充满

saturnine ['sætərnaɪn] *adj.* 忧郁的，阴沉的

[记] 来自 Saturn(*n.* 土星)

scale [skeɪl] *n.* 鱼鳞；音阶

scant [skænt] *adj.* 不足的，缺乏的

scarcity ['skersəti] *n.* 不足，缺乏

scarlet	['skɑːrlət] *adj.* 猩红的, 鲜红的
scavenge	['skævɪndʒ] *v.* 清除; 从废物中提取有用物质
scenic	['siːnɪk] *adj.* 风景如画的
schematic	[skiːˈmætɪk] *adj.* 纲要的, 图解的
	[记] 来自 schema(*n.* 图表; 纲要)
scheme	[skiːm] *n.* 阴谋; (作品等)体系, 结构
	[记] 注意不要和 schema(*n.* 图表)相混
schism	['skɪzəm] *n.* 教会分裂; 分裂
scorn	[skɔːrn] *n.* 轻蔑 *v.* 轻蔑, 瞧不起
scour	['skaʊər] *v.* 冲刷; 擦掉; 四处搜索
scourge	[skɜːrdʒ] *n./v.* 鞭笞; 磨难
	[记] 和 courage(*n.* 勇气)一起记
scramble	['skræmbl] *v.* 攀登; 搅乱, 使混杂; 争夺
	[记] 联想记忆: scr (看作 scale, 攀登) + amble (行走) → 攀登
scrappy	['skræpi] *adj.* 碎片的; 好斗的; 坚毅的
scruple	['skruːpl] *n.* 顾忌, 迟疑 *v.* 顾忌
scrupulous	['skruːpjələs] *adj.* 恪守道德规范的; 一丝不苟的
scrutinize	['skruːtənaɪz] *v.* 仔细检查
sculpt	[skʌlpt] *v.* 雕刻; 造型
sculptural	['skʌlptʃərəl] *adj.* 雕刻的; 雕刻般的
seclude	[sɪˈkluːd] *v.* 使隔离, 使孤立
	[记] 词根记忆: se(分开) + clude(关闭) → 分开关闭 → 使隔离, 使孤立
seclusion	[sɪˈkluːʒn] *n.* 隔离; 隔离地
sectarianism	[sekˈteriənɪzəm] *n.* 宗派主义; 教派意识
secular	['sekjələr] *adj.* 世俗的, 尘世的
security	[səˈkjʊrəti] *n.* 安全; 保证; 保护
sedate	[sɪˈdeɪt] *adj.* 镇静的
	[记] 词根记忆: sed (=sid 坐下) + ate → 坐下来的 → 镇静的
sedative	['sedətɪv] *adj.* (药物)镇静的 *n.* 镇静剂
sedentary	['sednteri] *adj.* 久坐的
	[记] 词根记忆: sed(坐) + entary → 久坐的

sedimentary	[ˌsedɪˈmentri] *adj.* 沉积的, 沉淀性的	
seductive	[sɪˈdʌktɪv] *adj.* 诱人的	
sedulous	[ˈsedʒələs] *adj.* 聚精会神的; 勤勉的	
	[记] 词根记忆: sed(坐) + ulous(多…的) → 坐得多的 → 勤勉的	
segment	[ˈsegmənt] *n.* 部分	
	[记] 词根记忆: seg(=sect 部分) + ment → 部分	
segregate	[ˈsegrɪgeɪt] *v.* 分离, 隔离	
	[记] 词根记忆: seg(切割) + reg + ate → 隔离	
seismic	[ˈsaɪzmɪk] *adj.* 地震的, 由地震引起的	
	[记] 词根记忆: seism(地震) + ic → 地震的	
self-adulation	[ˌselfædʒəˈleɪʃn] *n.* 自我吹捧	
self-analysis	[ˌselfəˈnæləsɪs] *n.* 自我分析	
self-assured	[ˌselfəˈʃʊrd] *adj.* 有自信的	
self-confident	[ˌselfˈkɑːnfɪdənt] *adj.* 自信的	
self-conscious	[ˌselfˈkɑːnʃəs] *adj.* 自觉的; 害羞的, 不自然的	
self-deprecating	[ˌselfˈdeprəkeɪtɪŋ] *adj.* 自贬的	
self-deprecation	[ˌselfdeprəˈkeɪʃn] *n.* 自嘲	
self-determination	[ˌselfdɪˌtɜːrmɪˈneɪʃn] *n.* 自主, 自决	
self-doubt	[ˌselfˈdaʊt] *n.* 自我怀疑	
self-effacement	[ˌselfɪˈfesmənt] *n.* 自谦	
self-procession	[ˌselfprəˈseʃn] *n.* 自行列队	
self-realization	[ˌselfˌriːələˈzeɪʃn] *n.* 自我实现, 自我完成	
self-righteousness	[ˌselfˈraɪtʃəsnəs] *n.* 自以为是	
self-sacrifice	[ˌselfˈsækrɪfaɪs] *n.* 自我牺牲	
self-sufficient	[ˌselfsəˈfɪʃnt] *adj.* 自给自足的	
semimolten	[ˌsemiˈmoʊltən] *adj.* 半熔化的	
seminal	[ˈseminl] *adj.* 有创意的	
	[记] 词根记忆: semin (种) + al → 种子的 → 有创意的	
sensitive	[ˈsensətɪv] *adj.* 敏感的	
	[记] 词根记忆: sens(感觉) + itive → 敏感的	
sensitivity	[ˌsensəˈtɪvəti] *n.* 敏感, 敏感性	

sensitize ['sensətaɪz] v. 使某人或某事物敏感

[记] 词根记忆：sens（感觉）+ itize → 使某人或某事物敏感

sensory ['sensəri] adj. 感觉的，感官的

[记] 词根记忆：sens（感觉）+ ory → 感觉的

sentient ['sentiənt] adj. 有知觉的；知悉的

sentimentalize [ˌsentɪ'mentəlaɪz] v. (使)感伤

separate ['sepəreɪt] v. 使分开

['seprət] adj. 不同的；独自的

septic ['septɪk] adj. 腐败的；脓毒性的

[记] 词根记忆：sept(细菌；腐烂)+ ic → 腐败的

sequential [sɪ'kwenʃl] adj. 连续的，一连串的

[记] 词根记忆：sequ（跟随）+ ent + ial → 连续的，一连串的

sequester [sɪ'kwestər] v. (使)隐退；使隔离

[记] 注意不要和 sequestrate(v. 扣押)相混

serendipity [ˌserən'dɪpəti] n. 意外发现新奇事物的才能或现象

[记] 出自 18 世纪英国作家 Horace（荷拉斯)的童话故事 The Three Princes of Serendip，书中主人公具有随处发现珍宝的本领

serene [sə'riːn] adj. 平静的，安详的；清澈的；晴朗的

serenity [sə'renəti] n. 平静

serial ['sɪriəl] adj. 连续的，一系列的

seriousness ['sɪriəsnəs] n. 认真，严肃；严重性，严峻

serrated [sə'reɪtɪd] adj. 锯齿状的

serviceable ['sɜːrvɪsəbl] adj. 可用的，耐用的

[记] 来自 service(n. 服务)

servile ['sɜːrvl] adj. 奴性的，百依百顺的

[记] 词根记忆：serv(服务)+ ile → 百依百顺的

settled ['setld] adj. 固定的

shallowness ['ʃæloʊnəs] n. 浅；浅薄

sharpen ['ʃɑːrpən] v. 削尖；使敏锐，使敏捷

shatter ['ʃætər] v. 使落下，使散开；砸碎，粉碎；破坏，毁坏

[记] 发音记忆："筛它"→ 使落下，使散开

176

shed [ʃed] *v.* 流出(眼泪等); 脱落, 蜕, 落

shell [ʃel] *n.* 贝壳; 炮弹 *v.* 剥去…的壳

sheltered [ˈʃeltərd] *adj.* 遮蔽的

shifting [ˈʃɪftɪŋ] *adj.* 变动的; 运动的

shiftless [ˈʃɪftləs] *adj.* 没出息的, 懒惰的; 无能的

shiny [ˈʃaɪni] *adj.* 有光泽的; 发光的

shoal [ʃoʊl] *n.* 浅滩, 浅水处; 一群(鱼等) *adj.* 浅的, 薄的

[记] 联想记忆: 形似拼音 shao, 水少的地方 → 浅滩, 浅水处

shopworn [ˈʃɑːpwɔːrn] *adj.* 在商店中陈列久了的; 陈旧的, 磨损的

shortrange [ˌʃɔːrt ˈreɪndʒ] *adj.* 近程的

shortsighted [ˌʃɔːrt ˈsaɪtɪd] *adj.* 缺乏远见的; 近视的

short-sightedness [ˌʃɔːrt ˈsaɪtɪdnəs] *n.* 目光短浅; 近视

shrivel [ˈʃrɪvl] *v.* (使)枯萎

shrug [ʃrʌg] *v.* 耸肩(表示怀疑等)

[记] 联想记忆: shru(看作拼音 shu, 舒) + g(音似: 胳) → 舒展舒展胳膊 → 耸肩

shuffle [ˈʃʌfl] *v.* 洗牌; 拖步走; 支吾

[记] 参考: reshuffle(*n./v.* 重新改组)

shun [ʃʌn] *v.* 避免, 闪避

shunt [ʃʌnt] *v.* 使(火车)转到另一轨道; 改变(某物的)方向

sibling [ˈsɪblɪŋ] *n.* 兄弟或姊妹

[记] 词根记忆: sib(同胞) + ling → 兄弟或姊妹

sight [saɪt] *n.* 景象; 视力; 视野 *v.* 看到

significant [sɪɡ ˈnɪfɪkənt] *adj.* 相当数量的; 意义重大的

[记] 联想记忆: sign(标记)+i+fic(做)+ant → 做了很多标记的 → 相当数量的; 意义重大的

simplistic [sɪm ˈplɪstɪk] *adj.* 过分简单化的

simulation [ˌsɪmju ˈleɪʃn] *n.* 模拟

sincere [sɪn ˈsɪr] *adj.* 诚实的, 坦率的; 诚挚的

[记] 联想记忆: sin(罪) + cere → 把自己的罪过告诉你 → 诚挚的

sincerity [sɪn'serəti] *n.* 诚挚

singularity [ˌsɪŋgju'lærəti] *n.* 独特；奇点（天文学上密度无穷大、体积无穷小的点）

[记] 来自 singular(*adj.* 单数的；非凡的)

sinuous ['sɪnjuəs] *adj.* 蜿蜒的，迂回的

[记] 词根记忆：sinu（弯曲）+ ous → 弯曲的 → 蜿蜒的

skeptical ['skeptɪkl] *adj.* 怀疑的；多疑的

sketch [sketʃ] *n.* 草图，概略 *v.* 画草图，写概略

skew [skjuː] *adj.* 不直的，歪斜的

skimp [skɪmp] *v.* 节省花费

skinflint ['skɪnflɪnt] *n.* 吝啬鬼

[记] 参考词组：skin a flint（爱财如命）

slanderous ['slændərəs] *adj.* 诽谤的

slash [slæʃ] *v.* 大量削减

slavish ['sleɪvɪʃ] *adj.* 卑屈的；效仿的，无创造性的

[记] 词根记忆：slav(e)（奴隶）+ ish（形容词后缀，表属性）→ 奴性的 → 卑屈的

slimy ['slaɪmi] *adj.* 黏滑的

slipperiness ['slɪpərinəs] *n.* 滑溜；防滑性

slipshod ['slɪpʃɑːd] *adj.* 马虎的，草率的

sloping ['sloʊpɪŋ] *adj.* 倾斜的，有坡度的

slothful ['sloʊθfl] *adj.* 迟钝的，懒惰的

[记] 联想记忆：sloth（树懒，在树上生活，行动迟缓）+ ful → 像树懒一样懒散的 → 懒惰的

slovenly ['slʌvnli] *adj.* 不整洁的，邋遢的

sluggish ['slʌgɪʃ] *adj.* 缓慢的，行动迟缓的；反应慢的

smother ['smʌðər] *v.* 熄灭；覆盖；使窒息

[记] 联想记忆：s(看作 she)+ mother(母亲)→ 母亲的爱使她快要窒息 → 使窒息

smug [smʌg] *adj.* 自满的，自命不凡的

[记] 联想记忆：s + mug（杯子）→ 杯子满了 → 自满的

snippet ['snɪpɪt] *n.* 小片，片段

snobbery	[ˈsnɑːbəri] *n.* 势利
snub	[snʌb] *v.* 冷落，不理睬

Jovons saw the kettle boil and cried out with the delighted voice of a child; Marshal too had seen the kettle boil and sat down silently to build an engine.

杰文斯看见壶开了，高兴得像孩子似地叫了起来；马歇尔也看见壶开了，却悄悄地坐下来造了一部蒸气机。

——英国经济学家 凯恩斯
（John Maynard Keynes, British economist）

Word List 19

snug [snʌg] *adj.* 温暖舒适的

sobriety [sə'braɪəti] *n.* 节制; 庄重

sociable ['souʃəbl] *adj.* 好交际的, 合群的; 友善的
[记] 词根记忆: soci(结交) + able → 好交际的

solder ['sɑːdər] *v.* 焊接, 焊在一起, 焊合
[记] 和 soldier(*n.* 战士) 一起记

solemn ['sɑːləm] *adj.* 严肃的; 庄严的, 隆重的; 黑色的
[记] 词根记忆: sol(太阳)+emn → 古代把太阳
看作是神圣的 → 庄严的

solemnity [sə'lemnəti] *n.* 庄严, 肃穆
[记] 来自 solemn(*adj.* 严肃的)

solicit [sə'lɪsɪt] *v.* 恳求; 教唆
[记] 词根记忆: soli (=sole 唯一, 全部)+cit (引
出) → 引出大家做某事 → 恳求; 教唆

solicitous [sə'lɪsɪtəs] *adj.* 热切的; 挂念的

solicitude [sə'lɪsɪtuːd] *n.* 关怀, 牵挂

soliloquy [sə'lɪləkwi] *n.* 自言自语; 戏剧独白

solitary ['sɑːləteri] *adj.* 孤独的 *n.* 隐士
[记] 词根记忆: solit(单独) + ary → 孤独的

solo ['soulou] *adj.* 单独的 *n.* 独唱
[记] 词根记忆: sol(独自) + o → 单独的

solvent ['sɑːlvənt] *adj.* 有偿债能力的 *n.* 溶剂
[记] 来自 solve(*v.* 解决; 溶化)

somber ['sɑːmbər] *adj.* 忧郁的; 阴暗的

sonorous ['sɑːnərəs] *adj.* (声音)洪亮的
[记] 词根记忆: son(声音)+orous → (声音)洪亮的

soothe [suːð] *v.* 抚慰; 减轻
[记] 来自 sooth(*adj.* 抚慰的)

sophisticated [səˈfɪstɪkeɪtɪd] *adj.* 老于世故的；(仪器)精密的

[记]联想记忆：sophist（诡辩家）+ icated → 诡辩家都是老于世故的 → 老于世故的

sophomoric [ˈsɑːfəmɔːrɪk] *adj.* 一知半解的

soporific [ˌsɑːpəˈrɪfɪk] *adj.* 催眠的 *n.* 安眠药

[记]词根记忆：sopor（昏睡）+ ific → 催眠的

sordid [ˈsɔːrdɪd] *adj.* 卑鄙的；肮脏的

soundproof [ˈsaʊndpruːf] *v.* 使隔音 *adj.* 隔音的

span [spæn] *n.* 跨度；两个界限间的距离

spanking [ˈspæŋkɪŋ] *adj.* 强烈的；疾行的

sparing [ˈsperɪŋ] *adj.* 节俭的

[记]来自 spare（*v.* 节约）；注意不要和 sparring（*n.* 拳击）相混

sparse [spɑːrs] *adj.* 稀少的，贫乏的；稀疏的

[记]联想记忆：稀疏的(sparse)火花(spark)

spartan [ˈspɑːrtn] *adj.* 简朴的；刻苦的

[记]来自 Sparta（斯巴达），希腊城邦，该地区的人以简朴刻苦著称

spatial [ˈspeɪʃl] *adj.* 有关空间的，在空间的

specialization [ˌspeʃələˈzeɪʃn] *n.* 特殊化

specialize [ˈspeʃəlaɪz] *v.* 专门研究

[记]来自 special(*adj.* 特殊的)

specified [ˈspesɪfaɪd] *adj.* 特定的

specimen [ˈspesɪmən] *n.* 范例，样品，标本

[记]词根记忆：speci（种类）+ men → 不同种类的东西 → 样品

specious [ˈspiːʃəs] *adj.* 似是而非的；华而不实的

[记]词根记忆：spec(看)+ ious → 用来看的 → 华而不实的

spectator [ˈspekteɪtər] *n.* 目击者；观众，观看者

[记]词根记忆：spect(看)+ator → 旁观者 → 观众

specter [ˈspektər] *n.* 鬼怪，幽灵；缠绕心头的恐惧，凶兆

[记]词根记忆：spect(看)+ er → 看到而摸不着的东西 → 鬼怪

spectral ['spektrəl] *adj.* 幽灵的; 谱的, 光谱的

spectrum ['spektrəm] *n.* 光谱; 范围
[记] 词根记忆: spectr (看) + um → 看到颜色的
范围 → 光谱

speculate ['spekjuleɪt] *v.* 沉思, 思索; 投机
[记] 词根记忆: spec (看) + ulate (做) → 看得多
想得也多 → 思索

speculative ['spekjələtɪv] *adj.* 推理的, 思索的; 投机的

spherical ['sferɪkl] *adj.* 球的, 球状的

spice [spaɪs] *n.* 香料 *v.* 给…调味

spinal ['spaɪnl] *adj.* 脊骨的, 脊髓的

spined [spaɪnd] *adj.* 有背骨的, 有脊柱的

spineless ['spaɪnləs] *adj.* 没骨气的, 懦弱的
[记] 联想记忆: spine(脊椎, 刺)+less → 无脊椎
的 → 没骨气的

spinning ['spɪnɪŋ] *adj.* 旋转的

spiny ['spaɪni] *adj.* 针状的; 多刺的; 棘手的
[记] 词根记忆: spin(刺) + y → 多刺的

spiral ['spaɪrəl] *adj.* 螺旋形的; 上升的 *v.* 螺旋式上升或
下降
[记] 来自 spire(*n.* 螺旋)

spiritedness ['spɪrɪtɪdnəs] *n.* 有精神, 活泼

spiritual ['spɪrɪtʃuəl] *adj.* 精神的

spongy ['spʌndʒi] *adj.* 像海绵的; 不坚实的

spontaneity [ˌspɑːntə'neɪəti] *n.* 自然, 自发

sporadic [spə'rædɪk] *adj.* 不定时发生的

sprawl [sprɔːl] *v.* 散乱地延伸; 四肢摊开着坐、卧或倒下

sprawling ['sprɔːlɪŋ] *adj.* 植物蔓生的, (城市)无计划地扩
展的

sprout [spraʊt] *v.* 长出, 萌芽 *n.* 嫩芽
[记] 联想记忆: spr (看作 spring) + out (出) →
春天来了, 嫩芽长出来了 → 长出, 萌芽

spruce [spruːs] *n.* 云杉 *adj.* 整洁的

spurious ['spjʊriəs] *adj.* 假的; 伪造的
[记] 来自 spuria(*n.* 伪造的作品)

spurn	[spɜːrn] *n.* 拒绝，摒弃
squalid	[ˈskwɑːlɪd] *adj.* 污秽的，肮脏的
squander	[ˈskwɑːndər] *v.* 浪费，挥霍
	[记] 源自方言，因莎士比亚在《威尼斯商人》一剧中使用而广泛流传
squirt	[skwɜːrt] *v.* 喷出，溅进
stabilize	[ˈsteɪbəlaɪz] *v.* 使稳定，使坚固
	[记] 来自 stable(*adj.* 稳固的)
stagger	[ˈstægər] *v.* 蹒跚，摇晃
stagnant	[ˈstægnənt] *adj.* 停滞的
	[记] 词根记忆：stagn(=stand 站住)+ant→停滞的
stagnate	[ˈstægneɪt] *v.* 停滞
stagnation	[stægˈneɪʃn] *n.* 停滞
stained	[steɪnd] *adj.* 污染的，玷污的
stalk	[stɔːk] *v.* 悄悄地跟踪(猎物)
	[记] stalk 作为"茎，秆"之意大家都熟悉
stalwart	[ˈstɔːlwərt] *adj.* 健壮的；坚定的
	[记] 联想记忆：stal (=support) + wart(=worth) → 值得依靠的 → 坚定的
stark	[stɑːrk] *adj.* 光秃秃的；荒凉的；(外表)僵硬的；完全的
stash	[stæʃ] *v.* 藏匿
	[记] 联想记忆：st(看作 stay，待)+ash(灰) → 待在灰里 → 藏匿
stasis	[ˈsteɪsɪs] *n.* 停滞
stately	[ˈsteɪtli] *adj.* 庄严的，堂皇的；宏伟的
static	[ˈstætɪk] *adj.* 静态的；呆板的
	[记] 联想记忆：stat(看作 state，处于某种状态)+ic(…的) → 静态的
steadfast	[ˈstedfæst] *adj.* 忠实的；不动的，不变的
	[记] 联想记忆：stead(=stand 站)+fast(稳固的) → 不变的
steadiness	[ˈstedinəs] *n.* 稳健，坚定

steady	['stedi] *adj.* 稳定的；不变的
	[记]联想记忆：st + eady（看作 ready，有准备的）→ 事先有准备，心里就有底 → 稳定的
stellar	['stelər] *adj.* 星的，星球的
	[记]词根记忆：stell(星星) + ar → 星的，星球的
stem	[stem] *n.* (植物的)茎，叶柄 *v.* 阻止，遏制(水流等)
stereotype	['steriətaɪp] *n.* 固定形式，老套
	[记]联想记忆：stereo(立体) + type(形状) → 固定形式
sterile	['sterəl] *adj.* 贫瘠且无植被的；无细菌的
stiffen	['stɪfn] *v.* 使硬，使僵硬
stilted	['stɪltɪd] *adj.* (文章、谈话)不自然的；夸张的
	[记]来自 stilt(*n.* 高跷)
stimulate	['stɪmjuleɪt] *v.* 激励；激发
	[记]词根记忆：stimul(刺，刺激) + ate → 激励；激发
stimulus	['stɪmjələs] *n.* 刺激物，激励
stingy	['stɪndʒi] *adj.* 吝啬的，小气的
stint	[stɪnt] *v.* 节制，限量，节省
stipulate	['stɪpjuleɪt] *v.* 要求以…为条件；约定，规定
	[记]词根记忆：stip(点) + ulate → 点明 → 要求以…为条件
stocky	['stɑːki] *adj.* (人或动物)矮而结实的，粗壮的
	[记]来自 stock(*n.* 树桩)
stodgy	['stɑːdʒi] *adj.* 乏味的
stoic	['stoʊɪk] *n.* 坚忍克己之人
	[记]来自希腊哲学流派 Stoic(斯多葛学派)，主张坚忍克己
storage	['stɔːrɪdʒ] *n.* 仓库；贮存
stout	[staʊt] *adj.* 肥胖的；强壮的
	[记]联想记忆：st + out(出来) → 肌肉都鼓出来了 → 强壮的
strait	[streɪt] *n.* 海峡 *adj.* 狭窄的
	[记]参考：isthmus(*n.* 地峡)

stratagem ['strætədʒəm] *n.* 谋略，策略

[记] 词根记忆：strata(层次) + gem → 有层次的计划 → 谋略

strategic [strə'ti:dʒɪk] *adj.* 战略上的；关键的，重要的

stratify ['strætɪfaɪ] *v.* (使)层化

[记] 词根记忆：strat(层次) + ify → (使)层化

streak [stri:k] *n.* 条纹 *v.* 加线条

strength [streŋθ] *n.* 体力；强度；力量

strenuous ['strenjuəs] *adj.* 奋发的；热烈的

stride [straɪd] *v.* 大步行走

[记] 联想记忆：st + ride（骑自行车）→ 走得像骑自行车一样快 → 大步行走

stringent ['strɪndʒənt] *adj.* (规定)严格的，苛刻的；缺钱的

[记] 联想记忆：string（线，绳）+ ent → 像用绳限制住一样 → 严格的

strip [strɪp] *v.* 剥去 *n.* 狭长的一片

[记] 联想记忆：s(音似：死) + trip(旅行) → 死亡剥夺了人在世间的时间之旅 → 剥去

strive [straɪv] *v.* 奋斗，努力

[记] 联想记忆：st(看作 stress，压力) + rive(看作 drive，动力) → 奋斗的过程需要压力和动力 → 奋斗，努力

stronghold ['strɔːŋhould] *n.* 要塞；堡垒，根据地

structure ['strʌktʃər] *n.* 结构 *v.* 建造

stumble ['stʌmbl] *v.* 绊倒

stunning ['stʌnɪŋ] *adj.* 极富魅力的

stylize ['staɪlaɪz] *v.* 使…风格化

stymie ['staɪmi] *v.* 妨碍，阻挠

[记] 原指高尔夫球中的妨碍球

subdue [səb'duː] *v.* 征服；压制；减轻

[记] 词根记忆：sub(在下面) + due(=duce 引导) → 引到下面 → 征服

subdued [səb'duːd] *adj.* (光和声)柔和的，缓和的；(人)温和的

subjective [səb'dʒektɪv] *adj.* 主观的，想象的

[记] 来自 subject(*n.* 主题)

submerged [səb'mɜːrdʒd] *adj.* 在水中的，淹没的

submission [səb'mɪʃn] *n.* 从属，服从

[记] 词根记忆：sub(下面) + miss(放) + ion → 放在下面 → 从属，服从

subordinate [sə'bɔːrdɪnət] *adj.* 次要的；下级的 *n.* 下级

[记] sub(在下面) + ordin(顺序) + ate → 顺序在下的 → 次要的；下级的

subservient [səb'sɜːrviənt] *adj.* 次要的，从属的；恭顺的

subside [səb'saɪd] *v.* (建筑物等)下陷；平息，减退

[记] 词根记忆：sub(下面) + side(坐) → 坐下去 → 下陷

subsidize ['sʌbsɪdaɪz] *v.* 津贴，资助

subsist [səb'sɪst] *v.* 生存下去；继续存在；维持生活

[记] 词根记忆：sub (下面) + sist (站) → 站下去，活下去 → 生存下去

substantiate [səb'stænʃieɪt] *v.* 证实，确证

substantive [səb'stæntɪv] *adj.* 根本的；独立存在的

substitute ['sʌbstɪtuːt] *n.* 代替品 *v.* 代替

[记] 词根记忆：sub(下面) + stit(站) + ute → 站在下面的 → 代替品

subterranean [ˌsʌbtə'reɪniən] *adj.* 地下的，地表下的

[记] 词根记忆：sub(下面) + terr(地) + anean → 地下的

subtle ['sʌtl] *adj.* 微妙的，精巧的

subtly ['sʌtli] *adv.* 敏锐地，巧妙地

subtract [səb'trækt] *v.* 减去，减掉

[记] 词根记忆：sub(下面) + tract(拉) → 拉下去 → 减去

subtractive [səb'træktɪv] *adj.* 减法的；负的

subversive [səb'vɜːrsɪv] *adj.* 颠覆性的，破坏性的

[记] 词根记忆：sub (下面) + vers (转) + ive → 转到下面的 → 颠覆性的

186

subvert [səb'vɜːrt] v. 颠覆，推翻

[记] 词根记忆：sub(下面) + vert(转) → 在下面转 → 推翻

successively [sək'sesɪvli] adv. 接连地，继续地

succinct [sək'sɪŋkt] adj. 简明的，简洁的

[记] 词根记忆：suc(下面) + cinct(=gird 束起) → 原指把下面的衣服束起来方便干活 → 简洁的

succinctness [sək'sɪŋktnəs] n. 简明，简洁

succor ['sʌkər] v. 救助，援助

[记] 词根记忆：suc(下面)+cor(跑) → 跑到下面来 → 救助

succumb [sə'kʌm] v. 屈从，屈服；因…死亡

[记] 词根记忆：suc(下面) + cumb(躺) → 躺下去 → 因…死亡

suffrage ['sʌfrɪdʒ] n. 选举权，投票权

[记] 词根记忆：suf(=sub 下面) + frag(表示拥护的喧闹声) + e → 选举权

suffragist ['sʌfrədʒɪst] n. 参政权扩大论者；妇女政权论者

[记] 联想记忆：suff + rag(破布) + ist → 主张让穿破布的人也参政 → 参政权扩大论者

sully ['sʌli] v. 玷污，污染

sultry ['sʌltri] adj. 闷热的；(人)风骚的

summary ['sʌməri] n. 摘要，概要 adj. 摘要的，简略的

[记] 词根记忆：sum(总和) + mary → 摘要，概要

sumptuous ['sʌmptʃuəs] adj. 豪华的，奢侈的

[记] 词根记忆：sumpt(拿，取) + uous → (把钱)拿出去 → 奢侈的

sun-bronzed ['sʌnbrɑːnzd] adj. 被太阳晒成古铜色的

sunlit ['sʌnlɪt] adj. 阳光照射的

[记] 联想记忆：sun(太阳) + lit(light 的过去式，照亮) → 阳光照射的

superannuate [ˌsuːpər'ænjueɪt] v. 使退休领养老金

superb [suː'pɜːrb] adj. 上乘的，出色的

[记] 词根记忆：super (超过) + b → 超群的 → 上乘的，出色的

187

supercilious [ˌsuːpərˈsɪliəs] *adj.* 目中无人的

[记] 词根记忆：super(超过) + cili(眉毛) + ous → 超过眉毛 → 目中无人的

superficial [ˌsuːpərˈfɪʃl] *adj.* 表面的，肤浅的

[记] 词根记忆：super(在…上面) + fic(做) + ial → 在上面做 → 表面的

superficially [ˌsuːpərˈfɪʃəli] *adv.* 表面上地

superfluous [suːˈpɜːrfluəs] *adj.* 多余的，累赘的

[记] 词根记忆：super(超过) + flu(流) + ous → 流得过多 → 多余的

supernova [ˌsuːpərˈnoʊvə] *n.* 超新星

[记] 联想记忆：super(超级) + nova(新星) → 超新星

supersede [ˌsuːpərˈsiːd] *v.* 淘汰；取代

[记] 词根记忆：super(在…上面) + sede(坐) → 坐在别人上面 → 取代

Man errs so long as he strives.
人只要奋斗就会犯错误。

——德国诗人、剧作家 歌德
(Johann Wolfgang Goethe, German poet and dramatist)

Word List 20

superstructure [ˈsuːpərstrʌktʃər] *n.* 上层建筑；上层构造

supplant [səˈplænt] *v.* 排挤，取代
[记] 词根记忆：sup(下面) + plant(种植) → 在下面种植 → 排挤，取代

supple [ˈsʌpl] *adj.* 柔软的，灵活的；柔顺的，顺从的

supplement [ˈsʌplɪmənt] *n.* 增补，补充 *v.* 增补
[记] 联想记忆：supple(=supply 提供) + ment → 提供补充 → 增补，补充

supplementary [ˌsʌplɪˈmentri] *adj.* 增补的，补充的

suppliant [ˈsʌpliənt] *adj.* 恳求的，哀求的 *n.* 恳求者，哀求者

supportive [səˈpɔːrtɪv] *adj.* 支持的

suppress [səˈpres] *v.* 镇压；抑制

surly [ˈsɜːrli] *adj.* 脾气暴躁的；阴沉的
[记] 联想记忆：sur(=sir 先生) + ly → 像高高在上的先生一般 → 脾气暴躁的

surmise [ˈsɜːrmaɪz] *n.* 推测，猜测
[sərˈmaɪz] *v.* 推测，猜测
[记] 词根记忆：sur(在…下) + mise(放) → 放下想法 → 推测，猜测

surmount [sərˈmaʊnt] *v.* 克服，战胜；登上
[记] 词根记忆：sur(在…下) + mount(山) → 将山踩在脚下 → 克服，战胜

surpass [sərˈpæs] *v.* 超过
[记] 词根记忆：sur(超过，在上面) + pass(通过) → 在上面通过 → 超过

surrender [səˈrendər] *v.* 投降；放弃；归还
[记] 词根记忆：sur(在…下) + render(给予) → 把(枪)交出来，放在地上 → 投降

surreptitious [ˌsɜːrəpˈtɪʃəs] *adj.* 鬼鬼祟祟的

[记] 词根记忆：sur(在…下) + rep (=rap 拿，抓住) + titious → 偷偷拿 → 鬼鬼祟祟的

surrogate [ˈsɜːrəgət] *n.* 代替品；代理人

surveillance [sɜːrˈveɪləns] *n.* 监视，盯梢

survive [sərˈvaɪv] *v.* 幸存

[记] 词根记忆：sur(在…下) + viv(存活) + e → 在(事故)下面活下来 → 幸存

survivor [sərˈvaɪvər] *n.* 幸存者

susceptible [səˈseptəbl] *adj.* 易受影响的，敏感的

suspend [səˈspend] *v.* 暂停，中止；吊，悬

[记] 词根记忆：sus + pend (挂) → 挂在下面 → 吊，悬

suspense [səˈspens] *n.* 悬念；挂念

suspension [səˈspenʃn] *n.* 暂停；悬浮

suspicious [səˈspɪʃəs] *adj.* 怀疑的

sustain [səˈsteɪn] *v.* 承受，支撑(重量或压力)

[记] 词根记忆：sus + tain(拿住) → 在下面支撑住 → 支撑

swampy [ˈswɑːmpɪ] *adj.* 沼泽的，湿地的

sweep [swiːp] *v.* 席卷，扫过

swift [swɪft] *adj.* 迅速的；敏捷的

[记] 联想记忆：电梯(lift)飞快(swift)上升

sycophant [ˈsɪkəfænt] *n.* 马屁精

[记] 词根记忆：syco(无花果) + phan(显现) + t → 献上无花果 → 马屁精

syllable [ˈsɪləbl] *n.* 音节 *v.* 分成音节

[记] 联想记忆：syll (音似：say) + able → 可以说出来的 → 音节

symbiosis [ˌsɪmbaɪˈoʊsɪs] *n.* 共生(关系)

[记] 词根记忆：sym(共同) + bio(生命) + sis → 共生(关系)

symbolic [sɪmˈbɑːlɪk] *adj.* 符号的；象征的

symbolize [ˈsɪmbəlaɪz] *v.* 象征

symmetrical [sɪˈmetrɪkl] *adj.* 对称的

symmetry	[ˈsɪmətri] *n.* 对称; 匀称
sympathetic	[ˌsɪmpəˈθetɪk] *adj.* 有同情心的
symptomatic	[ˌsɪmptəˈmætɪk] *adj.* 有症状的
synchronization	[ˌsɪŋkrənəˈzeɪʃn] *n.* 同步
synchronous	[ˈsɪŋkrənəs] *adj.* 同时发生的
synergic	[ˈsɪnərdʒik] *adj.* 协同作用的
	[记] 来自 synergy(*n.* 协同作用)
synonymous	[sɪˈnɑːnɪməs] *adj.* 同义的
	[记] 来自 synonym(*n.* 同义词)
synoptic	[sɪˈnɑːptɪk] *adj.* 摘要的
synthesis	[ˈsɪnθəsɪs] *n.* 综合, 合成
synthesize	[ˈsɪnθəsaɪz] *v.* 综合; 合成
	[记] 词根记忆: syn（共同, 相同）+ thes（放）+ ize → 放到一起 → 合成
systematic	[ˌsɪstəˈmætɪk] *adj.* 系统的, 体系的
tacit	[ˈtæsɪt] *adj.* 心照不宣的
	[记] 注意和 taciturn(*adj.* 沉默寡言的）区分开, tacit 指 "心里明白但嘴上不说"
tact	[tækt] *n.* 机智; 圆滑
tactile	[ˈtæktl] *adj.* 有触觉的
	[记] 词根记忆: tact(接触)+ ile → 有触觉的
talent	[ˈtælənt] *n.* 天赋; 天才
	[记] 联想记忆: tal(l)(高)+ ent(人) → 高人 → 天才
talented	[ˈtæləntɪd] *adj.* 天才的
tangential	[tænˈdʒenʃl] *adj.* 切线的; 离题的
tangible	[ˈtændʒəbl] *adj.* 可触摸的
tangle	[ˈtæŋgl] *v.* 缠结 *n.* 纷乱
	[记] 联想记忆: 俩人缠结(tangle)在一起跳探戈 (tango)
tantalize	[ˈtæntəlaɪz] *v.* 挑惹, 挑逗
	[记] 来自希腊神话人物 Tantalus(坦塔洛斯), 他因泄露天机而被罚立在近下巴深的水中, 口渴欲饮时水即流失; 头上有果树, 腹饥欲食时果子即消失

tantamount [ˈtæntəmaʊnt] *adj.* 同等的，相当于

[记] 词根记忆：tant（相等）+ a + mount（数量）→ 同等的，相当于

tapering [ˈteɪpərɪŋ] *adj.* 尖端细的

[记] 来自 taper(*v.* 逐渐变细)

tardy [ˈtɑːrdi] *adj.* 迟延，迟到的；缓慢的，迟钝的

[记] 词根记忆：tard(迟缓)+y → 缓慢的，迟钝的

tarnish [ˈtɑːrnɪʃ] *v.* 失去光泽，晦暗 *n.* 晦暗，无光泽

[记] 词根记忆：tarn(隐藏)+ ish → 隐藏光泽 → 失去光泽，晦暗

tasteless [ˈteɪstləs] *adj.* 没味道的

taunt [tɔːnt] *n.* 嘲笑，讥讽 *v.* 嘲弄，嘲讽

taut [tɔːt] *adj.* 绷紧的，拉紧的

tawdry [ˈtɔːdri] *adj.* 华而不实的，俗丽的

taxing [ˈtæksɪŋ] *adj.* 繁重的

[记] 来自 tax(*v.* 向…征税；使负重担)

technique [tekˈniːk] *n.* 技能，方法，手段

[记] 词根记忆：techn(技艺)+ique(…术)→技能

tedious [ˈtiːdiəs] *adj.* 冗长的，乏味的

tedium [ˈtiːdiəm] *n.* 冗长乏味

[记] 联想记忆：媒体(medium)的节目都很乏味(tedium)

teem [tiːm] *v.* 充满；到处都是；(雨、水等)暴降，倾注

temperate [ˈtempərət] *adj.* (气候等)温和的；(欲望、饮食等)适度的，有节制的

temporal [ˈtempərəl] *adj.* 时间的；世俗的

[记] 词根记忆：tempor(时间)+ al → 时间的

temporary [ˈtempəreri] *adj.* 暂时的，临时的

[记] 词根记忆：tempor(时间)+ ary → 时间很短 → 暂时的

temptation [tempˈteɪʃn] *n.* 诱惑，诱惑物

tempting [ˈtemptɪŋ] *adj.* 诱惑人的

tenable [ˈtenəbl] *adj.* 站得住脚的，合理的

[记] 词根记忆：ten(拿住)+ able(能…的)→ 能够拿住的 → 站得住脚的

192

tenacious [tə'neɪʃəs] *adj.* 坚韧的，顽强的

[记] 词根记忆：ten（拿住）+ acious（有…性质的）→ 拿住不放 → 坚韧的

tenacity [tə'næsəti] *n.* 坚持，固执

tendentious [ten'denʃəs] *adj.* 有偏见的

[记] 词根记忆：tend（倾向）+ ent（存在）+ ious → 有倾向的 → 有偏见的

tenet ['tenɪt] *n.* 信条；教义

[记] 词根记忆：ten（握住）+ et → 紧抓不放的东西 → 信条

tension ['tenʃn] *n.* 紧张，焦虑；张力

[记] 词根记忆：tens（伸展）+ ion → 伸展出的状态 → 张力

tentative ['tentətɪv] *adj.* 试探性的，尝试性的

[记] 词根记忆：tent（测试）+ ative → 尝试性的

tentatively ['tentətɪvli] *adv.* 试验性地

tenuous ['tenjuəs] *adj.* 纤细的；稀薄的；脆弱的，无力的

[记] 词根记忆：tenu（薄，细）+ ous → 纤细的；稀薄的

tepid ['tepɪd] *adj.* 微温的；不热情的

termite ['tɜːrmaɪt] *n.* 白蚁

terrestrial [tə'restriəl] *adj.* 地球的；陆地的

[记] 词根记忆：terr（地）+ estrial → 地球的

terrifying ['terɪfaɪɪŋ] *adj.* 恐怖的

territorial [ˌterə'tɔːriəl] *adj.* 领土的；地方的

terrorize ['terəraɪz] *v.* 恐吓

terse [tɜːrs] *adj.* 简洁的，简明的

[记] 联想记忆：诗歌（verse）力求简洁明了（terse）

texture ['tekstʃər] *n.* 质地；结构

[记] 词根记忆：text（编织）+ ure → 质地

textured ['tekstʃərd] *adj.* 手摸时有感觉的；有织纹的

[记] 来自 texture（*n.* 质地；结构）

thatch [θætʃ] *v.* 以茅草覆盖 *n.* 茅草屋顶；茅草

theatrical	[θiˈætrɪkl] *adj.* 戏剧的，戏剧性的
thematic	[θiːˈmætɪk] *adj.* 主题的
	[记] 来自 theme(*n.* 主题)
theoretical	[ˌθiːəˈretɪkl] *adj.* 假设的；理论(上)的
	[记] 来自 theory(*n.* 理论)
therapeutic	[ˌθerəˈpjuːtɪk] *adj.* 治疗的
	[记] 词根记忆：therap（照看，治疗）+ eutic → 治疗的
therapy	[ˈθerəpi] *n.* 治疗
thesis	[ˈθiːsɪs] *n.* 论题，论文
thorny	[ˈθɔːrni] *adj.* 有刺的；多刺的；多障碍的，引起争议的
	[记] 来自 thorn(*n.* 刺)
thoughtful	[ˈθɔːtfl] *adj.* 深思的
thousandfold	[ˈθaʊzndfoʊld] *adj.* 千倍的 *adv.* 千倍地
	[记] 组合词：thousand（一千）+ fold（折叠）→ 一千个叠起来 → 千倍的
threadlike	[ˈθredlaɪk] *adj.* 线状的
	[记] 组合词：thread(线)+ like(像…一样) → 像线一样 → 线状的
threat	[θret] *n.* 威胁，恐吓；凶兆，征兆
threaten	[ˈθretn] *v.* 威胁
thrifty	[ˈθrɪfti] *adj.* 节俭的
	[记] 来自 thrift(*n.* 节约)
thrive	[θraɪv] *v.* 茁壮成长；繁荣，兴旺
	[记] 联想记忆：th+rive(看作 river, 河) → 清明上河图描绘了宋代市集的繁荣景象 → 繁荣，兴旺
thwart	[θwɔːrt] *v.* 阻挠，使受挫折，挫败
tidy	[ˈtaɪdi] *adj.* 整齐的，整洁的；相当好的
	[记] 发音记忆："泰迪" → 出售的泰迪熊是整洁漂亮的 → 整洁的
tie	[taɪ] *n.* 平局，不分胜负 *v.* 系，拴，绑
time-consuming	[ˈtaɪmkənˌsuːmɪŋ] *adj.* 费时间的
timeliness	[ˈtaɪmlinəs] *n.* 及时，适时
	[记] 来自 timely(*adj.* 及时的，适时的)

timorous ['tɪmərəs] *adj.* 胆小的, 胆怯的
[记] 词根记忆: tim(胆怯) + orous → 胆怯的

tined [taɪnd] *adj.* 尖端的
[记] 来自 tine(*n.* 叉尖, 尖端)

tint [tɪnt] *n.* 色泽 *v.* 给…淡淡地着色; 染

tissue ['tɪʃuː] *n.* (动植物的)组织; 薄纸, 棉纸

titanic [taɪ'tænɪk] *adj.* 巨人的, 力大无比的
[记] 来自希腊神话中的巨神 Titan; 也可以联想电影 Titanic(《泰坦尼克号》)

titular ['tɪtʃələr] *adj.* 有名无实的, 名义上的
[记] 来自 title(*n.* 头衔)

toady ['toʊdi] *n.* 谄媚者, 马屁精
[记] 联想记忆: toad (癞蛤蟆) + y → 像蛤蟆一样趴在地上的人 → 马屁精

toed [toʊd] *adj.* 有趾的
[记] 来自 toe(*n.* 脚趾)

topographical [ˌtɑːpə'græfɪkl] *adj.* 地形学的

topple ['tɑːpl] *v.* 倾覆, 推倒
[记] 联想记忆: top(顶) + ple → 使顶向下 → 倾覆, 推倒

torpid ['tɔːrpɪd] *adj.* 懒散的, 迟钝的

torpor ['tɔːrpər] *n.* 死气沉沉

tortuous ['tɔːrtʃuəs] *adj.* 曲折的, 拐弯抹角的; 弯弯曲曲的
[记] 词根记忆: tort(弯曲) + uous → 弯弯曲曲的

totalitarian [toʊˌtælə'teriən] *adj.* 极权主义的

touch [tʌtʃ] *v.* 涉及; 触动; 接触 *n.* 触摸

touched [tʌtʃt] *adj.* 被感动的

touching ['tʌtʃɪŋ] *adj.* 动人的, 感人的; 令人同情的

touchy ['tʌtʃi] *adj.* 敏感的, 易怒的
[记] 联想记忆: touch(触摸) + y → 一触即发的 → 敏感的, 易怒的

tout [taʊt] *v.* 招徕顾客; 极力赞扬

towering ['taʊərɪŋ] *adj.* 高耸的; 杰出的
[记] 联想记忆: tower (塔) + ing → 像塔一样的 → 高耸的

toxic	['tɑːksɪk] *adj.* 有毒的, 中毒的
	[记] 词根记忆: tox(毒) + ic → 有毒的
toxin	['tɑːksɪn] *n.* 毒素, 毒质
trace	[treɪs] *n.* 痕迹 *v.* 追踪
traceable	['treɪsəbl] *adj.* 可追踪的
	[记] 来自 trace(*v.* 追踪)
tractable	['træktəbl] *adj.* 易处理的, 驯良的
	[记] 词根记忆: tract(拉) + able → 拉得动的 → 易处理的
trademark	['treɪdmɑːrk] *n.* 特征; 商标 *v.* 保证商标权
tragic	['trædʒɪk] *adj.* 悲惨的
trait	[treɪt] *n.* (人的)显著特性
trample	['træmpl] *v.* 踩坏, 践踏; 蹂躏
	[记] 联想记忆: tr(看作 tree, 树) + ample(大量的) → 大量的树苗被踩坏 → 踩坏, 践踏
tranquil	['træŋkwɪl] *adj.* 平静的
transcend	[træn'send] *v.* 超出, 超越, 胜过
	[记] 词根记忆: trans(超过) + (s)cend(爬) → 爬过 → 超越
transcendent	[træn'sendənt] *adj.* 超越的, 卓越的, 出众的
transcontinental	[ˌtrænzˌkɑːntɪ'nentl] *adj.* 横贯大陆的
transcribe	[træn'skraɪb] *v.* 抄写, 转录
	[记] 词根记忆: trans(交换) + (s)cribe(写) → 交换着写 → 抄写
transcription	[træn'skrɪpʃn] *n.* 誊写, 抄写; 抄本, 副本
transferable	[træns'fɜːrəbl] *adj.* 可转移的
transform	[træns'fɔːrm] *v.* 改变, 变化; 变换, 转换
	[记] 词根记忆: trans(改变) + form(形状) → 改变, 变化
transformation	[ˌtrænsfər'meɪʃn] *n.* 转化, 转变
transgress	[trænz'gres] *v.* 冒犯, 违背
	[记] 词根记忆: trans(横向) + gress(走) → 横着走 → 冒犯

transient ['trænʃnt] *adj.* 短暂的, 转瞬即逝的

[记] 词根记忆: trans(穿过)+ ient → 时光穿梭, 转瞬即逝 → 短暂的

transit ['trænzɪt] *n.* 通过; 改变; 运输 *v.* 通过

[记] 词根记忆: trans (改变)+ it → 改变它的地点 → 运输

Ordinary people merely think how they shall spend their time; a man of talent tries to use it.

普通人只想到如何度过时间, 有才能的人设法利用时间。

——德国哲学家 叔本华

(Arthur Schopenhauer, German philosopher)

Word List 21

transitional [træn'zɪʃənl] *adj.* 转变的，变迁的

transitoriness ['trænsətɔːrinəs] *n.* 暂时，短暂

transitory ['trænsətɔːri] *adj.* 短暂的

[记] 词根记忆：trans(改变) + (s)it(坐) + ory → 坐一下就改变了 → 短暂的

translucent [træns'luːsnt] *adj.* (半)透明的

[记] 词根记忆：trans（穿过）+ luc（明亮）+ ent → 光线能穿过 → (半)透明的

transmit [træns'mɪt] *v.* 传送，传播

[记] 词根记忆：trans(横过) + mit(送) → 送过去 → 传送

transmute [trænz'mjuːt] *v.* 变化

[记] 词根记忆：trans（改变）+ mute（变化）→ 变化

trauma ['traʊmə] *n.* 创伤，外伤

treacherous ['tretʃərəs] *adj.* 背叛的，叛逆的

[记] 词根记忆：treach(=trick 诡计)+erous→背叛的

tread [tred] *v.* 踏，践踏；行走 *n.* 步态；车轮胎面

treatise ['triːtɪs] *n.* 论文

[记] 联想记忆：treat(对待) + ise → 对待问题 → 论文

trenchant ['trentʃənt] *adj.* 犀利的，尖锐的

[记] 联想记忆：trench（沟）+ ant → 说话像挖沟，入木三分 → 犀利的

trend [trend] *v./n.* 趋向，倾向

trendsetter ['trendsetər] *n.* 引领新潮的人

trepidation [ˌtrepɪ'deɪʃn] *n.* 恐惧，惶恐

[记] 词根记忆：trep(害怕) + id + ation → 恐惧，惶恐

trespass ['trespəs] v. 侵犯，闯入私人领地

[记] 词根记忆：tres(横向) + pass(经过) → 横着经过某人的地盘 → 侵犯

tribal ['traɪbl] adj. 部落的，部族的

tribulation [ˌtrɪbju'leɪʃn] n. 苦难，忧患

[记] 词根记忆：tribul(给予) + ation → 上天给予的(惩罚) → 苦难

tributary ['trɪbjəteri] n. 支流；进贡国 adj. 支流的；辅助的；进贡的

trickle ['trɪkl] v. 细细地流 n. 细流

tricky ['trɪki] adj. 狡猾的

trigger ['trɪgər] n. 扳机 v. 引发，引起，触发

trilogy ['trɪlədʒi] n. 三部曲

[记] 词根记忆：tri(三) + logy(说话，作品) → 三部曲

trite [traɪt] adj. 陈腐的，陈词滥调的

triumph ['traɪʌmf] n. 成功，胜利（的喜悦或满足）v. 成功，获胜

[记] 联想记忆：胜利（triumph）之后吹喇叭（trump）

trivial ['trɪviəl] adj. 琐碎的；没有价值的

[记] 词根记忆：tri(三) + via(路) + l → 三条路的会合点 → 没有价值的；古罗马妇女喜欢停在十字路口同人闲聊些无关紧要或琐碎的事情，故 trivial 意为"琐碎的；没有价值的"

truce [truːs] n. 停战，休战(协定)

truculence ['trʌkjələns] n. 野蛮，残酷

truculent ['trʌkjələnt] adj. 残暴的，凶狠的

[记] 词根记忆：truc (凶猛) + ulent → 残暴的，凶狠的

truncate ['trʌŋkeɪt] v. 截短，缩短

[记] 联想记忆：trun(k)(树干) + cate → 截去树干 → 截短

trustworthy [ˈtrʌstwɜːrði] adj. 值得信赖的, 可靠的

[记] 组合词: trust(信赖) + worthy(值得的) → 值得信赖的

turbulent [ˈtɜːrbjələnt] adj. 混乱的; 骚乱的

[记] 词根记忆: turb (搅动) + ulent → 搅得厉害 → 骚乱的

turmoil [ˈtɜːrmɔɪl] n. 混乱, 骚乱

[记] 词根记忆: tur (=turbulent 混乱的) + moil (喧闹) → 混乱, 骚乱

tussle [ˈtʌsl] n. 扭打, 争斗; 争辩 v. 扭打, 争斗

[记] 联想记忆: tuss(看作 fuss, 忙乱) + le → 为什么忙乱, 因为有人扭打搏斗 → 扭打, 争斗

typify [ˈtɪpɪfaɪ] v. 代表, 是…的典型

typographical [taɪˈpɑːɡrəfɪkl] adj. 印刷上的

[记] 来自 typography(n. 印刷术)

tyrannical [tɪˈrænɪkl] adj. 暴虐的, 残暴的

tyrant [ˈtaɪrənt] n. 暴君

ubiquitous [juːˈbɪkwɪtəs] adj. 无处不在的

[记] 联想记忆: ubi(=where) + qu(=any) + itous → anywhere → 无处不在的

ulterior [ʌlˈtɪriər] adj. 较远的, 将来的; 隐秘的, 别有用心的

[记] 词根记忆: ult(高, 远) + erior → 较远的

ultimate [ˈʌltɪmət] adj. 最后的

[记] 词根记忆: ultim(最后) + ate(…的) → 最后的

ultimately [ˈʌltɪmətli] adv. 最后, 终于

ultimatum [ˌʌltɪˈmeɪtəm] n. 最后通牒

[记] 联想记忆: ultim (最后的) + a + tum (看作 term, 期限) → 最后的期限 → 最后通牒

ultrasonic [ˌʌltrəˈsɑːnɪk] adj. 超音速的, 超声(波)的

umbrage [ˈʌmbrɪdʒ] n. 不快, 愤怒

[记] 词根记忆: umbra (影子) + ge → 心里的影子 → 不快

unadorned [ˌʌnəˈdɔːrnd] adj. 未装饰的, 朴素的

200

unaesthetic [ˌʌnəsˈθetɪk] *adj.* 无美感的
[记] 和 inaesthetic(*adj.* 不美的)一起记

unalterable [ʌnˈɔːltərəbl] *adj.* 不能改变的

unarticulated [ˌʌnɑːˈtɪkjuleɪtɪd] *adj.* 表达不清的

unavoidable [ˌʌnəˈvɔɪdəbl] *adj.* 不可避免的

unbecoming [ˌʌnbɪˈkʌmɪŋ] *adj.* 不合身的; 不得体的
[记] 联想记忆 un(不) + becoming(合适的) →
不合身的

unbiased [ʌnˈbaɪəst] *adj.* 没有偏见的

unbridgeable [ʌnˈbrɪdʒəbl] *adj.* 不能架桥的, 不能逾越的

unbridled [ʌnˈbraɪdld] *adj.* 放纵的, 不受约束的

unbroken [ʌnˈbroʊkən] *adj.* 完整的; 连续的

uncanny [ʌnˈkæni] *adj.* 神秘的, 离奇的
[记] 联想记忆: un（不） + canny（安静的, 谨慎
的）→ 神秘的

uncharitable [ʌnˈtʃærɪtəbl] *adj.* 无慈悲心的

uncharted [ˌʌnˈtʃɑːrtɪd] *adj.* 图上未标明的

uncommitted [ˌʌnkəˈmɪtɪd] *adj.* 不受约束的, 不承担责任的
[记] 联想记忆: un(不) + committed(有责任的)
→ 不承担责任的

uncommunicative [ˌʌnkəˈmjuːnɪkətɪv] *adj.* 不爱说话的, 拘谨的
[记] 与 incommunicative(*adj.* 不爱交际的, 沉默
寡言的)一起记

uncompromising [ʌnˈkɑːmprəmaɪzɪŋ] *adj.* 不妥协的

unconfirmed [ˌʌnkənˈfɜːrmd] *adj.* 未经证实的

unconscious [ʌnˈkɑːnʃəs] *adj.* 不省人事的; 未发觉的, 无意识的

uncontroversial [ˌʌnkɑːntrəˈvɜːrʃl] *adj.* 未引起争论的

unconvinced [ˌʌnkənˈvɪnst] *adj.* 不信服的

unctuous [ˈʌŋktʃuəs] *adj.* 油质的; 油腔滑调的

undecipherable [ˌʌndɪˈsaɪfrəbl] *adj.* 难破译的

undemanding [ˌʌndɪˈmɑːndɪŋ] *adj.* 不严格的; 要求不高的

undemonstrable [ˌʌndɪˈmɑːnstrəbl] *adj.* 无法证明的, 难以证明的

undercut [ˌʌndərˈkʌt] *v.* 削价(与竞争者)抢生意
[记] 联想记忆: under(在…下面) + cut(砍) →
偷偷把价格砍掉 → 削价(与竞争者)抢生意

underdeveloped [ˌʌndərdɪˈveləpt] *adj.* 不发达的

underestimate [ˌʌndərˈestɪmeɪt] *v.* 低估；看轻

underestimated [ˌʌndərˈestɪmeɪtɪd] *adj.* 低估的
[记] 来自 underestimate(*v.* 低估)

underground [ˌʌndəˈɡraʊnd] *adv.* 在地下；秘密地 *adj.* 地下的；秘密的

underhanded [ˌʌndərˈhændɪd] *adj.* 秘密的，狡诈的
[记] 联想记忆：under(在…下面) + handed(有手的) → 在下面做手脚 → 秘密的

underlie [ˌʌndərˈlaɪ] *v.* 位于…之下；构成…的基础；【经】(权力、索赔等)优先于

undermine [ˌʌndərˈmaɪn] *v.* 破坏，削弱
[记] 组合词：under (在…下面) + mine (挖) → 在下面挖 → 破坏

underplay [ˌʌndərˈpleɪ] *v.* 弱化…的重要性；表演不充分

underrate [ˌʌndəˈreɪt] *v.* 低估，轻视
[记] 联想记忆：under(不足，少于) + rate(估价) → 低估

underrepresented [ˌʌndəˌreprɪˈzentɪd] *adj.* 未被充分代表的

underscore [ˌʌndərˈskɔːr] *v.* 在…下面画线；强调
[记] 组合词：under(在…下面) + score(画线) → 在…下面画线

understate [ˌʌndərˈsteɪt] *v.* 保守地说，轻描淡写地说
[记] 联想记忆：under(在…下面) + state(说话) → 在衣服下面说 → 保守地说

understated [ˌʌndərˈsteɪtɪd] *adj.* 轻描淡写的，低调的

undertake [ˌʌndərˈteɪk] *v.* 承担；担保，保证
[记] 联想记忆：under(在…下面) + take(拿) → 在下面拿 → 承担

underutilized [ˌʌndərˈjuːtəlaɪzd] *adj.* 未充分利用的
[记] 联想记忆：under(不足，少于) + utilize(利用) + d → 未充分利用的

underwater [ˌʌndərˈwɔːtər] *adj.* 在水下的，在水中的

undeserving [ˌʌndɪˈzɜːrvɪŋ] *adj.* 不值得的

undesirable [ˌʌndɪˈzaɪərəbl] *adj.* 不受欢迎的，讨厌的

[记] 联想记忆：un(不) + desirable(可取的) →
不可取的 → 不受欢迎的

undifferentiated [ˌʌndɪfəˈrenʃieɪtɪd] *adj.* 无差别的，一致的

undirected [ˌʌndaɪˈrektɪd] *adj.* 未受指导的

[记] 联想记忆：un (不) + direct (指导) + ed →
未受指导的

undiscovered [ˌʌndɪsˈkʌvərd] *adj.* 未被发现的

undistorted [ˌʌndɪˈstɔːrtɪd] *adj.* 未失真的

undisturbed [ˌʌndɪˈstɜːrbd] *adj.* 未受干扰的，安静的

unearth [ʌnˈɜːrθ] *v.* 挖出；发现

[记] 联想记忆：un(打开) + earth(地) → 挖出

unecological [ˌʌniːkəˈlɑːdʒɪkl] *adj.* 非生态的

unedited [ʌnˈedɪtɪd] *adj.* 未编辑的

unencumbered [ˌʌnɪnˈkʌmbərd] *adj.* 无阻碍的

unenlightened [ˌʌnɪnˈlaɪtnd] *adj.* 愚昧无知的；不文明的

[记] 联想记忆：un(不) + enlightened(有知识的，
开明的) → 愚昧无知的

unequivocal [ˌʌnɪˈkwɪvəkl] *adj.* 毫无疑问的

unerringly [ʌnˈɜːrɪŋli] *adv.* 无过失地

uneven [ʌnˈiːvn] *adj.* 不平坦的；不一致的；不对等的

uneventful [ˌʌnɪˈventfl] *adj.* 平凡的；平安无事的

unexceptionable [ˌʌnɪkˈsepʃənəbl] *adj.* 无可挑剔的

[记] 联想记忆：un(不) + exceptionable(可反对
的) → 无可挑剔的

unfailing [ʌnˈfeɪlɪŋ] *adj.* 无尽的，无穷的

unfeigned [ʌnˈfeɪnd] *adj.* 真实的，真诚的

[记] 联想记忆：un(不) + feigned(假的) → 真实的

unfertilized [ʌnˈfɜːrtəlaɪzd] *adj.* 未施肥的；未受精的

unfettered [ʌnˈfetərd] *adj.* 自由的，不受约束的

unfounded [ʌnˈfaʊndɪd] *adj.* 无事实根据的

[记] 联想记忆：un(不) + founded(有根据的) →
无事实根据的

ungainly [ʌnˈɡeɪnli] *adj.* 笨拙的

[记] 联想记忆：un(不) + gainly(优雅的) → 笨拙的

ungrateful [ʌnˈɡreɪtfl] *adj.* 不感激的，不领情的

unheralded [ʌnˈherəldɪd] *adj.* 未预先通知的，未预先警告过的

unidimensional [ˌjuːnɪdaɪˈmenʃənl] *adj.* 一维的
[记] 词根记忆：uni（单一）+ dimensional（空间的）→ 一维的

uniform [ˈjuːnɪfɔːrm] *n.* 制服 *adj.* 相同的，一致的
[记] 词根记忆：uni（单一）+ form（形式）→ 一致的

unify [ˈjuːnɪfaɪ] *v.* 统一，使成一体；使相同
[记] 词根记忆：uni（单一）+ fy（动词后缀）→ 统一

unimpassioned [ˌʌnɪmˈpæʃnd] *adj.* 没有激情的
[记] 联想记忆：un（不）+ impassioned（充满激情的）→ 没有激情的

unimpeachable [ˌʌnɪmˈpiːtʃəbl] *adj.* 无可指责的，无可怀疑的
[记] 联想记忆：un（不）+ impeachable（可指责的）→ 无可指责的

unimpressed [ˌʌnɪmˈprest] *adj.* 没有印象的

uninitiated [ˌʌnɪˈnɪʃieɪtɪd] *adj.* 外行的，缺乏经验的
[记] 联想记忆：un（不）+ initiate（传授）+ d → 没有被传授过相关知识的 → 外行的

uninspired [ˌʌnɪnˈspaɪərd] *adj.* 无灵感的，枯燥的

unintelligible [ˌʌnɪnˈtelɪdʒəbl] *adj.* 不可能理解的，难懂的

unique [juˈniːk] *adj.* 独一无二的，独特的；无与伦比的
[记] 词根记忆：uni（单一）+ que → 独一无二的，独特的

universal [ˌjuːnɪˈvɜːrsl] *adj.* 全体的；普遍的

universality [ˌjuːnɪvɜːrˈsæləti] *n.* 普遍性；广泛性

unjustifiable [ʌnˈdʒʌstɪfaɪəbl] *adj.* 不合道理的

unleash [ʌnˈliːʃ] *v.* 发泄，释放
[记] 联想记忆：un（不）+ leash（控制，约束）→ 不去控制 → 发泄

unlikely [ʌnˈlaɪkli] *adj.* 不太可能的；没有希望的

unliterary [ʌnˈlɪtəreri] *adj.* 不矫揉造作的，不咬文嚼字的
[记] 和 nonliterary（*adj.* 不咬文嚼字的）一起记

unmatched [ˌʌnˈmætʃt] *adj.* 无可匹敌的

unmitigated [ʌn'mɪtɪgeɪtɪd] *adj.* 未缓和的，未减轻的

[记] 词根记忆：un(不) + mitigate(缓和的) + d → 未缓和的

unmoved [ˌʌn'muːvd] *adj.* 无动于衷的，冷漠的

[记] 联想记忆：un(不) + moved(感动的) → 无动于衷的

unnoteworthy [ˌʌn'noʊtwɜːrði] *adj.* 不显著的，不值得注意的

unobstructed [ˌʌnəb'strʌktɪd] *adj.* 没有阻碍的

unobtrusive [ˌʌnəb'truːsɪv] *adj.* 不引人注目的

[记] 联想记忆：un(不) + obtrusive(突出的) → 不引人注目的

unpack [ˌʌn'pæk] *v.* 打开包裹(或行李)，卸货

unpalatable [ʌn'pælətəbl] *adj.* 味道差的，不好吃的；令人不快的

[记] 联想记忆：un(不) + palatable(合意的) → 令人不快的

unparalleled [ʌn'pærəleld] *adj.* 无比的，空前的

unprecedented [ʌn'presɪdentɪd] *adj.* 前所未有的

[记] 联想记忆：un(不) + precedent(先例) + ed → 没有先例的 → 前所未有的

unpredictable [ˌʌnprɪ'dɪktəbl] *adj.* 不可预知的

unpremeditated [ˌʌnpriː'medɪteɪtɪd] *adj.* 无预谋的，非故意的

[记] 联想记忆：un(不) + premeditated(预谋的) → 无预谋的

unpretentious [ˌʌnprɪ'tenʃəs] *adj.* 不炫耀的

[记] 联想记忆：un(不) + pretentious(自命不凡的) → 不炫耀的

unpromising [ʌn'prɑːmɪsɪŋ] *adj.* 无前途的，没有希望的

[记] 不要和 uncompromising(*adj.* 不妥协的) 相混

unproven [ʌn'pruːvn] *adj.* 未经证实的

unqualified [ˌʌn'kwɑːlɪfaɪd] *adj.* 无资格的，不合格的；无限制的，绝对的

unquestionable [ʌn'kwestʃənəbl] *adj.* 毫无疑问的，无懈可击的

unquestioning	[ʌnˈkwestʃənɪŋ] *adj.* 无异议的，不犹豫的
unreasonable	[ʌnˈriːznəbl] *adj.* 不讲道理的；非理智的，过分的
unrecognized	[ʌnˈrekəgnaɪzd] *adj.* 未被承认的，未被认出的
unregulated	[ˌʌnˈregjuleɪtɪd] *adj.* 未受控制的，未受约束的
	[记] 联想记忆：un(不) + regulat(e)(管制) + ed → 未受控制的，未受约束的
unreliable	[ˌʌnrɪˈlaɪəbl] *adj.* 不可靠的
unremitting	[ˌʌnrɪˈmɪtɪŋ] *adj.* 不间断的，持续的
	[记] 联想记忆：un(不) + remitting(间断的) → 不间断的，持续的
unrepresentative	[ˌʌnˌreprɪˈzentətɪv] *adj.* 没有代表性的

The man who has made up his mind to win will never say "impossible".

凡是决心取得胜利的人是从来不说"不可能的"。

——法国皇帝 拿破仑

（Bonaparte Napoleon, French emperor）

Word List 22

unreserved [ˌʌnrɪˈzɜːrvd] *adj.* 无限制的；未被预订的
[记] 联想记忆：un（不）+ reserved（预订的）→ 未被预订的

unrestricted [ˌʌnrɪˈstrɪktɪd] *adj.* 无限制的，自由的

unscathed [ʌnˈskeɪðd] *adj.* 未受损伤的，未受伤害的
[记] 联想记忆：un(不) + scathed(损伤的) → 未受损伤的

unscented [ʌnˈsentɪd] *adj.* 无气味的
[记] 联想记忆：un(不) + scented(有气味的) → 无气味的

unscrupulous [ʌnˈskruːpjələs] *adj.* 肆无忌惮的
[记] 联想记忆：un(不) + scrupulous(小心的) → 肆无忌惮的

unseemly [ʌnˈsiːmli] *adj.* 不适宜的，不得体的
[记] 联想记忆：un(不) + seemly(适宜的) → 不适宜的

unskilled [ˌʌnˈskɪld] *adj.* 不熟练的；无需技能的

unsound [ˌʌnˈsaʊnd] *adj.* 不健康的，不健全的；不结实的，不坚固的；无根据的
[记] 联想记忆：un(不) + sound(健康的) → 不健康的

unspoiled [ˌʌnˈspɔɪld] *adj.* 未损坏的，未宠坏的
[记] 联想记忆：un(不) + spoil(损坏) + ed → 未损坏的

unspotted [ˌʌnˈspɑːtɪd] *adj.* 清白的，无污点的
[记] 联想记忆：un(不) + spot(污点) + ted → 无污点的

unstable [ʌnˈsteɪbl] *adj.* 不稳定的
[记] 联想记忆：un(不) + stable(稳定的) → 不稳定的

unstinting [ʌnˈstɪntɪŋ] *adj.* 慷慨的，大方的

[记] 联想记忆：un（不）+ stint（吝惜，限制）+ ing → 慷慨的

unsubstantiated [ˌʌnsəbˈstænʃieɪtɪd] *adj.* 未经证实的，无事实根据的

unsure [ˌʌnˈʃʊr] *adj.* 缺乏自信的；不确定的

unsurpassed [ˌʌnsərˈpæst] *adj.* 未被超越的

unsuspecting [ˌʌnsəˈspektɪŋ] *adj.* 不怀疑的，无猜疑的，可信任的

untainted [ʌnˈteɪntɪd] *adj.* 无污点的

untalented [ʌnˈtæləntɪd] *adj.* 没有天赋的

untamed [ˌʌnˈteɪmd] *adj.* 未驯服的

untapped [ˌʌnˈtæpt] *adj.* 未开发的，未利用的

[记] 来自 tap(*v.* 开发，利用)

untarnished [ˌʌnˈtɑːrnɪʃt] *adj.* 失去光泽的

untasted [ˌʌnˈteɪstɪd] *adj.* 未尝过的，未体验过的

untenable [ʌnˈtenəbl] *adj.* 难以防守的；不能租赁的

untimely [ʌnˈtaɪmli] *adj.* 过早的；不合时宜的

[记] 联想记忆：un(不)+ timely(及时的，适时的) → 不合时宜的

untold [ˌʌnˈtoʊld] *adj.* 无数的，数不清的

untouched [ʌnˈtʌtʃt] *adj.* 未触动过的，未改变的

untreated [ˌʌnˈtriːtɪd] *adj.* 未治疗的；未经处理的

untrustworthy [ʌnˈtrʌstwɜːrði] *adj.* 不能信赖的，靠不住的

[记] 和 untrusty(*adj.* 不可靠的)一起记

untutored [ˌʌnˈtuːtərd] *adj.* 未受教育的

unwarranted [ʌnˈwɑːrəntɪd] *adj.* 没有根据的

[记] 联想记忆：un(不)+ warranted(有根据的) → 没有根据的

unwieldy [ʌnˈwiːldi] *adj.* 难控制的；笨重的

[记] 联想记忆：un(不)+ wieldy(支配的，控制的) → 不可控制的 → 难控制的

unwitting [ʌnˈwɪtɪŋ] *adj.* 无意的，不知不觉的

[记] 联想记忆：un(不)+ witting(知道的，有意的) → 无意的，不知不觉的

unwonted	[ʌn'wountɪd] *adj.* 不寻常的，不习惯的
unworldly	[ʌn'wɜːrldli] *adj.* 非世俗的；精神上的
	[记] 联想记忆：un(不) + world(世界，尘世) + ly → 非世俗的
unyielding	[ʌn'jiːldɪŋ] *adj.* 坚定的，不屈的；坚硬的，不能弯曲的
uphold	[ʌp'hould] *v.* 维护，支持
	[记] 联想记忆：up(向上) + hold(举) → 举起来 → 支持
upscale	[ˌʌp'skeɪl] *v.* 升高级，升档
upstage	[ˌʌp'steɪdʒ] *adj.* 高傲的
	[记] 联想记忆：up(向上) + stage(舞台) → 在舞台上 → 高高在上的 → 高傲的
upstart	['ʌpstɑːrt] *n.* 突然升官的人，暴发户
	[记] 联想记忆：up(向上) + start(开始) → 开始向上 → 暴发户
urbane	[ɜːr'beɪn] *adj.* 温文尔雅的
urbanize	['ɜːrbənaɪz] *v.* 使都市化，使文雅
urgency	['ɜːrdʒənsi] *n.* 紧急(的事)
usable	['juːzəbl] *adj.* 可用的；好用的
utilitarian	[ˌjuːtɪlɪ'teriən] *adj.* 功利的，实利的
utility	[juː'tɪləti] *n.* 实用；有用
	[记] 词根记忆：util(使用) + ity → 实用；有用
utilize	['juːtəlaɪz] *v.* 利用，使用
	[记] 词根记忆：ut(用) + ilize → 利用
utopian	[juː'toupiən] *adj.* 乌托邦的，空想的
vacillate	['væsəleɪt] *v.* 游移不定，踌躇
	[记] 词根记忆：vacill(摇摆) + ate → 游移不定
vagueness	['veɪɡnəs] *n.* 含糊
vainglorious	[ˌveɪn'ɡlɔːriəs] *adj.* 自负的
vainglory	[ˌveɪn'ɡlɔːri] *n.* 自负；虚荣
valiant	['væliənt] *adj.* 勇敢的，英勇的
validate	['vælɪdeɪt] *v.* 使生效
	[记] 联想记忆：valid(有效) + ate → 使生效

valorous ['vælərəs] *adj.* 勇敢的

[记] 联想记忆：val（强大）+ orous → 勇敢使人强大 → 勇敢的

valve [vælv] *n.* 活门，阀门

vanity ['vænəti] *n.* 虚荣，自负

[记] 词根记忆：van（空）+ ity → 空虚 → 虚荣

variability [ˌveriə'bɪləti] *n.* 变化性

variety [və'raɪəti] *n.* 多样性；种类；变种

[记] 词根记忆：vari（改变）+ ety → 多样性

vaulted ['vɔːltɪd] *adj.* 拱形的

veer [vɪr] *v.* 转向，改变（话题等）

vehement ['viːəmənt] *adj.* 猛烈的，热烈的

vehicle ['viːəkl] *n.* 交通工具；传播媒介

[记] 词根记忆：veh（带来）+ icle（东西）→ 带人的东西 → 交通工具

veil [veɪl] *n.* 面纱；遮蔽物 *v.* 以面纱掩盖

venal ['viːnl] *adj.* 腐败的，贪赃枉法的

venerable ['venərəbl] *adj.* 值得尊敬的，庄严的

venerate ['venəreɪt] *v.* 崇敬，敬仰

[记] 词根记忆：vener（尊敬）+ ate → 崇敬

venial ['viːniəl] *adj.*（错误等）轻微的，可原谅的

[记] 联想记忆：ven（=venus 维纳斯）+ ial → 出于爱而原谅的 → 可原谅的

venomous ['venəməs] *adj.* 有毒的

vent [vent] *v.* 发泄（感情，尤指愤怒）；开孔 *n.* 孔，口

venture ['ventʃər] *v.* 敢于；冒险 *n.* 冒险

[记] 发音记忆："玩车" → 玩车一族追求的就是冒险 → 冒险

venturesome ['ventʃərsəm] *adj.* 好冒险的；（行为）冒险的

veracious [və'reɪʃəs] *adj.* 诚实的，说真话的

veracity [və'ræsəti] *n.* 真实；诚实

[记] 词根记忆：ver（真实的）+ acity → 真实

verbose [vɜːr'boʊs] *adj.* 冗长的，啰嗦的

[记] 词根记忆：verb（词语）+ ose（多…的）→ 多词的 → 冗长的

verbosity [vɜːrˈbɑːsəti] *n.* 冗长

verdant [ˈvɜːrdnt] *adj.* 葱郁的，翠绿的

[记] 词根记忆：verd(绿色) + ant → 翠绿的

verifiable [ˈverɪfaɪəbl] *adj.* 能作证的

verification [ˌverɪfɪˈkeɪʃn] *n.* 确认，查证

verified [ˈverɪfaɪd] *adj.* 已查清的，已证实的

verify [ˈverɪfaɪ] *v.* 证明，证实

[记] 词根记忆：ver(真实的) + ify(使…) → 使…真实 → 证明，证实

verse [vɜːrs] *n.* 诗歌

[记] 词根记忆：vers(转) + e → 诗歌的音节百转千回 → 诗歌

vertebrate [ˈvɜːrtɪbrət] *n./adj.* 脊椎动物(的)

[记] 来自 vertebra(*n.* 脊椎骨)

vessel [ˈvesl] *n.* 血管；容器；船只

[记] 注意不要和 vassal(*n.* 陪臣，诸侯)相混

vestige [ˈvestɪdʒ] *n.* 痕迹，遗迹

vestigial [veˈstɪdʒiəl] *adj.* 退化的

vex [veks] *v.* 使烦恼，使恼怒

vexation [vekˈseɪʃn] *n.* 恼怒，苦恼

[记] 联想记忆：vex (烦恼，恼怒) + ation → 恼怒，苦恼

viable [ˈvaɪəbl] *adj.* 切实可行的；能活下去的

[记] 词根记忆：via (道路) + able → 有路可走 → 切实可行的

vibrant [ˈvaɪbrənt] *adj.* 振动的；响亮的；明快的；充满生气的，精力充沛的

[记] 词根记忆：vibr(振动) + ant → 振动的

vicious [ˈvɪʃəs] *adj.* 邪恶的，堕落的；恶意的，恶毒的；凶猛的，危险的

[记] 联想记忆：vice(邪恶) + ious → 邪恶的；恶毒的

vicissitude [vɪˈsɪsɪtuːd] *n.* 变迁，兴衰

vigilance [ˈvɪdʒɪləns] *n.* 警惕，警觉

211

vigilant	[ˈvɪdʒɪlənt] *adj.* 机警的, 警惕的
vigorous	[ˈvɪɡərəs] *adj.* 精力充沛的, 有力的
	[记] 联想记忆: vigor(活力) + ous → 精力充沛的
vilify	[ˈvɪlɪfaɪ] *v.* 诽谤, 中伤
vindicate	[ˈvɪndɪkeɪt] *v.* 辩白; 证明…正确
	[记] 词根记忆: vin(=force 力量) + dic(说) + ate → 使有力地说 → 证明…正确
vindictive	[vɪnˈdɪktɪv] *adj.* 报复的
violate	[ˈvaɪəleɪt] *v.* 违反, 侵犯
	[记] 发音记忆: "why late" → 违反制度迟到了 → 违反, 侵犯
viral	[ˈvaɪrəl] *adj.* 病毒性的
	[记] 来自 virus(*n.* 病毒)
virtue	[ˈvɜːtʃuː] *n.* 美德; 优点; 潜能
virtuoso	[ˌvɜːtʃuˈoʊsoʊ] *n.* 艺术大师
virtuous	[ˈvɜːtʃuəs] *adj.* 有美德的
	[记] 来自 virtue(*n.* 美德)
virulence	[ˈvɪrələns] *n.* 恶意, 毒性
viscous	[ˈvɪskəs] *adj.* 黏滞的, 黏性的, 黏的
visible	[ˈvɪzəbl] *adj.* 可见的, 看得见的; 能注意到的; 明显的, 可察觉到的
	[记] 词根记忆: vis(看) + ible(可…的) → 看得见的; 明显的
visionary	[ˈvɪʒəneri] *adj.* 有远见的; 幻想的 *n.* 空想家
vital	[ˈvaɪtl] *adj.* 极其重要的; 充满活力的
	[记] 词根记忆: vit(生命) + al → 事关生命的 → 极其重要的
vitality	[vaɪˈtæləti] *n.* 活力, 精力; 生命力
vitiate	[ˈvɪʃieɪt] *v.* 削弱, 损害
	[记] 联想记忆: viti(=vice 恶的) + ate → 损害
vitriolic	[ˌvɪtriˈɑːlɪk] *adj.* 刻薄的
	[记] 词根记忆: vitri (玻璃, 引申为 "刻薄") + olic → 刻薄的

vivid ['vɪvɪd] *adj.* 鲜艳的; 生动的; 逼真的

[记] 词根记忆: viv (生命) + id → 有生命力的 → 生动的

vogue [voʊg] *n.* 时尚, 流行

volatile ['vɑːlətl] *adj.* 反复无常的; 易挥发的

[记] 词根记忆: volat (飞) + ile → 飞走的 → 易挥发的

volcanic [vɑːl'kænɪk] *adj.* 火山的

voluble ['vɑːljəbl] *adj.* 健谈的; 易旋转的

voluminous [və'luːmɪnəs] *adj.* 长篇的; 大量的

[记] 联想记忆: volum(=volume 容量) + in + ous → 大量的

voluntary ['vɑːlənteri] *adj.* 自愿的, 志愿的

[记] 词根记忆: volunt(自动) + ary(···的) → 自己选择的 → 自愿的

voluptuous [və'lʌptʃuəs] *adj.* 撩人的; 沉溺酒色的

[记] 词根记忆: volupt (享乐, 快感) + uous → 沉溺酒色的

voyeur [vwaɪ'ɜːr] *n.* 窥淫癖者

vulgar ['vʌlgər] *adj.* 无教养的, 庸俗的

[记] 词根记忆: vulg(庸俗) + ar → 庸俗的

vulnerable ['vʌlnərəbl] *adj.* 易受伤的, 脆弱的

[记] 词根记忆: vulner (伤) + able → 总是受伤 → 易受伤的

walrus ['wɔːlrəs] *n.* 海象

wanderlust ['wɑːndərlʌst] *n.* 漫游癖, 旅游癖

[记] 组合词: wander(漫游) + lust(欲望) → 漫游癖

wane [weɪn] *v.* 减少, 衰落

[记] 联想记忆: 天鹅(swan)的数量在减少(wane)

warp [wɔːrp] *v.* 弯曲, 变歪 *n.* 弯曲, 歪斜

[记] 发音记忆: "卧铺" → 卧铺太窄, 只有弯曲身体才能睡下 → 弯曲

warrant ['wɔːrənt] *n.* 正当理由; 许可证 *v.* 保证; 批准

warrantable ['wɔːrəntəbl] *adj.* 可保证的，可承认的

warranted ['wɔːrəntɪd] *adj.* 保证的；担保的

wary ['weri] *adj.* 谨慎的，小心翼翼的

wavy ['weɪvi] *adj.* 波状的，多浪的；波动起伏的

waxy ['wæksi] *adj.* 像蜡的，苍白的，光滑的

wearisome ['wɪrisəm] *adj.* 使人感到疲倦或厌倦的
[记] 来自 weary(*v.* 疲倦，厌倦)

weather ['weðər] *v.* 风化，侵蚀；经受住风雨；平安度过危难

weightless ['weɪtləs] *adj.* 无重力的，失重的

well-deserved [ˌweldɪ'zɜːrvd] *adj.* 当之无愧的；罪有应得的

well-intentioned [ˌwelɪn'tenʃnd] *adj.* 出于善意的

welter ['weltər] *n.* 混乱，杂乱无章
[记] 联想记忆：像一个大熔炉(melter)一样一片混乱(welter)

whimsical ['wɪmzɪkl] *adj.* 古怪的，异想天开的

whimsy ['wɪmzi] *n.* 古怪，异想天开

whittle ['wɪtl] *v.* 削(木头)；削减
[记] 联想记忆：wh(看作 whet，磨刀) + ittle(看作 little，小) → 磨刀把木头削小 → 削(木头)

wholesale ['houlseɪl] *adj.* 批发的；大规模的

willful ['wɪlfl] *adj.* 任性的；故意的

wilt [wɪlt] *v.* 凋谢，枯萎

wistful ['wɪstfl] *adj.* 惆怅的，渴望的

withhold [wɪð'hould] *v.* 抑制；扣留，保留
[记] 联想记忆：with(附带着)+hold(拿住)→保留

withstand [wɪð'stænd] *v.* 反抗；经受
[记] 词根记忆：with(反) + st (站) + and → 反着站 → 反抗

witty ['wɪti] *adj.* 机智的；风趣的

woolly ['wuli] *adj.* 羊毛的；模糊的

wordy ['wɜːrdi] *adj.* 冗长的，多言的

world-beater ['wɜːrldbiːtər] *n.* 举世无双的人

worthwhile	[ˌwɜːrθ'waɪl] *adj.* 值得做的
	[记]组合词: worth(值得) + while(时间) → 值得花时间的 → 值得做的
worthy	['wɜːrði] *adj.* 值得的; 有价值的 *n.* 知名人士
wring	[rɪŋ] *v.* 绞, 拧, 扭
wrongheaded	[ˌrɔːŋ'hedɪd] *adj.* 坚持错误的, 固执的
xenophobic	[ˌzenə'foʊbik] *adj.* 恐外的, 恐惧外国人的
yearn	[jɜːrn] *v.* 盼望, 渴望
	[记]联想记忆: year(年) + n → 一年到头盼望 → 盼望, 渴望
zealot	['zelət] *n.* 狂热者
zenith	['zenɪθ] *n.* 天顶; 极点

Few things are impossible in themselves; and it is often for want of will, rather than of means, that man fails to succeed.

事情很少有根本做不成的;其所以做不成,与其说是条件不够,不如说是由于决心不够。

——法国作家 罗切福考尔德
(La Rocheforcauld, French writer)

215

Word List 23

abase [ə'beɪs] *v.* 降低…的地位，贬抑，使卑下
[记] 词根记忆：a(到) + base(降低) → 降低…的地位

abash [ə'bæʃ] *v.* 使羞愧，使尴尬
[记] 联想记忆：ab + ash(灰) → 中间有灰，灰头灰脸 → 使尴尬

abate [ə'beɪt] *v.* 减轻，减少
[记] 词根记忆：a(加强) + bate(减弱，减少) → 减轻

abdicate ['æbdɪkeɪt] *v.* 退位；放弃
[记] 词根记忆：ab(脱离) + dic(说话，命令) + ate → 不再命令 → 退位；放弃

abhorrent [əb'hɔːrənt] *adj.* 可恨的，讨厌的

abject ['æbdʒekt] *adj.* 极可怜的；卑下的
[记] 词根记忆：ab(脱离) + ject(抛，扔) → 被人抛弃的 → 极可怜的

abjure [əb'dʒʊr] *v.* 发誓放弃
[记] 词根记忆：ab(脱离) + jur(发誓) + e → 发誓去掉 → 发誓放弃

abnegate ['æbnɪgeɪt] *v.* 否认，放弃
[记] 词根记忆：ab(脱离) + neg(否认) + ate → 否认，放弃

abnegation [ˌæbnɪ'geɪʃn] *n.* 放弃；自我牺牲

abolish [ə'bɑːlɪʃ] *v.* 废止，废除(法律、制度、习俗等)
[记] 联想记忆：ab(脱离) + (p)olish(抛光，优雅) → 不优雅的东西就应该废除 → 废除

abominate [ə'bɑːmɪneɪt] *v.* 痛恨；厌恶
[记] 词根记忆：ab(脱离) + om (=hom=man, 人) + in + ate → 脱离人的模样 → 痛恨；厌恶

abortive [ə'bɔːrtɪv] *adj.* 无结果的，失败的

[记] 词根记忆：ab(脱落) + or(=ori 产生) + tive → 从产生的地方脱落 → 无结果的，失败的

abound [ə'baʊnd] *v.* 大量存在；充满，富于

[记] 联想记忆：a + bound（边界）→ 没有边界 → 充满

aboveboard [ə‚bʌv'bɔːrd] *adj./adv.* 光明正大的(地)

[记] 联想记忆：above（在…上）+ board（会议桌）→ 可以放到桌面上谈 → 光明正大的(地)

abrade [ə'breɪd] *v.* 擦伤，磨损

[记] 词根记忆：ab(脱离) + rade(磨擦) → 摩擦掉 → 磨损

abrogate ['æbrəgeɪt] *v.* 废止，废除

[记] 词根记忆：ab(脱离) + rog(要求) + ate → 要求离开 → 废除

abrupt [ə'brʌpt] *adj.* 突然的，意外的；唐突的

[记] 词根记忆：ab(脱离) + rupt(断) → 突然断掉了 → 突然的，意外的

abscond [əb'skɑːnd] *v.* 潜逃，逃亡

[记] 词根记忆：abs(脱离)+cond(藏起来)→潜逃

absolve [əb'zɑːlv] *v.* 赦免，免除

[记] 词根记忆：ab(脱离) + solv（放开）+ e → 放开使脱离罪责 → 赦免，免除

abstemious [əb'stiːmiəs] *adj.* 有节制的，节俭的

[记] 词根记忆：abs(脱离) + tem(酒) + ious → 不喝酒 → 有节制的

abstention [əb'stenʃn] *n.* 戒除；弃权

[记] 来自 abstain(*v.* 禁绝，放弃)

abstentious [əb'stenʃəs] *adj.* 有节制的

abstinent ['æbstɪnənt] *adj.* 饮食有度的，有节制的，禁欲的

[记] 词根记忆：abs(脱离) + tin(拿住) + ent → 抓住自己脱离某物 → 禁欲的

abuse [ə'bjuːz] *v.* 辱骂；滥用

[ə'bjuːs] *n.* 辱骂；滥用

[记] 词根记忆：ab(脱离) + us(用) + e → 用到不能再用 → 滥用

abusive [ə'bjuːsɪv] *adj.* 谩骂的，毁谤的；虐待的

acarpous [ei'kɑːpəs] *adj.* 不结果实的

accessory [ək'sesəri] *adj.* 附属的，次要的

acclaim [ə'kleɪm] *v.* 欢呼，称赞

[记] 词根记忆：ac(向) + claim(叫喊) → 向某人大声叫喊 → 欢呼，称赞

acclimate ['ækləmeɪt] *v.* (使)服水土；(使)适应

[记] 词根记忆：ac(向) + clim(倾斜) + ate → (使)向某物倾斜 → (使)服水土

accolade ['ækəleɪd] *n.* 推崇；赞扬

[记] 词根记忆：ac(附近) + col(脖子) + ade → 挂在脖子附近 → 赞扬

accomplished [ə'kɑːmplɪʃt] *adj.* 完成了的；有技巧的

accost [ə'kɔːst] *v.* 搭话

[记] 联想记忆：ac(靠近) + cost(花费) → 和人认识后要花钱 → 搭话

accountability [əˌkaʊntə'bɪləti] *n.* 有责任

[记] 联想记忆：account(解释) + ability → 对事情应做解释 → 有责任

accrete [ə'kriːt] *v.* 逐渐增长；添加生长；连生

[记] 词根记忆：ac(加强) + cre(增长)+te → 逐渐增长

accrue [ə'kruː] *v.* (利息等)增加；积累

[记] 词根记忆：ac(加强) + cru(增长)+te → 更加增长 → 增加；积累

accumulate [ə'kjuːmjəleɪt] *v.* 积聚，积累

[记] 词根记忆：ac(加强) + cumul (堆积) + ate → 不断堆积 → 积累

accurate ['ækjərət] *adj.* 精确的，准确的

[记] 词根记忆：ac(加强) + cur(关心) + ate → 不断关心使之正确无误 → 精确的

acedia [ə'siːdiə] *n.* 无精打采的样子；懒惰

acerbity [ə'sɜːrbəti] *n.* 涩，酸，刻薄

[记] 词根记忆：acerb (酸涩的，刻薄的)+ity → 涩，酸，刻薄

acquiesce [ˌækwi'es] v. 勉强同意，默许

[记] 词根记忆：ac(加强) + qui(安静) + esce → 面对某事变得安静 → 默许

acquisitive [ə'kwɪzətɪv] adj. 渴望得到的，贪婪的

[记] 词根记忆：ac(加强) + quisit(要求) + ive → 一再想得到 → 贪婪的

acquit [ə'kwɪt] v. 宣告无罪；脱卸义务和责任；还清(债务)

[记] 词根记忆：ac(向) + qui(安静) + t → 让某人心境平和 → 宣告无罪

acrid ['ækrɪd] adj. 辛辣的，刻薄的

acrobat ['ækrəbæt] n. 特技演员，杂技演员

[记] 词根记忆：acro(高) + bat(走) → 高空走的人 → 杂技演员

acuity [ə'kjuːəti] n. (尤指思想或感官)敏锐

[记] 词根记忆：acu(尖，酸，锐利) + ity(表性质) → 锐利 → 敏锐

acumen ['ækjəmən] n. 敏锐，精明

[记] 词根记忆：acu(尖，酸，锐利) + men(表名词) → 敏锐，精明

adapt [ə'dæpt] v. 使适应；修改

[记] 词根记忆：ad(向) + apt(适应) → 使适应

additive ['ædətɪv] n. 添加剂

addle ['ædl] v. 使腐坏；使昏乱

[记] 联想记忆：add(增加) + le → 事情增加容易混乱 → 使昏乱

adduce [ə'duːs] v. 给予(理由)；举出(例证)

[记] 词根记忆：ad(向) + duc(引导) + e → 引导出 → 举出

adherent [əd'hɪrənt] n. 拥护者，信徒

[记] 词根记忆：ad(一再) + her(粘连) + ent → 粘在身后的人 → 拥护者

adjourn [ə'dʒɜːrn] v. (使)延期，(使)推迟；(使)休会

[记] 词根记忆：ad(附近) + journ(日期) → 改到近日 → 推迟

adjudicate [əˈdʒuːdɪkeɪt] *v.* 充当裁判；判决

[记] 词根记忆：ad(来) + jud(判断) + icate → 进行判断 → 充当裁判

adjunct [ˈædʒʌŋkt] *n.* 附加物，附件

[记] 词根记忆：ad(附近) + junct(结合，连接) → 连在上面的东西 → 附加物

adolescent [ˌædəˈlesnt] *adj.* 青春期的 *n.* 青少年

[记] 联想记忆：ado(看作 adult, 成人) + lescent (看作 licence, 许可证) → 青少年即将拿到成年的许可证 → 青春期的

adroit [əˈdrɔɪt] *adj.* 熟练的，灵巧的

[记] 词根记忆：a(…的) + droit(灵巧) → 灵巧的

adulate [ˈædjuleɪt] *v.* 谄媚，奉承

adulterate [əˈdʌltəreɪt] *v.* 掺杂，掺假 *adj.* 掺杂的，掺假的

advent [ˈædvent] *n.* 到来，来临

[记] 词根记忆：ad(来) + vent(到来) → 到来

adventitious [ˌædvenˈtɪʃəs] *adj.* 偶然的

[记] 联想记忆：advent(到来) + itious → (突然) 到来的 → 偶然的

advert [ˈædvɜːrt] *v.* 注意，留意；提及

[记] 词根记忆：ad(向) + vert(转) → 一再转到这个话题 → 注意，留意

advisable [ədˈvaɪzəbl] *adj.* 适当的，可取的

[记] 来自 advise(*v.* 建议)

advocate [ˈædvəkeɪt] *v.* 提倡，主张，拥护

[ˈædvəkət] *n.* 支持者，拥护者

[记] 词根记忆：ad(向) + voc(叫喊，声音) + ate → 为其摇旗呐喊 → 拥护

aerate [ˈereɪt] *v.* 充气，让空气进入

[记] 词根记忆：aer(空气) + ate(表动作) → 充气

aerial [ˈeriəl] *adj.* 空中的，空气的

[记] 词根记忆：aer(空气) + ial(…的) → 空中的

affected [əˈfektɪd] *adj.* 不自然的；假装的

affiliate [əˈfɪlieɪt] *v.* 使隶属于；追溯…的来源；联合

[əˈfɪliət] *n.* 成员，附属机构

[记] 词根记忆：af（=ad 附近）+ fil（儿子）+ iate → 形成近乎和儿子一样的关系 → 使隶属于

affiliation [əˌfɪliˈeɪʃn] *n.* 联系，联合

affix [əˈfɪks] *v.* 黏上，贴上；（尤指在末尾）添上

[ˈæfɪks] *n.* 词缀

[记] 词根记忆：af + fix（固定）→ 固定上去 → 黏上，贴上

affliction [əˈflɪkʃn] *n.* 折磨，痛苦；痛苦的原因；灾害

aftermath [ˈæftərmæθ] *n.* 后果，余波

[记] 联想记忆：after（在…之后）+ math（数学）→ 做完数学后一塌糊涂的结果 → 后果

agape [əˈɡeɪp] *adj./adv.* （嘴）大张着的(地)

[记] 词根记忆：a（…的）+ gape（张开，张大）→ 大张着的(地)

agenda [əˈdʒendə] *n.* 议程

[记] 词根记忆：ag（做）+ enda（表示名词）→ 要做的事情 → 议程

aggregate [ˈæɡrɪɡeɪt] *v.* 集合；合计

[记] 词根记忆：ag（做）+ greg（团体）+ ate → 成为团体 → 集合

aggrieve [əˈɡriːv] *v.* 使受委屈，使痛苦

[记] 词根记忆：ag（做）+ griev（悲伤）+ e → 使受委屈，使痛苦

agile [ˈædʒl] *adj.* 敏捷的，灵活的

[记] 词根记忆：ag（做）+ ile（易…的）→ 动作容易的 → 敏捷的

agitated [ˈædʒɪteɪtɪd] *adj.* 激动的；不安的

agnostic [æɡˈnɑːstɪk] *adj.* 不可知论的 *n.* 不可知论者

[记] 词根记忆：a（不）+ gno（知道）+ stic → 认为无法了解神是否存在的人 → 不可知论者

agog [əˈɡɑːɡ] *adj.* 兴奋的，有强烈兴趣的

[记] agog 本身可以作词根，意为"引导"，如：demagog（*n.* 煽动者）

agreeable [əˈɡriːəbl] *adj.* 令人愉快的；欣然同意的

[记] 来自 agree(*v.* 同意)

ague [ˈeɪɡjuː] *n.* 冷颤，发冷

ail [eɪl] *v.* 生病

[记] 联想记忆：和 air(*n.* 空气)一起记，多呼吸空气(air)就会少生病(ail)

airtight [ˈeərtaɪt] *adj.* 密闭的，不透气的

[记] 组合词：air(空气)+tight(紧的，不透气的)→ 密闭的，不透气的

albeit [ˌɔːlˈbiːɪt] *conj.* 虽然，尽管

aleatory [ˈeɪliətəri] *adj.* 侥幸的，偶然的

alert [əˈlɜːrt] *adj.* 警惕的，机警的 *n.* 警报

[记] Red Alert "红色警戒"，20 世纪 90 年代风靡全球的电脑游戏

allay [əˈleɪ] *v.* 减轻，缓和

allergic [əˈlɜːrdʒɪk] *adj.* 过敏的；对…讨厌的

alleviate [əˈliːvieɪt] *v.* 减轻，缓和

[记] 词根记忆：al(加强) + lev(轻) + iate(使…)→ 使…轻 → 减轻，缓和

allocate [ˈæləkeɪt] *v.* 配给，分配

[记] 词根记忆：al + loc(地方) + ate → 不断送给地方 → 配给，分配

allowance [əˈlaʊəns] *n.* 津贴，补助；承认，允许

[记] 联想记忆：allow(允许) + ance → 允许自由支配的钱 → 津贴

alluring [əˈlʊrɪŋ] *adj.* 吸引人的，迷人的

[记] 来自 allure(*v.* 引诱)

alter [ˈɔːltər] *v.* 改变，更改

[记] alter 本身就是词根，意为"改变"

amalgamate [əˈmælɡəmeɪt] *v.* 合并；混合

amass [əˈmæs] *v.* 积聚

[记] 联想记忆：a+mass(一团)→ 变成一团 → 积聚

ambience [ˈæmbiəns] *n.* 环境，气氛

[记] 词根记忆：ambi (在…周围) + ence → 环境，气氛

222

ambush ['æmbʊʃ] *n.* 埋伏; 伏击 *v.* 埋伏

[记] 联想记忆: am + bush(矮树丛) → 埋伏在矮树丛里 → 埋伏

amiable ['eɪmiəbl] *adj.* 和蔼的, 亲切的

[记] 联想记忆: am(爱, 友爱) + i + able → 和蔼的, 亲切的

amity ['æməti] *n.* (人们或国家之间的)友好关系

[记] 词根记忆: am(爱, 友爱) + ity → 友好关系

amnesia [æm'niːʒə] *n.* 健忘症

[记] 词根记忆: a(无) + mnes(记忆) + ia(病) → 没有记忆的病 → 健忘症

amnesty ['æmnəsti] *n.* 大赦, 特赦

[记] 词根记忆: a(无) + mnes(记忆) + ty → 不再记仇 → 大赦, 特赦

ample ['æmpl] *adj.* 富足的; 充足的

[记] 联想记忆: apple(苹果)很 ample(充足)

amplify ['æmplɪfaɪ] *v.* 放大; 详述

[记] 词根记忆: ampl(大) + ify → 放大

amuse [ə'mjuːz] *v.* 使愉快, 逗某人笑

[记] 联想记忆: a + muse (缪斯, 古希腊文艺女神) → 使愉快

analgesia [ˌænəl'dʒiːʒə] *n.* 无痛觉, 痛觉丧失

[记] 词根记忆: an(没有) + alg(痛) + esia → 无痛觉

analogy [ə'nælədʒi] *n.* 相似; 类比

[记] 词根记忆: ana(并列) + log(说话) + y → 放在一起说 → 类比

ancillary ['ænsəleri] *adj.* 辅助的 *n.* 助手

anesthetic [ˌænəs'θetɪk] *adj.* 麻醉的; 麻木的 *n.* 麻醉剂

[记] 词根记忆: an(无) + esthet(感觉) + ic 无感觉 → 麻醉的

anguish ['æŋgwɪʃ] *n.* 极大的痛苦

[记] 词根记忆: angu(痛苦) + ish → 极大的痛苦

animadvert [ˌænəmæd'vət] *v.* 苛责, 非难

animate [ˈænɪmət] *adj.* 活的，有生命的

[ˈænɪmeɪt] *v.* 赋予生命

[记] 词根记忆：anim(生命，精神) + ate → 有生命的；赋予生命

animation [ˌænɪˈmeɪʃn] *n.* 兴奋，活跃

animus [ˈænɪməs] *n.* 敌意，憎恨

anneal [əˈniːl] *v.* 使(金属、玻璃等)退火；使加强，使变硬

annihilate [əˈnaɪəleɪt] *v.* 消灭

[记] 词根记忆：an(接近) + nihil(无) + ate → 使接近没有 → 消灭

announce [əˈnaʊns] *v.* 宣布，发表；通报⋯的到来

[记] 词根记忆：an(来) + nounc(讲话，说出) + e → 讲出来 → 宣布

annoy [əˈnɔɪ] *v.* 惹恼；打搅，骚扰

annul [əˈnʌl] *v.* 宣告无效；取消

[记] 词根记忆：an(来) + nul(消除) → 取消

anonymity [ˌænəˈnɪməti] *n.* 无名，匿名

[记] 词根记忆：an(没有) + onym(名称) + ity → 无名，匿名

antecedence [ˌæntɪˈsiːdns] *n.* 居先，先行

[记] 词根记忆：ante(前面) + ced(走) + ence → 走在前面 → 居先，先行

anthem [ˈænθəm] *n.* 圣歌；赞美诗；国歌

[记] 联想记忆：an + them → 一首他们一起唱的歌 → 圣歌

antic [ˈæntɪk] *adj.* 古怪的

[记] 和 antique(*n.* 古董)来自同一词源

anticipate [ænˈtɪsɪpeɪt] *v.* 预先处理；预期，期望

[记] 词根记忆：anti(前) + cip(落下) + ate → 提前落下 → 预期，期望

anvil [ˈænvɪl] *n.* 铁砧

aplomb [əˈplɑːm] *n.* 沉着，镇静

[记] 联想记忆：apl(看作 apple，苹果) + omb(看作 tomb，坟墓) → 坟墓中的苹果，很静 → 镇静

apocryphal [ə'pɑːkrɪfl] *adj.* 假冒的, 虚假的

apologize [ə'pɑːlədʒaɪz] *v.* 道歉; 辩解

[记] 词根记忆: apo(远) + log(说话) + ize → 离(别人)远一点说话, 不面对面骂 → 道歉

apostate [ə'pɑːsteɪt] *n.* 背教者; 变节者

appeal [ə'piːl] *v.* 恳求; 有吸引力; 上诉

[记] 词根记忆: ap + peal (=pull 拉) → 拉过去 → 有吸引力

applicant ['æplɪkənt] *n.* 申请人

appoint [ə'pɔɪnt] *v.* 任命, 指定; 约定

[记] 联想记忆: ap(加强) + point(指向, 指出) → 指定某人做某事 → 任命, 指定

appraise [ə'preɪz] *v.* 评价, 鉴定

[记] 联想记忆: ap(加强) + praise(价值, 赞扬) → 给以价值 → 评价

apprentice [ə'prentɪs] *n.* 学徒

[记] 词根记忆: ap(接近) + prent(=prehend 抓住) + ice → 为了抓住技术的人 → 学徒

apron ['eɪprən] *n.* 围裙

[记] 联想记忆: 在四月(April)穿上围裙(apron)去干活

apt [æpt] *adj.* 易于…的; 恰当的

aquiline ['ækwɪlaɪn] *adj.* 鹰的, 似鹰的

[记] 词根记忆: aquil(鹰) + ine → 鹰的

arbitrate ['ɑːrbɪtreɪt] *v.* 仲裁, 公断

archer ['ɑːrtʃər] *n.* (运动或战争中的)弓箭手, 射手

[记] 词根记忆: arch(弓) + er → 弓箭手; arch 本身是一个单词, 意为"使…弯成弓形"

archetype ['ɑːkitaɪp] *n.* 原型; 典型

[记] 词根记忆: arch(旧的) + e + typ(模型, 印象) + e → 原型

ardent ['ɑːrdnt] *adj.* 热心的, 热烈的

[记] 词根记忆: ard(热) + ent → 热心的, 热烈的

225

aristocracy [ˌærɪˈstɑːkrəsi] *n.* 贵族；贵族政府，贵族统治

[记] 词根记忆：aristo(最好的) + cracy(统治) → 贵族统治

aroma [əˈroʊmə] *n.* 芳香，香气

[记] 发音记忆："爱了吗" → 爱了就有芳香 → 芳香，香气

arouse [əˈraʊz] *v.* 唤醒；激发

arraign [əˈreɪn] *v.* 传讯；指责

[记] 联想记忆：安排 (arrange) 对犯人传讯 (arraign)

arrant [ˈærənt] *adj.* 完全的，彻底的；极坏的，臭名昭著的

array [əˈreɪ] *v.* 部署 *n.* 陈列；大批

arrest [əˈrest] *v.* 逮捕；阻止，制止

[记] 联想记忆：ar(加强) + rest(休息) → 强制休息 → 逮捕

arson [ˈɑːrsn] *n.* 纵火(罪)，放火(罪)

[记] 词根记忆：ars(=ard 热) + on → 火在燃烧 → 纵火(罪)

artifact [ˈɑːrtɪfækt] *n.* 人工制品

[记] 词根记忆：arti(技巧) + fact(制作) → 用技巧制作出来的东西 → 人工制品

artifice [ˈɑːrtɪfɪs] *n.* 巧妙办法；诡计

[记] 词根记忆：arti(技巧) + fice(做) → 做的技巧 → 巧妙办法

artificial [ˌɑːrtɪˈfɪʃl] *adj.* 人造的，假的

[记] 词根记忆：arti(=skill 技巧) + fic(面) + ial(…的) → 在表面使技术的 → 人造的，假的

ashen [ˈæʃn] *adj.* 灰色的，苍白的

asinine [ˈæsɪnaɪn] *adj.* 愚笨的

[记] 联想记忆：as (看作 ass, 驴子) + in + in + e → 笨得像驴 → 愚笨的

askance [əˈskæns] *adv.* 斜视地

[记] 联想记忆：ask + ance(看作 ounce, 盎司, 黄金的计量单位) → 问黄金价格 → 斜着眼问 → 斜视地

226

askew [əˈskjuː] *adj./adv.* 歪斜的(地)

[记]联想记忆：a + skew（歪斜的）→ 歪斜的(地)

aspersion [əˈspɜːrʒn] *n.* 诽谤，中伤

[记]词根记忆：a + spers(散开) + ion → 散布坏东西 → 诽谤

aspirant [əˈspaɪərənt] *n.* 有抱负者

aspire [əˈspaɪər] *v.* 渴望，追求，向往

[记]词根记忆：a + spir (呼吸) + e → 因为太渴望得到，所以不停地呼吸 → 向往

assault [əˈsɔːlt] *n.* 突袭；猛袭

[记]联想记忆：ass(驴子) + ault(看作 aunt，姑妈) → 驴子袭击姑妈 → 突袭

assemble [əˈsembl] *v.* 集合，聚集；装配，组装

[记]联想记忆：as(加强) + semble(类似) → 物以类聚 → 集合

My fellow Americans, ask not what your country can do for you, ask what you can do for your country. My fellow citizens of the world: ask not what American will do for you, but what together we can do for the freedom of man.

美国同胞们，不要问国家能为你们做些什么，而要问你们能为国家做些什么。全世界的公民们，不要问美国将为你们做些什么，而要问我们共同能为人类的自由做些什么。

——美国总统 肯尼迪
（John Kennedy, American president）

Word List 24

assent [əˈsent] *v.* 同意，赞成

[记] 词根记忆：as(接近) + sent(感觉) → 感觉一致 → 同意

assert [əˈsɜːrt] *v.* 断言，主张

[记] 词根记忆：as(加强) + sert(提出) → 强烈地提出、表达自己的主张 → 主张

assess [əˈses] *v.* 评定，核定；估计，估价

associate [əˈsəʊʃiət] *adj.* 联合的 *n.* 合伙人

[əˈsəʊʃieɪt] *v.* 使发生联系，使联合

[记] 词根记忆：as(加强) + soci(同伴，引申为"社会") + ate → 成为社团 → 联合的

assoil [əˈsɔɪl] *v.* 赦免，释放；补偿

assuage [əˈsweɪdʒ] *v.* 缓和，减轻

[记] 词根记忆：as + suage(甜) → 变甜 → 缓和

asterisk [ˈæstərɪsk] *n.* 星号

[记] 词根记忆：aster(星星) + isk → 星号

asteroid [ˈæstərɔɪd] *n.* 小行星

[记] 词根记忆：aster(星星) + oid(像…一样) → 小行星

astrology [əˈstrɑːlədʒi] *n.* 占星术；占星学

[记] 词根记忆：astro(星) + (o)logy(学) → 占星学

atheism [ˈeɪθiɪzəm] *n.* 无神论，不信神

[记] 词根记忆：a(无) + the(神) + ism → 无神论

atonal [eɪˈtoʊnl] *adj.* (音乐)无调的

[记] 词根记忆：a + ton(声音) + al → 无声的 → 无调的

atone [əˈtoʊn] *v.* 赎罪，补偿

[记] 联想记忆：a + tone (看作 stone，石头) → 女娲用石头补天 → 补偿

228

atrocious [ə'trouʃəs] *adj.* 残忍的，凶恶的

[记] 词根记忆：atroc(阴沉，凶残)+ious→残忍的

attach [ə'tætʃ] *v.* 系上，贴上，附上

[记] 词根记忆：at(向)+tach(接触)→将某物系在(另一物)上→系上，贴上，附上

attenuate [ə'tenjueɪt] *v.* 变薄；变弱 *adj.* 减弱的

[记] 词根记忆：at(加强)+ten(薄)+uate→变薄

attire [ə'taɪər] *v.* 使穿衣；打扮 *n.* 盛装，服装

[记] 词根记忆：at(加强)+tire(梳理)→梳洗打扮→使穿衣；打扮

augmentation [ˌɔːgmen'teɪʃn] *n.* 增加

[记] 来自 augment(*v.* 增加，增大)

augury ['ɔːgjʊri] *n.* 占卜术；预兆

[记] 来自 augur(*v.* 占卜，预言)

august [ɔː'gʌst] *adj.* 威严的，令人敬畏的

[记] 联想记忆：八月(August)丰收大地金黄，金黄色是威严的帝王的象征→威严的

austerity [ɔː'sterəti] *n.* 朴素，艰苦

authorization [ˌɔːθərə'zeɪʃn] *n.* 授权，认可

[记] 来自 authorize(*v.* 授权，认可)

autocracy [ɔː'tɑːkrəsi] *n.* 独裁政府

[记] 词根记忆：auto(自己)+cracy(统治)→自己一个人统治→独裁政府

autocrat ['ɔːtəkræt] *n.* 独裁者

[记] 词根记忆：auto(自己)+crat(统治者)→独裁者

automation [ˌɔːtə'meɪʃn] *n.* 自动装置

[记] 词根记忆：auto(自己)+mat(动)+ion→自动→自动装置

auxiliary [ɔːg'zɪliəri] *adj.* 辅助的，附加的，补充的

[记] 词根记忆：aux(=aug 提高)+iliary(形容词后缀)→提高的→辅助的

aver [ə'vɜːr] *v.* 极力声明；断言；证实

[记] 词根记忆：a(向)+ver(真实的)→向人们说出真相→证实

229

aversion [ə'vɜːrʒn] *n.* 厌恶，反感

avert [ə'vɜːrt] *v.* 避免，防止；转移

[记] 词根记忆：a(向) + vert(转) → 转开 → 避免

avocation [ˌævoʊ'keɪʃn] *n.* 副业；嗜好

[记] a(不) + vocation(职业) → 非正规职业 → 副业；注意不要把 vocation(职业)和 vacation(度假)相混

avow [ə'vaʊ] *v.* 承认；公开宣称

[记] 词根记忆：a(来) + vow(誓言) → 发誓 → 承认

awry [ə'raɪ] *adj.* 扭曲的，走样的

[记] 词根记忆：a(加强) + wry(歪的) → 扭曲的

azure ['æʒər] *n.* 天蓝色 *adj.* 蔚蓝的

backdrop ['bækdrɑːp] *n.* (事情的)背景；背景幕布

[记] 组合词：back + drop (后面挂下的幕布) → 背景幕布

backset ['bækset] *n.* 倒退，逆流

backslide ['bækslaɪd] *v.* 故态复萌

[记] 组合词：back(向后) + slide(滑动) → 往后滑 → 故态复萌

badge [bædʒ] *n.* 徽章

badger ['bædʒər] *n.* 獾 *v.* 烦扰，纠缠不休

badinage [ˌbædən'ɑːʒ] *n.* 玩笑，打趣

[记] 联想记忆：bad + inage (看作 image, 形象) → 破坏形象 → 打趣

bait [beɪt] *n.* 诱饵 *v.* 逗弄；激怒

balderdash ['bɔːldərdæʃ] *n.* 胡言乱语，废话

bale [beɪl] *n.* 大包，大捆；灾祸，不幸

[记] 来自 ball(*n.* 球)

ballot ['bælət] *n./v.* 投票

[记] 联想记忆：ball(球) + (1)ot(签) → 用球抽签 → 投票

ballyhoo ['bælihuː] *n.* 喧闹，呐喊 *v.* 大肆宣传，大吹大擂

bamboozle [bæm'buːzl] *v.* 欺骗，隐瞒

[记] 联想记忆：bamboo(竹子) + zle → 把东西装在竹筒里 → 欺骗，隐瞒

ban [bæn] *n.*禁令 *v.*禁止, 取缔
[记] 发音记忆: "颁" → (颁布)禁令 → 禁止

bar [bɑːr] *v.*禁止, 阻挡 *n.*条, 棒

bare [ber] *v.*暴露 *adj.*赤裸的
[记] 和 bear(*n.* 熊)一起记

barefaced ['berfeɪst] *adj.*厚颜无耻的, 公然的
[记] 联想记忆: bare(空的, 没有的) + face(脸) + d → 不要脸的 → 厚颜无耻的

bargain ['bɑːrgən] *n.*交易; 特价商品 *v.*讨价还价
[记] 联想记忆: bar(看作 barter, 交易) + gain(获得) → 交易获得好价钱 → 讨价还价

barn [bɑːrn] *n.*谷仓
[记] 酒吧 (bar) 加了个门 (n), 就变成了谷仓 (barn)

barrister ['bærɪstər] *n.*出庭律师; 律师
[记] 词根记忆: barr(阻挡) + ister(人) → 阻挡法官判罪的人 → 律师

barter ['bɑːrtər] *v.*易货贸易
[记] 和 banter(*v.* 打趣)一起记

bawl [bɔːl] *v.*大叫, 大喊
[记] 联想记忆: b + awl(尖钻) → 被尖钻戳到而大喊 → 大叫, 大喊

bazaar [bə'zɑːr] *n.*集市, 市场
[记] 外来词, 原指 "东方国家的大集市", 今天的中国新疆一带仍把集市叫"巴扎"

beacon ['biːkən] *n.*烽火; 灯塔
[记] 联想记忆: beac(=beach 海岸) + on → 在海岸上的灯塔 → 灯塔

beam [biːm] *n.*(房屋等的)大梁; 光线
[记] 联想记忆: be + am → 做我自己, 成为国家的栋梁 → 大梁

bearing ['berɪŋ] *n.*关系, 意义; 方位

beatific [ˌbiːə'tɪfɪk] *adj.*幸福的, 快乐的
[记] 词根记忆: beat(有福的) + ific → 幸福的

beckon ['bekən] *v.* 召唤，示意

[记] 联想记忆：beck(听人命令) + on → 召唤，示意

bedraggled [bɪ'dræɡld] *adj.* (衣服、头发等)弄湿的；凌乱不堪的

[记] 联想记忆：be + draggled(拖湿的；凌乱的) → 弄湿的；凌乱不堪的

befoul [bɪ'faʊl] *v.* 弄脏，诽谤

befuddle [bɪ'fʌdl] *v.* 使迷惑不解；使酒醉昏迷

[记] 联想记忆：be + fuddle(迷糊) → 使迷惑不解

beget [bɪ'ɡet] *v.* 产生，引起

[记] 联想记忆：be + get (得到) → 确实得到了 → 产生

begrudge [bɪ'ɡrʌdʒ] *v.* 吝啬，勉强给

[记] 联想记忆：be + grudge(吝啬) → 吝啬

behold [bɪ'hoʊld] *v.* 注视，看见

[记] 联想记忆：be + hold (拿住) → 被拿住 → 注视，看见

beholden [bɪ'hoʊldən] *adj.* 因受恩惠而心存感激的，感谢的；欠人情的

behoove [bɪ'huːv] *v.* 理应，有必要

belabor [bɪ'leɪbər] *v.* 过分冗长地说；痛打

[记] 联想记忆：be + labor(劳动) → 不辞劳苦地说 → 过分冗长地说

belligerence [bə'lɪdʒərəns] *n.* 交战；好战性，斗争性

[记] 词根记忆：bell(战斗) + iger + ence → 交战；好战性

bellow ['beloʊ] *v.* 咆哮；吼叫

belongings [bɪ'lɔːŋɪŋz] *n.* 所有物，财产

bemused [bɪ'mjuːzd] *adj.* 茫然的，困惑的

[记] 联想记忆：be + muse(沉思) + d → 进入沉思 → 困惑的

berate [bɪ'reɪt] *v.* 猛烈责骂

[记] 联想记忆：be + rate(责骂) → 猛烈责骂

berserk	[bər'zɜːrk] *adj.* 狂怒的，狂暴的
beseech	[bɪ'siːtʃ] *v.* 恳求
	[记] 词根记忆：be + seech(=seek 寻求) → 寻求 → 恳求
besmirch	[bɪ'smɜːrtʃ] *v.* 诽谤
	[记] 联想记忆：be + smirch(污点，弄脏) → 诽谤
besot	[bɪ'sɑːt] *v.* 使沉醉，使糊涂
betoken	[bɪ'toʊkən] *v.* 预示，表示
	[记] 联想记忆：be(使…成为) + token(记号，标志) → 使…成为标志 → 预示
bewildering	[bɪ'wɪldərɪŋ] *adj.* 令人困惑的；令人费解的
bicker	['bɪkər] *v.* 争吵，口角
bid	[bɪd] *v.* 命令；出价，投标
	[记] 发音记忆："必得" → 出价时抱着必得的态度 → 出价，投标
bide	[baɪd] *v.* 等待，逗留
bifurcate	['baɪfərkeɪt] *v.* 分为两支，分叉
	[记] 联想记忆：bi(两个) + furc(看作 fork, 叉) + ate → 分为两支
bigot	['bɪgət] *n.* (宗教、政治等的)顽固盲从者；偏执者
	[记] 联想记忆：big + (g)ot → 得到大东西不放的人 → 偏执者
bile	[baɪl] *n.* 胆汁；愤怒
bilk	[bɪlk] *v.* 躲债；骗取
bin	[bɪn] *n.* 大箱子
blackball	['blækbɔːl] *v.* 投票反对；排斥
	[记] 组合词：black(黑) + ball(投票) → 投票反对
blade	[bleɪd] *n.* 刀刃，刀口
blanch	[blæntʃ] *v.* 使变白；使(脸色)变苍白
	[记] 词根记忆：blanc(白) + h → 使变白
blandishment	['blændɪʃmənt] *n.* 奉承，讨好
	[记] 来自 blandish(*v.* 讨好)
blare	[bler] *v.* 高声发出
	[记] 联想记忆：和 bleat(*n.* 羊的叫声)来自同一词源

blasé [blɑːˈzeɪ] *adj.* 厌倦享乐的，玩厌了的

[记] 联想记忆：对责骂(blame)已经厌倦(blasé)

blasphemy [ˈblæsfəmi] *n.* 亵渎(神明)

[记] 词根记忆：blas(=blame 责备) + phem (出现) + y → 受责备的事出现 → 亵渎

blather [ˈblæðər] *v.* 喋喋不休地胡说，唠叨

bleak [bliːk] *adj.* 寒冷的；阴沉的；阴郁的，暗淡的

blear [blɪr] *v.* 使模糊 *adj.* 模糊的

bleary [ˈblɪri] *adj.* 视线模糊的，朦胧的；精疲力尽的

blemish [ˈblemɪʃ] *v.* 损害；玷污 *n.* 瑕疵，缺点

[记] 词根记忆：blem(弄伤) + ish → 把…弄伤 → 损害；玷污

bliss [blɪs] *n.* 狂喜，极乐；福气，天赐的福

[记] 联想记忆：得到祝福(bless)是有福气(bliss)的

bloated [ˈbloʊtɪd] *adj.* 肿胀的；傲慢的

[记] 联想记忆：bloat(膨胀) + ed → 肿胀的

blockade [blɑːˈkeɪd] *v./n.* 封锁

[记] 联想记忆：block(阻碍) + ade → 阻碍物 → 封锁

blockage [ˈblɑːkɪdʒ] *n.* 障碍物

blooming [ˈbluːmɪŋ] *adj.* 开着花的；旺盛的

[记] 来自 bloom(*v.* 花；开花)

blossom [ˈblɑːsəm] *n.* 花 *v.* (植物)开花

[记] 联想记忆：bloom 中间开出两个 s 形的花

blunt [blʌnt] *adj.* 钝的；直率的 *v.* 使迟钝

boast [boʊst] *v./n.* 自夸

[记] 和 roast(*v.* 烤，烘)一起记

bob [bɑːb] *v.* 轻拍，轻扣；使上下快速摆动

bode [boʊd] *v.* 预示

boding [ˈboʊdɪŋ] *n.* 凶兆，前兆，预感 *adj.* 凶兆的，先兆的

boggle [ˈbɑːgl] *v.* 犹豫；退缩

[记] 联想记忆：bog(使…陷入泥沼) + gle → 陷入泥沼，会使人退缩 → 退缩

bogus [ˈboʊɡəs] *adj.* 伪造的，假的

[记] 联想记忆：来自一种叫"Bogus"的机器，用于制造伪钞

bombast [ˈbɑːmbæst] *n.* 高调，夸大之辞

[记] 联想记忆：bomb（空洞的声音；炸弹）+ ast → 像炮弹声 → 高调

bondage [ˈbɑːndɪdʒ] *n.* 奴役，束缚

[记] 词根记忆：bond（使黏合）+ age → 束缚

bonhomie [ˌbɑːnəˈmiː] *n.* 好性情，和蔼

[记] 联想记忆：bon（好）+ homie（看作 home，家）→ 好好待在家里 → 好性情，和蔼

bonny [ˈbɑːni] *adj.* 健美的，漂亮的

boo [buː] *v.* 发出嘘声 *int.*（表示不满、轻蔑等）嘘

[记] 发音记忆："不" → 发出嘘声

boom [buːm] *n.* 繁荣 *v.* 发出隆隆声

[记] 联想记忆：原来是象声词，表示"嘣"的声音

boor [bʊr] *n.* 粗野的人；农民

[记] 联想记忆：粗野的人（boor）的人通常比较穷（poor）

boreal [ˈbɔːriəl] *adj.* 北方的，北风的

boring [ˈbɔːrɪŋ] *adj.* 无趣的，乏味的

[记] 来自 bore（*v.* 使厌烦）

bouffant [buːˈfɑːnt] *adj.* 蓬松的；鼓胀的

bough [baʊ] *n.* 大树枝

boulder [ˈboʊldər] *n.* 巨砾

[记] 联想记忆：用肩膀（shoulder）扛着巨砾（boulder）

bouncing [ˈbaʊnsɪŋ] *adj.* 活泼的；健康的

bounteous [ˈbaʊntiəs] *adj.* 慷慨的；丰富的

[记] 词根记忆：bount（=bon 好）+ eous → 好的 → 慷慨的

bouquet [buˈkeɪ] *n.* 花束；芳香

bovine [ˈboʊvaɪn] *adj.*（似）牛的；迟钝的

[记] 词根记忆：bov（牛）+ ine → 牛的

235

bowdlerize ['baʊdləraɪz] v. 删除，删改

[记] 来自人名 Thomas Bowdler，他删改出版了莎士比亚的戏剧

brace [breɪs] v. 支撑，加固 n. 支撑物

[记] 联想记忆：brac(手臂) + e → 用手臂支撑使稳固 → 支撑，加固

bracelet ['breɪslət] n. 手镯，臂镯

[记] 词根记忆：brac(手臂) + e + let(小东西) → 戴在手上的小东西 → 手镯

bracing ['breɪsɪŋ] adj. 令人振奋的

brackish ['brækɪʃ] adj. 微咸的；难吃的

[记] 联想记忆：brack(看作 black，黑的) + ish(看作 fish，鱼) → 黑色的咸鱼 → 微咸的

brag [bræg] v. 吹嘘

[记] 和 bag(n. 口袋)一起记

braise [breɪz] v. 炖，蒸

brake [breɪk] n. 刹车；阻碍 v. 刹车；阻止

[记] 是 break(v. 打破，违反)的古典形式

brat [bræt] n. 孩子；顽童

[记] 联想记忆：b + rat(耗子) → 像耗子般古灵精怪的小孩 → 顽童

brattish ['brætɪʃ] adj. (指小孩)讨厌的，被宠坏的，无礼的

[记] 联想记忆：brat(小孩) + tish → 小孩有时候有点讨厌 → 讨厌的

bray [breɪ] v. 大声而刺耳地发出(叫唤或声音)

[记] 联想记忆：在海湾(bay)能听到波浪发出很大的声音(bray)

brew [bruː] v. 酿酒；沏(茶)，煮(咖啡)；酝酿，即将发生

bribe [braɪb] v. 贿赂

bricklayer ['brɪkleɪər] n. 砖匠

[记] 联想记忆：brick(砖) + lay(铺设) + er → 铺砖的人 → 砖匠

bridle ['braɪdl] n. 马笼头 v. 抑制，控制

[记] 和 bride(n. 新娘)一起记

236

brisk [brɪsk] *adj.* 敏捷的, 活泼的; 清新健康的

[记]联想记忆: b + risk(冒险)→ 喜欢冒险的人 → 敏捷的, 活泼的

bristling [ˈbrɪslɪŋ] *adj.* 竖立的

brittle [ˈbrɪtl] *adj.* 易碎的, 脆弱的

[记]联想记忆: br(看作 break)+ ittle (看作 little)→ 易碎的, 脆弱的

brochure [broʊˈʃʊr] *n.* 小册子, 说明书

bromide [ˈbroʊmaɪd] *n.* 庸俗的人; 陈词滥调; 镇静剂, 安眠药

browbeat [ˈbraʊbiːt] *v.* 欺辱; 吓唬

[记]组合词: brow(眉毛)+ beat(打)→ 用眉毛打人 → 吓唬

browse [braʊz] *v.* 吃草; 浏览 *n.* 嫩叶; 嫩芽

[记]联想记忆: brow(眉毛)+ se → 吃像眉毛一样的草 → 吃草

bruise [bruːz] *v.* 受伤, 擦伤

[记]和 cruise(*v.* 乘船巡游)一起记

bruit [bruːt] *v.* 散布(谣言)

[记]联想记忆: br(看作 bring)+ u(看作 you)+ it → 把它带给你 → 散布(谣言)

brusque [brʌsk] *adj.* 唐突的, 鲁莽的

[记]发音记忆: "不如屎壳(郎)"→ 鲁莽的

brutal [ˈbruːtl] *adj.* 残忍的, 野蛮的; 冷酷的

[记]来自 brute(*n.* 人面兽心的人; 残暴的人)

buck [bʌk] *v.* 反抗, 抵制 *n.* 雄鹿; 雄兔; 〈美俚〉元, 钱

bucolic [bjuːˈkɑːlɪk] *adj.* 乡村的; 牧羊的

[记]词根记忆: buc(牛)+ olic(养…的)→ 养牛的 → 乡村的

budget [ˈbʌdʒɪt] *n.* 预算 *v.* 做预算, 安排开支

[记]联想记忆: bud(花蕾)+ get(得到)→ 得到花蕾 → 用钱卖花 → 做预算

buffer [ˈbʌfər] *v.* 缓冲, 减轻

[记]联想记忆: buff(软皮)+er → 缓冲

buffet ['bʌfɪt] *v.* 反复敲打; 连续打击

buffoon [bə'fuːn] *n.* 丑角; 愚蠢的人

[记] 联想记忆: buf(看作 but) + foon(看作 fool)
→ but a fool → 只是个笨蛋 → 愚蠢的人

You never know what you can do till you try.
除非你亲自尝试一下, 否则你永远不知道你能够做什么。

——英国小说家 马里亚特
(Frederick Marryat, British novelist)

Word List 25

bulge [bʌldʒ] *n.* 凸起，膨胀 *v.* 膨胀，鼓起

bullion [ˈbʊliən] *n.* 金条，银条

bully [ˈbʊli] *v.* 威胁，以强欺弱 *n.* 欺凌弱小者
[记] 联想记忆：bully 古意为"情人"，因为在争夺情人的斗争中总是强者打败弱者，所以演化为"以强欺弱"之意

bumble [ˈbʌmbl] *v.* 说话含糊；拙劣地做

bump [bʌmp] *v.* 碰撞 *n.* 碰撞声

bumptious [ˈbʌmpʃəs] *adj.* 傲慢的，自夸的
[记] 联想记忆：bump（碰撞）+ tious → 顶撞人 → 傲慢的

bungle [ˈbʌŋgl] *v.* 笨拙地做

buoy [ˈbuːi] *n.* 浮标；救生圈 *v.* 支持，鼓励

burial [ˈberiəl] *n.* 埋葬，埋藏
[记] 来自 bury（*v.* 埋葬，掩埋）

burlesque [bɜːrˈlesk] *n.* 讽刺或滑稽的戏剧，滑稽剧
[记] 发音记忆："不如乐死去"→玩笑话→滑稽剧

burnish [ˈbɜːrnɪʃ] *v.* 擦亮，磨光
[记] 联想记忆：burn（烧）+ ish → 烧得发亮 → 擦亮，磨光

burrow [ˈbɜːroʊ] *v.* 挖掘，钻进，翻寻 *n.* 地洞
[记] 联想记忆：用犁（furrow）来翻寻（burrow）

bust [bʌst] *n.* 半身（雕）像
[记] 联想记忆：灌木丛（bush）中发现了一尊佛的半身像（bust）

bustle [ˈbʌsl] *v.* 奔忙，忙乱 *n.* 喧闹，熙熙攘攘

butt [bʌt] *v.* 用头抵撞，顶撞 *n.* 粗大的一端；烟蒂

buxom [ˈbʌksəm] *adj.* 体态丰满的

byline [ˈbaɪlaɪn] *n.* (报刊等的文章开头或结尾)标出作者名字的一行

[记]联想记忆：by + line(字行) → 第二行 → 大标题下面写着作家姓名的一行 → 标出作者名字的一行

cacophony [kəˈkɑːfəni] *n.* 刺耳的声音

[记]词根记忆：caco(坏) + phony(声音) → 声音不好 → 刺耳的声音

cadence [ˈkeɪdns] *n.* 抑扬顿挫；节奏，韵律

[记]词根记忆：cad(落下) + ence → 声音的落下上升 → 抑扬顿挫

cadet [kəˈdet] *n.* 军校或警官学校的学生

cadge [kædʒ] *v.* 乞讨；占便宜

cajole [kəˈdʒoʊl] *v.* (以甜言蜜语)哄骗

[记]联想记忆：caj(=cage 笼子) + ole → 把(鸟)诱入笼子 → 哄骗

calibrate [ˈkælɪbreɪt] *v.* 量…口径；校准

[记]来自 calibre(*n.* 口径)

callow [ˈkæloʊ] *adj.* (鸟)未生羽毛的；(人)未成熟的

[记]联想记忆：call + (1)ow → 叫做低的东西 → 未成熟的

calorie [ˈkæləri] *n.* 卡路里；卡(热量单位)

[记]发音记忆："卡路里" → 卡

calumniate [kəˈlʌmnieɪt] *v.* 诽谤，中伤

cameo [ˈkæmioʊ] *n.* 刻有浮雕的宝石；生动刻画；(演员的)出演

[记]联想记忆：came(来) + o → 来哦 → 演员来哦 → 出演

camouflage [ˈkæməflɑːʒ] *v.* 掩饰，伪装 *n.* 伪装

[记]联想记忆：cam(看作 came，来) + ou(看作out，出) + flag(旗帜) + e → 扛着旗帜出来 → 伪装成革命战士 → 伪装

canard [kəˈnɑːrd] *n.* 谣言，假新闻

[记]联想记忆：金丝雀(canary)在造谣(canard)

canary [kə'neri] *n.* 金丝雀；女歌星

[记] 联想记忆：can(能够) + ary → 有能耐，能歌善舞的人 → 女歌星

candidacy ['kændɪdəsi] *n.* 候选人资格

[记] 联想记忆：经过公正的(candid)选拔，他获得了候选人资格(candidacy)

canon ['kænən] *n.* 经典，真作

[记] 联想记忆：can(能) + on(在…上) → 能放在桌面上的真家伙 → 经典，真作

canonical [kə'nɑːnɪkl] *adj.* 符合规定的；经典的

canopy ['kænəpi] *n.* 蚊帐；华盖

canorous [kə'nɔʊrəs] *adj.* 音调优美的，有旋律的

canvass ['kænvəs] *v.* 细查；拉选票

[记] 联想记忆：can(能) + v(胜利的标志) + ass(驴子) → 能让驴子得胜 → 拉选票

canyon ['kænjən] *n.* 峡谷

[记] 联想记忆：can(能) + y(像峡谷的形状) + on(在…上) → 能站在峡谷上 → 峡谷

capacious [kə'peɪʃəs] *adj.* 容量大的，宽敞的

[记] 词根记忆：cap(抓) + acious → 能抓住东西 → 宽敞的

caper ['keɪpər] *n.* 雀跃，跳跃 *v.* 雀跃

[记] 联想记忆：cape(披风) + r → 第一次穿披风走路的人 → 雀跃

caprice [kə'priːs] *n.* 奇思怪想；反复无常，任性

[记] 联想记忆：cap(帽子) + rice(米饭) → 戴上帽子才吃米饭 → 任性

capsule ['kæpsjuːl] *n.* 荚膜，蒴果；胶囊

caption ['kæpʃn] *n.* 标题

[记] 词根记忆：capt(拿，抓) + ion → 抓住主要内容 → 标题

captivate ['kæptɪveɪt] *v.* 迷惑，迷住

[记] 联想记忆：captiv(e)(俘虏) + ate → 使成为漂亮的俘虏来迷惑敌人 → 迷惑

carbohydrate [ˌkɑːrboʊ'haɪdreɪt] *n.* 碳水化合物

[记] 词根记忆：carbo(碳) + hydr(水) + ate → 碳水化合物

cardiologist [ˌkɑːrdi'ɑːlədʒɪst] *n.* 心脏病专家

[记] 词根记忆：cardi (=card 心) + olog(=ology 学科) + ist(人) → 研究心脏的人 → 心脏病专家

careen [kə'riːn] *v.* (船)倾斜；使倾斜

[记] 联想记忆：船倾斜(careen)了，但船家并不在意(care)

caress [kə'res] *n./v.* 爱抚，抚摸

careworn ['kerwɔːrn] *adj.* 忧心忡忡的，饱经忧患的

cargo ['kɑːrgoʊ] *n.* (船、飞机等装载的)货物

[记] 联想记忆：car(汽车) + go(走) → 汽车运走的东西 → 货物

carouse [kə'raʊz] *n.* 狂饮寻乐

[记] 联想记忆：car(汽车) + (r)ouse(唤起) → 开着汽车欢闹 → 狂饮寻乐

carp [kɑːrp] *n.* 鲤鱼 *v.* 吹毛求疵

[记] 联想记忆：结婚这么多年还买不起车(car)，妻子对丈夫总是吹毛求疵(carp)

carpenter ['kɑːrpəntər] *n.* 木匠

[记] 联想记忆：美国六七十年代风靡一时的乐队 Carpenters

carrion ['kæriən] *n.* 腐肉

[记] 词根记忆：carr(=carn 肉) + ion → 腐肉

cartoon [kɑːr'tuːn] *n.* 漫画

[记] 发音记忆："卡通" → 漫画

casual ['kæʒuəl] *adj.* 偶然的；非正式的，随便的

[记] 联想记忆：平常的(usual)时候可以穿非正式的(casual)服装

catalog ['kætəlɔːg] *n.* 目录；系列

[记] 词根记忆：cata(下面) + log(说话) → 概括下面要说的话 → 目录

catharsis [kə'θɑːrsɪs] *n.* 宣泄；净化

[记] 词根记忆：cathar(清洁) + sis → 净化

catholic [ˈkæθlɪk] *adj.* 普遍的; 广泛的; 宽容的

[记] 联想记忆: 和天主教 "Catholic" 的拼写一致, 但第一个字母不大写

caucus [ˈkɔːkəs] *n.* 政党高层会议

caudal [ˈkɔːdl] *adj.* 尾部的, 像尾部的

caulk [kɔːk] *v.* 填塞(缝隙)使不漏水

cauterize [ˈkɔːtəraɪz] *v.* (用腐蚀性物质或烙铁)烧灼(表皮组织)以消毒或止血

cavalry [ˈkævlri] *n.* 骑兵部队, 装甲部队

[记] 联想记忆: 骑兵(cavalier)组成了骑兵部队(cavalry)

cavort [kəˈvɔːrt] *v.* 腾跃, 欢跃

[记] 发音记忆: "渴望他" → 兴奋得跳跃 → 欢跃

cede [siːd] *v.* 割让(领土), 放弃

celebrated [ˈselɪbreɪtɪd] *adj.* 有名的, 知名的

[记] 来自 celebrate(*v.* 庆祝, 赞扬)

celebrity [səˈlebrəti] *n.* 名声; 名人

[记] 词根记忆: celebr(著名) + ity → 名人

celerity [sɪˈlerəti] *n.* 快速, 迅速

[记] 词根记忆: celer(速度) + ity → 快速, 迅速

cello [ˈtʃeloʊ] *n.* 大提琴

[记] 联想记忆: violin(*n.* 小提琴); viola(*n.* 中提琴)

cement [sɪˈment] *n.* 水泥; 黏合剂 *v.* 黏合, 巩固

[记] 联想记忆: ce + ment(看作 mend, 修补) → 修补材料 → 水泥; 黏合剂

centrifugal [ˌsentrɪˈfjuːgl] *adj.* 离心的

[记] 词根记忆: centri(中心) + fug(逃跑) + al → 逃离中心的 → 离心的

centripetal [senˈtrɪpɪtl] *adj.* 向心的

[记] 词根记忆: centri(中心) + pet(追求) + al → 追求中心 → 向心的

cephalic [sɪˈfælɪk] *adj.* 头的, 头部的

[记] 词根记忆: cephal(头) + ic → 头的

ceremony ['serəmoʊni] *n.* 典礼, 仪式

[记] 联想记忆: cere(蜡) + mony(看作 money, 钱) → 古代做典礼时, 蜡烛和钱是少不了的 → 典礼

certification [ˌsɜːrtɪfɪ'keɪʃn] *n.* 证明

[记] 词根记忆: cert(搞清) + ify(…化) → 搞清楚 → 证明

cession ['seʃn] *n.* 割让, 转让

[记] 来自 cede(*v.* 割让)

chaffing ['tʃæfɪŋ] *adj.* 玩笑的, 嘲弄的

[记] 来自 chaff(*v.* 开玩笑)

chameleon [kə'miːliən] *n.* 变色龙, 蜥蜴; 善变之人

chandelier [ˌʃændə'lɪr] *n.* 枝形吊灯(烛台)

chant [tʃænt] *n.* 圣歌 *v.* 歌唱, 吟诵

[记] 发音记忆: "唱" → 歌唱

chaos ['keɪɑːs] *n.* 混乱

[记] 发音记忆: "吵死" → 混乱

char [tʃɑːr] *v.* 烧焦; 把…烧成炭

[记] 联想记忆: 椅子(chair)的一个腿儿(i)被烧焦(char)了

characterization [ˌkærəktəraɪ'zeɪʃn] *n.* 描绘, 刻画

[记] 来自 character(*n.* 性格, 角色)

charade [ʃə'reɪd] *n.* 猜字谜游戏 *v.* 凭动作猜字谜

charisma [kə'rɪzmə] *n.* (大众爱戴的)领袖气质; 魅力

[记] 联想记忆: cha(看作 China) + ris(看作 rise) + ma(看作 mao, 引申为毛泽东) → 中国升起毛(泽东) → 领袖气质

charity ['tʃærəti] *n.* 慈善; 施舍

[记] 联想记忆: cha(音似: 茶) + rity → 请喝茶 → 施舍

charm [tʃɑːrm] *n.* 魅力; 咒语, 咒符 *v.* 吸引, 迷住

[记] 联想记忆: char(音似: 茶) + m(看作 man) → 被男士约出去喝茶, 因为很有魅力 → 魅力

chase [tʃeɪs] v. 雕镂; 追逐; 追捕

[记] 联想记忆: 谁动了我的奶酪(cheese), 我就去追赶(chase)谁

chaste [tʃeɪst] adj. 贞洁的; 朴实的

[记] 联想记忆: 贞洁的 (chaste) 姑娘被追逐 (chase)

chasten ['tʃeɪsn] v. (通过惩罚而使坏习惯等)改正; 磨炼

[记] 联想记忆: chaste(纯洁的) + n → 变纯洁 → 改正

chastise [tʃæˈstaɪz] v. 严惩; 谴责

[记] 联想记忆: 追赶 (chase) 上小偷进行严惩 (chastise)

chauvinistic [ˌʃoʊvɪˈnɪstɪk] adj. 沙文主义的, 盲目爱国的

[记] 来自人名 Chauvin, 因其过分的爱国主义和对拿破仑的忠诚而闻名

checkered ['tʃekərd] adj. 多变的

[记] 来自 checker(n. 棋盘花格或棋子)

cheeky ['tʃiːki] adj. 无礼的, 厚颜无耻的

cherubic [tʃəˈruːbɪk] adj. 天使的, 无邪的, 可爱的

[记] 来自 cherub(n. 小天使)

chic [ʃiːk] adj. 漂亮的, 时髦的

chicanery [ʃɪˈkeɪnəri] n. 欺骗, 欺诈

[记] 词根记忆: chic(聪明) + anery → 耍聪明 → 欺诈

chide [tʃaɪd] v. 斥责, 责骂

[记] 联想记忆: 斥责(chide)孩子(child)

chimera [kaɪˈmɪrə] n. 神话怪物; 梦幻

[记] 联想记忆: 原指希腊神话中一种狮头羊身蛇尾的会喷火的女妖怪 → 神话怪物

chipmunk ['tʃɪpmʌŋk] n. 花栗鼠(像松鼠的美洲小动物)

chipper ['tʃɪpər] adj. 爽朗的, 活泼的

[记] 联想记忆: 她很爽朗(chipper), 将新研发的芯片(chip)拿出来给大家看

chirp	[tʃɜːrp] v. (鸟或虫)唧唧叫
	[记] 动物的不同叫声: 狗–bark(吠); 狼–howl (嗥); 牛、羊–blat(叫); 狮、虎–roar(吼)
chisel	['tʃɪzl] n. 凿子 v. 凿
choice	[tʃɔɪs] adj. 上等的; 精选的
choke	[tʃouk] v. (使)窒息, 阻塞
	[记] 联想记忆: 喝可乐(coke)给呛着(choke)了
choleric	['kɑːlərɪk] adj. 易怒的, 暴躁的
	[记] 词根记忆: choler(胆汁) + ic → 胆汁质的 → 易怒的, 暴躁的
choosy	['tʃuːzi] adj. 挑三拣四的, 挑剔的
chortle	['tʃɔːrtl] v. 开心地笑, 咯咯地笑 n. 得意的笑
	[记] 各种笑: chuckle (v./n. 轻声笑); giggle (v./n. 咯咯笑); grin(v./n. 咧嘴笑); guffaw(v./n. 哄笑); simper(v./n. 傻笑); smirk(v./n. 假笑)
chronic	['krɑːnɪk] adj. 慢性的, 长期的
	[记] 词根记忆: chron(时间) + ic(…的) → 长时间的 → 慢性的
chuck	[tʃʌk] v. 丢弃, 抛弃; 解雇; 辞职
chuckle	['tʃʌkl] v. 轻声地笑, 咯咯地笑
churl	[tʃɜːrl] n. 粗鄙之人
	[记] 联想记忆: 粗鄙之人 (churl) 不宜进教堂 (church)
ciliate	['sɪliɪt] adj. 有纤毛的; 有睫毛的
	[记] 词根记忆: cili(毛) + ate → 有纤毛的
cinder	['sɪndər] n. 余烬, 煤渣
	[记] 联想记忆: 灰姑娘(cinderella)每天必须掏煤渣(cinder)
circular	['sɜːrkjələr] adj. 圆形的; 循环的
	[记] 词根记忆: circ(圆) + ular → 圆形的; 循环的
citation	[saɪ'teɪʃn] n. 引证; 引文; 传票
	[记] 来自 cite(v. 引证, 引用)
civilian	[sə'vɪliən] n. 百姓, 平民
	[记] 词根记忆: civil(市民的) + ian → 百姓, 平民

clairvoyance [kleɪˈvɔɪəns] *n.* 超人的洞察力

[记] 联想记忆：clair（看作 clear，清楚）+ voy（看）+ ance → 看得很清楚 → 超人的洞察力

clairvoyant [kleɪˈvɔɪənt] *adj.* 透视的，有洞察力的

[记] 联想记忆：clair（看作 clear，清楚的）+ voy（看）+ ant → 看得清楚的 → 有洞察力的

clammy [ˈklæmi] *adj.* 湿冷的，发粘的

[记] 联想记忆：clam（蛤蜊）+ my → 像蛤蜊一样又冷又湿 → 湿冷的，发粘的

clandestine [klænˈdestɪn] *adj.* 秘密的，偷偷摸摸的

[记] 联想记忆：clan（宗派）+ destine（命中注定）→ "宗派"和"命中注定"都有一些"秘密"色彩 → 秘密的

clarity [ˈklærəti] *n.* 清楚，明晰

[记] 词根记忆：clar（清楚，明白）+ ity → 清楚，明晰

clash [klæʃ] *v.* 冲突，撞击

clasp [klæsp] *n.* 钩子，扣子；紧握

cleft [kleft] *n.* 裂缝 *adj.* 劈开的

[记] 联想记忆：c + left（左）→ 左边的裂缝像 c 的形状 → 裂缝

clement [ˈklemənt] *adj.* 仁慈的；温和的

clench [klentʃ] *v.* 握紧；咬紧（牙关等）

cliché [kliːˈʃeɪ] *adj.* 陈腐的 *n.* 陈词滥调

clinch [klɪntʃ] *v.* 钉牢；彻底解决

[记] 联想记忆：cl + inch（英寸）→ 一英寸一英寸地钉 → 钉牢

cling [klɪŋ] *v.* 紧紧抓住；坚持

clot [klɑːt] *n.* 凝块 *v.* 使凝结成块

cloudburst [ˈklaʊdbɜːrst] *n.* 大暴雨

[记] 组合词：cloud（云）+ burst（爆裂）→ 乌云爆裂，要下暴雨 → 大暴雨

cloy [klɔɪ] *v.* （吃甜食）生腻，吃腻

cluster ['klʌstər] n. 串，簇，群 v. 群集，丛生

[记] 词根记忆：clust(=clot, 凝成块) + er → 凝块 → 群集

coagulate [kou'ægjuleɪt] v. 使凝结

[记] 词根记忆：co(一起) + ag(做) + ulate → 做到一起 → 使凝结

coagulation [kouˌægju'leɪʃn] n. 凝结

[记] 来自 coagulate(v. 使凝结)

coarsen ['kɔːrsn] v. (使)变粗糙

[记] 来自 coarse(adj. 粗糙的)

coda ['koudə] n. 乐曲结尾部

coddle ['kɑːdl] v. 溺爱；悉心照料

coeval [kou'iːvl] adj. 同时代的

[记] 词根记忆：co(共同) + ev(时代) + al → 同时代的

coffer ['kɔːfər] n. 保险柜，保险箱

[记] 联想记忆：保险柜(coffer)里珍藏了一种颇有价值的咖啡(coffee)

cogitate ['kɑːdʒɪteɪt] v. 慎重思考，思索

[记] 联想记忆：有说服力的(cogent)东西总是经过慎重思考(cogitate)的

cohesion [kou'hiːʒn] n. 内聚力；凝聚力

collage [kə'lɑːʒ] n. 拼贴画

[记] 和 college(n. 学院)一起记

collapse [kə'læps] v. 坍塌，塌陷；虚脱，晕倒

[记] 词根记忆：col(共同) + lapse(滑倒) → 全部滑倒 → 坍塌

collate [kə'leɪt] v. 对照，核对

[记] 词根记忆：col(共同) + late(放) → 放到一起 → 核对

collision [kə'lɪʒn] n. 碰撞，冲突

[记] 来自 collide(v. 冲撞)

colloquy ['kɑːləkwi] n. (非正式的)交谈，会谈

collude [kə'luːd] *v.* 串通, 共谋

[记] 词根记忆: col(共同) + lud(玩弄) + e → 共同玩弄 → 串通

colt [koʊlt] *n.* 小雄马; 新手

coma ['koʊmə] *n.* 昏迷

comatose ['koʊmətoʊs] *adj.* 昏迷的

[记] 来自 coma(*n.* 昏迷)

combat ['kɑːmbæt] *n./v.* 搏斗, 战斗

[记] 词根记忆: com(共同) + bat(打, 击) → 共同打 → 战斗

comedienne [kəˌmiːdi'en] *n.* 喜剧女演员; 滑稽人物

[记] 来自 comedy(*n.* 喜剧)

comely ['kʌmli] *adj.* 动人的, 美丽的

[记] 联想记忆: come(来) + ly → 吸引别人过来 → 动人的

comestible [kə'mestɪbl] *n.* 食物, 食品 *adj.* 可吃的

[记] 联想记忆: come(来) + s + tible(看作 table, 桌子) → 来到桌上 → 食品

comeuppance [kʌm'ʌpəns] *n.* 应得的惩罚, 因果报应

[记] 联想记忆: come up(发生) + p + ance(表名词) → 某些信念认为世上发生(come up)的所有坏事都是有因果报应的 → 因果报应

comma ['kɑːmə] *n.* 逗号

[记] 和 coma(*n.* 昏迷)一起记

commemorate [kə'meməreɪt] *v.* 纪念(伟人、大事件等); 庆祝

[记] 词根记忆: com(共同) + memor(记住) + ate → 大家一起记住 → 纪念

commence [kə'mens] *v.* 开始, 着手

[记] 词根记忆: com(共同) + mence(说, 做) → 一起说, 做 → 开始, 着手

commencement [kə'mensmənt] *n.* 开始; 毕业典礼

Word List 26

commit [kə'mɪt] *v.* 托付；承诺；犯罪

[记] 词根记忆：com(共同) + mit(送) → 一起送给 → 托付

commonplace ['kɑːmənpleɪs] *adj.* 普通的，平庸的

[记] 组合词：common(普通的) + place(地方) → 普通的地方 → 普通的

commonsense ['kɑːmənsens] *adj.* 有常识的

[记] 组合词：common(普通的) + sense(认识) → 具有常识的

compact ['kɑːmpækt] *adj.* 坚实的；简洁的 *n.* 合同，协议

[记] 词根记忆：com(一起) + pact(打包，压紧) → 一起压紧 → 坚实的

compatible [kəm'pætəbl] *adj.* 能和谐共处的，相容的

[记] 词根记忆：com(一起) + pat(=path 感情) + ible → 有共同感情的 → 相容的

compensate ['kɑːmpenseɪt] *v.* 补偿，赔偿

[记] 词根记忆：com(一起) + pens(挂；花费) + ate → 全部给予花费 → 赔偿

compile [kəm'paɪl] *v.* 汇集；编辑

[记] 词根记忆：com(一起) + pile(堆) → 堆在一起 → 汇集

complaisance [kəm'pleɪzəns] *n.* 彬彬有礼；殷勤；柔顺

[记] 联想记忆：com(共同) + plais(看作 please，使喜欢) + ance → 彬彬有礼才能使大家喜欢 → 彬彬有礼

complaisant [kəm'pleɪzənt] *adj.* 顺从的；讨好的

complicity [kəm'plɪsəti] *n.* 合谋，串通

[记] 词根记忆：com(共同) + plic(重叠) + ity → 共同重叠 → 同谋关系 → 合谋

compress [kəmˈpres] *v.* 压缩; 压紧

[记] 词根记忆: com(全部) + press(挤压) → 全部挤压 → 压缩

compulsion [kəmˈpʌlʃn] *n.* 强迫; (难以抗拒的)冲动

[记] 词根记忆: com(一起) + puls(推, 冲) + ion → 一起推 → 强迫

compulsory [kəmˈpʌlsəri] *adj.* 强制性的, 必须做的

compunction [kəmˈpʌŋkʃn] *n.* 懊悔; 良心不安

[记] 词根记忆: com(一起) + punct(刺, 点)+ion → (心)不断被刺 → 良心不安

con [kɑːn] *n.* 反对论 *v.* 欺骗

concatenate [kənˈkætəneɪt] *v.* 连结; 连锁

[记] 词根记忆: con(共同) + caten(铁链) + ate → 在同一根铁链中 → 连锁

concave [kɑːnˈkeɪv] *adj.* 凹的

[记] 词根记忆: con(共同) + cave(洞) → 所有的洞都是凹进去的 → 凹的

conceit [kənˈsiːt] *n.* 自负, 自大

[记] 词根记忆: con(共同) + ceit(=ceive 拿) → 总是拿架子 → 自负

concession [kənˈseʃn] *n.* 让步

[记] 来自 concede(*v.* 让步)

conciliate [kənˈsɪlieɪt] *v.* 安抚; 安慰; 调和

[记] 词根记忆: concil (=council 协商) + iate → 协商(解决) → 调和

concinnity [kənˈsɪnɪti] *n.* 优美; 雅致; 协调

concise [kənˈsaɪs] *adj.* 简洁的

[记] 词根记忆: con(一起) + cis(切掉) + e → 把(多余的)全部切掉 → 简洁的

concord [ˈkɑːŋkɔːrd] *n.* 一致; 和睦

[记] 词根记忆: con(一起) + cord(心) → 心在一起 → 一致; 和睦

condemn [kənˈdem] *v.* 谴责; 判刑

[记] 词根记忆: con(一起) + demn (=damn 诅咒) → 一起诅咒 → 谴责

condescend [ˌkɑːndɪˈsend] *v.* 屈尊，俯就

[记] 词根记忆：con（一起）+ de（向下）+ scend（爬）→ 向下爬 → 俯就

condign [kənˈdaɪn] *adj.* 罪有应得的；适宜的

[记] 词根记忆：con（加强）+ dign（高贵）→ 惩罚罪行，弘扬高贵 → 罪有应得的

condole [kənˈdoʊl] *v.* 同情，哀悼

[记] 词根记忆：con（一起）+ dole（痛苦）→ 一起痛苦 → 哀悼

conducive [kənˈduːsɪv] *adj.* 有助于…的，有益的

confederacy [kənˈfedərəsi] *n.* 联盟，同盟

[记] 词根记忆：con（加强）+ feder（联盟）+ acy → 联盟

confer [kənˈfɜːr] *v.* 商议，商谈；授予，赋予

[记] 词根记忆：con（共同）+ fer（带来，拿来）→ 共同带来观点 → 商谈

confess [kənˈfes] *v.* 承认，供认

[记] 词根记忆：con（全部）+ fess（说）→ 全部说出 → 供认

confidant [ˈkɑːnfɪdænt] *n.* 心腹朋友，知己，密友

[记] 词根记忆：con（加强）+ fid（相信）+ ant → 非常信任的人 → 知己，密友

confidential [ˌkɑːnfɪˈdenʃl] *adj.* 机密的

[记] 联想记忆：confident（相信）+ ial → 亲信才知道 → 机密的

confiscate [ˈkɑːnfɪskeɪt] *v.* 没收；充公

[记] 词根记忆：con（共同）+ fisc（钱财）+ ate → 钱财归大家 → 充公

congeal [kənˈdʒiːl] *v.* 凝结，凝固

[记] 词根记忆：con（一起）+ geal（冻结）→ 冻结到一起 → 凝结

congregate [ˈkɑːŋɡrɪɡeɪt] *v.* 聚集，集合

[记] 词根记忆：con（一起）+ greg（群体）+ ate → 聚成群体 → 集合

conjoin [kən'dʒɔɪn] v. 使结合
[记]词根记忆：con(一起)+join(结合，连接)→
使结合

conscience ['kɑːnʃəns] n. 良心，是非感
[记]词根记忆：con(全部)+sci(知道)+ence
→全部知道→有良知→是非感

conscript [kən'skrɪpt] v. 征兵，征召(某人)入伍
[记]词根记忆：con(一起)+script(写)→把
(名字)写入名单→征召(某人)入伍

consecrate ['kɑːnsɪkreɪt] v. 奉献，使神圣
[记]词根记忆：con(一起)+secr(神圣)+ate→
献给神→奉献

consensus [kən'sensəs] n. 意见一致
[记]词根记忆：con(共同)+sens(感觉)+us→
感觉相同→意见一致

consent [kən'sent] v. 同意，允许
[记]词根记忆：con(共同)+sent(感觉)→有共
同的感觉→同意

consequential [ˌkɑːnsə'kwenʃl] adj. 傲慢的，自尊自大的

console [kən'soʊl] v. 安慰，抚慰
[记]词根记忆：con(共同)+sole(孤单)→大家
孤单→同病相怜→安慰

consolidate [kən'sɑːlɪdeɪt] v. 巩固；加强；合并
[记]词根记忆：con(加强)+solid(结实)+ate
→巩固

consonance ['kɑːnsənəns] n. 一致，调和；和音
[记]con(共同)+son(声音)+ance→共同的声
音→一致，调和

consonant ['kɑːnsənənt] adj. 协调的，一致的
[记]词根记忆：con(共同)+son(声音)+ant→
同声的→一致的

conspicuous [kən'spɪkjuəs] adj. 显著的，显而易见的
[记]词根记忆：con(全部)+spic(看)+uous→
全部人都能看到的→显而易见的

conspire [kən'spaɪər] v. 密谋, 共谋

[记] 词根记忆: con (共同) + spir (呼吸) + e → 一个鼻孔出气 → 搞阴谋 → 密谋

constellation [ˌkɑːnstə'leɪʃn] n. 星座; 星群

[记] 词根记忆: con (一起) + stell (星星) + ation → 星星在一起 → 星群

construct [kən'strʌkt] v. 建造, 构造

[记] 词根记忆: con (加强) + struct (建立) → 建造, 构造

consul ['kɑːnsl] n. 领事

[记] 联想记忆: 领事 (consul) 常常收到来自各方的咨询 (consult)

contain [kən'teɪn] v. 包含, 含有; 控制; 阻止, 遏制

[记] 词根记忆: con (一起) + tain (拿住) → 全部拿住 → 包含, 含有

contaminate [kən'tæmɪneɪt] v. 弄脏, 污染

[记] 词根记忆: con (加强) + tamin (接触) + ate → 接触脏东西 → 弄脏, 污染

contend [kən'tend] v. 竞争, 争夺; 争论, 争辩

[记] 词根记忆: con (一起) + tend (伸展) → 你拉我夺 → 竞争, 争夺

contented [kən'tentɪd] adj. 心满意足的

[记] 来自 content (v. 满意, 满足)

contest [kən'test] v. 竞争; 质疑

[记] 词根记忆: con (共同) + test (测试) → 共同测试 → 竞争

contiguous [kən'tɪɡjuəs] adj. 接壤的; 接近的

[记] 词根记忆: con (共同) + tig (接触) + uous → 共同接触 → 接近的

contort [kən'tɔːrt] v. 歪曲; 扭曲

[记] 词根记忆: con + tort (弯曲) → 歪曲; 扭曲

controvert ['kɑːntrəvɜːrt] v. 反驳, 驳斥

[记] 词根记忆: contro (反) + vert (转) → 反转 → 反驳, 驳斥

contumacious [ˌkɑːntuˈmeɪʃəs] *adj.* 违抗的, 不服从的

[记] 词根记忆：con(加强) + tum(肿胀；骄傲) + acious(…的) → 坚持自己的骄傲, 不受欺压 → 违抗的, 不服从的

contumacy [ˈkɑːntuməsi] *n.* 抗命, 不服从

[记] 词根记忆：con(加强) + tum(肿胀；骄傲) + acy (表名词) → 坚持自己的骄傲, 不受欺压 → 抗命, 不服从

contumely [ˈkɑːntumili] *n.* 无礼, 傲慢

[记] 词根记忆：con(加强) + tume(骄傲) + ly → 傲慢

conundrum [kəˈnʌndrəm] *n.* 谜语; 难题

[记] 联想记忆：con(共同) + un(d)(看作 under) + drum(鼓) → 全部蒙在鼓里 → 谜语

convalescent [ˌkɑːnvəˈlesnt] *adj./n.* 康复中的(病人)

[记] 来自 convalesce(*v.* 康复, 复原)

convene [kənˈviːn] *v.* 集合; 召集

[记] 词根记忆：con(一起) + ven(来) + e → 来到一起 → 集合

convergent [kənˈvɜːrdʒənt] *adj.* 会聚的

[记] 来自 converge(*v.* 汇集, 聚集)

convict [kənˈvɪkt] *v.* 定罪

[ˈkɑːnvɪkt] *n.* 罪犯

[记] 词根记忆：con(加强) + vict(征服, 胜利) → 征服罪犯 → 定罪

convoke [kənˈvoʊk] *v.* 召集; 召开(会议)

[记] 词根记忆：con(一起) + vok(喊) + e → 喊到一起 → 召集

convoy [ˈkɑːnvɔɪ] *v.* 护航, 护送

[记] 词根记忆：con(加强) + voy(路；看) → 一路(照看) → 护送

convulse [kənˈvʌls] *v.* 使剧烈震动; 震撼

[记] 词根记忆：con(加强) + vuls(拉) + e → 一再拉 → 使剧烈震动

cordial ['kɔːrdʒəl] *adj.* 热诚的 *n.* 兴奋剂

[记] 词根记忆：cord（心脏；一致）+ ial → 发自内心的 → 热诚的

coronation [ˌkɔːrə'neɪʃn] *n.* 加冕礼

[记] 词根记忆：corona（王冠）+ tion → 加冕礼

corporeal [kɔːr'pɔːriəl] *adj.* 肉体的，身体的；物质的

[记] 词根记忆：corpor（身体）+ eal（看作 real，真的）→ 真身 → 肉体的

correspondent [ˌkɔːrə'spɑːndənt] *adj.* 符合的，一致的 *n.* 记者，通讯员

[记] 联想记忆：cor（=com 共同）+ respond（反应）+ ent（…的）→ 有共同反应的 → 符合的，一致的

corrode [kə'roʊd] *v.* 腐蚀，侵蚀

[记] 词根记忆：cor（全部）+ rod（咬）+ e → 全部咬掉 → 腐蚀，侵蚀

corrugate ['kɔːrəgeɪt] *v.* 起波纹，起皱纹

[记] 词根记忆：cor（加强）+ rug（=wrinkle 皱）+ ate → 起波纹，起皱纹

corrugated ['kɔːrəgeɪtɪd] *adj.* 起皱纹的

[记] 来自 corrugate（*v.* 起皱纹）

corrupt [kə'rʌpt] *adj.* 腐败的，堕落的；（语言、版本等）讹误的，走样的 *v.* 使腐败，使堕落

[记] 词根记忆：cor（全部）+ rupt（断）→ 全断了 → 腐败的

coruscate ['kɔːrəskeɪt] *v.* 闪亮

[记] 来自拉丁文 coruscate（*v.* 闪亮）

cosmopolitanism [ˌkɑːzmə'pɑːlɪtənɪzəm] *n.* 世界性，世界主义

[记] 来自 cosmopolis（*n.* 国际都市）

cosmos ['kɑːzmoʊs] *n.* 宇宙

[记] 词根记忆：cosm（宇宙）+ os → 宇宙

cosset ['kɑːsɪt] *v.* 宠爱，溺爱

[记] 联想记忆：cos（看作 cost，花费）+ set（固定）→ 固定将一笔花费给孩子 → 宠爱，溺爱

costume [ˈkɑːstuːm] *n.* 服装; 戏装

[记] 联想记忆: cost(花费) + u(你) + me(我) → 你我都免不了花钱买服装 → 服装

cosy (cozy) [ˈkoʊzi] *adj.* 温暖而舒适的

coterminous [koʊˈtɜːrmɪnəs] *adj.* 毗连的, 有共同边界的

[记] 词根记忆: co(n)(共同) + termin(边界, 结束) + ous → 有共同边界的

countrified [ˈkʌntrifaɪd] *adj.* 乡村的; 粗俗的

[记] 词根记忆: countri(=country 乡下) + fied → 来自乡下的 → 乡村的

coup [kuː] *n.* 妙计, 成功之举

[记] 发音记忆: "酷" → 一夜暴富真得挺酷 → 成功之举

covenant [ˈkʌvənənt] *n.* 契约 *v.* 立书保证

[记] 词根记忆: co + ven(来) + ant → 来到一起立约 → 契约

covert [ˈkoʊvɜːrt] *adj.* 秘密的, 隐蔽的

[记] 联想记忆: cover(遮盖) + t → 盖住的 → 秘密的

cow [kaʊ] *n.* 母牛 *v.* 威胁

coward [ˈkaʊərd] *n.* 胆小鬼

[记] 联想记忆: cow(威胁) + ward(未成年人) → 从很小的时候就开始经常被威胁, 长大后一直像个胆小鬼 → 胆小鬼

cower [ˈkaʊər] *v.* 畏缩, 蜷缩

[记] 联想记忆: cow(威胁) + er → 受到威胁 → 畏缩, 蜷缩

coy [kɔɪ] *adj.* 腼腆的, 忸怩作态的

[记] 和 boy 及 toy 一起记; a coy boy plays toys (害羞男孩玩玩具)

cozen [ˈkʌzn] *v.* 欺骗, 哄骗

[记] 联想记忆: 编了一打(dozen)的谎话来欺骗(cozen)她

crab [kræb] *n.* 蟹, 螃蟹 *v.* 抱怨, 发牢骚

[记] 联想记忆: 总是抱怨(crab)的生活是单调无趣的(drab)

crabbed ['kræbɪd] *adj.* 暴躁的

crack [kræk] *n.* 爆裂声；裂缝 *v.* 裂开；破解

crackpot ['krækpɑːt] *n.* 怪人，疯子；狂想家

[记] 组合词：crack(砸) + pot(罐子) → 疯狂砸开罐子的人 → 疯子

crafty ['kræfti] *adj.* 狡诈的；灵巧的

[记] 来自 craft(*n.* 手腕，技巧)

cramp [kræmp] *n.* 铁箍，夹子 *v.* 把…箍紧

cranky ['kræŋki] *adj.* 怪癖的；不稳的

[记] 来自 crank(*n.* 怪人)

crass [kræs] *adj.* 愚钝的；粗糙的

[记] 和 class(*n.* 班级；课)一起记

craven ['kreɪvn] *adj.* 懦弱的，畏缩的

[记] 联想记忆：c + raven(乌鸦) → 像乌鸦一样胆小 → 畏缩的

credence ['kriːdns] *n.* 相信，信任

[记] 词根记忆：cred(相信) + ence → 相信

credo ['kriːdoʊ] *n.* 信条

[记] 词根记忆：cred(相信，信任) + o → 信条

creep [kriːp] *v.* 匍匐前进；悄悄地移动，蹑手蹑脚地走

[记] 联想记忆：兔子偷懒睡觉(sleep)时乌龟缓慢地行进(creep)

crepuscular [krɪˈpʌskjələr] *adj.* 朦胧的，微明的

[记] 来自 crepuscle(*n.* 黄昏；黎明)

crescendo [krəˈʃendoʊ] *n.* (音乐)渐强；高潮

[记] 词根记忆：crescend(成长；上升) + o → (音乐)渐强

crib [krɪb] *v.* 抄袭，剽窃

[记] 和 crab(*v.* 发牢骚)一起记

crimp [krɪmp] *v.* 使起皱，使(头发)卷曲；抵制，束缚

cringing ['krɪndʒɪŋ] *n./adj.* 谄媚(的)，奉承(的)

[记] 联想记忆：cring(= cringe 畏缩) + ing → 一直向后退缩 → 谄媚的

croak [krəʊk] *n.* 蛙鸣声 *v.* 发牢骚, 抱怨

[记]联想记忆: 童话故事里, 披着斗篷(cloak)的一群青蛙发出一阵蛙鸣声(croak)

cronyism [ˈkrəʊniːɪzəm] *n.* 任人唯亲; 对好朋友的偏袒

[记]来自 crony(*n.* 密友, 亲密的伙伴)

crook [krʊk] *v.* 使弯曲 *n.* 钩状物

[记]注意不要和 creek(*n.* 小河)相混

croon [kruːn] *v.* 低声歌唱

[记]联想记忆: cr(看作 cry, 哭泣) + oon(看作 moon, 月亮) → 对着月亮哭泣 → 低声歌唱

crouch [kraʊtʃ] *v.* 蹲伏, 弯腰

[记]注意不要和 couch(*n.* 长沙发)相混

crucial [ˈkruːʃl] *adj.* 决定性的

[记]词根记忆: cruc(十字形) + ial → 十字路口 → 决定性的

crudity [ˈkruːdəti] *n.* 粗糙, 生硬

[记]来自 crude(*adj.* 粗糙的)

crumb [krʌm] *n.* 糕饼屑, 面包屑; 少许, 点滴

[记]和 crumble (*v.* 弄碎) 一起记; crumble the bread into crumbs(把面包弄碎)

crumble [ˈkrʌmbl] *v.* 弄碎; 崩溃

crusade [kruːˈseɪd] *n.* 为维护理想、原则而进行的运动或斗争

[记]词根记忆: crus(十字) + ade → 十字军东征 → 为维护理想、原则而进行的运动或斗争

cub [kʌb] *n.* 幼兽; 笨手笨脚的年轻人

[记]和 cube(*n.* 立方体)一起记

cuddle [ˈkʌdl] *v.* 搂抱, 拥抱 *n.* 搂抱, 拥抱

[记]注意不要和 puddle(*n.* 水坑)相混

cue [kjuː] *v.* 暗示, 提示 *n.* 暗示, 提示

[记]联想记忆: 线索(clue)有提示(cue)作用

cull [kʌl] *v.* 挑选, 精选 *n.* 剔除的东西

culmination [ˌkʌlmɪˈneɪʃn] *n.* 顶点; 高潮

[记]来自 culminate(*v.* 达到顶点)

culprit [ˈkʌlprɪt] *n.* 罪犯

[记] 联想记忆：犯罪(sin) 的人被称为罪犯(culprit)

cult [kʌlt] *n.* 异教，教派；狂热的崇拜

[记] 联想记忆：culture(文化)去掉 ure → 没文化，搞崇拜 → 狂热的崇拜

cultivate [ˈkʌltɪveɪt] *v.* 种植；培养(友谊)

[记] 词根记忆：cult(培养，种植) + iv + ate(表示动作) → 种植

cultivated [ˈkʌltɪveɪtɪd] *adj.* 耕种的，栽培的；有教养的

cumber [ˈkʌmbər] *v.* 拖累，妨碍

[记] 词根记忆：cumb(睡) + er → 睡在 (路上) → 拖累，妨碍

cunning [ˈkʌnɪŋ] *adj.* 狡猾的，奸诈的；灵巧的，精巧的 *n.* 狡猾，奸诈

cupidity [kjuːˈpɪdəti] *n.* 贪婪

[记] 联想记忆：Cupid(丘比特)是罗马神话中的爱神，爱神引起人们对爱情的"贪婪" → 贪婪

curator [kjʊˈreɪtər] *n.* (博物馆等的)馆长

[记] 联想记忆：这个地区的副牧师(curate)和博物馆馆长(curator)是至交好友

curdle [ˈkɜːrdl] *v.* 使凝结，变稠

[记] 来自 curd(*n.* 凝乳)

curfew [ˈkɜːrfjuː] *n.* 宵禁

[记] 发音记忆："可否" → 可否上街 → 不可上街，因为有宵禁 → 宵禁

cutlery [ˈkʌtləri] *n.* (刀、叉、匙等)餐具

[记] 联想记忆：cut(割) + lery(看作 celery，芹菜) → 割芹菜的东西 → 刀具 → (刀、叉、匙等)餐具

cyclone [ˈsaɪkloʊn] *n.* 气旋，飓风

[记] 词根记忆：cycl(圆；转) + one → 转的东西 → 气旋

cynic [ˈsɪnɪk] *n.* 犬儒主义者，愤世嫉俗者

[记] 词根记忆：cyn(狗) + ic → 犬儒主义者

cynosure [ˈsɪnəʃʊr] *n.* 注意的焦点
[记] 来自 Cynosure(*n.* 小熊星，北极星)

dabble [ˈdæbl] *v.* 涉足，浅尝
[记] 注意不要和 babble(*v.* 说蠢话)相混

daft [dæft] *adj.* 傻的，愚蠢的

dainty [ˈdeɪnti] *n.* [常 *pl.*]美味；精美的食品 *adj.* 娇美的；挑剔的
[记] 词根记忆：dain(=dign 高贵)+ ty → 高级食品 → 精美的食品

dalliance [ˈdæliəns] *n.* 虚度光阴；调情
[记] 来自 dally(*v.* 闲荡，嬉戏)

dally [ˈdæli] *v.* 闲荡，嬉戏
[记] 和 daily(*adj.* 每日的)一起记

damn [dæm] *v.* (严厉地)批评，谴责 *adj.* 该死的
[记] 发音记忆："打母" → 殴打母亲应该受到严厉的批评 → 谴责

damp [dæmp] *v.* 减弱，抑制 *adj.* 潮湿的
[记] 联想记忆：dam(水坝)+ p → 水坝上很潮湿 → 潮湿的

dangle [ˈdæŋgl] *v.* 悬荡，悬摆；吊胃口
[记] 发音记忆："荡够" → 悬荡，悬摆

dank [dæŋk] *adj.* 阴湿的，透水的
[记] 联想记忆：河岸(bank)边一般是阴湿的(dank)

dapper [ˈdæpər] *adj.* 整洁漂亮的；动作敏捷的
[记] 联想记忆：那只花斑(dapple)猫动作敏捷(dapper)

daredevil [ˈderdevl] *adj.* 胆大的，冒失的 *n.* 胆大的人，冒失的人
[记] 组合词：dare(大胆)+ devil(鬼) → 比鬼还大胆 → 胆大的

dash [dæʃ] *v.* 猛撞，猛砸，击碎；使受挫，挫败；使羞愧，使窘迫

daub [dɔːb] *v.* 涂抹；乱画

dawdle ['dɔːdl] v. 闲荡，虚度光阴

[记] 联想记忆：daw(n)(黎明) + dle → 漫无目的地游荡到黎明 → 闲荡

daze [deɪz] n. 迷乱，恍惚 v. 使茫然，使眩晕

deaden ['dedn] v. 减弱，缓和

[记] 词根记忆：dead(死) + en → 死掉 → 减弱

deadlock ['dedlɑːk] n. 相持不下，僵局

[记] 组合词：dead(死) + lock(锁) → 僵局

debar [dɪ'bɑːr] v. 阻止

[记] 词根记忆：de(加强) + bar(阻拦) → 阻止

debark [dɪ'bɑːrk] v. 下船，下飞机，下车；卸载(客、货)

[记] 词根记忆：de(下) + bark(船) → 下船

Victory won't come to me unless I go to it.
胜利是不会向我走来的，我必须自己走向胜利。
——美国女诗人 穆尔
(M. Moore, American poetess)

Word List 27

debility [dɪˈbɪləti] *n.* 衰弱，虚弱
[记] 词根记忆：de(去掉) + bility(=ability 能力)
→ 失去能力 → 衰弱

debonair [ˌdebəˈner] *adj.* 美丽的；温雅的
[记] 联想记忆：deb(看作 debutante, 初进社交界
的女孩) + on + air → 在空气中的女孩 → 美丽的

debrief [ˌdiːˈbriːf] *v.* 盘问，听取报告
[记] 词根记忆：de + brief(简述) → 听取报告

debris [dəˈbriː] *n.* 碎片，残骸
[记] 发音记忆："堆玻璃" → 一堆碎玻璃 → 碎
片，残骸

debunk [ˌdiːˈbʌŋk] *v.* 揭穿真相，暴露
[记] 联想记忆：de + bunk(看作 bank, 岸) → 去
掉河岸 → 暴露

decamp [dɪˈkæmp] *v.* (士兵)离营；匆忙秘密地离开
[记] 词根记忆：de(离开) + camp(营地) → 离营

decant [dɪˈkænt] *v.* 轻轻倒出
[记] 词根记忆：de(离开) + cant(瓶口) → 轻轻倒出

deceit [dɪˈsiːt] *n.* 欺骗，欺诈，诡计
[记] 词根记忆：de(向下) + ceit(拿) → 在(私底下)拿
→ 欺骗

decency [ˈdiːsnsi] *n.* 正派，端庄体面
[记] 来自 decent(*adj.* 得体的)

decentralize [ˌdiːˈsentrəlaɪz] *v.* 分散，权力下放
[记] 词根记忆：de(离开) + centr(中心) + alize
→ 离开中心 → 分散

deception [dɪˈsepʃn] *n.* 欺骗，诡计
[记] 词根记忆：de(坏) + cept(拿，抓) + ion →
拿坏的东西来 → 欺骗

263

declaim [dɪˈkleɪm] *v.* 高谈阔论

[记] 词根记忆：de(向下) + claim(喊) → 向下喊 → 高谈阔论

decomposition [ˌdiːkɑːmpəˈzɪʃn] *n.* 分解，腐烂；崩溃

decoy [ˈdiːkɔɪ] *v.* 诱骗

decree [dɪˈkriː] *n.* 命令，法令 *v.* 颁布命令

[记] 发音记忆："敌克令" → 克服敌人的命令 → 命令

dedication [ˌdedɪˈkeɪʃn] *n.* 奉献，献身

[记] 来自 dedicate(*v.* 奉献)

deduce [dɪˈduːs] *v.* 演绎，推断

[记] 词根记忆：de(向下) + duce(引导) → 向下引导 → 推断

deduct [dɪˈdʌkt] *v.* 减去，扣除；演绎

deductive [dɪˈdʌktɪv] *adj.* 推论的，演绎的

[记] 来自 deduce(*v.* 演绎，推断)

deed [diːd] *n.* 行为，行动；(土地或建筑物的)转让契约、证书

deface [dɪˈfeɪs] *v.* 损坏

[记] 词根记忆：de(变坏) + face(脸面) → 把脸面弄坏 → 损坏

defame [dɪˈfeɪm] *v.* 诽谤，中伤

[记] 词根记忆：de(变坏) + fame(名声) → 使名声变坏 → 诽谤

deficit [ˈdefɪsɪt] *n.* 不足额；赤字

defile [dɪˈfaɪl] *v.* 弄污，弄脏 *n.* (山间的)峡谷，隘路

[记] 词根记忆：de + file (=vile 卑鄙的) → 使…卑下 → 弄污

deflect [dɪˈflekt] *v.* 偏离，转向

[记] 词根记忆：de + flect(弯曲) → 弯到旁边 → 偏离

defraud [dɪˈfrɔːd] *v.* 欺骗，诈骗

[记] 词根记忆：de (变坏) + fraud (欺骗) → 欺骗，诈骗

defray [dɪˈfreɪ] *v.* 支付，支出

[记] 联想记忆：def(看作 deaf，聋) + ray(光线) → 聋人得到光线 → 有人帮助付款 → 支付

defuse [ˌdiːˈfjuːz] *v.* 拆除(爆破物的)引信，使除去危险性；平息

[记] 词根记忆：de + fuse(导火线) → 拆除(爆破物的)引信

dejected [dɪˈdʒektɪd] *adj.* 沮丧的，失望的，灰心的

[记] 词根记忆：de + ject(扔) + ed → 被扔掉的 → 沮丧的，失望的，灰心的

delectation [ˌdiːlekˈteɪʃn] *n.* 享受，愉快

delegate [ˈdelɪgət] *n.* 代表

[ˈdelɪgeɪt] *v.* 委派…为代表，授权

[记] 词根记忆：de + legate(使者) → 出去的使者 → 代表

delicate [ˈdelɪkət] *adj.* 娇弱的；雅致的，精美的

delinquent [dɪˈlɪŋkwənt] *adj.* 玩忽职守的

delirium [dɪˈlɪriəm] *n.* 精神错乱

delusion [dɪˈluːʒn] *n.* 欺骗；幻想

[记] 来自 delude(*v.* 欺骗)

deluxe [dəˈlʌks] *adj.* 豪华的，华丽的

delve [delv] *v.* 深入探究，钻研

demagogue [ˈdeməgɑːg] *n.* 蛊惑民心的政客

[记] 来自 demagogy(*n.* 煽动，蛊惑民心)

demarcate [ˈdiːmɑːrkeɪt] *v.* 划分，划界

[记] 词根记忆：de + marc(=mark 标记) + ate → 做标记 → 划分，划界

demeanour [dɪˈmiːnər] *n.* 举止，行为

[记] 来自 demean，古义等于 conduct(*n.* 行为)

demented [dɪˈmentɪd] *adj.* 疯狂的

[记] 词根记忆：de(去掉) + ment(神智) + ed → 没有理智 → 疯狂的

demolition [ˌdeməˈlɪʃn] *n.* 破坏，毁坏

[记] 来自 demolish(*v.* 拆毁)

demonstrative [dɪˈmɑːnstrətɪv] *adj.* 证明的，论证的；感情流露的

demoralize [dɪˈmɔːrəlaɪz] *v.* 使士气低落

[记] 联想记忆：de(去掉) + moral (e) (士气) + ize → 去掉士气 → 使士气低落

demote [ˌdiːˈmoʊt] *v.* 降级，降职

[记] 词根记忆：de + mote(动) → 动下去 → 降级

demure [dɪˈmjʊr] *adj.* 严肃的，矜持的

[记] 联想记忆：de + mure(墙) → 脸板得像墙一样 → 严肃的

den [den] *n.* 兽穴，窝

dentures [ˈdentʃərz] *n.* 假牙

[记] 词根记忆：dent(牙) + ure + s → 假牙

denude [dɪˈnuːd] *v.* 脱去；剥蚀；剥夺

[记] 词根记忆：de + nude(赤裸的) → 完全赤裸 → 脱去

denunciate [dɪˌnʌnsiˈeɪt] *v.* 公开指责，公然抨击，谴责

[记] 联想记忆：de(变坏) + nunci(讲话，说出) + ate → 公开指责，公然抨击

depose [dɪˈpoʊz] *v.* 免职；宣誓作证

[记] 词根记忆：de + pose(放) → 放下去 → 免职

deposit [dɪˈpɑːzɪt] *v.* 存放；使沉积

[记] 词根记忆：de + posit(放) → 存放

depraved [dɪˈpreɪvd] *adj.* 堕落的，腐化的

[记] 来自 deprave(*v.* 使堕落)

depravity [dɪˈprævəti] *n.* 堕落，恶习

[记] 词根记忆：de + prav(坏) + ity → 变坏 → 堕落

depredation [ˌdeprəˈdeɪʃn] *n.* 劫掠，蹂躏

[记] 词根记忆：de + pred(=plunder 掠夺) + ation → 劫掠

depressed [dɪˈprest] *adj.* 消沉的；凹陷的

[记] 来自 depress(*v.* 消沉，沮丧)

depression [dɪˈpreʃn] *n.* 抑郁，消沉

deprivation [ˌdeprɪˈveɪʃn] *n.* 剥夺；丧失

[记] 来自 deprive(*v.* 剥夺)

depute [dɪ'pjuːt] *v.* 派…为代表或代理

[记] 词根记忆：de + put(放) + e → 放某人出去 → 派…为代表或代理

deputize ['depjutaɪz] *v.* 代理，代表

[记] 来自 depute(*v.* 派…为代表或代理)

deputy ['depjuti] *n.* 代表；副手

[记] 联想记忆：de + puty（看作 duty，责任）→ 代理人应负责 → 代表

deracinate [ˌdiː'ræsɪneɪt] *v.* 根除，灭绝

[记] 词根记忆：de + rac（=race 种族）+ inate → 消灭种族 → 根除

dereliction [ˌderə'lɪkʃn] *n.* 遗弃；玩忽职守

[记] 来自 derelict(*adj.* 遗弃的)

derivation [ˌderɪ'veɪʃn] *n.* 发展，起源；词源

[记] 来自 derive(*v.* 派生，导出)

derogate ['derəgeɪt] *v.* 贬低，诽谤

[记] 词根记忆：de(坏) + rog(问，说) + ate → 说坏话 → 贬低

desert [dɪ'zɜːrt] *v.* 遗弃，离弃

[记] 词根记忆：de(分开) + sert(加入) → 不再加入 → 离弃

deserter [dɪ'zɜːrtər] *n.* 背弃者；逃兵

[记] 来自 desert(*v.* 遗弃，离弃)

desiccate ['desɪkeɪt] *v.* (使)完全干涸，脱水

[记] 词根记忆：de + sicc（干）+ ate → 弄干 → 脱水

desideratum [dɪˌzɪdə'reɪtəm] *n.* 必需品

[记] 词根记忆：desider(=desire 渴望) + atum → 渴望的东西 → 必需品

desist [dɪ'zɪst] *v.* 停止，中止

desolate ['desələt] *adj.* 荒凉的，被遗弃的

[记] 词根记忆：de + sol（孤独）+ ate → 变得孤独 → 被遗弃的

despise [dɪ'spaɪz] *v.* 鄙视，蔑视

despoil [dɪ'spɔɪl] *v.* 夺取，抢夺

[记] 词根记忆：de + spoil(夺取，宠坏) → 夺取，抢夺

despotic [dɪ'spɑːtɪk] *adj.* 专横的，暴虐的

[记] 来自 despot(*n.* 暴君)

despotism ['despətɪzəm] *n.* 专政；暴政

destitute ['destɪtuːt] *adj.* 缺乏的；穷困的

[记] 词根记忆：de + stitute (建立) → 没有建立 → 穷困的

destitution [ˌdestɪ'tuːʃn] *n.* 缺乏；穷困

[记] 来自 destitute(*adj.* 贫困的)

destructible [dɪ'strʌktəbl] *adj.* 可破坏的

[记] 词根记忆：de(坏) + struct(建立) + ible → 把建造的东西弄坏 → 可破坏的

desuetude [dɪ'sjuːɪtjuːd] *n.* 废止，不用

[记] 词根记忆：de + suet (=suit 适合) + ude → 不再适合 → 废止

detach [dɪ'tætʃ] *v.* 使分离，使分开，拆卸

[记] 词根记忆：de(去掉) + tach(接触) → 去掉接触 → 使分离

detergent [dɪ'tɜːrdʒənt] *n.* 清洁剂

[记] 词根记忆：de + terg(擦) + ent → 擦掉的东西 → 清洁剂

detonate ['detəneɪt] *v.* (使)爆炸，引爆

[记] 词根记忆：de + ton (声音，雷声) + ate → 雷声四散 → (使)爆炸

detonation [ˌdetə'neɪʃn] *n.* 爆炸，爆炸声

[记] 来自 detonate(*v.* 引爆)

detraction [dɪ'trækʃn] *n.* 贬低，诽谤

[记] 词根记忆：de(向下) + tract(拉，拖) + ion → 向下拉 → 贬低

deviate ['diːvieɪt] *v.* 越轨，偏离

[记] 词根记忆：de(偏离) + vi(道路) + ate → 偏离道路的 → 偏离

devise [dɪ'vaɪz] v. 发明，设计；图谋；遗赠
[记]联想记忆：发明(devise)设备(device)

devotee [ˌdevə'tiː] n. 爱好者，献身者

devotional [dɪ'voʊʃnl] adj. 献身的，虔诚的
[记]来自 devotion(n. 献身)

dexterity [dek'sterəti] n. 纯熟，灵巧
[记]词根记忆：dexter（右）+ ity → 像右手一样
→ 纯熟，灵巧

diagnose [ˌdaɪəg'noʊs] v. 判断，诊断
[记]词根记忆：dia(穿过) + gnose(知道) → 穿
过(皮肤)知道 → 诊断

diagram ['daɪəgræm] n. 图解，图表
[记]词根记忆：dia（穿过，二者之间）+ gram
(写，图) → 交叉对着画 → 图表

diaphanous [daɪ'æfənəs] adj. (布)精致的；半透明的
[记]词根记忆：dia + phan(呈现) + ous → 对面
显现 → 半透明的

diatribe ['daɪətraɪb] n. (口头或书面猛烈的)抨击
[记]词根记忆：dia(两者之间) + tribe(摩擦) →
两方摩擦 → 抨击

dicker ['dɪkər] v. 讨价还价

dictator ['dɪkteɪtər] n. 独裁者

dictum ['dɪktəm] n. 格言；声明

differentiate [ˌdɪfə'renʃieɪt] v. 辨别，区别
[记]联想记忆：different(不同的) + iate → 辨
别，区别

diffuse [dɪ'fjuːz] v. 散布，(光等)漫射 [dɪ'fjuːs] adj. 漫射
的，散漫的
[记]词根记忆：dif(不同) + fuse(流) → 向不同
方向流动 → 漫射

digestion [daɪ'dʒestʃən] n. 消化，吸收
[记]来自 digest(v. 消化)

dignity ['dɪgnəti] n. 尊严，尊贵
[记]词根记忆：dign(高贵) + ity → 尊贵

digress [daɪˈgres] *v.* 离题

[记] 词根记忆：di(离开) + gress(走) → 走离 → 离题

digression [daɪˈgreʃn] *n.* 离题，题外话

dilapidate [dɪˈlæpɪdeɪt] *v.* (使)荒废，(使)毁坏

[记] 词根记忆：di(二) + lapid(石头) + ate → 石基倒塌成为两半 → (使)荒废，(使)毁坏

dilemma [dɪˈlemə] *n.* 困境，左右为难

[记] 发音记忆："地雷嘛" → 陷入雷区 → 进退两难的局面 → 困境

diligence [ˈdɪlɪdʒəns] *n.* 勤勉，勤奋

[记] 联想记忆：dili（音似：地里）+ gence → 每天在地里劳作 → 勤勉

dillydally [ˈdɪlidæli] *v.* 磨蹭，浪费时间

dim [dɪm] *v.* 使暗淡，使模糊 *adj.* 昏暗的，暗淡的

[记] 联想记忆：没有目标（aim）的生活很昏暗（dim）

dimple [ˈdɪmpl] *n.* 酒窝，笑靥

[记] 联想记忆：d + imp(小精灵) + le → 像小精灵一样可爱 → 笑靥

dingy [ˈdɪndʒi] *adj.* 肮脏的，昏暗的

dint [dɪnt] *v.* 击出凹痕

dire [ˈdaɪər] *adj.* 可怕的

disaffect [ˌdɪsəˈfekt] *v.* 使不满；使疏远

[记] 联想记忆：dis(不) + affect(感动) → 不再感动 → 使不满

disaster [dɪˈzæstər] *n.* 灾难，灾祸，不幸

[记] 词根记忆：dis(离开) + aster(星星) → 离开星星，星位不正 → 灾难

disavow [ˌdɪsəˈvaʊ] *v.* 否认，否定，抵赖

[记] 联想记忆：dis + avow(承认) → 不承认 → 否认，否定

disburse [dɪsˈbɜːrs] *v.* 支付，支出

[记] 联想记忆：dis(除去) + burse(=purse 钱包) → 从钱包里拿(钱) → 支出

discern [dɪˈsɜːrn] *v.* 识别，看出

[记] 词根记忆：dis(除去) + cern(=sift 筛)→ 筛出来 → 识别

disclaim [dɪsˈkleɪm] *v.* 放弃权利；拒绝承认

[记] 联想记忆：dis(不) + claim(要求)→ 不再要求 → 放弃权利

disclose [dɪsˈkloʊz] *v.* 揭露

[记] 联想记忆：dis(不) + close(关闭)→ 不再关闭 → 揭露

discombobulated [ˌdɪskəmˈbɑːbjuleɪtɪd] *adj.* 扰乱的，打乱的

discord [ˈdɪskɔːrd] *n.* 不和，纷争

[记] 词根记忆：dis(不) + cord(心)→ 内心想法不一致 → 不和，纷争

discrepancy [dɪsˈkrepənsi] *n.* 差异，矛盾

[记] 词根记忆：dis(分开) + crep(破裂) + ancy → 裂开 → 矛盾

discretionary [dɪˈskreʃəneri] *adj.* 自由决定的

[记] 词根记忆：discret(互不相连的) + ion + ary → 互不相连的决定 → 自由决定的

discriminate [dɪˈskrɪmɪneɪt] *v.* 区别；歧视

[记] 联想记忆：dis + crimin(=crime 罪行) + ate → 区别对待有罪的人 → 区别；歧视

disembodied [ˌdɪsɪmˈbɑːdid] *adj.* 无实体的，空洞的

[记] 联想记忆：dis(不) + embodied(实体的)→ 无实体的

disenchant [ˌdɪsɪnˈtʃænt] *v.* 使不抱幻想，使清醒

[记] 词根记忆：dis (不) + enchant (使陶醉)→ 使不再陶醉在(幻想中)→ 使清醒

disengage [ˌdɪsɪnˈɡeɪdʒ] *v.* 脱离，解开

[记] 词根记忆：dis(不) + engage(与…建立密切关系)→ 不与…建立密切关系 → 脱离

disentangle [ˌdɪsɪnˈtæŋɡl] *v.* 解决；解脱，解开

[记] 词根记忆：dis(不) + entangle(纠缠)→ 摆脱纠缠 → 解脱

disfigure [dɪsˈfɪɡjər] v. 损毁…的外形；使变丑

[记] 词根记忆：dis(除去) + figure(形体) → 去掉形体 → 损毁…的外形

disfranchise [ˌdɪsˈfræntʃaɪz] v. 剥夺…的权利，剥夺…的公民权

[记] 词根记忆：dis(剥夺) + franchise(选举权，赋予权利) → 剥夺…的权利

disgruntle [dɪsˈɡrʌntl] v. 使不高兴

disguise [dɪsˈɡaɪz] v. 假扮；掩饰

[记] 词根记忆：dis + guise(姿态，伪装) → 假扮；掩饰

disgust [dɪsˈɡʌst] n. 反感，厌恶

[记] 词根记忆：dis(不) + gust(胃口) → 没有胃口 → 反感

dishevel [dɪˈʃevl] v. 使蓬乱，使(头发)凌乱

[记] 联想记忆：dish(盘子) + eve(前夕) + l → 宴会前夕，厨房摆满盘子，很凌乱 → 使蓬乱

disheveled [dɪˈʃevld] adj. (头发、服装等)不整的，凌乱的

[记] 来自 dishevel(v. 使蓬乱)

disinter [ˌdɪsɪnˈtɜːr] v. 挖出，掘出

[记] 词根记忆：dis(除去) + inter(埋葬) → 把埋葬的(东西)掘出 → 挖出

disjunction [dɪsˈdʒʌŋkʃn] n. 分离，分裂

[记] 词根记忆：dis(不) + junction(连接) → 不再连接 → 分离

dislocate [ˈdɪsloʊkeɪt] v. 使脱臼；把…弄乱

[记] 联想记忆：dis(不) + locate(安置) → 不安置 → 使脱臼；把…弄乱

dismantle [dɪsˈmæntl] v. 拆除

[记] 词根记忆：dis(除去) + mantle(覆盖物) → 拆掉覆盖物 → 拆除

dismay [dɪsˈmeɪ] n. 沮丧，气馁 v. 使气馁

[记] 联想记忆：dis(不) + may(可能) → 不可能做 → 沮丧

disparity [dɪˈspærəti] n. 不同，差异

272

dispatch [dɪ'spætʃ] v. 派遣; 迅速处理; 匆匆吃完 n. 迅速
[记] 词根记忆: dis(除去) + patch(妨碍) → 去掉妨碍, 迅速完成 → 迅速处理

dispense [dɪ'spens] v. 分配, 分发
[记] 词根记忆: dis(分开) + pens(花费) + e → 分开花费 → 分配, 分发

disport [dɪ'spɔːrt] v. 玩耍, 嬉戏
[记] 词根记忆: dis(加强) + port(带) → 带走(时间) → 玩耍

dispose [dɪ'spoʊz] v. 使倾向于; 处理

disposed [dɪ'spoʊzd] adj. 愿意的, 想做…的
[记] 来自 dispose(v. 使倾向于; 处理)

disproof [ˌdɪs'pruːf] n. 反证, 反驳
[记] 联想记忆: dis(相反的) + proof(看作 prov, 证明) → 相反的证明 → 反证

disruptive [dɪs'rʌptɪv] adj. 制造混乱的
[记] 来自 disrupt(v. 打乱, 扰乱)

dissemble [dɪ'sembl] v. 假装, 掩饰(感情、意图等)
[记] 词根记忆: dis(不) + semble(相同) → 不和(本来面目)相同 → 掩饰

dissertation [ˌdɪsər'teɪʃn] n. 专题论文
[记] 词根记忆: dis(加强) + sert(断言) + ation → 加强言论, 说明言论的东西 → 专题论文

dissimulate [dɪ'sɪmjuleɪt] v. 隐藏, 掩饰(感情、动机等)
[记] 词根记忆: dis(不) + simul(相同) + ate → 不和(本来面目)相同 → 掩饰

dissociate [dɪ'soʊʃieɪt] v. 分离, 游离, 分裂
[记] 词根记忆: dis(分开) + soci(社会) + ate → 不能和社会分开 → 分离, 游离

dissociation [dɪˌsoʊʃi'eɪʃn] n. 分离, 脱离关系
[记] 词根记忆: dis(分开) + soci(社会) + ation → 和社会分开 → 分离

dissolute ['dɪsəluːt] adj. 放荡的, 无节制的
[记] 词根记忆: dis(分开) + solute(溶解) → (精力)溶解掉 → 放荡的

dissuade [dɪ'sweɪd] *v.* 劝阻，阻止

[记] 词根记忆：dis(不) + suade(敦促) → 敦促某人不做 → 劝阻

distain [dɪs'teɪn] *v.* 贬损，伤害名誉

[记] 词根记忆：dis(不) + tain (拿住) → 不再拿住 → 不再好好珍惜自己的名声 → 贬损，伤害名誉

distaste [dɪs'teɪst] *v.* 厌恶 *n.* 厌恶，不喜欢

[记] 词根记忆：dis(不) + taste(爱好) → 不爱好 → 厌恶

distrait [dɪ'stre] *adj.* 心不在焉的

distress [dɪ'stres] *n.* 痛苦，悲痛

[记] 词根记忆：di(s)(加强) + stress(压力，紧张) → 压倒 → 悲痛

district ['dɪstrɪkt] *n.* 地区；行政区；区域

dither ['dɪðər] *v.* 慌张；犹豫不决 *n.* 紧张；慌乱

You have to believe in yourself. That's the secret of success.

人必须相信自己，这是成功的秘诀。

——美国演员 卓别林

（Charles Chaplin, American actor）

Word List 28

divagate ['daɪvəgeɪt] v. 离题；飘泊

[记] 词根记忆：di(离开) + vag(走) + ate → 走开 → 离题；漂泊

diversity [daɪ'vɜːrsəti] n. 多样，千变万化

divine [dɪ'vaɪn] v. 推测，预言

dock [dɑːk] v. 剪短(尾巴等)；扣去(薪水、津贴等)

[记] 和 lock(v. 锁上，锁住)一起记

dodge [dɑːdʒ] v. 闪开，躲避

[记] 联想记忆：do + dge(看作 edge，边缘) → 在边上躲避 → 躲避

doff [dɑːf] v. 脱掉(外衣、帽子)

[记] 联想记忆：d + off(脱掉) → 把衣服脱掉 → 脱掉(外衣、帽子)

dogmatism ['dɔːgmətɪzəm] n. 教条主义，武断

[记] 词根记忆：dogma(教条) + t + ism(表主义) → 教条主义

doleful ['doʊlfl] adj. 悲哀的，忧郁的

[记] 词根记忆：dol(悲哀) + eful → 悲哀的

dolorous ['doʊlərəs] adj. 悲哀的，忧伤的

[记] 词根记忆：dol(悲哀) + orous → 悲哀的

domesticate [də'mestɪkeɪt] v. 驯养，驯化

[记] 来自 domestic(adj. 家庭的)

dominant ['dɑːmɪnənt] adj. 支配的；占优势的

[记] 词根记忆：domin(=dom 支配) + ant → 支配的

donate ['doʊneɪt] v. 捐赠，赠送

[记] 词根记忆：don(给予) + ate → 捐赠，赠送

doodle ['duːdl] v. 涂鸦；混时间

[记] 和 noodle (n. 面条) 一起记：吃着面条(noodle)混时间(doodle)

dormancy [ˈdɔːrmənsi] *n.* 休眠状态

[记] 词根记忆：dorm(睡眠) + ancy → 在睡眠状态 → 休眠状态

dote [doʊt] *v.* 溺爱；昏聩

double-cross [ˌdʌblˈkrɔːs] *v.* 欺骗，出卖

dour [ˈdaʊər] *adj.* 严厉的，阴郁的；倔强的

douse [daʊs] *v.* 把…浸入水中；熄灭

[记] 联想记忆：do + use → 又做又用 → 在水中做 → 把…浸入水中

dowdy [ˈdaʊdi] *adj.* 不整洁的，过旧的

downpour [ˈdaʊnpɔːr] *n.* 倾盆大雨

[记] 组合词：down(向下) + pour(倾倒) → 向下倾倒 → 倾盆大雨

draconian [drəˈkoʊniən] *adj.* 严厉的，严酷的

[记] 来自 Draco（德拉古），Draco 是雅典政治家，制定了雅典的法典，该法典因其公平受到赞扬，但因其严酷而不受欢迎

draggy [ˈdræɡi] *adj.* 拖拉的，极为讨厌的

[记] 联想记忆：drag(乏味无聊的事) + gy → 做乏味无聊的事 → 极为讨厌的

drain [dreɪn] *v.* 排水；喝光

[记] 联想记忆：d + rain(雨水) → 排去雨水 → 排水

drainage [ˈdreɪnɪdʒ] *n.* 排水，排水系统；污水

[记] 来自 drain(*v.* 排水)

drawl [drɔːl] *v.* 慢吞吞地说 *n.* 慢吞吞的说话方式

[记] 联想记忆：draw（抽）+ l → 一点点抽出来 → 慢吞吞地说

drawn [drɔːn] *adj.* 憔悴的

dreary [ˈdrɪri] *adj.* 沉闷的，乏味的

[记] 和 dream（*n.* 梦想）一起记：A dream is not dreary.（梦想不会乏味。）

drench [drentʃ] *v.* 使湿透

[记] 词根记忆：drench(=drink 喝) → 喝饱 → 使湿透；注意不要 trench(*v.* 挖战壕)相混

drenched [drentʃd] *adj.* 湿透的

drip [drɪp] *v.* (使)滴下

[记] 和 drop(*v.* 落下)一起记

drivel ['drɪvl] *v.* 胡说 *n.* 糊涂话

[记] 联想记忆：drive（开车）+ l → 一边开车一边胡说 → 胡说

droll [droʊl] *adj.* 古怪的，好笑的

[记] 发音记忆："倔老儿" → 倔老头又古怪又好笑 → 古怪的，好笑的

drool [druːl] *v.* 流口水；胡说

droop [druːp] *v.* 低垂；萎靡

[记] 由 drop(*v.* 落下)变化而来

drought [draʊt] *n.* 干旱，旱灾；干旱期

[记] 联想记忆：dr(看作 dry，干的) + ought(应该) → 应该干 → 干旱

drub [drʌb] *v.* 重击；打败

dulcet ['dʌlsɪt] *adj.* 美妙的，悦耳的

[记] 词根记忆：dulc(=sweet 甜) + et → 声音甜的 → 美妙的，悦耳的

duplicitous [duːˈplɪsɪtəs] *adj.* 两面派的，奸诈的；双重的

[记] 词根记忆：dup(双的) + licit + ous → 双重的

duress [duˈres] *n.* 胁迫

dyspeptic [dɪsˈpeptɪk] *adj.* 消化不良的；不高兴的

eaglet ['iːɡlət] *n.* 小鹰

[记] 来自 eagle(*n.* 鹰)

earring ['ɪrɪŋ] *n.* 耳环，耳饰

[记] 组合词：ear(耳朵) + ring(环) → 耳朵上戴的环 → 耳环，耳饰

earthshaking ['ɜːrθˌʃeɪkɪŋ] *adj.* 极其重大或重要的

[记] 组合词：earth(地球) + shaking(震动) → 使地球震动的 → 极其重大或重要的

earthy ['ɜːrθi] *adj.* 粗俗的，土气的

[记] 联想记忆：earth(土地) + y → 土气的

easel ['iːzl] *n.* 黑板架，画架

[记] 联想记忆：ease(轻松)+l→有了画架，画起画来轻松多了→画架

ebullience [ɪ'bʌliəns] *n.* (感情等的)奔放，兴高采烈；沸腾

[记] 联想记忆：e + bull(公牛) + ience → 像公牛一样出来 → 兴高采烈

ecstasy ['ekstəsi] *n.* 狂喜；出神，入迷

[记] 词根记忆：ec(出) + stasy(站住) → (高兴得)出群 → 狂喜

ecstatic [ɪk'stætɪk] *adj.* 狂喜的，心花怒放的

[记] 来自 ecstasy(*n.* 狂喜)

ecumenical [ˌiːkjuː'menɪkl] *adj.* 世界范围的，普遍的

[记] 发音记忆："一口闷"→把世界一口闷下→世界范围的

edgy ['edʒi] *adj.* 急躁的，易怒的；尖利的，(刀口)锐利的

eerie ['ɪri] *adj.* 可怕的，怪异的

effeminate [ɪ'femɪnət] *adj.* 缺乏勇气的，柔弱的

[记] 词根记忆：ef + femin(女性) + ate → 露出女人气 → 柔弱的

effervesce [ˌefər'ves] *v.* 冒泡；热情洋溢

[记] 词根记忆：ef(出) + ferv(热) + esce → 释放出热力 → 热情洋溢

effrontery [ɪ'frʌntəri] *n.* 厚颜无耻；放肆

[记] 词根记忆：ef + front(脸，面) + ery → 不要脸面 → 厚颜无耻

effulgent [ɪ'fʌldʒənt] *adj.* 灿烂的，光辉的

[记] 词根记忆：ef + fulg (闪亮) + ent → 闪亮的 → 灿烂的

egoism ['egoʊɪzəm] *n.* 利己主义

[记] 词根记忆：ego(自我) + ism → 自私自利 → 利己主义

egotist ['egətɪst] *n.* 自私自利者；自我主义者

[记] 词根记忆：ego(我，自己) + t + ist → 以自我为中心的人 → 自私自利者

eidetic [aɪˈdetɪk] *adj.* (印象)异常清晰的; 极为逼真的

ejaculate [iˈdʒækjuleɪt] *v.* 突然叫出或说出; 射出

[记] 词根记忆: e + jacul(喷射) + ate → 喷发 → 突然叫出或说出

elated [iˈleɪtɪd] *adj.* 得意洋洋的, 振奋的

[记] 词根记忆: e + lat(放) + ed → 放出(高兴神态) → 得意洋洋的

elegy [ˈelədʒi] *n.* 哀歌, 挽歌

[记] 联想记忆: e(出) + leg(腿) + y → 悲伤得迈不动步 → 哀歌

elephantine [ˌeliˈfæntiːn] *adj.* 笨拙的; 巨大的

[记] 来自 elephant(*n.* 大象)

elevate [ˈeliveɪt] *v.* 举起; 提升

[记] 词根记忆: e(出) + lev(举起) + ate(使…) → 举起

elixir [ɪˈlɪksər] *n.* 万能药, 长生不老药

[记] 源自阿拉伯人卖药时的叫卖: "阿里可舍", 意思是: 这个药好啊

elliptical [ɪˈlɪptɪkl] *adj.* 椭圆的; 晦涩的; 省略的

[记] 来自 ellipse(*n.* 椭圆(形))

elocution [ˌeləˈkjuːʃn] *n.* 演说术

[记] 词根记忆: e + locu(说) + tion → 说出去 → 演说术

eloquence [ˈeləkwəns] *n.* 雄辩, 口才

[记] 词根记忆: e + loqu(说) + ence → 能说 → 雄辩

emaciate [ɪˈmeɪʃieɪt] *v.* 使瘦弱

[记] 词根记忆: e + maci(瘦) + ate → 使瘦弱

emaciation [ɪˌmeɪsiˈeɪʃn] *n.* 消瘦, 憔悴, 衰弱

emanate [ˈeməneɪt] *v.* 散发, 发出; 发源

[记] 词根记忆: e(出) + man(手) + ate → 用手发出(指令) → 发出

emasculate [iˈmæskjuleɪt] *v.* 使柔弱; 阉割 *adj.* 柔弱的

[记] 词根记忆: e(不) + mascul(男人) + ate → 不让做男人 → 阉割

279

embargo [ɪmˈbɑːrgoʊ] n. 禁港令, 封运令

[记] 联想记忆: em(进入) + bar(阻挡) + go(去) → 阻拦(船等)进入 → 禁港令, 封运令

embarrass [ɪmˈbærəs] v. 使局促不安, 使窘迫

[记] 词根记忆: em(进入) + barrass(套子) → 进入套子 → 使窘迫

embitter [ɪmˈbɪtər] v. 使痛苦, 使难受

[记] 词根记忆: em(使…) + bitter(苦的) → 使痛苦

embody [ɪmˈbɑːdi] v. 使具体化, 体现

[记] 词根记忆: em(进入) + body(身体) → (思想)进入身体 → 体现

embolden [ɪmˈboʊldən] v. 鼓励

[记] 词根记忆: em + bold(大胆的) + en → 使人大胆 → 鼓励

embroil [ɪmˈbrɔɪl] v. 使混乱, 使卷入纠纷

[记] 词根记忆: em(进入) + broil(争吵) → 进入争吵 → 使混乱, 使卷入纠纷

emerald [ˈemərəld] n. 翡翠 adj. 翠绿色的

emergency [iˈmɜːrdʒənsi] n. 紧急情况, 不测事件, 非常时刻

[记] 注意不要和 emergence(n. 出现)相混

emigrate [ˈemɪɡreɪt] v. 移居国外(或外地)

[记] 注意: emigrate 表示"移出", immigrate 表示"移入", migrate 指"动物或人来回迁移", 它们都来自词根 migr(移动)

emissary [ˈemɪseri] n. 密使, 特使

[记] 词根记忆: e(出去) + miss(送) + ary(人) → 送出去的人 → 特使

emit [iˈmɪt] v. 发出(光、热、声音等)

[记] 词根记忆: e(出) + mit(送) → 送出 → 发出(光、热、声音等)

emolument [ɪˈmɑːljumənt] n. 报酬, 薪水

[记] 词根记忆: e + molu(碾碎) + ment → 磨坊主加工粮食后所得的钱 → 报酬

emote [ɪ'mout] *v.* 激动地表达感情

[记] 词根记忆：e(出) + mote(动) → 感动地说出来 → 激动地表达感情

empirical [ɪm'pɪrɪkl] *adj.* 经验的，实证的

[记] 来自 empiric(*n.* 经验主义者)

empower [ɪm'pauər] *v.* 授权，准许

[记] 联想记忆：em(进入) + power(权力) → 进入权力的状态 → 授权

empyreal [ˌempaɪ'riːəl] *adj.* 天空的

enchant [ɪn'tʃænt] *v.* 使陶醉；施魔法于

[记] 词根记忆：en + chant(唱歌) → (巫婆)唱歌以施魔法 → 施魔法于

encipher [ɪn'saɪfər] *v.* 译成密码

[记] 词根记忆：en(进入) + cipher(密码) → 译成密码

enclosure [ɪn'klouʒər] *n.* 圈地，围场

[记] 词根记忆：en + clos(关闭) + ure → 进入围绕状态 → 圈地

encomiast [en'koumiæst] *n.* 赞美者

[记] 联想记忆：en + com(看作 come，来) + iast → 有目的而来的人 → 赞美者

encompass [ɪn'kʌmpəs] *v.* 包围，围绕

[记] 词根记忆：en(进入) + compass(罗盘；范围) → 进入范围 → 包围

encyclopedia [ɪnˌsaɪklə'piːdiə] *n.* 百科全书

[记] 词根记忆：en (使…) + cyclo(圆圈) + ped(儿童) + ia → 为儿童提供全套教育 → 百科全书

encyclopedic [ɪnˌsaɪklə'piːdɪk] *adj.* 广博的，知识渊博的

[记] 词根记忆：en + cyclo(圆圈) + ped(儿童) + ic → 让儿童受遍教育 → 广博的，知识渊博的

endearing [ɪn'dɪrɪŋ] *adj.* 讨人喜欢的

[记] 词根记忆：en(进入) + dear(喜爱) + ing → 进入被喜爱的状态 → 讨人喜欢的

endue [ɪnˈdjuː] v. 赋予, 授予

enfeeble [ɪnˈfiːbl] v. 使衰弱
[记] 词根记忆：en(使) + feeble(虚弱的) → 使衰弱

enfetter [ɪnˈfetər] v. 给…上脚镣；束缚，使受制于
[记] 词根记忆：en(进入) + fetter(镣铐) → 给…
上脚镣

enflame [ɪnˈfleɪm] v. 燃烧
[记] 联想记忆：en(进入) + flame(燃烧) → 进
入燃烧 → 燃烧

engaging [ɪnˈɡeɪdʒɪŋ] adj. 迷人的, 美丽动人的
[记] 来自 engage(v. 吸引)

engross [ɪnˈɡrəʊs] v. 全神贯注于
[记] 联想记忆：en(进入) + gross(总的) → 全部
进入状态 → 全神贯注于

engulf [ɪnˈɡʌlf] v. 吞噬
[记] 联想记忆：en(进入) + gulf(大沟) → 吞噬

enjoin [ɪnˈdʒɔɪn] v. 命令, 吩咐
[记] 联想记忆：en(使) + join(参加) → 使(别
人)参加 → 命令

enlightening [ɪnˈlaɪtnɪŋ] adj. 有启迪作用的；使人领悟的

enliven [ɪnˈlaɪvn] v. 使…更活跃或更愉快
[记] 联想记忆：en + live(充满活动的, 令人愉
快的) + n → 使…更活跃或更愉快

ennoble [ɪˈnəʊbl] v. 授予爵位, 使高贵
[记] 词根记忆：en(使) + noble(贵族；高贵的)
→ 使高贵

ennui [ɑːnˈwiː] n. 倦怠；无聊 v. 使无聊

enormity [ɪˈnɔːməti] n. 极恶；暴行；巨大
[记] 词根记忆：e(出) + norm(正常) + ity → 出
了正常状态 → 极恶；暴行；巨大

enrapture [ɪnˈræptʃər] v. 使狂喜, 使高兴
[记] 词根记忆：en + rapture(狂喜) → 使狂喜

ensconce [ɪnˈskɑːns] v. 安置, 安坐
[记] 联想记忆：en(进入) + sconce(小堡垒；遮
蔽) → 进入遮盖 → 安置

enshrine [ɪnˈʃraɪn] v. 奉为神圣, 珍藏

[记] 词根记忆: en(进入) + shrine(圣地) → 奉为神圣

ensign [ˈensən] n. 舰旗(船上表示所属国家的旗帜)

[记] 联想记忆: en + sign(标志) → 表示所属国家标志的旗帜 → 舰旗

ensnare [ɪnˈsner] v. 诱入陷阱, 进入罗网

[记] 词根记忆: en(进入) + snare(罗网, 陷阱) → 诱入陷阱, 进入罗网

ensue [ɪnˈsuː] v. 接着发生

[记] 词根记忆: en(进入) + sue(跟从) → 接着发生

enthrall [ɪnˈθrɔːl] v. 迷惑, 迷住

[记] 联想记忆: en(使) + thrall(奴隶) → 使成为(爱的)奴隶 → 迷住

enthralling [ɪnˈθrɔːlɪŋ] adj. 迷人的, 吸引人的

[记] 联想记忆: en(使) + thrall(奴隶) + ing → 使成为(爱的)奴隶的 → 迷人的

entirety [ɪnˈtaɪərəti] n. 整体, 全面

[记] 来自 entire(adj. 完整的)

entourage [ˈɑːntʊrɑːʒ] n. 随从; 环境

[记] 联想记忆: en + tour(旅行) + age(年龄) → 上了年龄旅行必须有随从 → 随从

entrance [ˈentrəns] v. 使出神, 使入迷

[记] 来自 enter(v. 进入)

entreat [ɪnˈtriːt] v. 恳求

[记] 联想记忆: en(进入) + treat(处理) → 要求进入处理 → 恳求

entreaty [ɪnˈtriːti] n. 恳求, 哀求

[记] 来自 entreat(v. 恳求)

entrust [ɪnˈtrʌst] v. 委托; 托付

[记] 联想记忆: en(使) + trust(相信) → 给予信任 → 委托

entwine [ɪnˈtwaɪn] v. 使缠绕, 交织

[记] 词根记忆: en(使) + twine(缠绕) → 使缠绕

283

enunciate [ɪ'nʌnsieɪt] v. 发音;(清楚地)表达

[记] 词根记忆:e(出) + nunci(=nounce 报告,说) + ate → 说出来 → 发音;(清楚地)表达

environ [ɪn'vaɪrən] v. 包围,围绕

[记] 词根记忆:en(进入) + viron(圆) → 进入圆 → 包围,围绕

envisage [ɪn'vɪzɪdʒ] v. 正视;想象

[记] 词根记忆:en(进入) + vis(看) + age → 进入看的状态 → 正视

epideictic [ˌepɪ'daɪktɪk] adj. 夸耀的

epidermis [ˌepɪ'dɜːrmɪs] n. 表皮,外皮

[记] 词根记忆:epi(在…外) + derm(皮肤) + is → 外皮

epigram ['epɪɡræm] n. 讽刺短诗,警句

[记] 词根记忆:epi(在…旁边) + gram(写) → 旁敲侧击写的东西 → 讽刺短诗

epilogue ['epɪlɔːɡ] n. 收场白;尾声

[记] 词根记忆:epi(在…后) + logue(说话) → 在后面说的话 → 尾声

episode ['epɪsoʊd] n. 一段情节;插曲,片断

epithet ['epɪθet] n. (贬低人的)短语或形容词;绰号,称号

[记] 词根记忆:epi(在…下) + thet(=put 放) → (人)放到下面的话 → (贬低人的)短语或形容词

epitomize [ɪ'pɪtəmaɪz] v. 概括,摘要

[记] 词根记忆:epi(在…后) + tom(看作 tome,一卷书) + ize → 写在一卷书后面的话 → 概括

equable ['ekwəbl] adj. 稳定的,不变的;(脾气)温和的

[记] 词根记忆:equ(平等) + able → 能够平等的 → 稳定的

equine ['iːkwaɪn] adj. 马的,似马的

equity ['ekwəti] n. 公平,公正

[记] 词根记忆:equ(=equal 相同的) + ity → 公平,公正

equivocate [ɪˈkwɪvəkeɪt] v. 模棱两可地说，支吾其词，推诿

erase [ɪˈreɪs] v. 擦掉，抹去

[记] 词根记忆：e + rase(擦) → 擦掉

erect [ɪˈrekt] adj. 竖立的，笔直的

[记] 词根记忆：e + rect(竖，直) → 竖立的，笔直的

errand [ˈerənd] n. 差使；差事

[记] 词根记忆：err(漫游) + and → 跑来跑去的事情 → 差使

ersatz [ˈersɑːts] adj. 代用的，假的

erupt [ɪˈrʌpt] v. 爆发；喷出

[记] 词根记忆：e(出) + rupt(断) → 断裂后喷出 → 爆发

escalation [ˌeskəˈleɪʃn] n. 逐步上升，逐步扩大

[记] 来自 escalate(v. 使逐步扩大)

escort [ɪˈskɔːrt] v. 护送

[ˈeskɔːrt] n. 护送者

[记] 联想记忆：e + scor(看作 score，得分) + t → 得到好分数，一路护送你上大学 → 护送

espionage [ˈespiənɑːʒ] n. 间谍活动

[记] 来自法语：e + spion(=spy 看) + age → 出去看 → 间谍活动

espy [eˈspaɪ] v. 突然看到；望见

[记] 联想记忆：e + spy(间谍；发现) → 突然看到

etch [etʃ] v. 蚀刻；铭记

[记] 不要和 itch(n. 痒)相混

eternal [ɪˈtɜːrnl] adj. 永久的，永恒的

[记] 联想记忆：外部 (external) 世界是永恒的 (eternal)诱惑

ethics [ˈeθɪks] n. 伦理学；道德规范

[记] 联想记忆：e (看作 east, 东方) + thics (看作 thick, 厚的) → 东方有深厚的道德规范 → 伦理学

etymology [ˌetɪˈmɑːlədʒi] n. 语源学

[记] 来自 etymon(n. 词源，字根)

eugenic [juːˈdʒenɪk] *adj.* 优生(学)的
[记] 词根记忆：eu(优，好) + gen(产生) + ic → 优生的

eulogy [ˈjuːlədʒi] *n.* 颂词，颂文

euphoria [juːˈfɔːriə] *n.* 愉快的心情
[记] 词根记忆：eu(好) + phor(带来) + ia(病) → 带来好处的病 → 幸福感 → 愉快的心情

evacuate [ɪˈvækjueɪt] *v.* 撤离；疏散
[记] 词根记忆：e + vacu(空) + ate → 空出去 → 撤离

evasion [ɪˈveɪʒn] *n.* 躲避；借口
[记] 词根记忆：e(出) + vas(走) + ion → 走出去 → 躲避

even-tempered [ˌiːvnˈtempərd] *adj.* 性情平和的；不易生气的

everlasting [ˌevərˈlæstɪŋ] *adj.* 永恒的，永久的；无休止的
[记] 组合词：ever(永远) + lasting(持续的) → 永久的

evict [ɪˈvɪkt] *v.* (依法)驱逐
[记] 词根记忆：e + vict(征服) → 把…征服后使其出去 → 驱逐

exactitude [ɪgˈzæktɪtuːd] *n.* 正确，精确，严格

exalt [ɪgˈzɔːlt] *v.* 赞扬，歌颂
[记] 词根记忆：ex + alt(高) → 评价高 → 赞扬

Word List 29

exaltation [ˌegzɔːlˈteɪʃn] *n.* (成功带来的)得意, 高兴

[记] 联想记忆: exalt(提拔) + ation → 得到提拔后的心情 → 得意, 高兴

exceptionable [ɪkˈsepʃənəbl] *adj.* 引起反感的

[记] 联想记忆: except(把…除去) + ion + able → 因为反感而把…除去 → 引起反感的

exceptional [ɪkˈsepʃənl] *adj.* 特别(好)的

excerpt [ˈeksɜːrpt] *n.* 摘录, 选录, 节录

excitability [ɪkˌsaɪtəˈbɪləti] *n.* 易兴奋, 易激动

[记] 来自 excite(*v.* 使兴奋, 使激动)

exclaim [ɪkˈskleɪm] *v.* 惊叫, 呼喊

[记] 词根记忆: ex(出) + claim(叫喊) → 惊叫

exclamation [ˌekskləˈmeɪʃn] *n.* 惊叹词; 惊呼

[记] 词根记忆: ex(出) + clam(叫, 喊) + ation → 大声喊出来 → 惊呼

excogitate [eksˈkɑːdʒiteɪt] *v.* 认真想出

[记] 词根记忆: ex + co(共同) + g(=ag 开动) + itate → 共同开动脑子 → 认真想出

excoriate [ˌeksˈkɔːrieɪt] *v.* 剥皮; 严厉批评

[记] 词根记忆: ex + cor(皮) + iate → 把皮弄掉 → 剥皮

excrete [ɪkˈskriːt] *v.* 排泄, 分泌

[记] 词根记忆: ex + cret(分离) + e → 分离出来 → 排泄

excruciate [ɪkˈskruːʃieɪt] *v.* 施酷刑; 折磨

[记] 联想记忆: ex + cruci(看作 crude, 残忍的) + ate → 给人施酷刑是很残忍的 → 施酷刑

exculpate [ˈekskʌlpeɪt] *v.* 开脱; 申明无罪, 证明无罪

[记] 词根记忆: ex(出) + culp(指责) + ate → 使不受指责 → 开脱

excursive [ɪksˈkɜːrsɪv] *adj.* 离题的

[记] 词根记忆: ex(出) + curs(跑) + ive → 跑出去 → 离题的

execrable [ˈeksɪkrəbl] *adj.* 可憎的, 讨厌的

execrate [ˈeksɪkreɪt] *v.* 憎恶; 咒骂

[记] 词根记忆: ex(出) + ecr(=secr 神圣的) + ate → 走出了神圣 → 咒骂

exhaustive [ɪgˈzɔːstɪv] *adj.* 彻底的, 无遗漏的

exhume [ɪgˈzuːm] *v.* 掘出, 发掘

[记] 词根记忆: ex + hum(地) + e → 从地下挖出 → 发掘

exigent [ˈeksɪdʒent] *adj.* 迫切的, 紧急的

[记] 词根记忆: ex(出) + ig(赶) + ent → 赶到外面 → 迫切的

exiguous [egˈzɪgjuəs] *adj.* 太少的, 不足的

expatiate [ɪkˈspeɪʃieɪt] *v.* 细说, 详述

[记] 词根记忆: ex(出) + pat(走) + iate → 走出去 → 细说, 详述

expatriate [ˌeksˈpeɪtriət] *v.* 驱逐, 流放; 移居国外

[记] 词根记忆: ex(出) + patri(国家) + ate → 驱逐; 移居国外

expeditious [ˌekspəˈdɪʃəs] *adj.* 迅速的, 敏捷的

[记] 来自 expedite(*v.* 使加速, 促进)

expel [ɪkˈspel] *v.* 排出; 开除

[记] 词根记忆: ex(出) + pel(推) → 向外推 → 排出; 开除

expend [ɪkˈspend] *v.* 花费; 用光

[记] 词根记忆: ex(出) + pend(支付) → 花费

expenditure [ɪkˈspendɪtʃər] *n.* 花费, 支出; 支出额

expiate [ˈekspieɪt] *v.* 补偿

[记] 词根记忆: ex(加强) + pi(神圣的) + ate → 使变得非常神圣 → 补偿

expire [ɪkˈspaɪər] *v.* 期满; 断气, 去世

[记] 词根记忆: ex + pir(呼吸) + e → 没有了呼吸 → 去世

explicable [ɪkˈsplɪkəbl] *adj.* 可解释的

[记] 词根记忆：ex + plic(重叠) + able → 能从多重状态中出来 → 可解释的

expostulate [ɪkˈspɑːstʃuleɪt] *v.* (对人或行为的)抗议；告诫

[记] 词根记忆：ex(出) + post(放) + ulate → 放出意见 → 抗议

expound [ɪkˈspaʊnd] *v.* 解释；阐述

[记] 词根记忆：ex + pound(放) → 把(道理)放出来 → 解释

expropriate [eksˈprəʊprieɪt] *v.* 充公，没收

[记] 词根记忆：ex + propr(拥有) + iate → 不再拥有 → 没收

expulsion [ɪkˈspʌlʃn] *n.* 驱逐，逐出

[记] 词根记忆：ex + puls(推) + ion → 推出去 → 驱逐，逐出

expunge [ɪkˈspʌndʒ] *v.* 删除

[记] 词根记忆：ex + pung(刺) + e → 把刺挑出 → 删除

expurgate [ˈekspərgeɪt] *v.* 删除，删节

[记] 词根记忆：ex + purg(清洗) + ate → 清洗掉不好的东西 → 删除

extemporize [ɪkˈstempəraɪz] *v.* 即兴演说

[记] 词根记忆：ex + tempor(时间) + ize → 不在(安排的)时间之内 → 即兴演说

extenuate [ɪkˈstenjueɪt] *v.* 掩饰(罪行)，减轻(罪行等)

[记] 词根记忆：ex + tenu(细的) + ate → 使…微不足道 → 掩饰(罪行)

externalize [ɪkˈstɜːrnəlaɪz] *v.* 使…表面化

[记] 来自 external(*adj.* 外来的，在外的)

extinguish [ɪkˈstɪŋgwɪʃ] *v.* 使…熄灭；使…不复存在

[记] 词根记忆：ex(出) + ting(=sting 刺) + uish → 用针刺使没有 → 使…熄灭

extirpation [ˌekstərˈpeɪʃn] *n.* 消灭，根除

[记] 来自 extirpate(*v.* 消灭，根除)

extort [ɪkˈstɔːrt] *v.* 勒索, 敲诈

[记] 词根记忆: ex + tort(扭曲) → 扭出来 → 勒索

extradite [ˈekstrədaɪt] *v.* 引渡

[记] 词根记忆: ex + trad(递交) + ite → 把…递交出去 → 引渡

extremist [ɪkˈstriːmɪst] *n.* 极端主义者

[记] 来自 extreme(*n.* 极端, 极度)

extricate [ˈekstrɪkeɪt] *v.* 摆脱, 脱离; 拯救, 救出

[记] 词根记忆: ex + tric(小障碍物) + ate → 从小障碍物中出来 → 救出

extrovert [ˈekstrəvɜːrt] *n.* 性格外向者

[记] 词根记忆: extro(外) + vert(转) → 向外转的人 → 性格外向者

extrude [ɪkˈstruːd] *v.* 挤出, 推出, 逐出; 伸出, 突出

[记] 词根记忆: ex + trud(刺) + e → 向外刺 → 挤出

exuberance [ɪɡˈzuːbərəns] *n.* 愉快; 茁壮

[记] 来自 exuberant(*adj.* 茁壮的, 繁茂的)

exude [ɪɡˈzuːd] *v.* 渗出, 慢慢流出; 洋溢

[记] 词根记忆: ex + ud(=sud 汗) + e → 出汗 → 渗出, 慢慢流出

exult [ɪɡˈzʌlt] *v.* 欢腾, 喜悦

[记] 词根记忆: ex + ult(=sult 跳) → 欢腾

exultant [ɪɡˈzʌltənt] *adj.* 非常高兴的, 欢跃的, 狂喜的

[记] 来自 exult(*v.* 欢腾, 喜悦)

fabric [ˈfæbrɪk] *n.* 纺织品; 结构

[记] 联想记忆: fab(音似: 帆布) + ric → 纺织品

fabulous [ˈfæbjələs] *adj.* 难以置信的; 寓言的

[记] 词根记忆: fab(说) + ulous → 传说中的 → 难以置信的

factitious [fækˈtɪʃəs] *adj.* 人为的, 不真实的

[记] 词根记忆: fact(做) + itious → 做出来的 → 人为的

faculty [ˈfæklti] *n.* 全体教员; 能力, 技能

fad [fæd] *n.* 时尚

[记] 和 fade(*v.* 褪色)一起记

fake [feɪk] v. 伪造；佯装 adj. 假的

[记]联想记忆：严惩造(make)假(fake)

fallacy ['fæləsi] n. 错误，谬论

[记]词根记忆：fall(犯错) + acy → 错误

fallibility [ˌfælə'bɪləti] n. 易出错，不可靠

[记]来自 fall(n. 失败)

falsehood ['fɔːlshʊd] n. 谎言

[记]联想记忆：false(虚伪的) + hood（名词后缀）→ 谎言

familiarity [fəˌmɪli'ærəti] n. 熟悉；亲近，亲密；不拘礼仪

[记]来自 familiar(adj. 熟悉的)

famine ['fæmɪn] n. 饥荒

[记]联想记忆：fa(看作 far, 远的) + mine(我的) → 粮食离我很远 → 饥荒

famish ['fæmɪʃ] v. 使饥饿

[记]词根记忆：fam(饿的) + ish → 使饥饿

fancied ['fænsɪd] adj. 空想的，虚构的

[记]来自 fancy(n. 想象的事物)

fang [fæŋ] n. (蛇的)毒牙

[记]和 tang(n. 强烈的气味)一起记

farewell [ˌfer'wel] interj. 再会，再见 n. 辞行，告别

[记]联想记忆：fare(看作 far, 远的) + well(好) → 朋友去远方，说些好听的话 → 告别

fasten ['fæsn] v. 使固定

[记]来自 fast(adj. 紧的，牢固的)

fatal ['feɪtl] adj. 致命的；灾难性的

[记]来自 fate(n. 命运)

fathom ['fæðəm] n. 英寻 v. 彻底了解，弄清真相

fatidic [fæ'tɪdɪk] adj. 预言的

fatigue [fə'tiːg] n. 疲乏，劳累

[记]联想记忆：fat(胖的) + igue → 胖人容易劳累 → 疲乏

fatten ['fætn] v. 长胖，变肥；使…肥沃；装满

[记]来自 fat(adj. 胖的)

fatuity [fə'tjuːiti] *n.* 愚蠢，愚昧

[记] 词根记忆：fatu(愚蠢的) + ity → 愚蠢

faze [feɪz] *v.* 打扰，扰乱

[记] 和 laze(*v.* 懒散)一起记

fealty ['fiːəlti] *n.* 效忠，忠诚

[记] 发音记忆："肺而铁" → 掏心掏肺的铁哥们 → 忠诚

feasible ['fiːzəbl] *adj.* 可行的，可能的

[记] 词根记忆：feas(=fac 做) + ible → 能做的 → 可行的

feat [fiːt] *n.* 功绩，壮举

[记] 联想记忆：f + eat(吃) → 取得功绩，要大吃一顿，犒劳自己 → 功绩

febrile ['fiːbraɪl] *adj.* 发烧的，热病的

[记] 词根记忆：febr(热) + ile → 发热的 → 发烧的

fecundity [fɪ'kʌndəti] *n.* 多产，丰饶

feeble ['fiːbl] *adj.* 虚弱的

feint [feɪnt] *n.* 佯攻，佯击 *v.* 佯攻；伪装

[记] 注意不要和 faint(*adj.* 虚弱的)相混

feisty ['faɪsti] *adj.* 活跃的；易怒的

felicitate [fə'lɪsɪteɪt] *v.* 祝贺，庆祝

[记] 词根记忆：felic(幸福的) + itate → 使…幸福 → 祝贺

felicitous [fə'lɪsɪtəs] *adj.* (话语等)适当的，得体的

[记] 词根记忆：felic(幸福的) + itous → (讲话)使人幸福的 → 得体的

feline ['fiːlaɪn] *adj.* 猫的，猫科的

[记] 词根记忆：fel(猫) + ine → 猫的，猫科的

felon ['felən] *n.* 重罪犯

[记] 联想记忆：fel(=fell 倒下) + on → 倒在罪恶之上 → 重罪犯

feral ['ferəl] *adj.* 凶猛的，野性的

fermentation [ˌfɜːrmen'teɪʃn] *n.* 发酵

[记] 来自 ferment(*v.* 使发酵)

292

ferocious [fə'rouʃəs] *adj.* 凶猛的, 残暴的

[记] 词根记忆: fer(野的) + oc(看上去的) → ious → 凶猛的

fertile ['fɜːrtl] *adj.* 多产的; 肥沃的

[记] 词根记忆: fert(=fer 带来) + ile → 带来果实的 → 多产的

fiat ['fiːæt] *n.* 法令, 政令

[记] 联想记忆: fi(看作 fire, 开火) + at → 对…开火 → 政令

figurine [ˌfɪgjə'riːn] *n.* 小塑像, 小雕像

[记] 联想记忆: figur(e)(雕像) + ine(小的) → 小雕像

file [faɪl] *n.* 锉刀 *v.* 锉平

[记] file"文件"之意众所周知

filial ['fɪliəl] *adj.* 子女的

[记] 词根记忆: fil(儿子) + ial → 子的 → 子女的

filibuster ['fɪlɪbʌstər] *v.* 妨碍议事, 阻挠议案通过 *n.* 阻挠议事的人或行动

[记] 发音记忆:"费力拍死它" → 阻碍法案或议事的通过 → 阻挠议案通过

filter ['fɪltər] *n.* 过滤材料, (尤指)滤纸 *v.* 过滤

filth [fɪlθ] *n.* 污物; 猥亵的东西

[记] 和 filch(*v.* 偷)一起记

finable ['faɪnəbl] *adj.* 应罚款的

[记] 来自 fine(*v.* 罚款)

finagle [fɪ'neɪgl] *v.* 骗取, 骗得

finale [fɪ'næli] *n.* 最后, 最终; 终曲

[记] 来自 final(*adj.* 最后的)

finite ['faɪnaɪt] *adj.* 有限的

[记] 词根记忆: fin(范围) + ite → 有限的

firearm ['faɪərɑːrm] *n.* (便携式)枪支

[记] 组合词: fire(火) + arm(武器) → 枪支

fiscal ['fɪskl] *adj.* 国库的; 财政的

[记] 词根记忆: fisc(金库) + al → 国库的; 财政的

fissile ['fɪsl] *adj.* 易分裂的

[记] 词根记忆：fiss(裂开) + ile(易…的) → 易分裂的

fissure ['fɪʃər] *n.* 裂缝，裂隙

[记] 词根记忆：fiss(裂开) + ure → 裂缝

fitful ['fɪtfl] *adj.* 间歇的，不规则的

[记] 联想记忆：fit(一阵) + ful(充满…的) → 一阵阵的 → 间歇的

flaccid ['flæsɪd] *adj.* 松弛的；软弱的

[记] 词根记忆：flac(=flab 松的) + cid → 松弛的

flagellate ['flædʒəleɪt] *v.* 鞭打，鞭笞

[记] 词根记忆：flagel(鞭) + late → 鞭打

flair [fler] *n.* 天赋，本领，天资

[记] 和 fair(*adj.* 公正的；美丽的)一起记

flak [flæk] *n.* 高射炮；抨击

[记] 和 flake(*n.* 薄片；雪片)一起记

flammable ['flæməbl] *adj.* 易燃的

[记] 词根记忆：flamm(=flam 火) + able → 易燃的

flatten ['flætn] *v.* (使)变平；彻底打败，击倒

flatulent ['flætʃələnt] *adj.* 自负的，浮夸的

[记] 词根记忆：fla(吹) + tul + ent → 吹嘘的 → 自负的

flay [fleɪ] *v.* 剥皮；抢夺，掠夺；严厉指责

[记] 和 fray(*v.* 吵架，冲突)一起记

fleece [fliːs] *n.* 生羊皮，羊毛 *v.* 骗取，欺诈

[记] 联想记忆：flee(逃跑) + ce → 骗完钱就跑 → 骗取

fleet [fliːt] *adj.* 快速的 *v.* 消磨，疾驰；飞逝，掠过

[记] 和 flee(*v.* 逃跑)一起记

flicker ['flɪkər] *v.* 闪烁，摇曳

[记] 和 flick(*v.* 轻弹)一起记

flighty ['flaɪti] *adj.* 轻浮的；反复无常的

[记] 联想记忆：f + light(轻的) + y → 因为轻而飘浮着 → 轻浮的

294

flimflam ['flɪmflæm] *n.* 欺骗；胡言乱语

flinch [flɪntʃ] *v.* 畏缩，退缩
[记] 联想记忆：fl(看作 fly，飞) + inch(寸) → 一寸一寸向后飞 → 退缩

flit [flɪt] *v.* 掠过，迅速飞过
[记] 联想记忆：fl(看作 fly，飞) + it → 飞过它 → 掠过，迅速飞过

floppy ['flɑ:pi] *adj.* 松软的；软弱的
[记] 联想记忆：f + loppy(下垂的) → 松软的

flossy ['flɑ:si] *adj.* 华丽的，时髦的；丝棉般的，柔软的

fluke [flu:k] *n.* 侥幸；意想不到的事
[记] 和 flake(*n.* 雪片)一起记

flunk [flʌŋk] *v.* (考试)不及格

flush [flʌʃ] *v.* 脸红；奔流；冲洗 *n.* 激动；脸红
[记] 和 blush(*v.* 脸红)一起记

flutter ['flʌtər] *v.* 拍翅

fluvial ['flu:viəl] *adj.* 河流的，生长在河中的
[记] 词根记忆：fluv(=flu 流) + ial → 河流的

flux [flʌks] *n.* 不断的变动，变迁，动荡不安
[记] 词根记忆：flu(流动) + x → 不断的变动

foist [fɔist] *v.* 偷偷插入；(以欺骗的方式)强加

fold [fould] *n.* 羊栏 *v.* 折叠
[记] 联想记忆：f + old(旧) → 旧东西有许多褶 → 折叠

folksy ['fouksi] *adj.* 亲切的，友好的
[记] 来自 folks(*n.* 亲属)

foment [fou'ment] *v.* 煽动
[记] 注意不要和 ferment(*v.* 使发酵；酝酿)相混

fondle ['fɑ:ndl] *v.* 抚弄，抚摸
[记] 来自 fond(*adj.* 喜爱的)

foolproof ['fu:lpru:f] *adj.* 极易懂的，十分简单的
[记] 组合词：fool(笨蛋) + proof(防…的) → 以防受限于人的无能而做得尤其简单好用 → 人人都会操作的 → 极易懂的

footle [ˈfuːtl] *v.* 说胡话，做傻事，浪费(时间)

[记]联想记忆：foot(脚) + le → 走来走去 → 浪费(时间)

foppish [ˈfɑːpɪʃ] *adj.* (似)纨绔子弟的；浮华的，俗丽的

[记]来自fop(*n.* 纨绔子弟)

foray [ˈfɔːreɪ] *v.* 突袭，偷袭；劫掠，掠夺 *n.* 突袭

[记]联想记忆：fo(看作 for，为了) + ray(光线) → 为了光明，偷袭敌人 → 突袭，偷袭

forbidding [fərˈbɪdɪŋ] *adj.* 令人生畏的；(形势)险恶的；令人反感的，讨厌的

[记]来自forbid(*v.* 禁止)

forecast [ˈfɔːrkæst] *v.* 预报，预测 *n.* 预测

[记]词根记忆：fore(预先) + cast(扔) → 预先扔下 → 预测

foreclose [fɔːrˈklouz] *v.* 排除；取消(抵押品的)赎回权

[记]词根记忆：fore(预先) + clos(关闭) + e → 预先关闭 → 排除

forensic [fəˈrensɪk] *adj.* 公开辩论的，争论的

[记]来自forum(*n.* 讨论会)

foreword [ˈfɔːrwɜːrd] *n.* 前言，序

[记]联想记忆：fore(前面的) + word(话) → 写在前面的话 → 前言

forfeiture [ˈfɔːrfətʃər] *n.* (名誉等)丧失

[记]来自forfeit(*v.* 被没收)

forge [fɔːrdʒ] *n.* 铁匠铺 *v.* 使形成，达成；伪造；锻制，打铁

[记]发音记忆："仿制" → 伪造

forger [ˈfɔːrdʒər] *n.* 伪造者；打铁匠

[记]来自forge(*v.* 伪造；打铁)

forgery [ˈfɔːrdʒəri] *n.* 伪造(物)

[记]来自forge(*v.* 伪造)

forgo [fɔːrˈɡou] *v.* 放弃，抛弃

[记]联想记忆：for(为了) + go(走) → 为了寻求新事物而出去 → 放弃

formative [ˈfɔːrmətɪv] *adj.* 形成的；影响发展的

[记] 来自 form(*v.* 形成)

forswear [fɔːrˈswer] *v.* 誓绝，发誓放弃

[记] 联想记忆：for(出去) + swear(发誓) → 为了过改自新而发誓 → 誓绝

forum [ˈfɔːrəm] *n.* 辩论的场所，论坛

[记] 词根记忆：for(门) + um → 门外 → 广场 → 论坛

forward [ˈfɔːrwərd] *adj.* 过激的；莽撞的，冒失的，无礼的

[记] 词根记忆：for(=fore 前面) + ward(向…的) → 向前的 → 莽撞的

fossilize [ˈfɑːsəlaɪz] *v.* 使成为化石；使过时

[记] 来自 fossil(*n.* 化石)

foyer [ˈfɔɪər] *n.* 门厅，休息室

[记] 和 foy(*n.* 临别礼物)一起记

fractional [ˈfrækʃənl] *adj.* 微小的，极少的，微不足道的

[记] 来自 fraction(*n.* 少量，一点儿)

fracture [ˈfræktʃər] *n.* 骨折；折断；裂口

[记] 词根记忆：fract(碎裂) + ure → 骨头碎了 → 骨折

fragrance [ˈfreɪɡrəns] *n.* 香料；香味

[记] 来自 fragrant(*adj.* 芳香的)

fragrant [ˈfreɪɡrənt] *adj.* 芳香的

[记] 和 flagrant(*adj.* 恶名昭著的)一起记

fraternal [frəˈtɜːrnl] *adj.* 兄弟的，兄弟般的

记 词根记忆：frater(兄弟) + nal → 兄弟的

frenzy [ˈfrenzi] *n.* 狂乱，狂暴；暂时性疯狂

[记] 词根记忆：fren (=phren 心灵) + zy → 有关心灵状态的 → 狂暴

friable [ˈfraɪəbl] *adj.* 脆的，易碎的

friction [ˈfrɪkʃn] *n.* 摩擦；矛盾，冲突

[记] 联想记忆：润滑油的功能(function)是减小摩擦(friction)

Word List 30

frigidity [frɪˈdʒɪdəti] *n.* 寒冷；冷淡
[记] 来自 frigid(*adj.* 寒冷的)

fringe [frɪndʒ] *n.* (窗帘等)须边；边缘
[记] 联想记忆：f + ring(一圈) + e → 周围一圈 → 边缘；和 flange(*n.* 凸出的轮缘)一起记

frisk [frɪsk] *n.* 欢跃，蹦跳 *v.* 欢跃，嬉戏
[记] 联想记忆：f(看作 for) + risk(冒险) → 欢跃不是冒险 → 欢跃

frolic [ˈfrɑːlɪk] *n.* 嬉戏；雀跃 *v.* 嬉戏

frothy [ˈfrɔːθi] *adj.* 起泡的；空洞的

frowzy [ˈfraʊzi] *adj.* 不整洁的，污秽的
[记] 和 frown(*v.* 皱眉) 一起记：看到污秽的(frowzy)东西就皱眉(frown)

fructify [ˈfrʌktɪfaɪ] *v.* (使)结果实；(使)成功
[记] 词根记忆：fruct(=fruit 果实) + ify(使) → (使)结果实

fruition [fruˈɪʃn] *n.* 实现，完成
[记] 联想记忆：fruit(水果) + ion → 有果实，有成果 → 实现，完成

frumpy [ˈfrʌmpi] *adj.* 邋遢的；老式的，过时的
[记] 来自 frump(*n.* 衣着邋遢或老式的女子)

full-blown [ˌfʊlˈbloʊn] *adj.* 成熟的；(花)盛开的；全面的，完善的
[记] 组合词：full(完全的) + blown(开花的) → 盛开的

full-bodied [ˌfʊlˈbɑːdid] *adj.* 魁梧的；(味道)浓烈的；重要的
[记] 联想记忆：full(完全的) + bodi(=body 身体) + ed(…的) → 全身都有的 → (味道)浓烈的

298

fulminate ['fʊlmɪneɪt] v. 猛烈抨击，严厉谴责

[记] 词根记忆：fulmin (闪电，雷声) + ate → 像雷电一样 → 严厉谴责

fumble ['fʌmbl] v. 摸索，笨拙地搜寻；弄乱，搞糟

fume [fjuːm] v. 发怒，愤怒；冒烟 n. 烟；愤怒，恼怒

[记] 联想记忆：有声望 (fame) 的人不会因为小事发怒 (fume)

funk [fʌŋk] n. 怯懦，恐惧；懦夫

[记] 联想记忆：懦夫 (funk) 也要真诚坦率 (frank)

funky [fʌŋki] adj. 有霉臭味的，有恶臭的

[记] 联想记忆：身上散发出恶臭的 (funky) 气味的懦夫 (funk)

furbish ['fɜːrbɪʃ] v. 磨光，刷新

[记] 注意不要和 furnish (v. 装饰；提供) 相混

furor ['fjʊrɔːr] n. 喧闹，轰动；盛怒

[记] 来自 fury (n. 狂怒)

fury ['fjɜːri] n. 狂怒，狂暴；激烈，猛烈；狂怒的人；(希腊神话中的) 复仇女神

fuss ['fʌs] n. 大惊小怪

[记] 发音记忆："发丝" → 看到男朋友的外套上有别的女孩子的发丝，于是大发雷霆，但被男朋友认为是大惊小怪 → 大惊小怪

fusty ['fʌsti] adj. 霉臭的；陈腐的，过时的

futility [fjuː'tɪləti] n. 无用，无益

gab [gæb] n. 饶舌，爱说话 v. 空谈，瞎扯；闲逛，游荡

[记] 联想记忆：坐在大门 (gate) 口瞎扯 (gab)

gabble ['gæbl] v. 急促而不清楚地说

[记] 来自 gab (v. 空谈，瞎扯)；不要和 gobble (v. 贪婪地大口吃) 相混

gabby ['gæbi] adj. 饶舌的，多嘴的

[记] 来自 gab (n. 饶舌，爱说话)

gadget ['gædʒɪt] *n.* 小工具，小机械

[记] 联想记忆：gad(尖头棒) + get → 尖头棒是一种小工具 → 小工具；可以和 fidget(*n./v.* 坐立不安)一起记，丢了心爱的小工具(gadget)，他坐立不安(fidget)

gaff [gæf] *n.* 大鱼钩，鱼叉；【海】斜桁

gaffe [gæf] *n.* (社交上令人不快的)失礼，失态

[记] 联想记忆：gaff(鱼叉) + e → 像用鱼叉刺人 → 失礼，失态

gaiety ['geɪəti] *n.* 欢乐，快活

[记] 来自 gay(*adj.* 欢乐的)

gambol ['gæmbl] *n.* 雀跃；嬉戏 *v.* 雀跃；耍闹

[记] 来自 gamb(腿，胫) + ol → 用腿跳跃 → 雀跃；注意不要和 gamble(*n./v.* 赌博)相混

gander ['gændər] *n.* 雄鹅；笨人，傻瓜 *v.* 闲逛

[记] 和 gender(*n.* 性别)一起记：连性别(gender)都分不清的笨人(gander)

gangling ['gæŋglɪŋ] *adj.* 瘦长得难看的

[记] 发音记忆："杠铃" → 像杠铃一样瘦而难看的 → 瘦长得难看的

gangly ['gæŋgli] *adj.* 身材瘦长难看的

gangway ['gæŋweɪ] *n.* (上下船的)跳板；样板；舷梯

[记] 词根记忆：gang(路) + way(路) → 通向路的路 → 跳板

gape [geɪp] *v.* 裂开；目瞪口呆地凝视

[记] 联想记忆：地面上裂开(gape)一个大裂口(gap)

garbled ['gɑːrbld] *adj.* 引起误解的；窜改的

gargantuan [gɑːrˈgæntʃuən] *adj.* 巨大的，庞大的

[记] 来自法国作家拉伯雷的著作《巨人传》中的巨人 Gargantua

gargoyle ['gɑːrgɔɪl] *n.* (雕刻成怪兽状的)滴水嘴；面貌丑恶的人

[记] 来自 gargle(*n./v.* 漱口)

300

garment [ˈɡɑːrmənt] n. 衣服

garner [ˈɡɑːrnər] v. 把…储入谷仓; 收藏, 积累; 获得

[记] 发音记忆: "家纳" → 家里收纳下来 → 收藏

garnish [ˈɡɑːrnɪʃ] v. 装饰

[记] 词根记忆: gar(花) + nish → 布满花 → 装饰

garrulity [ɡəˈruːləti] n. 唠叨, 饶舌

[记] 来自 garrulous(adj. 唠叨的, 饶舌的)

gaseous [ˈɡæsiəs] adj. 气体的, 气态的

[记] 来自 gas(n. 气体)

gauche [ɡoʊʃ] adj. 笨拙的, 不会社交的

gaunt [ɡɔːnt] adj. 憔悴的, 瘦削的

[记] 和 taunt (n./v. 嘲弄) 一起记: 因被嘲弄(taunt), 所以憔悴(gaunt)

gavel [ˈɡævl] n. (法官所用的) 槌, 小木槌

[记] 联想记忆: gave(给) + l → 敲小木槌, 给以注意 → 槌, 小木槌

gawky [ˈɡɔːki] adj. 迟钝的, 笨拙的

[记] 来自 gawk(v. 呆头呆脑地盯着)

gaze [ɡeɪz] v. 凝视, 注视 n. 凝视, 注视

[记] 发音记忆: "盖茨" → 比尔·盖茨令世人瞩目 → 凝视, 注视

genesis [ˈdʒenəsɪs] n. 创始, 起源

[记] 词根记忆: gene(产生) + sis → 创始; 首字母大写时 Genesis 专指《圣经》中的《创世纪》

genteel [dʒenˈtiːl] adj. 有教养的, 彬彬有礼的; 冒充上流的, 附庸风雅的

[记] 来自 gentle(adj. 文雅的)

genuine [ˈdʒenjuɪn] adj. 真的; 真诚的

[记] 词根记忆: genu(出生, 产生) + ine → 产生的来源清楚 → 真的

germicide [ˈdʒɜːrmɪsaɪd] n. 杀菌剂

[记] 词根记忆: germ(细菌) + i + cid(切) + e → 杀菌剂

301

gerontocracy [ˌdʒerən'tɑːkrəsi] n. 老人统治的政府

[记] 词根记忆：geront(老人) + o + cracy(统治) → 老人统治的政府

gestate ['dʒesteɪt] v. 怀孕，孕育；构思

[记] 词根记忆：gest(=carry 带有) + ate → 有了 → 怀孕

gesticulate [dʒe'stɪkjuleɪt] v. 做手势表达

[记] 来自 gesture(n. 手势，姿势)

gesture ['dʒestʃər] n. 姿势，手势；姿态，表示

giggle ['gɪgl] v. 咯咯笑

[记] 发音记忆："叽咯" → 发出叽咯咯的笑声 → 咯咯笑

gild [gɪld] v. 镀金；虚饰

gimmick ['gɪmɪk] n. 吸引人的花招，噱头

gingerly ['dʒɪndʒərli] adj./adv. 小心的/地，谨慎的/地

[记] 联想记忆：切生姜 (ginger) 的时候要小心 (gingerly)，别让生姜汁溅到眼睛里

gist [dʒɪst] n. 要点，要旨

[记] 和 list(v. 列出)一起记：list(列出)the gists (要点)

gladiator ['glædieɪtər] n. 角斗士，与野兽搏斗者

[记] 来自 gladius(n. 古罗马军队之短剑)

glamor ['glæmər] v. 迷惑 n. 魔法，魔力；迷人的美，魅力

glare [gler] v. 发炫光；怒目而视

[记] 和 flare(n./v. 闪光)一起记

gleam [gliːm] n. 微光，闪光 v. 发微光，闪烁

[记] 联想记忆：拾起(glean)的金色落穗闪闪发光(gleam)

glean [gliːn] v. 拾(落穗)；收集(材料等)

glee [gliː] n. 欢喜，高兴

[记] 和 flee(v. 逃跑)一起记：因 flee(逃跑)而 glee(欢喜，高兴)

glib [glɪb] adj. 圆滑的，能言善道的，善辩的

glide [glaɪd] v. 滑行，滑动；悄悄地溜走；渐变

glimmer ['glɪmər] *v.* 发微光 *n.* 摇曳的微光

[记]联想记忆：glim(灯，灯光) + mer → 灯光摇曳 → 发微光

glimpse [glɪmps] *v.* 瞥见，看一眼 *n.* 一瞥，一看

[记]联想记忆：glim(灯光) + pse → 像灯光一闪 → 瞥见

glisten ['glɪsn] *v.* 闪烁，闪耀

[记]来自 glist(*n.* 闪光)；联想记忆：g + listen (听) → 因为善于倾听，所以智慧闪耀 → 闪烁，闪耀

glitter ['glɪtər] *v.* 闪烁，闪耀 *n.* 灿烂的光华；诱惑力，魅力

gloomy ['gluːmi] *adj.* 阴暗的；没有希望的；阴郁的，忧郁的

[记]来自 gloom(*n.* 黑暗，阴暗)

glorify ['glɔːrɪfaɪ] *v.* 吹捧，美化

[记]词根记忆：glor(光荣) + ify(使) → 使光荣 → 美化

glow [gloʊ] *v.* 发光，发热；(脸)发红 *n.* 发光；兴高采烈

glower ['glaʊər] *v.* 怒目而视

[记]联想记忆：glow(发光) + er → 眼睛发亮看对方 → 怒目而视

glowing ['gloʊɪŋ] *adj.* 热情赞扬的

gnaw [nɔː] *v.* 啃，咬；腐蚀，侵蚀

gnawing ['nɔːɪŋ] *n.* 啃，咬 *adj.* 痛苦的，折磨人的

[记]来自 gnaw(*v.* 啃，咬)

goad [goʊd] *n.* 赶牛棒；刺激，激励 *v.* 刺激，激励

gobble ['gɑːbl] *v.* 贪婪地吃，狼吞虎咽；吞没

[记]来自 gob(*n.* 一块，大量)

goblet ['gɑːblət] *n.* 高脚酒杯

goggle ['gɑːgl] *n.* 护目镜 *v.* 瞪大眼睛看

goldbrick ['goʊldbrɪk] *v.* 逃避责任，偷懒

[记]联想记忆：gold(金) + brick(砖) → 一边偷懒一边梦想金砖 → 偷懒

goof [ɡuːf] *v.* 犯错误；闲逛，消磨时间

[记] 联想记忆：经过仔细调查，找到了他犯错(goof)的证据(proof)

gorge [ɡɔːrdʒ] *n.* 峡谷

gourmand ['ɡʊrmɑːnd] *n.* 嗜食者

[记] 联想记忆：g(看作 go，去) + our + man + d → 我们的人都爱去吃各种美食 → 嗜食者

gourmet ['ɡʊrmeɪ] *n.* 美食家

[记] 注意与 gourmand 的不同：gourmand 指贪吃的人，而 gourmet 指品尝食品是否美味的人

governance ['ɡʌvərnəns] *n.* 统治，支配

[记] 来自 govern(*v.* 统治)

gracile ['ɡræsaɪl] *adj.* 细弱的，纤细优美的

gracious ['ɡreɪʃəs] *adj.* 大方的，和善的；奢华的；优美的，雅致的

grant [ɡrænt] *v.* 同意给予；授予

[记] 联想记忆：授予(grant)显赫的(grand)贵族爵位

granule ['ɡrænjuːl] *n.* 小粒，微粒

[记] 词根记忆：gran(=grain 颗粒) + ule → 小粒，微粒

grasping ['ɡræspɪŋ] *adj.* 贪心的，贪婪的

[记] 联想记忆：grasp(抓取) + ing → 不停地抓取自己喜爱的东西 → 贪婪的

grate [ɡreɪt] *v.* 吱嘎磨碎；使人烦躁，刺激

[记] 联想记忆：g + rat(耗子) + e → 耗子发出吱嘎声 → 使人烦躁

gratification [ˌɡrætɪfɪ'keɪʃn] *n.* 满足，喜悦

[记] 来自 gratify(*v.* 使高兴，使满意)

gratuity [ɡrə'tuːəti] *n.* 赏钱，小费

[记] 词根记忆：grat(感激) + uity → 表示感激的小费 → 小费

gravel ['ɡrævl] *n.* 碎石，砂砾

[记] 联想记忆：和 gavel(*n.* 小木槌)一起记；词根记忆：grav(重) + el → 堆在一起的很重的东西 → 碎石

gravitate ['grævɪteɪt] v. 被强烈地吸引; 受引力作用而运动
[记] 词根记忆: grav(重) + it(走) + ate → 受重力作用而走 → 受引力作用而运动

greenhorn ['griːnhɔːrn] n. 初学者; 容易受骗的人
[记] 组合词: green(绿色) + horn(角) → 原指初生牛犊等动物 → 初学者

gregariousness [grɪ'geriəsnəs] n. (动物)群居; 合群, 爱交友
[记] 来自 gregarious(adj. 交际的, 合群的)

grievance ['griːvəns] n. 委屈, 抱怨, 牢骚
[记] 词根记忆: griev(悲痛) + ance(表名词) → 委屈, 抱怨

grievous ['griːvəs] adj. 痛苦的, 悲伤的; 极严重的
[记] 词根记忆: griev(悲痛) + ous → 痛苦的, 悲伤的

grill [grɪl] v. 烤; 拷问 n. 烤架
[记] 联想记忆: gr + ill(生病) → 严刑拷打会打出病的 → 拷问

grimace [grɪ'meɪs] n. 鬼脸, 面部扭曲 v. 扮鬼脸
[记] 联想记忆: grim(可怕的) + ace(看作 face, 脸) → 可怕的脸 → 鬼脸

grin [grɪn] v. 露齿而笑; (因痛苦、愤恨等)龇牙咧嘴
[记] 联想记忆: 老人看着收获的谷物(grain)欣慰地露齿而笑(grin)

gripe [graɪp] v. 抱怨; 惹恼, 激怒
[记] 联想记忆: g + ripe(成熟的) → 成年人容易抱怨 → 抱怨

grisly ['grɪzli] adj. 恐怖的, 可怕的

grit [grɪt] n. 沙粒; 决心, 勇气 v. 下定决心, 咬紧牙关

groan [grəʊn] v. 呻吟, 叹息 n. 呻吟, 叹息
[记] 联想记忆: 人长大后(grown)变得爱叹息(groan)

groom [gruːm] n. 马夫; 新郎
[记] 联想记忆: g(谐音"哥") + room(房间) → 哥进房间接自己的新娘 → 新郎

groove [gruːv] *n.* 沟, 槽, 辙; (刻出的)字沟; 习惯

[记] 联想记忆: 戴手套 (glove) 是一种习惯 (groove); 注意不要和 grove(*n.* 树丛)相混

gross [grəus] *adj.* 总的; 粗野的 *n.* 全部, 总额

[记] 联想记忆: 青草(grass)地占了这个公园总 (gross)面积的三分之一

grotesque [grəu'tesk] *adj.* (外形或方式) 怪诞的, 古怪的; (艺术等)风格怪异的

[记] 来自 grotto(岩洞) + picturesque(图画的), 原意为"岩洞里的图画"→(绘画、雕刻等)怪诞 的 →(艺术等)风格怪异的

grouch [grautʃ] *n.* 牢骚, 不满; 好抱怨的人

grove [grəuv] *n.* 小树林, 树丛

[记] 联想记忆: gro(看作 grow) + ve(看作 five) → 五棵树长在一起 → 小树林

grovel ['grɑːvl] *v.* 摇尾乞怜, 奴颜婢膝; 匍匐

[记] 联想记忆: 在小树林 (grove) 中匍匐 (grovel)前进

growl [graul] *v.* (动物)咆哮, 吼叫; (雷等)轰鸣

[记] 联想记忆: gr + owl (猫头鹰) → 猫头鹰叫 → 咆哮, 吼叫

gruesome ['gruːsəm] *adj.* 令人毛骨悚然的, 阴森的

[记] 联想记忆: grue(发抖) + some(…的) → 发 抖的 → 令人毛骨悚然的

gruff [grʌf] *adj.* 粗鲁的, 板着脸孔的; (声音)粗哑的

grumpy ['grʌmpi] *adj.* 脾气暴躁的

[记] 来自 grump(*v.* 发脾气, 生气)

guarantee [ˌgærən'tiː] *v.* 保证, 担保

[记] 联想记忆: guar(看作 guard, 保卫) + antee → 保证, 担保

guffaw [gə'fɔː] *n.* 哄笑, 粗声大笑 *v.* 哄笑

[记] 联想记忆: guff(胡言, 废话) + aw → 听了 他的一番胡言, 大家一阵哄笑 → 哄笑

guileless ['gaɪlləs] *adj.* 厚道的, 老实的

[记] 组合词: guile(狡诈, 诡计) + less(没有) → 没有诡计 → 老实的

guise [gaɪz] *n.* 外观, 装束; 伪装, 假装

[记] 发音记忆: "盖子" → 外观, 装束

gulch [gʌltʃ] *n.* 深谷, 峡谷

[记] 联想记忆: 峡谷(gulch)是大地上的深沟, 海湾(gulf)是海中的深沟

gulp [gʌlp] *v.* 吞食, 咽下; 抵制, 忍住

gum [gʌm] *n.* 树胶, 树脂; 橡皮糖, 口香糖

gumption ['gʌmpʃn] *n.* 进取心, 魄力; 精明强干

gusher ['gʌʃər] *n.* 滔滔不绝的说话者; 喷油井

[记] 来自 gush(*v.* 喷出, 涌出; 滔滔不绝地说话)

gustation [gʌ'steɪʃn] *n.* 品尝; 味觉

[记] 联想记忆: 一阵强风(gust)吹来, 他们没办法在露天茶座惬意地进行美食品尝(gustation)了

gustatory ['gʌstətəri] *adj.* 味觉的, 品尝的

[记] 来自 gustation(*n.* 味觉; 品尝)

gutless ['gʌtləs] *adj.* 没有勇气的, 怯懦的

[记] 联想记忆: gut(勇气) + less(无) → 没有勇气的

gutter ['gʌtər] *n.* 水槽; 街沟

[记] 词根记忆: gut(肠胃, 引申为"沟") + ter → 街沟

guttle ['gʌtl] *v.* 狼吞虎咽

[记] 联想记忆: gut(肠子) + tle → 肠子容量很大, 消化快 → 狼吞虎咽

guzzle ['gʌzl] *v.* 大吃大喝; 大量消耗

gyrate ['dʒaɪreɪt] *adj.* 旋转的 *v.* 旋转, 回旋

[记] 词根记忆: gyr(转) + ate → 旋转的

habitable ['hæbɪtəbl] *adj.* 可居住的

[记] 词根记忆: habit(居住) + able(可…的) → 可居住的

habitat ['hæbɪtæt] *n.* 自然环境, 栖息地

[记] 词根记忆: habit(居住) + at → 住的地方 → 栖息地

haggard ['hægərd] *adj.* 憔悴的, 消瘦的

[记] 联想记忆: hag(巫婆) + gard → 像巫婆一样 → 形容枯槁的 → 消瘦的

halcyon ['hælsiən] *adj.* 平静的; 愉快的; 繁荣的

[记] 原指传说中一种能平息风浪的 "神翠鸟(halcyon)"

hallowed ['hæloud] *adj.* 神圣的

[记] 来自 hallow(*v.* 使神圣, 把…视作神圣)

hallucination [həˌluːsɪ'neɪʃn] *n.* 幻觉

[记] 联想记忆: hall(大厅) + uci(发音相当于 you see, 你看) + nation(国家) → 在大厅里你看到了一个国家 → 产生了幻觉 → 幻觉

hammer ['hæmər] *n.* 锤子, 槌 *v.* 锤击, 锤打

hangdog ['hæŋdɑːg] *adj.* 忧愁的; 低贱的

[记] 组合词: hang(吊) + dog(狗) → 吊起来的狗 → 低贱的

hanker ['hæŋkər] *v.* 渴望, 追求

[记] 联想记忆: 绞刑执行者(hanger) 渴望(hanker)心灵的平静

hankering ['hæŋkərɪŋ] *n.* 渴望, 向往

[记] 来自 hanker(*v.* 渴望, 追求)

haphazard [hæp'hæzərd] *adj.* 任意的, 偶然的, 无秩序的

[记] 联想记忆: hap(机会, 运气) + hazard(冒险) → 运气 + 冒险 → 偶然的

harangue [hə'ræŋ] *n.* 长篇攻击性演说

[记] 联想记忆: har(看作 hard, 强硬的) + angue(看作 argue, 辩论) → 强硬的辩论 → 长篇攻击性演说

harbinger ['hɑːrbɪndʒər] *n.* 先驱, 先兆

hardbitten [ˌhɑːrd'bɪtn] *adj.* 不屈的, 顽强的

[记] 组合词: hard(硬) + bitten(咬) → 硬得咬不动 → 顽强的

hardihood ['hɑːrdihʊd] *n.* 大胆，刚毅；厚颜

[记] 来自 hardy(*adj.* 强壮的；大胆的，勇敢的)

hardy ['hɑːrdi] *adj.* 耐寒的；强壮的；大胆的，勇敢的

[记] 联想记忆：hard(硬的) + y(…的) → 强壮的；耐寒的

harness ['hɑːrnɪs] *n.* 马具，挽具 *v.* 束以马具；利用，控制

[记] 联想记忆：har(看作 hard，结实的) + ness(表名词) → 马具通常都很结实 → 马具

harp [hɑːrp] *n.* 竖琴 *v.* 弹竖琴；喋喋不休地说或写

[记] 联想记忆：要学会弹竖琴(harp)就需要不懈刻苦努力(hard)

harpsichord ['hɑːrpsɪkɔːrd] *n.* 键琴(钢琴的前身)

[记] 组合词：harp(竖琴) + si + chord(琴弦) → 键琴

harrow ['hærou] *n.* 耙 *v.* 耙地；使痛苦

[记] 联想记忆：农民把土地视作神圣(hallow)之物，勤勤恳恳地耙地(harrow)

harrowing ['hærouɪŋ] *adj.* 悲痛的，难受的

[记] 来自 harrow(*v.* 使痛苦)

harry ['hæri] *v.* 掠夺；袭扰；折磨

[记] 联想记忆：掠夺(harry)时要搬运(carry)；和人名 Harry 一样拼写

Word List 31

harshly ['hɑːrʃli] *adv.* 严酷地，无情地

hash [hæʃ] *n.* 杂乱，混乱；杂烩菜

hasten ['heɪsn] *v.* 加速，加快，促进

hasty ['heɪsti] *adj.* 急急忙忙的
[记] 来自 haste(*n.* 急速)

hauteur [hɔːˈtɜːr] *n.* 傲慢
[记] 来自 haut(*adj.* 高级的；上流社会的)

havoc ['hævək] *n.* 大破坏，混乱
[记] 联想记忆：hav(看作 have, 有) + oc(看作 occur, 发生)→ 有事发生 → 混乱

hawk [hɔːk] *n.* 隼，鹰

hazy ['heɪzi] *adj.* 朦胧的，不清楚的

headlong ['hedlɔːŋ] *adj./adv.* 轻率的/地，迅猛的/地
[记] 组合词：head + long → 头很长 → 做事长驱直入不假思索 → 轻率的/地

headway ['hedweɪ] *n.* 进步，进展

heady ['hedi] *adj.* 任性的；鲁莽的

heal [hiːl] *v.* 治愈

hearken ['hɑːrkən] *v.* 倾听
[记] 来自 hear(*v.* 听)

hearsay ['hɪrseɪ] *n.* 谣传，道听途说
[记] 组合词：hear(听到) + say(说)→ 道听途说

heartrending ['hɑːrtrendɪŋ] *adj.* 令人心碎的
[记] 组合词：heart(心) + rending(撕碎)→ 令人心碎的

heave [hiːv] *v.* 用力举
[记] 联想记忆：heaven(天堂)去掉 n → 想把天堂举起，却掉了个 n → 用力举

heckle ['hekl] *v.* 诘问，责问

[记] 联想记忆：he(他) + ckle(看作 buckle，扣上) → 他因无故把人扣住不放受到诘问 → 诘问

hectic ['hektɪk] *adj.* 兴奋的；繁忙的，忙乱的

hector ['hektər] *v.* 欺凌，威吓

hedge [hedʒ] *n.* 树篱；保护手段；障碍

[记] 联想记忆：边缘（edge）被 h 围成了树篱（hedge）

herbivorous [ɜːr'bɪvərəs] *adj.* 食草的

[记] 词根记忆：herb(草) + i + vor(吃) + ous → 食草的

heresy ['herəsi] *n.* 异端邪说

[记] 联想记忆：here(这里) + sy(看作 say，说) → 非熟悉的本地人所说的 → 异端邪说

hermetic [hɜːr'metɪk] *adj.* 密封的；神秘的，深奥的

[记] 来自 Hermes(希腊神话中具有发明才能的神)

hew [hjuː] *v.* 砍伐；遵守

[记] 联想记忆：早上去砍伐（hew）树木，露珠（dew)被震下来

hidebound ['haɪdbaʊnd] *adj.* 思想偏狭且顽固的

[记] 组合词：hide(兽皮) + bound(包裹) → 被皮包裹起来 → 思想偏狭且顽固的

hie [haɪ] *v.* 疾走，快速

hieroglyphic [ˌhaɪərə'glɪfɪk] *n.* 象形文字

highbrow ['haɪbraʊ] *n.* 自以为文化修养很高的人

[记] 组合词：high(高) + brow(额头，眉毛) → 眉毛挑得很高的人 → 自以为文化修养很高的人

hike [haɪk] *v.* 抬高，提高 *n.* 徒步旅行

hilarious [hɪ'leriəs] *adj.* 欢闹的；引起大笑的

[记] 词根记忆：hilar(高兴) + ious → 高兴的 → 欢闹的；引起大笑的

hinder ['hɪndər] *v.* 阻碍，妨碍

[记] 词根记忆：hind(后面) + er → 落在后面 → 阻碍，妨碍

hinge [hɪndʒ] *n.* 铰链; 关键

hoarse [hɔːrs] *adj.* 嘶哑的, 粗哑的

[记] 联想记忆: horse(马)中间加一个 a → 马的叫声很嘶哑 → 嘶哑的

hoary ['hɔːri] *adj.* (头发)灰白的; 古老的

[记] 发音记忆: "好理" → 头发灰白, 该好好整理了 → 灰白的

hoax [houks] *n.* 骗局, 恶作剧 *v.* 欺骗

[记] 注意不要和 coax(*v.* 哄骗)混淆

hobble ['hɑːbl] *v.* 蹒跚; 跛行

[记] 和 hobby(*n.* 癖好)一起记

hoe [hou] *n.* 锄头

[记] 联想记忆: 用锄头(hoe)挖洞(hole)

hoist [hɔɪst] *v.* 提起, 升起 *n.* 起重机

homage ['hɑːmɪdʒ] *n.* 效忠; 敬意

[记] 词根记忆: hom(=hum 人) + age → 对别人表示敬意 → 敬意

homely ['houmli] *adj.* 朴素的; 不漂亮的

[记] 联想记忆: home(家) + ly → 家用的 → 朴素的

hone [houn] *n.* 磨刀石 *v.* 磨刀

[记] 注意不要和 horn(*n.* 号角)相混

hoodoo ['huːduː] *n.* 厄运; 招来不幸的人

hoodwink ['hudwɪŋk] *v.* 蒙混, 欺骗

[记] 联想记忆: hood(帽兜) + wink(眨眼) → 眨眼之间从帽兜中变出 (像变魔术一样) → 蒙混, 欺骗

hoop [huːp] *n.* (桶的)箍, 铁环

horizontal [ˌhɔːrəˈzɑːntl] *adj.* 水平的

[记] 来自 horizon(*n.* 地平线)

horn [hɔːrn] *n.* 角; 喇叭

horrendous [hɔːˈrendəs] *adj.* 可怕的, 令人恐惧的

[记] 词根记忆: horr(发抖) + endous → 令人发抖的 → 可怕的

hortative [ˈhɔːrtətɪv] *adj.* 劝告的；激励的

[记] 词根记忆：hort(敦促) + ative → 激励的

horticulture [ˈhɔːrtɪkʌltʃər] *n.* 园艺学

[记] 词根记忆：horti(花园) + cult(种植；培养) + ure → 园艺学

howler [ˈhaʊlər] *n.* 嚎叫的人或动物；滑稽可笑的错误

[记] 来自 howl(v. 嚎叫)

hubris [ˈhjuːbrɪs] *n.* 傲慢，目中无人

[记] 联想记忆：hub(中心) + ris(看作 rise, 升起) → 中心升起 → 以(自我)为中心 → 目中无人

hue [hjuː] *n.* 色彩，色泽；信仰

huffish [ˈhʌfɪʃ] *adj.* 不高兴的，发怒的；傲慢的

[记] 来自 huff(v./n. 生气)

huffy [ˈhʌfi] *adj.* 愤怒的，恼怒的

hull [hʌl] *n.* 外壳；船身 *v.* 剥去外壳

[记] 联想记忆：空有外壳(hull)的东西是没有价值的(null)

humid [ˈhjuːmɪd] *adj.* 湿润的

[记] 联想记忆：hum(嗡嗡声) + id → 蚊子发出嗡嗡的声音，而潮湿的地方多蚊子 → 湿润的

humor [ˈhjuːmər] *v.* 纵容，迁就

[记] humor 最常见的是作"幽默"讲

hunker [ˈhʌŋkər] *v.* 蹲下；顽固地坚持

hurdle [ˈhɜːrdl] *n.* 跨栏；障碍 *v.* 克服(障碍)

hurtle [ˈhɜːrtl] *v.* 呼啸而过，快速通过；猛投，用力投掷

[记] 和 turtle(n. 海龟)一起记

husband [ˈhʌzbənd] *v.* 节省，节约

[记] 联想记忆：丈夫(husband)省钱(husband)，老婆花钱

husbandry [ˈhʌzbəndri] *n.* (广义上的)农业

[记] 联想记忆：husband(丈夫) + ry → 丈夫所干的活 → 农业

hush [hʌʃ] *n.* 肃静，安静 *v.* (使)安静下来

[记] 注意不要和 husk(n. 种子等的外壳)混淆

hymn [hɪm] *n.* 赞美诗

hype [haɪp] *n.* 夸大的广告宣传

hyperactivity [ˌhaɪpəræk'tɪvəti] *n.* 活动过度, 极度活跃
[记] 联想记忆: hyper(过分) + activity(活动) →
活动过度

hypocrite ['hɪpəkrɪt] *n.* 伪善者, 伪君子
[记] 词根记忆: hypo(在下面) + crit(判断) + e
→ 在背后下判断 → 伪君子

icicle ['aɪsɪkl] *n.* 冰柱, 冰垂
[记] 词根记忆: ic(=ice 冰) + icle(小东西) → 冰柱

icon ['aɪkɑːn] *n.* 圣像; 偶像
[记] icon 本身可作构词成分, 如: iconize(*v.* 盲
目崇拜), iconoclasm(*n.* 打破圣像的行动)

iconoclast [aɪ'kɑːnəklæst] *n.* 攻击传统观念或风俗的人
[记] 词根记忆: icon(圣像) + o + clas(打破) + t
→ 打破圣像的人 → 攻击传统观念或风俗的人

idiom ['ɪdiəm] *n.* 方言, 土语; 术语; 特有用语; 风格,
特色

idle ['aɪdl] *adj.* (指人)无所事事的; 无效的 *v.* 懒散,
无所事事
[记] 发音记忆: "爱斗" → 无所事事的人才爱斗
→ 无所事事

idolatrize [aɪ'dɑːlətraɪz] *v.* 奉为偶像, 盲目崇拜
[记] 来自 idol(*n.* 偶像)

idolize ['aɪdəlaɪz] *v.* 将…当作偶像崇拜; 极度仰慕, 崇拜

ignite [ɪg'naɪt] *v.* 发光; 点燃, 燃烧
[记] 词根记忆: ign(点火) + ite → 点燃

ignorant ['ɪgnərənt] *adj.* 无知的, 愚昧的
[记] 词根记忆: ig(不) + nor(=gnor 知道) + ant
→ 不知道的 → 无知的

ilk [ɪlk] *n.* 类型, 种类
[记] 和 ink(*n.* 墨水)一起记

illiberal [ɪ'lɪbərəl] *adj.* 偏执的, 思想狭隘的
[记] 联想记忆: il(不) + liberal(开明的) → 不开
明的 → 偏执的

illuminate [ɪˈluːmɪneɪt] v. 阐明, 解释; 照亮
[记] 词根记忆: il(向内) + lumin(光) + ate → 投入光 → 照亮

illuminati [ɪˌluːmɪˈnɑːti] n. 先觉者, 先知
[记] 词根记忆: il + lumin(光) + ati → 给人带来光明的人 → 先知

illusive [ɪˈluːsɪv] adj. 迷惑人的, 迷幻的
[记] 词根记忆: il + lus(玩耍) + ive → 头脑对某事闹着玩的 → 迷幻的

illustrate [ˈɪləstreɪt] v. 举例说明, 用图表等说明; 阐明
[记] 词根记忆: il(向内) + lus(照亮; 光) + tr + ate → 向内给光明 → 阐明

illustrious [ɪˈlʌstriəs] adj. 著名的, 显赫的
[记] 词根记忆: il(进入) + lus(光) + tr + ious → 进入光中 → 著名的

imbecile [ˈɪmbəsl] n. 低能者, 弱智者, 极愚蠢的人

imbibe [ɪmˈbaɪb] v. 喝; 吸入
[记] 词根记忆: im(进入) + bib(喝) + e → 喝入 → 吸入

imbroglio [ɪmˈbrəʊliəʊ] n. 纠纷, 纠葛, 纠缠不清
[记] 词根记忆: im(进入) + bro(混乱) + glio → 纠纷

immanent [ˈɪmənənt] adj. 内在的, 固有的; 普遍存在的, 无所不在的
[记] 词根记忆: im(进入) + man(停留) + ent → 停留在内部的 → 内在的

immemorial [ˌɪməˈmɔːriəl] adj. 太古的, 极古的
[记] 词根记忆: im(不) + memor(记住) + ial → 在记忆之外的 → 太古的

immensity [ɪˈmensəti] n. 巨大的事物; 巨大, 广大, 无限

immerse [ɪˈmɜːrs] v. 浸入; 沉浸于
[记] 词根记忆: im(进入) + mers(浸入) + e → 浸入

immolate [ˈɪməleɪt] v. 牺牲，献祭

[记] 词根记忆：im(在…之上) + mola(用作祭品的肉) + te → 放上祭品 → 牺牲

immortal [ɪˈmɔːrtl] adj. 不朽的，流芳百世的

[记] 词根记忆：im(不) + mort(死) + al → 不死的 → 不朽的

immune [ɪˈmjuːn] adj. 免疫的；免除的，豁免的

[记] 词根记忆：im(没有) + mun(服务) + e → 不提供服务的 → 免疫的

immunity [ɪˈmjuːnəti] n. 免疫力；豁免

immunize [ˈɪmjunaɪz] v. (通过接种)使免疫

[记] 来自 immune(adj. 免疫的)

immure [ɪˈmjʊr] v. 监禁

[记] 词根记忆：im(进入) + mur(墙) + e → 进入墙 → 监禁

impact [ˈɪmpækt] n. 冲击，影响

[记] 词根记忆：im(进入) + pact(系紧) → 用力系紧 → 影响

impale [ɪmˈpeɪl] v. 刺入，刺穿

[记] 联想记忆：im + pale(苍白的) → 被针刺到，脸色苍白 → 刺入

impalpable [ɪmˈpælpəbl] adj. 无法触及的；不易理解的

[记] 联想记忆：im(不) + palpable(可触摸的) → 无法触及的

impasse [ˈɪmpæs] n. 僵局；死路

[记] 联想记忆：im(不) + pass(通过) + e → 通不过 → 僵局；死路

impeach [ɪmˈpiːtʃ] v. 控告；怀疑；弹劾

[记] 联想记忆：im(进入) + peach(告发) → 控告；弹劾

impel [ɪmˈpel] v. 推进；驱使

[记] 词根记忆：im(在…里面) + pel(推) → 推进

impend [ɪmˈpend] v. 威胁；即将发生

[记] 词根记忆：im + pend(悬挂) → 事情挂在眼前 → 即将发生

impenitent [ɪmˈpenɪtənt] *adj.* 不知悔悟的

[记] 联想记忆：im(不) + penitent(悔过的) →
死不悔改的 → 不知悔悟的

imperil [ɪmˈperəl] *v.* 使陷于危险，危及

[记] 联想记忆：im(进入) + peril(危险) → 使陷
于危险

impermeability [ɪmˌpɜːrmiəˈbɪləti] *n.* 不渗透性

[记] 联想记忆：im(不) + permeability(可渗透
性) → 不渗透性

impertinence [ɪmˈpɜːrtnəns] *n.* 无礼，粗鲁

[记] 联想记忆：im(不) + pertinence(恰当，适
当) → 行为不恰当 → 无礼

impetus [ˈɪmpɪtəs] *n.* 推动力；刺激

[记] 词根记忆：im(在内) + pet(追求) + us →
内心的追求 → 刺激

impinge [ɪmˈpɪndʒ] *v.* 侵犯；撞击

[记] 词根记忆：im(进入) + ping(系紧；强加于)
+ e → 强行进入 → 侵犯

implant [ɪmˈplænt] *v.* 植入，插入；灌输

[记] 联想记忆：im(进入) + plant(种植) → 植
入；灌输

implicate [ˈɪmplɪkeɪt] *v.* 牵连(于罪行中)；暗示

[记] 词根记忆：im(进入) + plic(重叠) + ate →
重叠进去 → 牵连

implicit [ɪmˈplɪsɪt] *adj.* 含蓄的，暗示的

[记] 词根记忆：im(进入) + plic(重叠) + it →
(意义)叠在里面 → 含蓄的

implode [ɪmˈploʊd] *v.* 内爆；剧减

[记] 词根记忆：im(向内) + plod(打击；撞击) +
e → 在内部横冲直撞 → 内爆

implore [ɪmˈplɔːr] *v.* 哀求，恳求

[记] 词根记忆：im(进入) + plor(哭泣) + e →
哭泣 → 哀求

importune [ˌɪmpɔːrˈtuːn] v. 强求，胡搅蛮缠

[记] 词根记忆：im(进入) + port(搬运) + une → 向内搬 → 强求

impose [ɪmˈpoʊz] v. 征收；强加

[记] 词根记忆：im(进入) + pos(放) + e → 放进去 → 强加

impoverish [ɪmˈpɑːvərɪʃ] v. 使贫穷

[记] 词根记忆：im(进入) + pover(贫困) + ish → 进入贫困 → 使贫穷

imprecation [ˌɪmprɪˈkeɪʃn] n. 诅咒

[记] 来自 imprecate(v. 诅咒)

impregnable [ɪmˈpregnəbl] adj. 固若金汤的，无法攻破的

[记] 词根记忆：im(不) + pregn(拿住) + able(能…的) → 拿不住的 → 无法攻破的

imprint [ɪmˈprɪnt] v. 盖印，刻印

[记] 联想记忆：im(不) + print(印记) → 留下印记 → 盖印

impuissance [ɪmˈpjuːɪsəns] n. 无力，虚弱

[记] 联想记忆：im(不) + puissance(力量) → 无力

imputation [ˌɪmpjuˈteɪʃn] n. 归咎，归罪

[记] 词根记忆：im(进入) + put(计算) + ation → 算计别人 → 归罪

inadvertence [ˌɪnədˈvɜːrtəns] n. 粗心，疏忽，漫不经心

[记] 词根记忆：in(不) + ad(往，向) + vert(转) + ence → 不转向某物 → 不加以注意 → 漫不经心

inadvertently [ˌɪnədˈvɜːrtəntli] adv. 不小心地，疏忽地

[记] 来自 inadvertent(adj. 疏忽的)

inanimate [ɪnˈænɪmət] adj. 无生命的

[记] 词根记忆：in(无) + anim(生命) + ate → 无生命的

inappreciable [ˌɪnəˈpriːʃəbl] adj. 微不足道的

[记] 词根记忆：in(不) + ap + preci(价值) + able(能…的) → 没有价值的 → 微不足道的

incarcerate [ɪnˈkɑːrsəreɪt] v. 把…关进监狱, 监禁, 禁闭

[记] 词根记忆: in(进入) + carcer(监狱) + ate → 把…关进监狱, 监禁, 禁闭

incertitude [ɪnˈsɜːrtɪtjuːd] n. 不确定(性); 无把握, 怀疑

[记] 词根记忆: in(不) + cert(确定的) + itude (表状态) → 不确定(性)

inch [ɪntʃ] v. 慢慢前进, 慢慢移动

[记] 联想记忆: 一寸一寸(inch)地移动, 引申为 "慢慢前进"

inchoate [ɪnˈkoʊət] adj. 刚开始的; 未充分发展的, 不成熟的

[记] 联想记忆: inch(英寸) + oat(燕麦) + e → 燕麦刚长了一英寸 → 未充分发展的, 不成熟的

incinerate [ɪnˈsɪnəreɪt] v. 焚化, 焚毁

[记] 词根记忆: in(进入) + ciner(灰) + ate → 变成灰 → 焚化

incision [ɪnˈsɪʒn] n. 切口; 切割

[记] 词根记忆: in(向内) + cis(切) + ion → 切割

incite [ɪnˈsaɪt] v. 激发, 刺激

[记] 词根记忆: in(进入) + cit(唤起) + e → 唤起情绪 → 激发

inclement [ɪnˈklemənt] adj. (天气)严酷的; 严厉的

[记] 联想记忆: in(不) + clement(仁慈的) → 不仁慈的 → 严酷的; 严厉的

incogitant [ɪnˈkɑːdʒɪtənt] adj. 未经思考的, 考虑不周的

[记] 词根记忆: in(不) + co(共同) + g(=ag 开动) + it + ant → 不开动脑筋的 → 未经思考的

incongruent [ɪnˈkɑːŋgruənt] adj. 不协调的, 不和谐的, 不合适的

[记] 联想记忆: in(不) + congruent(协调的, 合适的) → 不协调的, 不合适的

inconstancy [ɪnˈkɑːnstənsi] n. (指人)反复无常

[记] 联想记忆: in(不) + constancy(恒久不变) → 反复无常

incorrigibility [ɪnˌkɔrɪdʒəˈbɪləti] *n.* 无可救药
[记] 词根记忆：in(不) + cor(=com 一起) + rig (直的) + ibility → 无法一起拉直 → 无可救药

increment [ˈɪŋkrəmənt] *n.* 增加
[记] 词根记忆：in(进入) + cre(生长) + ment → 使生长 → 增加

incriminate [ɪnˈkrɪmɪneɪt] *v.* 连累，牵连
[记] 词根记忆：in(进入) + crimin(罪行) + ate → 被牵连在罪行中 → 连累

incubation [ˌɪŋkjuˈbeɪʃn] *n.* 孵卵期；潜伏期

incubus [ˈɪŋkjʊbəs] *n.* 梦魇；沉重的负担
[记] 词根记忆：in + cub(躺) + us → 躺在某物内 → 梦魇

inculcate [ɪnˈkʌlkeɪt] *v.* 谆谆教诲，反复灌输
[记] 词根记忆：in(进入) + culc(=cult 培养；种植) + ate → 种进去 → 反复灌输

inculpate [ˈɪnkʌlpeɪt] *v.* 控告；归咎于
[记] 词根记忆：in(使) + culp(错，罪) + ate → 使(别人)有罪 → 控告

incur [ɪnˈkɜːr] *v.* 招惹
[记] 词根记忆：in(进入) + cur(跑) → 跑进来 → 招惹

indelible [ɪnˈdeləbl] *adj.* 擦拭不掉的，不可磨灭的
[记] 词根记忆：in(不) + de(消失) + li(=liv 石灰) + ble → 用石灰无法去掉的 → 擦拭不掉的

indemnify [ɪnˈdemnɪfaɪ] *v.* 赔偿，偿付
[记] 词根记忆：in(不) + demn(损坏) + ify → 使损坏消除 → 赔偿

indifferent [ɪnˈdɪfrənt] *adj.* 不感兴趣的，漠不关心的
[记] 联想记忆：in(不) + different(不同的) → 对任何事的态度都没什么不同 → 漠不关心的

indignant [ɪnˈdɪɡnənt] *adj.* 愤慨的，愤愤不平的

indignity [ɪnˈdɪɡnəti] *n.* 侮辱，轻蔑；侮辱性的行为
[记] 联想记忆：in(不) + dignity(高贵) → 不高贵的行为 → 侮辱性的行为

induce [ɪnˈduːs] v. 诱导；引起

[记] 词根记忆：in(进入) + duc(拉) + e → 拉进去 → 诱导

induct [ɪnˈdʌkt] v. 使就职；使入伍

[记] 词根记忆：in(进去) + duct(拉) → 拉进 → 使入伍

induction [ɪnˈdʌkʃn] n. 就职；归纳

industrious [ɪnˈdʌstriəs] adj. 勤劳的，勤勉的

[记] 词根记忆：in(在里面) + du + str(=struct 建造) + ious → 在里面建造 → 勤劳的

inebriate [ɪˈniːbrieɪt] v. 使…醉 n. 酒鬼，酒徒

[记] 词根记忆：in(进入) + ebri(醉的) + ate → 使…醉

ineffable [ɪnˈefəbl] adj. 不可言喻的，难以表达的；避讳的

[记] 词根记忆：in(不) + ef(出) + fa(说) + ble → 不能说出的 → 不可言喻的

inelasticity [ˌɪnɪlæˈstɪsəti] n. 无弹性，无伸缩性

[记] 联想记忆：in(无) + elastic(有弹性的) + ity(表性质) → 无弹性，无伸缩性

ineluctable [ˌɪnɪˈlʌktəbl] adj. 不能逃避的

[记] 词根记忆：in(不) + e(出) + luct(挣扎) + able → 无法挣脱的 → 不能逃避的

inexpedient [ˌɪnɪkˈspiːdiənt] adj. 不适当的，不明智的

[记] 联想记忆：in(不) + expedient(有利的) → 不利的 → 不明智的

inexpiable [ˌɪnɪkˈspɪəbl] adj. 不能补偿的

[记] 联想记忆：in(不) + expiable(可抵偿的) → 不能补偿的；来自 expiate(v. 补偿)

Word List 32

infantry [ˈɪnfəntri] *n.* 步兵

[记] 联想记忆：infant(婴儿) + (t)ry(尝试) → 婴儿在尝试走路时很慢，相对其他兵种而言，步兵的行军速度也较慢 → 步兵

infatuate [ɪnˈfætʃueɪt] *v.* 使迷恋；使糊涂

[记] 词根记忆：in(进入) + fatu(愚蠢的) + ate → 因迷恋而变得愚蠢 → 使迷恋

infelicitous [ˌɪnfɪˈlɪsɪtəs] *adj.* 不幸的；不妥当的

[记] 词根记忆：in(不) + felic(幸运的) + it + ous → 不幸的

infelicity [ˌɪnfɪˈlɪsɪti] *n.* 不幸；不恰当的事物

infernal [ɪnˈfɜːrnl] *adj.* 地狱的；可恶的

[记] 词根记忆：infern(更低的) + al → 更低的地方 → 地狱的

inflame [ɪnˈfleɪm] *v.* 使燃烧；激怒(某人)

[记] 词根记忆：in(进入) + flam(火焰) + e → 进入火焰 → 使燃烧

inflammation [ˌɪnfləˈmeɪʃn] *n.* 发炎；炎症

[记] 词根记忆：in(进入) + flam(燃烧) + mation → 仿似开始燃烧 → 发炎

influx [ˈɪnflʌks] *n.* 注入，涌入

[记] 词根记忆：in(进入) + flux(流动) → 注入，涌入

informed [ɪnˈfɔːrmd] *adj.* 有学识的；见多识广的，消息灵通的

informer [ɪnˈfɔːrmər] *n.* 告发者，告密者

[记] 联想记忆：inform(通知) + er(人) → 通知的人 → 告发者，告密者

infraction [ɪnˈfrækʃn] *n.* 违反，违犯

[记] 词根记忆：in(使) + fract(破裂) + ion → 使(法律)破裂 → 违反

infringe [ɪnˈfrɪndʒ] *v.* 违反，侵害

[记] 词根记忆：in + fring(破坏) + e → 违反

ingestion [ɪnˈdʒestʃən] *n.* 摄取，吸收

[记] 词根记忆：in(进入) + gest(搬运) + ion → 运入体内 → 摄取

ingratiate [ɪnˈɡreɪʃieɪt] *v.* 逢迎，讨好

[记] 词根记忆：in(使) + grat(感激) + iate → 使别人感激自己 → 讨别人欢心 → 讨好

ingress [ˈɪnɡres] *n.* 进入

[记] 词根记忆：in(进去) + gress(走) → 走进去 → 进入

inhale [ɪnˈheɪl] *v.* 吸入，吸气

[记] 词根记忆：in(进) + hale(呼吸) → 吸入

inherit [ɪnˈherɪt] *v.* 继承

[记] 词根记忆：in + her(继承人) + it → 继承

iniquity [ɪˈnɪkwəti] *n.* 邪恶，不公正，不道德

[记] 联想记忆：in(不) + iqu(相同的) + ity → 不相同 → 不公正

inkling [ˈɪŋklɪŋ] *n.* 暗示；略知，模糊概念

[记] 联想记忆：ink(墨水) + ling(小东西) → 小墨迹 → 暗示

inmate [ˈɪnmeɪt] *n.* 同住者，同居者

[记] 联想记忆：in + mate(配偶) → 配偶住在一起 → 同住者

innuendo [ˌɪnjuˈendoʊ] *n.* 含沙射影，暗讽

[记] 词根记忆：in(向) + nuen(摇头) + do → 向某人摇头 → 暗讽

inoculate [ɪˈnɑːkjuleɪt] *v.* 注射预防针

[记] 词根记忆：in(进入) + ocul(萌芽) + ate → 在萌芽时进入 → 注射预防针

inroad ['ɪnroʊd] *n.* 袭击；(以牺牲他者为代价而取得的)进展

[记] 联想记忆：in(进) + road(路) → 进了别人的路 → 袭击

insane [ɪn'seɪn] *adj.* 疯狂的

[记] 联想记忆：in(不) + sane(清醒的) → 头脑不清醒的 → 疯狂的

insanity [ɪn'sænəti] *n.* 疯狂；愚昧

inscribe [ɪn'skraɪb] *v.* (在某物上)写、题写

[记] 词根记忆：in(进入) + scrib(写) + e → 刻写进去 → 题写

inscrutable [ɪn'skruːtəbl] *adj.* 高深莫测的，神秘的

[记] 词根记忆：in(不) + scrut(调查) + able → 不能调查的 → 高深莫测的

insignia [ɪn'sɪgniə] *n.* 徽章

[记] 词根记忆：in + sign(标志，记号) + ia → 作为标志的东西 → 徽章

insolence ['ɪnsələns] *n.* 傲慢，无礼

[记] 词根记忆：in(不) + sol(习惯了的) + ence → 不寻常 → 傲慢，无礼

insolvency [ɪn'sɑːlvənsi] *n.* 无力偿还；破产

[记] 词根记忆：in(无) + solvency(还债能力) → 无还债能力 → 无力偿还

insouciance [ɪn'suːsiəns] *n.* 漠不关心，漫不经心

[记] 词根记忆：in(不) + souc(担心) + iance → 不担心 → 漠不关心

insouciant [ɪn'suːsiənt] *adj.* 漫不经心的

inspiration [ˌɪnspə'reɪʃn] *n.* 启示，灵感

[记] 词根记忆：in(进入) + spir(呼吸) + ation → 吸入(灵气) → 灵感

inspired [ɪn'spaɪərd] *adj.* 有创见的，有灵感的

[记] 词根记忆：in(进入) + spir(呼吸) + ed → 吸入(灵气) → 有灵感的

inspissate [ɪnˈspɪseɪt] v. (使)浓缩

[记] 词根记忆：in + spiss(厚的；密集的) + ate → 使变密集 → (使)浓缩

install [ɪnˈstɔːl] v. 安装, 装置；使就职

[记] 词根记忆：in(进) + stall(放) → 放进去 → 安装

instate [ɪnˈsteɪt] v. 任命

instill [ɪnˈstɪl] v. 滴注；逐渐灌输

[记] 词根记忆：in(进入) + still(水滴) → 像水滴一样进入 → 滴注

insufficient [ˌɪnsəˈfɪʃnt] adj. 不足的

[记] 联想记忆：in(不) + sufficient(足够的) → 不足的

insuperable [ɪnˈsuːpərəbl] adj. 难以克服的

[记] 词根记忆：in(不) + super(在…之上) + able → 不可超越的 → 难以克服的

insurrection [ˌɪnsəˈrekʃn] n. 造反, 叛乱

[记] 词根记忆：in(反) + surrect(升起) + ion → 反对活动出现 → 造反

intangibility [ɪnˌtændʒəˈbɪləti] n. 无形

[记] 词根记忆：in(不) + tang(触摸) + ibility → 触摸不到的 → 无形

integral [ˈɪntɪɡrəl] adj. 构成整体所必需的；完整的

[记] 词根记忆：in(不) + tegr(触摸) + al → 未被触摸的 → 完整的

integrity [ɪnˈteɡrəti] n. 正直, 诚实；完整

[记] 词根记忆：in(不) + tegr(触摸) + ity → 未被触摸 → 正直；完整

intensify [ɪnˈtensɪfaɪ] v. 使加剧

[记] 来自 intense(adj. 强烈的)

inter [ɪnˈtɜːr] v. 埋葬

[记] 词根记忆：in(进入) + ter(=terr 泥土) → 埋进泥土 → 埋葬

intercede [ˌɪntərˈsiːd] v. 说好话，代为求情

[记] 词根记忆：inter(在…中间) + ced(走) + e → 走到中间 → 代为求情

intercept [ˌɪntərˈsept] v. 拦截，阻止

[记] 词根记忆：inter(在…中间) + cept(拿) → 从中间拿 → 拦截

interdisciplinary [ˌɪntərˈdɪsəplɪneri] adj. 跨学科的

[记] 联想记忆：inter(在…中间) + disciplinary (学科的) → 跨学科的

interference [ˌɪntərˈfɪrəns] n. 干涉，妨碍

interjection [ˌɪntərˈdʒekʃn] n. 插入语；感叹词

[记] 来自 interject(v. 插入)

interlace [ˌɪntərˈleɪs] v. 编织；交错

[记] 词根记忆：inter(在…中间) + lac(线) + e → 使线在中间交叉 → 编织

interlard [ˌɪntərˈlɑːrd] v. 使混杂，混入

interlock [ˌɪntərˈlɑːk] v. 互锁，连结

[记] 联想记忆：inter + lock(锁) → 互相锁 → 互锁

interloper [ˈɪntərloʊpər] n. 闯入者

[记] 联想记忆：inter(在…中间) + lope(大步跑) + (e)r → 大步跑进某地的人 → 闯入者

interlude [ˈɪntərluːd] n. 间歇

[记] 词根记忆：inter + lud(玩耍) + e → 在活动与活动中间的玩闹时间 → 间歇

intermingle [ˌɪntərˈmɪŋgl] v. 混合，掺杂

[记] 联想记忆：inter + mingle(混合) → 混合

intermission [ˌɪntərˈmɪʃn] n. 暂停，间歇

[记] 联想记忆：inter + mission(发送) → 在发送之间 → 间歇

intermittent [ˌɪntərˈmɪtənt] adj. 断断续续的；间歇的

[记] 来自 intermit(v. 暂停，中断)

interpose [ˌɪntərˈpoʊz] v. 置于…之间；使介入

[记] 词根记忆：inter + pos(放) + e → 放入中间 → 置于…之间

interrogate [ɪnˈterəgeɪt] v. 审问，审讯

[记] 词根记忆：inter + rog(问) + ate → 在中间问 → 审问

interrogative [ˌɪntəˈrɑːgətɪv] adj. 疑问的；质疑的

interrupt [ˌɪntəˈrʌpt] v. 暂时中止；打断，打扰

[记] 词根记忆：inter (在…之间) + rupt (断裂) → 在中间断裂 → 暂时中止；打断

intersperse [ˌɪntərˈspɜːrs] v. 散布，点缀

[记] 词根记忆：inter + spers(撒播) + e → 在中间撒播 → 点缀

interstice [ɪnˈtɜːrstɪs] n. 裂缝，空隙

[记] 词根记忆：inter(在…中间) + st(站) + ice → 站在二者之间 → 空隙

intertwine [ˌɪntərˈtwaɪn] v. 纠缠，缠绕

[记] 联想记忆：inter + twine(细绳) → 多股绳交织在一起 → 纠缠

intervene [ˌɪntərˈviːn] v. 干涉，介入

[记] 词根记忆：inter + ven(来) + e → 来到中间 → 干涉，介入

interweave [ˌɪntərˈwiːv] v. 交织

[记] 联想记忆：inter(在…中间) + weave(编织) → 交织

intestate [ɪnˈtesteɪt] adj. 未留遗嘱的

[记] 词根记忆：in(无) + test(看到) + ate → 没有留下可以看的东西 → 未留遗嘱的

intoxicate [ɪnˈtɑːksɪkeɪt] v. (使)沉醉，(使)欣喜若狂；(使)喝醉

[记] 联想记忆：in(进入) + toxic(有毒的) + ate → 中毒了 → (使)沉醉

intrude [ɪnˈtruːd] v. 把(思想等)强加于；闯入

[记] 词根记忆：in(进入) + trud(推；刺) + e → 推进去 → 闯入

inundate [ˈɪnʌndeɪt] v. 淹没，泛滥；压倒

327

invective [ɪnˈvektɪv] *n.* 谩骂，痛骂

[记] 词根记忆：in(进入) + vect(搬运) + ive → 把不好的东西往人心里运 → 谩骂

inveigh [ɪnˈveɪ] *v.* 痛骂，猛烈抨击

[记] 联想记忆：in(进入) + veigh(看作 weigh，重量) → 重重地骂 → 痛骂

inveigle [ɪnˈveɪgl] *v.* 诱骗，诱使

[记] 联想记忆：in + veigle(看作 veil，面纱) → 盖上面纱 → 诱骗

inventory [ˈɪnvəntɔːri] *n.* 详细目录；存货清单

[记] 词根记忆：in + vent(来) + ory → 对进来的东西进行清查 → 存货清单

inveterate [ɪnˈvetərət] *adj.* 积习已深的，根深蒂固的

[记] 词根记忆：in(进入) + vet(老的) + erate → 长时间占据于内的 → 积习已深的

invidious [ɪnˈvɪdiəs] *adj.* 惹人反感的，导致伤害和仇恨的，招人嫉妒的

[记] 词根记忆：in(不) + vid(看) + ious → 不看的 → 惹人反感的

invoice [ˈɪnvɔɪs] *n.* 发票，发货清单 *v.* 给开发票

[记] 联想记忆：in + voice(声音) → 大声把人叫进来开发票 → 发票

invoke [ɪnˈvoʊk] *v.* 祈求，恳求；使生效

[记] 词根记忆：in(进入) + vok(叫喊) + e → 叫起来 → 祈求

iota [aɪˈoʊtə] *n.* 极少量，极少

[记] 来自希腊语第九个字母，相当于英语中的字母 i，因其位置靠后而引申为"极少量"

ire [ˈaɪər] *n.* 愤怒 *v.* 激怒

[记] 联想记忆：愤怒(ire)之火(fire)

iridescence [ˌɪrɪˈdesns] *n.* 彩虹色

[记] 词根记忆：irid(=iris 虹光) + escence → 彩虹色

irk [ɜːrk] *v.* 使苦恼, 使厌烦

[记] 发音记忆: "饿渴" → 又饿又渴, 当然很苦恼 → 使苦恼

irksome ['ɜːrksəm] *adj.* 令人苦恼的, 讨厌的

[记] 来自 irk(*v.* 使苦恼)

irremediable [ˌɪrɪ'miːdiəbl] *adj.* 无法治愈的, 无法纠正的

[记] 联想记忆: ir(不) + remediable(可治疗的) → 无法治愈的

irritation [ˌɪrɪ'teɪʃn] *n.* 愤怒, 恼怒

itinerary [aɪ'tɪnəreri] *n.* 旅行路线

[记] 词根记忆: it(走) + in + er + ary → 旅行路线

jab [dʒæb] *v.* 猛刺

[记] 和 job(*n.* 工作)一起记

jabber ['dʒæbər] *v.* 快而含糊地说

[记] 发音记忆: "结巴" → 快而含糊地说

jagged ['dʒægɪd] *adj.* 锯齿状的, 参差不齐的

[记] 来自 jag(*v.* 使成锯齿状)

jamb [dʒæm] *n.* 侧柱

[记] 联想记忆: jam(果酱) + b → 果酱抹在了门框上 → 侧柱

jamboree [ˌdʒæmbə'riː] *n.* 喧闹的集会

jape [dʒeɪp] *v.* 开玩笑, 戏弄

[记] 联想记忆: j + ape (猿) → 把人当猴耍 → 戏弄

jar [dʒɑːr] *v.* 震动, 摇晃; 冲突, 抵触; 震惊; 发出刺耳声 *n.* 广口坛子

[记] 联想记忆: 酒吧(bar)里摆满了酒坛子(jar)

jargon ['dʒɑːrgən] *n.* 胡言乱语; 行话

jarring ['dʒɑːrɪŋ] *adj.* 声音刺耳的

[记] 来自 jar(*v.* 发出刺耳声)

jaundice ['dʒɔːndɪs] *n.* 偏见; 黄疸

jaundiced ['dʒɔːndɪst] *adj.* 有偏见的

[记] 来自 jaundice(*n.* 偏见)

jaunt [dʒɔːnt] *v.* 短途旅游 *n.* 短途旅行

329

jaunty [ˈdʒɔːnti] *adj.* 轻松活泼的

[记] 来自 jaunt(*n.* 短途旅行)

jealousy [ˈdʒeləsi] *n.* 嫉妒

[记] 来自 jealous(*adj.* 嫉妒的)

jeer [dʒɪr] *v.* 嘲笑

jejune [dʒɪˈdʒuːn] *adj.* 空洞的；不成熟的

[记] 词根记忆：jejun(空肠) + e → 空洞的

jeopardy [ˈdʒepərdi] *n.* 危险

jerk [dʒɜːrk] *v.* 猛拉 *n.* 猛拉

jesting [ˈdʒestɪŋ] *adj.* 滑稽的；爱开玩笑的

jettison [ˈdʒetɪsn] *v.* (船等)向外抛弃(货物) *n.* 抛弃的货物；抛弃

[记] 来自 jet(*v.* 喷出)

jibe [dʒaɪb] *v.* 与…一致，符合

jingoism [ˈdʒɪŋɡoʊɪzəm] *n.* 沙文主义，侵略主义

[记] 来自 jingo(*n.* 沙文主义者)

jockey [ˈdʒɑːki] *n.* 骑师 *v.* 谋取

jocund [ˈdʒɑːkənd] *adj.* 快乐的，高兴的

[记] 词根记忆：joc(=joke 玩笑) + und → 充满玩笑的 → 快乐的

jog [dʒɑːɡ] *v.* 慢跑

[记] 联想记忆：一边慢跑(jog)一边遛狗(dog)

jolly [ˈdʒɑːli] *adj.* 欢乐的，快乐的

[记] 词根记忆：jol(冬季节日) + ly → 有关节日的 → 快乐的

jolt [dʒoʊlt] *v.* (使)颠簸 *n.* 震动，摇晃

[记] 联想记忆：防止颠簸(jolt)用门闩(bolt)固定

josh [dʒɑːʃ] *v.* (无恶意地)戏弄，戏耍

jostle [ˈdʒɑːsl] *v.* 推挤；挤开通路

jot [dʒɑːt] *v.* 草草记下

[记] 和 lot(*n.* 一堆；许多)一起记

jounce [dʒaʊns] *v.* 颠簸地移动

jovial [ˈdʒoʊviəl] *adj.* 愉快的

jubilation	[ˌdʒuːbɪˈleɪʃn] *n.* 欢腾，欢庆
	[记] 词根记忆：jubil(大叫) + ation → 高兴得大叫 → 欢腾，欢庆
judicial	[dʒuˈdɪʃl] *adj.* 法庭的，法官的
	[记] 词根记忆：jud(判断) + icial → 判案的 → 法庭的
judiciousness	[dʒuˈdɪʃəsnəs] *n.* 明智
	[记] 来自judicious(*adj.* 明智的)
jug	[dʒʌg] *v.* 用陶罐等炖；关押
jumpy	[ˈdʒʌmpi] *adj.* 紧张不安的，心惊肉跳的
	[记] 来自jump(*v.* 跳；惊跳)
junction	[ˈdʒʌŋkʃn] *n.* 交叉路口；连接
	[记] 词根记忆：junct(连接) + ion → 连接；交叉路口
jurisdiction	[ˌdʒʊrɪsˈdɪkʃn] *n.* 司法权，审判权，裁判权
	[记] 词根记忆：jur(法律) + is + dict(说话) + ion → 在法律上说话 → 司法权，审判权
justification	[ˌdʒʌstɪfɪˈkeɪʃn] *n.* 正当的理由；辩护
	[记] 来自justify(*v.* 证明…是正当的)
juxtapose	[ˌdʒʌkstəˈpouz] *v.* 并列，并置
	[记] 词根记忆：juxta(接近) + pos(放) + e → 挨着放 → 并列，并置
kaleidoscopic	[kəˌlaɪdəˈskɑːpɪk] *adj.* 千变万化的
	[记] 来自kaleidoscope(*n.* 万花筒)
kangaroo	[ˌkæŋgəˈruː] *n.* 袋鼠
	[记] 发音记忆："看加入" → 看着袋鼠宝宝进入妈妈的口袋 → 袋鼠
ken	[ken] *n.* 视野；知识范围
kennel	[ˈkenl] *n.* 狗舍，狗窝
	[记] 词根记忆：ken(=can 犬) + nel → 狗窝；注意不要和kernel(*n.* 核心)相混
kernel	[ˈkɜːrnl] *n.* 果仁；核心
	[记] 词根记忆：kern(=corn 种子) + el → 核心

kidnap ['kɪdnæp] *v.* 绑架

[记] 联想记忆：kid(小孩) + nap(打盹) → 趁着大人打盹将小孩诱拐走 → 绑架

killjoy ['kɪldʒɔɪ] *n.* 令人扫兴的人

[记] 组合词：kill(杀) + joy(欢乐) → 杀欢乐的人 → 令人扫兴的人

kin [kɪn] *n.* 亲属

kindle ['kɪndl] *v.* 着火，点燃

[记] 和 candle(*n.* 蜡烛)一起记

kipper ['kɪpər] *v.* 腌制，熏制

[记] 和 copper(*n.* 铜)一起记

knack [næk] *n.* 特殊能力；窍门

[记] 联想记忆：敲开（knock）脑袋，得到窍门（knack）

knead [niːd] *v.* 揉成，捏制

[记] 联想记忆：捏制(knead)面包(bread)

knit [nɪt] *v.* 编织；密接，紧密相连

knotty ['nɑːti] *adj.* 多节的，多瘤的；困难的，棘手的

[记] 来自 knot(*n.* 节疤)

kudos ['kuːdɑːs] *n.* 声誉，名声

labile ['leɪbaɪl] *adj.* 易变化的，不稳定的

lace [leɪs] *n.* 带子；网眼织物

[记] 发音记忆："蕾丝" → 网眼织物

lacerate ['læsəreɪt] *v.* 撕裂；深深伤害

[记] 词根记忆：lac(撕破) + er + ate → 撕裂

lachrymose ['lækrɪmoʊs] *adj.* 爱哭的；引人落泪的

[记] 词根记忆：lachrym(眼泪) + ose → 爱哭的

lackluster ['læklʌstər] *adj.* 无光泽的；呆滞的

[记] 组合词：lack(缺少) + luster(光泽) → 缺少光泽的 → 无光泽的

lactic ['læktɪk] *adj.* 乳汁的

[记] 词根记忆：lact(乳) + ic → 乳汁的

lair [ler] *n.* 窝，巢穴；躲藏处

[记] 联想记忆：有些动物用毛发（hair）做窝（lair）

lambaste [læm'beɪst] *v.* 痛打；痛骂

[记] 组合词：lam(鞭打) + baste(棒打) → 痛打

lamentable [lə'mentəbl] *adj.* 令人惋惜的，悔恨的

[记] 来自 lament(*n./v.* 悔恨；悲叹)

lampoon [læm'puːn] *n.* 讽刺文章 *v.* 讽刺

[记] 联想记忆：lamp(灯) + oon → 用灯照亮别人的缺点 → 讽刺

lancet ['lænsɪt] *n.* 柳叶刀

landslide ['lændslaɪd] *n.* 山崩；压倒性的胜利

[记] 组合词：land(地) + slide(滑行) → 地向下滑 → 山崩

languid ['læŋgwɪd] *adj.* 没精打采的，倦怠的

[记] 词根记忆：lang(松弛) + uid → 精神懈怠的 → 没精打采的

languish ['læŋgwɪʃ] *v.* 衰弱，憔悴

[记] 词根记忆：lang(松弛) + uish → 衰弱

languor ['læŋgər] *n.* 无精打采，衰弱无力

[记] 词根记忆：lang(松弛) + uor → 无精打采

lank [læŋk] *adj.* 细长的；长、直且柔软的

Word List 33

lap [læp] *v.* 舔食
[记] 和 tap(*n.* 水龙头)一起记

lapse [læps] *n.* 失误；(时间等)流逝

lard [lɑːrd] *v.* 使丰富，使充满

largess [lɑːrˈdʒes] *n.* 赠送，赏赐；赠款，赏赐物
[记] 联想记忆：large(大的) + ss → 大方 → 赠送；赠款

lark [lɑːrk] *v.* 玩乐，嬉耍 *n.* 玩乐
[记] 联想记忆：在公园(park)玩乐(lark)

lassitude [ˈlæsɪtuːd] *n.* 疲倦无力，没精打采
[记] 词根记忆：lass(疲倦的) + itude → 没精打采

lasso [ˈlæsoʊ] *n.* (捕捉牛、马用的)套索
[记] 谐音记忆："拉索" → 套索

lasting [ˈlæstɪŋ] *adj.* 持久的，永久的

latch [lætʃ] *n.* 门闩 *v.* 用门闩闩牢
[记] 和 catch(*v.* 抓住)一起记

latent [ˈleɪtnt] *adj.* 潜在的，潜伏的
[记] 联想记忆：late(晚) + nt → 晚到的 → 潜在的，潜伏的

lateral [ˈlætərəl] *adj.* 侧面的
[记] 词根记忆：later(侧面) + al → 侧面的

lathe [leɪð] *n.* 车床 *v.* 用车床加工
[记] 联想记忆：用车床加工(lathe)板条(lath)

lattice [ˈlætɪs] *n.* (用木片或金属片叠成的)格子架
[记] 联想记忆：l + attic(阁楼) + e → 阁楼边上搭着一个格子架 → 格子架

lavender [ˈlævəndər] *n.* 薰衣草 *adj.* 淡紫色的

laxative [ˈlæksətɪv] *adj.* (药)通便的 *n.* 轻泻药
[记] 词根记忆：lax(松的) + ative → 放松的 → 轻泻药

leach [li:tʃ] *v.* 过滤

[记]和 beach(*n.* 海滩)一起记

leak [li:k] *v.* 泄漏 *n.* 泄漏, 漏出量; 裂缝, 漏洞

[记]联想记忆: 航行于湖(lake)面上的小舟因船底有漏洞(leak)沉没了

leakage ['li:kɪdʒ] *n.* 渗漏, 漏出

[记]来自 leak(*v.* 泄漏)

lean [li:n] *v.* 倾斜; 斜靠 *adj.* 瘦的

lease [li:s] *n.* 租约; 租期 *v.* 出租

[记]联想记忆: l + ease(安心)→ 签了租约终于安心了 → 租约

leer [lɪr] *v.* 斜视, 送秋波

leery ['lɪri] *adj.* 谨防的, 怀疑的

[记]联想记忆: 你送秋波(leer), 我怀疑(leery)你的动机

leeward ['li:wərd] *adj.* 背风的

[记]联想记忆: lee(背风处)+ ward(向…的)→ 向着背风处 → 背风的

legislature ['ledʒɪsleɪtʃər] *n.* 立法机关, 立法团体

[记]词根记忆: leg(法律)+ is + lature → 立法机关, 立法团体

leisureliness ['li:ʒərlinəs] *n.* 悠然, 从容

[记]来自 leisurely(*adj.* 悠然的)

leniency ['li:niənsi] *n.* 宽厚, 仁慈

[记]词根记忆: len(软的)+ i + ency → 宽厚

lesion ['li:ʒn] *n.* 损害, 损伤

[记]联想记忆: 大脑受到损伤(lesion), 精神时刻处于紧张(tension)状态

lethargy ['leθərdʒi] *n.* 昏睡; 呆滞, 懒散

[记]词根记忆: leth(死)+ a(不)+ rg(=erg 工作)+ y → 像死了一样不动的状态 → 昏睡

levee ['levi] *n.* 堤岸, 防洪堤

[记]注意不要和 lever(*n.* 杠杆)相混

levelheaded [ˌlevl'hedɪd] *adj.* 头脑冷静的, 清醒的
[记] 组合词: level(平坦的) + head(头脑) + ed
→ 大脑平坦的 → 头脑冷静的

levy ['levi] *v.* 征税; 征兵
[记] 词根记忆: lev(升起) + y → 把税收等起来
→ 征税; 征兵

lexical ['leksɪkl] *adj.* 词汇的; 词典的
[记] 词根记忆: lex(词汇) + ical → 词汇的

lexicographer [ˌleksɪ'kɑːɡrəfər] *n.* 词典编纂者
[记] 词根记忆: lex(词汇) + ico + graph(写) + er
→ 写词典的人 → 词典编纂者

lexicon ['leksɪkən] *n.* 词典
[记] 词根记忆: lex(词汇) + icon → 词典

liability [ˌlaɪə'bɪləti] *n.* 责任; 债务
[记] 词根记忆: li(=lig 捆) + ability → 将人捆住
→ 责任

liaison [li'eɪzɑːn] *n.* 密切的联系; 暧昧的关系
[记] 词根记忆: lia(捆) + ison → 捆在一起 →
密切的联系

libel ['laɪbl] *n.* (文字)诽谤, 中伤 *v.* 诽谤, 中伤
[记] 词根记忆: lib(文字) + el → (文字)诽谤;
注意不要和 label(*n.* 标签)相混

libelous ['laɪbələs] *adj.* 诽谤的

liberality [ˌlɪbə'ræləti] *n.* 慷慨; 心胸开阔
[记] 来自 liberal(*adj.* 慷慨的; 开明的)

liberty ['lɪbərti] *n.* 随意; 自由
[记] 词根记忆: liber(自由的) + ty → 随意; 自由

licentious [laɪ'senʃəs] *adj.* 放荡的, 纵欲的; 放肆的
[记] 词根记忆: lic(允许) + ent + ious → 过度允
许的 → 纵欲的

licit ['lɪsɪt] *adj.* 合法的
[记] 参考: illicit(*adj.* 违法的)

ligneous ['lɪɡniəs] *adj.* 木质的, 木头般的
[记] 词根记忆: lign(木头) + eous → 木质的

liken ['laɪkən] v. 把…比作

[记] 来自 like(prep. 像)

limb [lɪm] n. 肢，翼

[记] 联想记忆：攀爬(climb)时，四肢(limb)要灵活

limbo ['lɪmboʊ] n. 不稳定的状态，中间状态

[记] 原指"地狱的边境"

limn [lɪm] v. 描写；画

limnetic [lɪm'netɪk] adj. 淡水的，湖泊的

limousine ['lɪməzi:n] n. 大型轿车，(常指)大型豪华轿车

[记] 常简写为 limo

limp [lɪmp] v. 跛行 adj. 软弱的，无力的；柔软的

lineal ['lɪnɪəl] adj. 直系的，嫡系的

[记] 词根记忆：lin(线) + eal → 直系的

linger ['lɪŋgər] v. 逗留，继续存留；徘徊

[记] 联想记忆：那位歌手(singer)徘徊(linger)于曾经的舞台

lingual ['lɪŋgwəl] adj. 舌的；语言的

[记] 参考：linguist(n. 语言学家)

linguistics [lɪŋ'gwɪstɪks] n. 语言学

lionize ['laɪənaɪz] v. 崇拜，看重

[记] 联想记忆：lion(狮子；名流) + ize → 视为名流 → 崇拜

liquefy ['lɪkwɪfaɪ] v. (使)液化，(使)溶解

[记] 词根记忆：liqu(液体) + efy → (使)液化

liquidate ['lɪkwɪdeɪt] v. 清算；清偿

[记] 联想记忆：liquid(清澈的) + ate → 弄清 → 清算；清偿

lissome ['lɪsəm] adj. 柔软的

[记] 词根记忆：liss(可弯曲的) + ome → 柔软的

list [lɪst] v. 倾斜 n. 倾斜

[记] list 意义很多，常见的有"名单，列表"

lithe [laɪð] adj. 柔软的，易弯曲的；自然优雅的

[记] 词根记忆：lith (可弯曲的) + e → 柔软的，易弯曲的

loaf [loʊf] *n.* 一条(面包) *v.* 虚度光阴

locus ['loʊkəs] *n.* 地点,所在地

[记]词根记忆:loc(地方)+us→地点,所在地

locution [lə'kjuːʃn] *n.* 语言风格;惯用语

[记]词根记忆:locu(说话)+tion→语言风格

log [lɔːɡ] *n.* 日志,记录;一段木头 *v.* 记录

logistics [lə'dʒɪstɪks] *n.* 后勤学;后勤

[记]词根记忆:log(树阴,遮蔽处)+istics→提供庇护→后勤

loiter ['lɔɪtər] *v.* 闲逛,游荡;慢慢前行;消磨时光,虚度光阴

long-winded [ˌlɔːŋ'wɪndɪd] *adj.* 冗长的

[记]组合词:long(长)+wind(空谈,废话)+ed→冗长的

loosen ['luːsn] *v.* 变松,松开

[记]来自loose(*adj.* 宽松的)

lope [loʊp] *n.* 轻快的步伐 *v.* 大步跑

[记]注意不要和lobe(*n.* 耳垂)相混

lopsided [ˌlɑːp'saɪdɪd] *adj.* 倾向一方的,不平衡的

[记]组合词:lop(低垂)+side(侧面,边)+(e)d→垂向一边的→倾向一方的

lore [lɔːr] *n.* 知识;特定的知识或传说

[记]参考:folklore(*n.* 民间传说)

lot [lɑːt] *n.* 签;命运 *v.* 抽签;划分

lottery ['lɑːtəri] *n.* 抽彩给奖法

[记]来自lot(*n.* 签)

lout [laʊt] *n.* 蠢人,笨蛋

[记]联想记忆:把那个笨蛋(lout)赶出去(out)

loutish ['laʊtɪʃ] *adj.* 粗鲁的

[记]来自lout(*n.* 蠢人,笨蛋)

lowbred ['loʊbred] *adj.* 粗野的,粗俗的

[记]组合词:low(低下)+bred(=breed 养育)→教养不好→粗野的

lubricant ['luːbrɪkənt] *n.* 润滑剂

[记]词根记忆:lubric(光滑)+ant→润滑剂

lucre [ˈluːkər] *n.* 〈贬〉钱, 利益
[记] 词根记忆: lucr(获利) + e → 利益

lucubrate [ˈluːkjuːbreɪt] *v.* 刻苦攻读, 埋头苦干, 专心著作
[记] 词根记忆: luc(灯光) + ubrate → 在灯光下工作 → 刻苦攻读

lug [lʌg] *v.* 拖, 费力拉 *n.* 拖, 拉

lukewarm [ˌluːkˈwɔːrm] *adj.* 微温的, 不冷不热的
[记] 词根记忆: luke(微温的) + warm(温暖的) → 微温的

lumber [ˈlʌmbər] *v.* 跌跌撞撞地走, 笨拙地走 *n.* 杂物; 木材

lumen [ˈluːmen] *n.* 流明(光通量单位)
[记] 词根记忆: lum(光) + en → 流明

luminary [ˈluːmɪneri] *n.* 杰出人物, 名人
[记] 词根记忆: lumin(光) + ary → 发光的人 → 名人

lump [lʌmp] *n.* 块; 肿块 *v.* 形成块状

lunatic [ˈluːnətɪk] *n.* 疯子 *adj.* 极蠢的
[记] 词根记忆: lun(月亮) + atic → 人们认为精神病与月亮的盈亏有关 → 疯子; Luna 原指罗马神话中的月亮女神

lunge [lʌndʒ] *n.* 冲, 扑
[记] 联想记忆: 向长沙发(lounge)直扑(lunge)过去

lurch [lɜːrtʃ] *n.* 突然的倾斜 *v.* 蹒跚而行
[记] 和 lunch(*n.* 午餐)一起记

lurk [lɜːrk] *v.* 潜伏, 埋伏
[记] 联想记忆: 为捉一只云雀(lark)埋伏(lurk)在小树林里

luscious [ˈlʌʃəs] *adj.* 美味的; 肉感的

lust [lʌst] *n.* 强烈的欲望
[记] 参考: wanderlust(*n.* 旅行癖)

luster [ˈlʌstər] *n.* 光辉; 光泽 *v.* 使有光泽; 使有光彩, 给…增光; 发光
[记] 词根记忆: lus(光) + ter → 光辉

lustrous ['lʌstrəs] *adj.* 有光泽的
[记] 来自 luster(*n.* 光辉；光泽)

lusty ['lʌsti] *adj.* 充满活力的，精力充沛的
[记] 词根记忆：lus(光) + ty → 充满活力的

luxurious [lʌg'ʒʊriəs] *adj.* 奢侈的，豪华的
[记] 词根记忆：lux(光) + ur + ious → 光彩四溢的 → 奢侈的，豪华的

lymphatic [lɪm'fætɪk] *adj.* 无力的；迟缓的；淋巴的
[记] 来自 lymph(*n.* 淋巴)

macerate ['mæsəreɪt] *v.* 浸软；使消瘦
[记] 形近词：lacerate(*v.* 划破，割裂；伤害)

machination [ˌmæʃɪ'neɪʃn] *n.* 阴谋
[记] 词根记忆：machin (机械；制造) + ation → 阴谋

madrigal ['mædrɪgl] *n.* 抒情短诗；合唱曲
[记] 联想记忆：madri(看作 Madrid，马德里) + gal → 马德里是个浪漫的城市 → 抒情短诗

magenta [mə'dʒentə] *adj.* 紫红色的 *n.* 紫红色
[记] 源自意大利城市 Magenta

magniloquent [mæg'nɪloʊkwənt] *adj.* 夸张的
[记] 词根记忆：magn(i)(大的) + loqu(话) + ent → 说大话 → 夸张的

magnitude ['mægnɪtuːd] *n.* 重要性；星球的亮度
[记] 词根记忆：magn(大的) + itude(表状态) → 大的状态 → 重要性

majestic [mə'dʒestɪk] *adj.* 雄伟的，庄严的
[记] 词根记忆：maj(大的) + estic → 雄伟的

malaise [mə'leɪz] *n.* 不适，不舒服
[记] 发音记忆："没累死" → 差点没累死 → 不适

malediction [ˌmælɪ'dɪkʃən] *n.* 诅咒
[记] 词根记忆：male(坏的) + dict(说) + ion → 说坏话 → 诅咒

malefactor ['mælɪfæktər] *n.* 罪犯，作恶者
[记] 词根记忆：male(坏的) + fact(做) + or → 做坏事的人 → 作恶者

maleficent [məˈlefɪsənt] *adj.* 有害的; 作恶的, 犯罪的

[记] 词根记忆: male(坏的) + fic(做) + ent → 做坏事的 → 作恶的

malfeasance [ˌmælˈfiːzəns] *n.* 不法行为, 渎职

[记] 词根记忆: mal(坏的) + feas(做, 行为) + ance → 坏的行为 → 不法行为

malfunction [ˌmælˈfʌŋkʃn] *v.* 发生故障, 失灵 *n.* 故障

[记] 联想记忆: mal(坏的) + function(功能) → 功能不好 → 故障

malice [ˈmælɪs] *n.* 恶意, 怨恨

[记] 词根记忆: mal(坏的) + ice → 恶意

mandate [ˈmændeɪt] *n.* 命令, 训令

[记] 词根记忆: mand(命令) + ate → 命令

mangle [ˈmæŋgl] *v.* 毁坏, 毁损; (通过切、压等)损坏

mania [ˈmeɪniə] *n.* 癫狂; 狂热

[记] 参考: kleptomania(*n.* 盗窃狂); bibliomania (*n.* 藏书癖)

manifesto [ˌmænɪˈfestoʊ] *n.* 宣言, 声明

[记] 来自 manifest(*v.* 表明)

manipulate [məˈnɪpjuleɪt] *v.* (熟练地)操作, 处理

[记] 词根记忆: mani(手) + pul(拉) + ate → 用手拉 → (熟练地)操作, 处理

mansion [ˈmænʃn] *n.* 公寓; 大厦

[记] 词根记忆: man(逗留) + sion → 逗留之处 → 居住的地方 → 公寓

manure [məˈnʊr] *n.* 粪肥 *v.* 给…施肥

[记] 词根记忆: man(手) + ure → 用手施肥 → 给…施肥

maple [ˈmeɪpl] *n.* 枫树

[记] 和 apple(*n.* 苹果)一起记

mar [mɑːr] *v.* 损坏, 毁坏; 损害…的健全

maraud [məˈrɔːd] *v.* 抢劫, 掠夺

marine [məˈriːn] *adj.* 海的; 海生的

[记] 词根记忆: mar(海) + ine → 海的

mariner ['mærɪnər] *n.* 水手, 海员

[记] 词根记忆: mar(海) + in + er(人) → 海员

marrow ['mæroʊ] *n.* 骨髓; 精华, 精髓

[记] 和 narrow(*adj.* 狭窄的) 一起记

marshal ['mɑːrʃl] *v.* 整理, 安排, 排列

[记] 联想记忆: 为行军 (march) 而作安排 (marshal)

marsupial [mɑːrˈsuːpiəl] *n./adj.* 有袋动物(的)

martial ['mɑːrʃl] *adj.* 战争的, 军事的

[记] 联想记忆: mar(毁坏) + tial → 战争常常意味着毁灭 → 战争的

martyr ['mɑːrtər] *n.* 烈士, 殉道者

[记] 词根记忆: 本身为词根, 指"目击者"

marvel ['mɑːrvl] *v.* 对…感到惊异 *n.* 奇迹

[记] 联想记忆: mar(毁坏) + vel(音似: well 好) → 遭到毁坏再重建好, 真是奇迹 → 奇迹

mash [mæʃ] *v.* 捣成糊状

[记] 联想记忆: m + ash (灰) → 弄成灰 → 捣成糊状

masquerade [ˌmæskəˈreɪd] *n.* 化装舞会

[记] 来自 masque(=mask *n.* 面具)

massacre ['mæsəkər] *n.* 大屠杀

[记] 联想记忆: mass(大批) + acre(英亩) → 把一大批人赶到一英亩宽的地方杀掉 → 大屠杀

massive ['mæsɪv] *adj.* 巨大的, 厚重的

[记] 来自 mass(*n.* 大量, 大多数)

mast [mæst] *n.* 船桅, 桅杆

[记] 和 mat(*n.* 垫子) 一起记

masticate ['mæstɪkeɪt] *v.* 咀嚼; 把…磨成浆

[记] 词根记忆: mast(乳房) + icate → 原指小孩吃奶 → 咀嚼

mat [mæt] *n.* 垫子, 席子 *v.* (使)缠结; 铺席于…上

[记] 联想记忆: 猫(cat)在垫子(mat)上睡觉

materialize [mə'tɪrɪəlaɪz] v. 赋予形体, 使具体化; 出现

[记] 来自 material(n. 物质 adj. 物质的; 具体的)

matriculate [mə'trɪkjuleɪt] v. 录取

[记] 词根记忆: matr(母亲) + iculate → 成为母校 → 录取

matte [mæt] adj. 无光泽的

[记] mat 的变体

mattress ['mætrəs] n. 床垫

mature [mə'tʃʊr] adj. 成熟的; 深思熟虑的

[记] 联想记忆: 当自然(nature)中的 n 变成 m, 万物变得成熟(mature)

maul [mɔːl] v. 打伤, 伤害

[记] 和 haul(n./v. 用力拖)一起记

maunder ['mɔːndər] v. 胡扯; 游荡

mawkish ['mɔːkɪʃ] adj. 自作多情的, 过度伤感的; 淡而无味的, (味道上)令人作呕的

maze [meɪz] n. 迷宫

[记] 联想记忆: 这个迷宫 (maze) 让人吃惊 (amaze)

mean [miːn] adj. 吝啬的

meander [mi'ændər] v. 蜿蜒而流; 漫步

[记] 来自 the Meander, 一条以蜿蜒曲折而著名的河流

measly ['miːzli] adj. 患麻疹的; 少得可怜的, 微不足道的

[记] 来自 measles(n. 麻疹)

measured ['meʒərd] adj. 量过的, 精确的; 慎重的, 恰如其分的

[记] 来自 measure(v. 测量)

mechanism ['mekənɪzəm] n. 结构, 机制

medal ['medl] n. 奖牌, 勋章

[记] 联想记忆: 奖牌(medal)是金属(metal)做的

meddle ['medl] v. 干涉, 干预

[记] 词根记忆: med(混杂) + dle → 混杂其中 → 干涉

medicate ['medɪkeɪt] v. 用药物医治；加药于

[记] 词根记忆：med(治疗) + ic + ate → 用药物医治

medieval [ˌmedi'iːvl] adj. 中世纪的，中古的

[记] 词根记忆：medi(中间) + ev(时间) + al → 中世纪的

meditation [ˌmedɪ'teɪʃn] n. 沉思，冥想

[记] 词根记忆：med(注意) + it + ation → 加以注意 → 沉思

meek [miːk] adj. 温顺的，顺从的

meld [meld] v. (使)混合，(使)合并

mellifluous [me'lɪfluəs] adj. (音乐等)柔美流畅的

[记] 词根记忆：melli(蜂蜜) + flu(流) + ous → 像蜂蜜一样流出来的 → 柔美流畅的

melon ['melən] n. 甜瓜

[记] 词根记忆：mel(甜的) + on → 甜的东西 → 甜瓜

membrane ['membreɪn] n. 薄膜；膜

[记] 词根记忆：membr(=member 成员) + ane → 身体的一部分 → 膜

menace ['menəs] n./v. 威胁，恐吓

[记] 联想记忆：men(人) + ace(看作 face，面临，面对) → 将在比赛中面对的人 → 威胁

344

Word List 34

mend [mend] *v.* 修改，改进

mendacious [men'deɪʃəs] *adj.* 不真实的，虚假的；习惯性说谎的
[记] 联想记忆：mend(修改) + acious → 过度修改 → 不真实的

mendacity [men'dæsəti] *n.* 不诚实
[记] 来自 mendacious(*adj.* 习惯性说谎的)

mendicant ['mendɪkənt] *adj.* 行乞的 *n.* 乞丐
[记] 联想记忆：mend(修改，改进) + icant → 生活需要改善的人 → 乞丐

menthol ['menθɔːl] *n.* 薄荷醇

mentor ['mentɔːr] *n.* 导师
[记] 词根记忆：ment(精神) + or → 精神上的指导人 → 导师

merit ['merɪt] *v.* 值得 *n.* 价值；长处
[记] 本身为词根，意为"值得"

merited ['merɪtɪd] *adj.* 该得的，理所当然的
[记] 联想记忆：merit(价值) + ed → 值得的 → 该得的

mesmerism ['mezmərɪzəm] *n.* 催眠术，催眠引导法
[记] 来自奥地利医生 Mesmer，其始创了催眠术

mete [miːt] *v.* 给予，分配；测量 *n.* 边界
[记] 和 meet(*v.* 会面)一起记

metrical ['metrɪkl] *adj.* 测量的；韵律的
[记] 来自 meter(*n.* 米；韵律)

mettle ['metl] *n.* 勇气，斗志

microbe ['maɪkroʊb] *n.* 微生物
[记] 词根记忆：micro(小的) + be(=bio 生命) → 微生物

mien [miːn] *n.* 风采；态度

[记]发音记忆："迷你"→迷人的风采→风采

miff [mɪf] *n.* 小争吵

[记]联想记忆：爱人在一起时常有小争吵(miff)，分开时又彼此想念(miss)

mighty [ˈmaɪti] *adj.* 强有力的，强大的；巨大的

militia [məˈlɪʃə] *n.* 民兵

[记]词根记忆：milit(军事，战斗)＋ia→参与战争的人民→民兵

milk [mɪlk] *v.* 榨取

mince [mɪns] *v.* 切碎；装腔作势地小步走

[记]参考：minute(*adj.* 微小的)；minutia(*n.* 细枝末节)

mingle [ˈmɪŋgl] *v.* (使)混合

minnow [ˈmɪnoʊ] *n.* 鲤科，小鱼

[记]注意不要和 winnow(*v.* 簸；筛选)相混

mint [mɪnt] *n.* 大量；造币厂

[记]mint 作"薄荷(糖)"讲大家都较熟悉

minuet [ˌmɪnjuˈet] *n.* 小步舞

[记]词根记忆：min(小的)＋uet→小步舞

minutes [ˈmɪnɪts] *n.* 会议记录

minutia [mɪˈnuːʃiə] *n.* 细枝末节，琐事

[记]词根记忆：min(小的)＋utia→细小之处→细枝末节

mirage [məˈrɑːʒ] *n.* 海市蜃楼；幻想，幻影

[记]词根记忆：mir(惊奇)＋age→使人惊奇之物→海市蜃楼

mirth [mɜːrθ] *n.* 欢乐，欢笑

[记]发音记忆："没事"→没事当然很欢乐→欢乐

miscellany [ˈmɪsəleɪni] *n.* 混合物

[记]词根记忆：misc(混合)＋ellany→混合物

miscreant [ˈmɪskriənt] *n.* 恶棍，歹徒

[记]词根记忆：mis(坏的)＋cre(=cred 相信)＋ant→相信坏事物的人→恶棍

346

miserly ['maɪzərli] *adj.* 吝啬的
[记] 来自 miser(*n.* 吝啬鬼)

misgiving [ˌmɪs'gɪvɪŋ] *n.* 疑虑
[记] 联想记忆：mis(错的) + giving(给) → 给出错误的解释 → 疑虑

misperceive [ˌmɪspər'siːv] *v.* 误解
[记] 联想记忆：mis(错的) + perceive(理解，领会) → 误解

misrepresentation [ˌmɪsˌreprɪzen'teɪʃn] *n.* 误传，不实的陈述
[记] 联想记忆：mis(错的) + represent(表达) + ation → 错误的表达 → 误传

misshapen [ˌmɪs'ʃeɪpən] *adj.* 畸形的，奇形怪状的
[记] 联想记忆：mis(坏的) + shapen(形状的) → 畸形的

missive ['mɪsɪv] *n.* 信件，(尤指)公函
[记] 词根记忆：miss(发送) + ive → 由他处送出的 → 信件

mistral ['mɪstrəl] *n.* 寒冷且干燥的强风
[记] 联想记忆：mist(雾) + ral → 风起雾散 → 寒冷且干燥的强风

mnemonics [nɪ'mɑːnɪks] *n.* 记忆法，记忆术
[记] 词根记忆：mne(记忆) + mon + ics → 记忆法

moan [moʊn] *n.* 呻吟；抱怨 *v.* 呻吟；抱怨

moat [moʊt] *n.* 壕沟；护城河

mobile ['moʊbl] *adj.* 易于移动的
[记] 词根记忆：mob(动) + ile(易…的) → 易于移动的

mobility [moʊ'bɪləti] *n.* 可动性，流动性

mock [mɑːk] *v.* 嘲笑；(为嘲笑而)模仿
[记] 联想记忆：和尚(monk)没头发常受到嘲笑(mock)

mode [moʊd] *n.* 样式；模式；方式，形式；时尚，风尚

modicum ['mɔːdɪkəm] *n.* 少量

modish ['moʊdɪʃ] *adj.* 时髦的
[记] 来自 mode(*n.* 时尚)

moldy ['mouldi] *adj.* 发霉的

[记] 来自 mold(*n.* 真菌)

molest [mə'lest] *v.* 骚扰，困扰

[记] 词根记忆：mol(磨) + est → 摩擦 → 骚扰

mollify ['mɑːlɪfaɪ] *v.* 安慰，安抚

[记] 词根记忆：moll(柔软的) + ify → 使柔软 → 安抚

mollycoddle ['mɑːlɪkɑːdl] *v.* 过分爱惜，娇惯 *n.* 娇生惯养的人

[记] 联想记忆：moll(柔软的) + y + coddle (纵容) → 娇惯

moment ['moumənt] *n.* 瞬间；重要时刻

momentum [mou'mentəm] *n.* 推进力，势头

[记] 来自 moment(*n.* 瞬间)

monarch ['mɑːnərk] *n.* 君主，帝王

[记] 词根记忆：mon(单个的) + arch(统治者) → 最高统治者 → 君主

monocle ['mɑːnəkl] *n.* 单片眼镜

[记] 词根记忆：mon(单个的) + oc(眼睛) + le → 单片眼镜

monograph ['mɑːnəgræf] *n.* 专题论文

[记] 词根记忆：mono(单个的) + graph(写) → 为一个主题而写 → 专题论文

monolithic [ˌmɑːnə'lɪθɪk] *adj.* 坚若磐石的；巨大的

[记] 词根记忆：mono(单个的) + lith(石头) + ic → 单块大石头的 → 巨大的

monologue ['mɑːnəlɔːg] *n.* 独白；长篇演说，长篇大论

[记] 词根记忆：mono(单个的) + log(说话) + ue → 一个人说话 → 独白

monopoly [mə'nɑːpəli] *n.* 垄断；专利权

[记] 词根记忆：mono(单个的) + poly(出售) → 独享出售权 → 垄断

monsoon [ˌmɑːn'suːn] *n.* 季风

monstrous ['mɑːnstrəs] *adj.* 巨大的；丑陋的，外表可怕的

[记] 来自 monster(*n.* 妖怪)

moody [ˈmuːdi] *adj.* 喜怒无常的; 抑郁的

[记] 来自 mood(*n.* 情绪)

mope [moʊp] *v.* 抑郁, 闷闷不乐 *n.* 情绪低落

[记] 联想记忆: 她天天拖地 (mop), 很抑郁 (mope)

morale [məˈræl] *n.* 士气, 民心

[记] 和 moral(*adj.* 道德的)一起记

mores [ˈmɔːreɪz] *n.* 习俗, 惯例

[记] 词根记忆: mor(风俗) + es → 习俗, 惯例

moribund [ˈmɔːrɪbʌnd] *adj.* 即将结束的; 垂死的

[记] 词根记忆: mori(=mort 死) + bund(接近的) → 垂死的

morsel [ˈmɔːrsl] *n.* (食物的)一小口, 一小块; 少量, 一点

[记] 词根记忆: mors(咬) + el → 咬一口 → 一小口

mortgage [ˈmɔːrgɪdʒ] *n.* 抵押; 抵押证书 *v.* 用…作抵押

[记] 词根记忆: mort(死亡) + gage(抵押品) → 用抵押品使债务死亡 → 抵押

mortification [ˌmɔːrtɪfɪˈkeɪʃn] *n.* 耻辱, 屈辱

[记] 来自 mortify(*v.* 使难堪)

mote [moʊt] *n.* 尘埃, 微尘

[记] 词根记忆: mot(微尘) + e → 微尘

motile [ˈmoʊtaɪl] *adj.* 能动的

[记] 词根记忆: mot(动) + ile → 能动的

motility [moʊˈtɪləti] *n.* 运动性

[记] 词根记忆: mot(动) + ility → 运动性

motto [ˈmɑːtoʊ] *n.* 座右铭; 格言, 箴言

mourn [mɔːrn] *v.* 悲痛, 哀伤; 哀悼

muck [mʌk] *n.* 堆肥, 粪肥 *v.* 施肥; 捣乱

muddy [ˈmʌdi] *adj.* 多泥的, 泥泞的; 浑浊的, 不清的

[记] 来自 mud(*n.* 泥)

muffle [ˈmʌfl] *v.* 消音; 裹住

[记] 来自 muff(*n.* 手笼)

muggy [ˈmʌgi] *adj.* (天气)闷热而潮湿的

mulish ['mjuːlɪʃ] *adj.* 骡一样的，执拗的

mull [mʌl] *v.* 思考，思索 *n.* 混乱

multifarious [ˌmʌltɪ'feriəs] *adj.* 多种的，各式各样的
[记] 词根记忆：multi(多) + fari(部分) + ous → 含有许多部分的 → 多种多样的

multiplicity [ˌmʌltɪ'plɪsəti] *n.* 多样性
[记] 来自 multiple(*adj.* 多种多样的)

mumble ['mʌmbl] *v.* 咕哝，含糊不清地说

munch [mʌntʃ] *v.* 用力咀嚼，出声咀嚼
[记] 和 lunch(*n.* 午餐)一起记

municipality [mjuːˌnɪsɪ'pæləti] *n.* 自治市；市政当局(指城市行政区及管理者)
[记] 来自 municipal(*adj.* 市政的)

muniments ['mjuːnɪmənts] *n.* 契据
[记] 词根记忆：mun(保护，加强) + iments → 加强买卖关系的东西 → 契据

munition [mjuː'nɪʃn] *n.* 军火，军需品
[记] 词根记忆：mun(保护，加强) + ition → 用于保家卫国的东西 → 军火

murmur ['mɜːrmər] *v.* 柔声地说；抱怨

muse [mjuːz] *v.* 沉思，冥想
[记] 来自 Muse(希腊神话中的缪斯女神)

mushy ['mʌʃi] *adj.* 糊状的；感伤的，多情的

musket ['mʌskɪt] *n.* 旧式步枪，毛瑟枪
[记] 联想记忆：想把毛瑟枪(musket)藏在篮筐(basket)里

muster ['mʌstər] *v.* 召集，聚集
[记] 联想记忆：主人(master)有权召集(muster)家丁们

mutate ['mjuːteɪt] *v.* 变异
[记] 词根记忆：mut(变化) + ate → 变异

mute [mjuːt] *adj.* 沉默的 *v.* 减弱…的声音 *n.* 弱音器

muted ['mjuːtɪd] *adj.* (声音)减弱的，变得轻柔的
[记] 来自 mute(*v.* 减弱…的声音)

mutineer [ˌmjuːtə'nɪr] *n.* 反叛者，背叛者

[记] 来自 mutiny(*n./v.* 叛变)

mutinous ['mjuːtənəs] *adj.* 叛变的；反抗的

mutter ['mʌtər] *v.* 咕哝，嘀咕

[记] 联想记忆：m + utter(发出声音) → 只会发出 m 音 → 咕哝

muzzy ['mʌzi] *adj.* 头脑糊涂的

myopia [maɪ'oʊpiə] *n.* 近视；缺乏远见

[记] 词根记忆：my(闭上) + op(眼睛) + ia(病) → 近视

myopic [maɪ'oʊpɪk] *adj.* 近视眼的；目光短浅的，缺乏远见的

nadir ['neɪdɪr] *n.* 最低点

nag [næg] *v.* 不断叨扰，指责，抱怨

naive [naɪ'iːv] *adj.* 天真的，纯朴的

[记] 联想记忆：native(原始的，土著的)减去 t → 比土著人懂得还要少 → 天真的，纯朴的

namby-pamby [ˌnæmbi'pæmbi] *adj.* 乏味的；懦弱的 *n.* 懦弱的人

narcissism ['nɑːrsɪsɪzəm] *n.* 自恋，自爱

[记] 来自 Narcissus，希腊神话中的美少年，因过于爱恋自己水中的影子而溺水身亡，化为水仙花(narcissus)

narcissist [nɑːr'sɪsɪst] *n.* 自恋狂，自恋者

nasal ['neɪzl] *adj.* 鼻的；有鼻音的

[记] 词根记忆：nas(鼻) + al → 鼻的

nascent ['næsnt] *adj.* 初生的，萌芽的

[记] 词根记忆：nasc(出生) + ent → 刚出生的 → 初生的

natal ['neɪtl] *adj.* 出生的，诞生时的

[记] 词根记忆：nat(出生) + al → 出生的，诞生时的

nausea ['nɔːziə] *n.* 作呕，恶心

[记] 词根记忆：naus(=naut 船) + ea(病) → 在船上会犯的病 → 晕船 → 恶心

nauseate ['nɔːzieɪt] v. (使)作呕，(使)厌恶

nautical ['nɔːtɪkl] adj. 船员的，船舶的，航海的

[记] 词根记忆：naut(船)+ical→船舶的，航海的

naysay ['neɪseɪ] v. 拒绝，否认，反对

[记] 联想记忆：nay(=no 不)+say(说)→不说→拒绝

naysayer ['neɪseɪər] n. 怀疑者，否定者

[记] 来自 naysay(v. 拒绝，否认)

necessitous [nɪ'sesɪtəs] adj. 贫困的；紧迫的

[记] 来自 necessity(n. 必要，必然性；必需品)

needle ['niːdl] n. 针；针叶

nefarious [nɪ'feriəs] adj. 极恶毒的，邪恶的

[记] 词根记忆：ne(=not)+far(公正)+ious→不公正的→邪恶的

negation [nɪ'geɪʃn] n. 否定，否认

[记] 词根记忆：neg(否认)+ation→否定，否认

negligence ['neglɪdʒəns] n. 粗心，疏忽

[记] 词根记忆：neg(不)+lig(选择)+ence→不加选择→粗心，疏忽

nemesis ['neməsɪs] n. 报应

[记] 来自希腊神话中的复仇女神 Nemesis

neologism [ni'ɑːlədʒɪzəm] n. 新字，新词

[记] 词根记忆：neo(新的)+log(说话)+ism→新的话语→新字，新词

neonate ['niːouneɪt] n. 新生儿

[记] 词根记忆：neo(新的)+nat(出生)+e→新生儿

neophyte ['niːəfaɪt] n. 初学者，新手

[记] 词根记忆：neo(新的)+phyt(植物)+e→新植物→新手

nerve [nɜːrv] n. 勇气 v. 给予力量

[记] 联想记忆：军人为人民服务(serve)首先要有勇气(nerve)

nethermost [ˈneðəməʊst] *adj.* 最低的，最下面的

[记] 组合词：nether(下面的) + most(最) → 最下面的

nettle [ˈnetl] *n.* 荨麻 *v.* 烦忧，激怒

[记] 联想记忆：用 nettle(荨麻)织网(net)

neurology [nʊˈrɑːlədʒi] *n.* 神经学

[记] 词根记忆：neur(神经) + ology(学科) → 神经学

neurosis [nʊˈrəʊsɪs] *n.* 神经官能症

[记] 词根记忆：neur(神经) + osis(病) → 神经官能症

neutralize [ˈnuːtrəlaɪz] *v.* 使无效；中和，使中性

[记] 词根记忆：ne(不) + utr(= uter 二者中的任一) + alize → 不偏向任何一方 → 中和

nifty [ˈnɪfti] *adj.* 极好的，极妙的

niggle [ˈnɪgl] *v.* 拘泥小节；小气地给

niggling [ˈnɪglɪŋ] *adj.* 琐碎的

[记] 词根记忆：nig(小气的) + gling → 琐碎的

nil [nɪl] *n.* 无，零

[记] 词根记忆：ni(=ne 无，没有) + l → 无，零

nimble [ˈnɪmbl] *adj.* 敏捷的，灵活的

[记] 联想记忆：偷窃 (nim) 需要手脚灵活 (nimble)

nip [nɪp] *v.* 小口啜饮

[记] 和 lip(*n.* 嘴唇)一起记

nomad [ˈnəʊmæd] *n.* 流浪者；游牧部落的人

[记] 联想记忆：no + mad → 流浪者不疯也狂 → 流浪者

nominal [ˈnɑːmɪnl] *adj.* 名义上的，有名无实的

[记] 词根记忆：nomin(名字) + al → 名义上的

nominate [ˈnɑːmɪneɪt] *v.* 提名；任命，指定

[记] 词根记忆：nomin(名字) + ate → 提名

nonplus [ˌnɑːnˈplʌs] *v.* 使困惑 *n.* 迷惑，困惑

[记] 联想记忆：non + plus(有利的因素) → 不利 → 迷惑

353

noose [nuːs] *n.* 绳圈，套索

[记] 和 loose(*adj.* 松的) 一起记

nostrum ['nɑːstrəm] *n.* 家传秘方，江湖药；万灵丹；妙策

[记] 词根记忆：nost(家) + rum → 家传秘方

noxious ['nɑːkʃəs] *adj.* 有害的，有毒的

[记] 词根记忆：nox(伤害) + ious → 有毒的

nucleate ['nuːklɪeɪt] *v.* (使)成核 *adj.* 有核的

[记] 词根记忆：nucle(核) + ate → (使)成核

nugatory ['nuːɡətɔːri] *adj.* 无价值的，琐碎的

[记] 词根记忆：nug(玩笑) + atory → 让人一笑而过的 → 无价值的

nullify ['nʌlɪfaɪ] *v.* 使无效；抵消

[记] 联想记忆：null(无) + ify → 使无效

numinous ['nuːmɪnəs] *adj.* 超自然的，神的

[记] 联想记忆：numin (看作 numen，守护神) + ous → 守护神的 → 神的

numismatist [nuːˈmɪzmətɪst] *n.* 钱币学家，钱币收藏家

oasis [oʊˈeɪsɪs] *n.* 绿洲

oath [oʊθ] *n.* 誓言；咒骂，诅咒

obedient [əˈbiːdiənt] *adj.* 服从的，顺从的

[记] 来自 obey(*v.* 服从)

obeisance [oʊˈbiːsns] *n.* 鞠躬，敬礼

[记] 词根记忆：ob(加强) + eis(=aud 听话) + ance → 非常听话 → 鞠躬

objection [əbˈdʒekʃn] *n.* 厌恶，反对

[记] 词根记忆：ob(反) + ject(扔) + ion → 反过来扔 → 厌恶，反对

objective [əbˈdʒektɪv] *adj.* 客观的 *n.* 目标

[记] 来自 object(*n.* 物体；目标)

oblige [əˈblaɪdʒ] *v.* 强迫，强制；施恩惠于⋯

[记] 词根记忆：ob(加强) + lig(绑住) + e → 用力绑住 → 强迫

oblique [əˈbliːk] *adj.* 不直接的，不坦率的；斜的

[记] 词根记忆：ob(反) + liqu(向上弯) + e → 不向上弯的 → 斜的

354

obloquy ['ɑːbləkwi] *n.* 辱骂，斥责

[记] 词根记忆：ob(反) + loqu(说话) + y → 说坏话 → 辱骂

obnoxious [əb'nɑːkʃəs] *adj.* 令人极不愉快的，可憎的

[记] 词根记忆：ob(to) + nox(伤害) + ious → 给人带来伤害的 → 令人极不愉快的

observance [əb'zɜːrvəns] *n.* (对法律、习俗等的)遵守，奉行

[记] 词根记忆：ob(加强) + serv(保持) + ance → 遵守

obsess [əb'ses] *v.* 迷住；使⋯困扰，使⋯烦扰

[记] 词根记忆：ob(反) + sess(=sit 坐) → 坐着不动，妨碍前进 → 迷住；使⋯困扰

obsession [əb'seʃn] *n.* 入迷，着迷；固执的念头

[记] 来自 obsess(*v.* 迷住)

obsessive [əb'sesɪv] *adj.* 强迫性的，急迫的；使人着迷的

Trouble is only opportunity in work clothes.
困难只是穿上工作服的机遇。

——美国实业家 凯泽
（H.J. Kaiser, American businessman）

Word List 35

obsolete [ˌɑ:bsəˈli:t] *adj.* 废弃的；过时的

obstinate [ˈɑ:bstɪnət] *adj.* 固执的，倔强的
[记] 词根记忆：ob(向) + st(站) + inate → 就站在那里 → 固执的

obstreperous [əbˈstrepərəs] *adj.* 吵闹的；难管束的

obstruction [əbˈstrʌkʃn] *n.* 阻碍(物)，妨碍
[记] 联想记忆：obstruct(阻隔，阻碍)+ion → 阻碍(物)，妨碍

obtrude [əbˈtru:d] *v.* 突出；强加
[记] 词根记忆：ob(向外) + trud(伸出) + e → 向外伸 → 突出

obtuse [əbˈtu:s] *adj.* 愚笨的；钝的
[记] 词根记忆：ob(向) + tus(敲击) + e → 用钝器敲击 → 钝的

obverse [ˈɑ:bvɜ:rs] *n./adj.* 正面(的)
[记] 词根记忆：ob(外) + vers(转) + e → 转向外面的 → 正面的

occlude [əˈklu:d] *v.* 使闭塞
[记] 词根记忆：oc + clud(关闭) + e → 一再关起来 → 使闭塞

occult [əˈkʌlt] *adj.* 秘密的，不公开的
[记] 联想记忆：oc(外) + cult(教派) → 不在教派外公开的 → 秘密的

ocular [ˈɑ:kjələr] *adj.* 眼睛的；视觉的
[记] 词根记忆：ocul(眼) + ar → 眼睛的

ode [oʊd] *n.* 长诗，颂歌

odium [ˈoʊdiəm] *n.* 憎恶，反感

odometer [oʊˈdɑ:mɪtər] *n.* (汽车)里程表
[记] 词根记忆：od(路) + o + meter(测量) → 测量路程的东西 → 里程表

odoriferous [ˌoʊdəˈrɪfərəs] *adj.* 有气味的

[记] 词根记忆：odor（气味）+ i + fer（带有）+ ous → 有气味的

offbeat [ˌɔːfˈbiːt] *adj.* 不规则的，不平常的

[记] 组合词：off(离开) + beat(节奏) → 无节奏 → 不规则的

offend [əˈfend] *v.* 得罪，冒犯

offensive [əˈfensɪv] *adj.* 令人不快的，得罪人的

[记] 来自 offend(*v.* 得罪，冒犯)

offish [ˈɔːfɪʃ] *adj.* 冷淡的

[记] 联想记忆：off(离开) + (f)ish(鱼) → 鱼离开了，池塘冷清 → 冷淡的

offset [ˈɔːfset] *v.* 补偿，抵消

ogle [ˈoʊɡl] *v.* 送秋波 *n.* 媚眼

ointment [ˈɔɪntmənt] *n.* 油膏，软膏

[记] 词根记忆：oint(=oil 油) + ment → 油膏

oleaginous [ˌoʊliˈædʒɪnəs] *adj.* 油腻的；圆滑的，满口恭维的

olfactory [ɑːlˈfæktəri] *adj.* 嗅觉的

[记] 词根记忆：ol (=smell 味) + fact（做）+ ory → 做出味道来的 → 嗅觉的

omelet [ˈɑːmlət] *n.* 煎蛋卷

[记] 联想记忆：o(看作一个蛋) + me(我) + let(让) → 让我吃煎蛋 → 煎蛋卷

omnipresent [ˌɑːmniˈpreznt] *adj.* 无处不在的

[记] 词根记忆：omni(全) + present(存在) → 无处不在的

omniscient [ɑːmˈnɪsiənt] *adj.* 无所不知的，博识的

[记] 词根记忆：omni(全) + sci(知道) + ent → 全知道的 → 无所不知的

omnivorous [ɑːmˈnɪvərəs] *adj.* 杂食的；兴趣杂的

[记] 词根记忆：omni(全) + vor(吃) + ous → 全部吃的 → 杂食的

onset [ˈɑːnset] *n.* 开始，发作；攻击，袭击

onslaught [ˈɑːnslɔːt] *n.* 猛攻，猛袭

[记] 联想记忆：on + slaught(打击) → 猛攻，猛袭

onus ['oʊnəs] *n.* 义务，负担

[记] 联想记忆：on + us → 在我们身上的"责任" → 义务，负担

ooze [uːz] *v.* 慢慢地流，渗出；(勇气)逐渐消失

[记] 联想记忆：oo(像水渗出来时冒的泡泡) + ze → 渗出

opalescence [ˌoʊpə'lesns] *n.* 乳白光

opaque [oʊ'peɪk] *adj.* 不透明的；难懂的

[记] 联想记忆：opa(cus)(蔽光的) + que → 不透明的

opine [oʊ'paɪn] *v.* 想，以为

[记] 通过 opinion(*n.* 看法)反推 opine(*v.* 想)

oppose [ə'poʊz] *v.* 反对

[记] 词根记忆：op(反) + pos(放) + e → 反着放 → 反对

oppress [ə'pres] *v.* 压迫，压制

[记] 词根记忆：op(向) + press(压) → 压下去 → 压迫

opulence ['ɑːpjələns] *n.* 富裕；丰富

oracle ['ɔːrəkl] *n.* 代神发布神谕的人

[记] 词根记忆：ora (说话) + cle → 代神发布神谕的人

oracular [ə'rækjələr] *adj.* 神谕的；玄妙难懂的

oratory ['ɔːrətɔːri] *n.* 演讲术

[记] 来自 orate(*v.* 演讲)

orchard ['ɔːrtʃərd] *n.* 果园

ordain [ɔːr'deɪn] *v.* 任命(神职)；颁发命令

ordinance ['ɔːrdɪnəns] *n.* 法令，条例

[记] 词根记忆：ordin(命令) + ance → 法令，条例

orient ['ɔːrient] *adj.* 上升的 *v.* 确定方向；使熟悉情况

[记] 词根记忆：ori(升起) + ent → 上升的

ornate [ɔːr'neɪt] *adj.* 华美的；充满装饰的

[记] 词根记忆：orn(装饰) + ate → 装饰过的 → 华美的

ornery [ˈɔːrnəri] *adj.* 顽固的，爱争吵的

orotund [ˈɔːrətʌnd] *adj.* (声音)洪亮的；夸张的

[记] 联想记忆：oro + tund(=round，圆的) → 把嘴张圆了(说) → 洪亮的

orthodox [ˈɔːrθədɑːks] *adj.* 正统的

[记] 词根记忆：ortho(正的，直的) + dox(观点) → 正统观点 → 正统的

oscillate [ˈɑːsɪleɪt] *v.* 摆动；犹豫

[记] 词根记忆：oscill(摆动) + ate → 摆动

osmosis [ɑːzˈmoʊsɪs] *n.* 渗透；潜移默化

osseous [ˈɑːsiəs] *adj.* 骨的，多骨的

[记] 词根记忆：oss(骨) + e + ous → 骨的

ostensible [ɑːˈstensəbl] *adj.* 表面上的

[记] 词根记忆：os(向上) + tens(拉) + ible → 向上拉长的 → 表面上的

ostracism [ˈɑːstrəsɪzəm] *n.* 放逐，排斥

[记] 词根记忆：ostrac(贝壳) + ism → 古希腊人用贝壳投票决定是否应该放逐某人 → 放逐

other-directed [ˈʌðədɪˈrektɪd] *adj.* 受人支配的

[记] 组合词：other(别人) + direct(指挥) + ed → 受人支配的

otiose [ˈoʊʃioʊs] *adj.* 不必要的，多余的

outfox [aʊtˈfɑːks] *v.* 以机智胜过

[记] 组合词：out(出) + fox(狐狸) → 胜过狐狸 → 以机智胜过

outlandish [aʊtˈlændɪʃ] *adj.* 古怪的

[记] 联想记忆：out (出) + land (国家) + ish → 从外国来的 → 古怪的

outlet [ˈaʊtlet] *n.* 出口

[记] 组合词：out(出来) + let(让) → 让出来 → 出口

outmaneuver [ˌaʊtməˈnuːvər] *v.* 以策略制胜

[记] 组合词：out(超出) + maneuver(策略) → 以策略制胜

outset ['aʊtset] *n.* 开始, 开头

[记] 来自词组 set out (出发)

outshine [aʊt'ʃaɪn] *v.* 比…光亮; 出色, 优异

[记] 联想记忆: out(超越) + shine(闪耀) → 比…光亮; 出色, 优异

outwit [aʊt'wɪt] *v.* 以机智胜过

[记] 组合词: out(出) + wit(机智) → 机智超过别人 → 以机智胜过

oven ['ʌvn] *n.* 烤箱, 烤炉, 灶

[记] 发音记忆: "爱闻" → 爱闻烤箱里的香味 → 烤箱, 烤炉

overbearing [ˌoʊvər'berɪŋ] *adj.* 专横的, 独断的

[记] 组合词: over(过分) + bearing(忍受) → 使别人过分忍受 → 专横的

overflow [ˌoʊvər'floʊ] *v.* 溢出; 充满

[记] 组合词: over(出) + flow(流) → 溢出

overhaul ['oʊvərhɔːl] *v.* 彻底检查; 大修

[记] 组合词: over(全部) + haul(拉, 拖) → 全部拉上来修理 → 大修

overreach [ˌoʊvər'riːtʃ] *v.* 做事过头

[记] 组合词: over(过分) + reach(伸出) → 做过了 → 做事过头

overriding [ˌoʊvər'raɪdɪŋ] *adj.* 最主要的, 优先的

oversee [ˌoʊvər'siː] *v.* 监督

[记] 组合词: over(全部) + see(看) → 监督

oversight ['oʊvərsaɪt] *n.* 疏忽, 失察, 勘漏

[记] 组合词: over(在…上) + sight(视线) → 错误在视线之上 → 疏忽

overthrow [ˌoʊvər'θroʊ] *v.* 推翻; 终止 ['oʊvərθroʊ] *n.* 推翻; 终止

overture ['oʊvərtʃər] *n.* 前奏曲, 序曲

[记] 词根记忆: o(出) + ver(覆盖) + ture → 去掉覆盖物, 打开 → 序曲

360

overweening [ˌouvərˈwiːnɪŋ] *adj.* 自负的，过于自信的

[记]组合词：over(过分) + ween(想) + ing → 把自己想得过分伟大 → 自负的

oxidize [ˈɑːksɪdaɪz] *v.* 氧化，生锈

[记]联想记忆：oxid(e)(氧化物) + ize → 氧化

pacify [ˈpæsɪfaɪ] *v.* 使安静，抚慰

[记]词根记忆：pac(和平，平静) + ify → 使变得平和 → 使安静，抚慰

pact [pækt] *n.* 协定，条约

pagan [ˈpeɪgən] *n.* 没有宗教信仰的人；异教徒

painstaking [ˈpeɪnzteɪkɪŋ] *adj.* 煞费苦心的

[记]联想记忆：pains(痛苦) + taking(花费…的) → 煞费苦心的

palate [ˈpælət] *n.* 上腭；口味；爱好

[记]联想记忆：pal + ate(eat 的过去式) → 与吃有关的 → 口味

palatial [pəˈleɪʃl] *adj.* 宫殿般的；宏伟的

[记]来自 palace(*n.* 宫殿)，注意不要和 palatable (*adj.* 美味的)相混

palaver [pəˈlɑːvər] *n.* 空谈 *v.* 空谈；奉承

[记]联想记忆：pala(ce)(宫殿) + aver(承认，说话) → 宫殿里的话 → 奉承

palette [ˈpælət] *n.* 调色板，颜料配置

pall [pɔːl] *v.* 令人发腻，失去吸引力

palliate [ˈpælieɪt] *v.* 减轻(痛苦)；掩饰(罪行)

[记]词根记忆：pall(罩子) + itate → 盖上 (罪行) → 掩饰(罪行)

palliative [ˈpælɪətɪv] *n.* 缓释剂 *adj.* 减轻的，缓和的

pallid [ˈpælɪd] *adj.* 苍白的，没血色的

[记]词根记忆：pall(=pale 苍白的) + id → 苍白的

palpitate [ˈpælpɪteɪt] *v.* (心脏)急速跳动

[记]词根记忆：palp(摸) + it + ate → 摸得着的心跳 → (心脏)急速跳动

pamper [ˈpæmpər] *v.* 纵容，过分关怀

pan [pæn] *v.* 〈口〉严厉批评

pandemonium [ˌpændəˈmoʊniəm] *n.* 喧嚣，大混乱

[记] 联想记忆：pan（全部）+ demon（魔鬼）+ ium → 全是魔鬼 → 大混乱；来自弥尔顿的著作《失乐园》中的"地狱之都"（Pandemonium）

pander [ˈpændər] *v.* 怂恿，迎合(不良欲望)

[记] 联想记忆：pa（音似：拍）+ nder（看作 under，下面）→ 拍低级马屁 → 迎合

pane [peɪn] *n.* 窗格玻璃

pang [pæŋ] *n.* 一阵剧痛

panic [ˈpænɪk] *adj.* 恐慌的 *n.* 恐慌，惊惶

[记] 来自希腊神话中的畜牧神"潘"（Pan），panic 是指潘的出现所引起的恐慌

panorama [ˌpænəˈræmə] *n.* 概观，全景

[记] 词根记忆：pan（全部）+ orama（看）→ 全部看得到 → 全景

panoramic [ˌpænəˈræmɪk] *adj.* 全景的，全貌的，概论的

[记] 来自 panorama（*n.* 概观，全景）

parallelism [ˈpærəlelɪzəm] *n.* 平行，类似

[记] 联想记忆：parallel（平行的）+ ism → 平行，类似

paralyze [ˈpærəlaɪz] *v.* 使瘫痪；使无效

[记] 词根记忆：para（一边）+ lyz（松开）+ e → 身体的一边松了 → 使瘫痪

parch [pɑːrtʃ] *v.* 烘烤；烤焦

[记] 联想记忆：用火把（torch）来烘烤（parch）

pare [per] *v.* 削；修剪；削减，缩减

parity [ˈpærəti] *n.* (水平、地位、数量等的)同等，相等

[记] 词根记忆：par（相等）+ ity → 同等，相等

parley [ˈpɑːrli] *n.* 和谈；会谈 *v.* 和谈，会谈

[记] 词根记忆：parl（讲话）+ ey → 会谈

parlous [ˈpɑːrləs] *adj.* 靠不住的，危险的

[记] 和 perilous（*adj.* 危险的）一起记

parochial [pəˈroʊkiəl] *adj.* 教区的；地方性的，狭小的

parry	[ˈpæri] v. 挡开，避开(武器、问题等)
particularize	[pərˈtɪkjələraɪz] v. 详述，列举
	[记] 来自 particular(*adj.* 详细的)
partition	[pɑːrˈtɪʃn] n. 隔开；隔墙
	[记] 词根记忆：part(部分) + i + tion → 分成部分 → 隔开
parturition	[ˌpɑːrtjʊˈrɪʃn] n. 生产，分娩
	[记] 词根记忆：par(生产) + turi + tion → 分娩
passe	[pæˈseɪ] *adj.* 已过盛年的；过时的
passive	[ˈpæsɪv] *adj.* 被动的，缺乏活力的
	[记] 词根记忆：pass(感情) + ive(…的) → 感情用事的 → 被动的
pastiche	[pæˈstiːʃ] n. 混合拼凑的作品
pastoral	[ˈpæstərəl] *adj.* 田园生活的；宁静的
	[记] 联想记忆：pastor(牧人) + al → 田园生活的
pastry	[ˈpeɪstri] n. 糕点，点心
	[记] 联想记忆：past(看作 paste，面团) + ry → 面团做成的糕点 → 糕点
patch	[pætʃ] n. 补丁；一小片(土地)
patent	[ˈpeɪtnt] *adj.* 显而易见的 n. 专利权(证书)
pathetic	[pəˈθetɪk] *adj.* 引起怜悯的，令人难过的
	[记] 词根记忆：path(感情) + etic → 有感情的 → 引起怜悯的
pathology	[pəˈθɑːlədʒi] n. 病理学
	[记] 词根记忆：path(病) + ology(学科) → 病理学
patriot	[ˈpeɪtriət] n. 爱国者，爱国主义者
	[记] 词根记忆：patri(父亲) + ot → 把祖国当父亲看待的人 → 爱国者
patriotism	[ˈpeɪtriətɪzəm] n. 爱国主义，爱国心
	[记] 来自 patriot(n. 爱国者)
pauper	[ˈpɔːpər] n. 贫民；乞丐
	[记] 词根记忆：paup(少) + er → 财富少的人 → 贫民
pavid	[ˈpævɪd] *adj.* 害怕的，胆小的

pawn [pɔːn] *v.* 典当，抵押 *n.* 典当，抵押；被利用的小人物

[记] 和 pawnbroker(*n.* 典当商，当铺老板)一起记

peachy ['piːtʃi] *adj.* 极好的，漂亮的

peak [piːk] *v.* 变得憔悴，消瘦

peaky ['piːki] *adj.* 消瘦的，虚弱的

[记] 来自 peak(*v.* 变得憔悴)

pecan [pɪ'kɑːn] *n.* 山核桃

[记] 发音记忆："皮啃" → 皮很难啃动的坚果 → 山核桃

peck [pek] *v.* 啄食；轻啄

peckish ['pekɪʃ] *adj.* 饿的；急躁的

peculate ['pekjuleɪt] *v.* 挪用(公款)

[记] 词根记忆：pecu(原义为"牛"，引申为"钱财") + lat(搬运) + e → 把公有钱财搬回家里 → 挪用(公款)

pedagogy ['pedəɡɑːdʒi] *n.* 教育学，教学法

[记] 词根记忆：ped(儿童) + agog(引导) + y → 引导儿童之学 → 教育学

pedal ['pedl] *n.* 踏板，脚蹬 *v.* 骑自行车

[记] 词根记忆：ped(脚) + al(东西) → 踏板

peddle ['pedl] *v.* 兜售

pedestal ['pedɪstl] *n.* (柱石或雕像的)基座

[记] 词根记忆：ped (脚) + estal → 做脚的东西 → 基座

peek [piːk] *v.* 偷看

peel [piːl] *v.* 削去…的皮；剥落 *n.* 外皮

peep [piːp] *n./v.* 瞥见，偷看；初现

[记] 联想记忆：偷看颠倒过来(peep → peep)还是偷看

peer [pɪr] *n.* 同等之人，同辈

peery ['pɪri] *adj.* 窥视的；好奇的；怀疑的

[记] 联想记忆：peer(窥视) + y → 窥视的；好奇的

peeve [piːv] *v.* 使气恼，怨恨

pell-mell [ˌpel'mel] *adv.* 混乱地

[记] 组合词：pell(羊皮纸) + mell(使混和) →
羊皮纸揉和在一起 → 混乱地

pellucid [pə'luːsɪd] *adj.* 清晰的，清澈的

[记] 词根记忆：pel(=per 全部) + luc (光) + id
→ 光线充足的 → 清晰的

pelt [pelt] *v.* 扔 *n.* 毛皮

penalty ['penəlti] *n.* 刑罚，处罚

penance ['penəns] *n.* 自我惩罚

[记] 词根记忆：pen(惩罚) + ance → 惩罚 → 自
我惩罚

pendent ['pendənt] *adj.* 吊着的，悬挂的

[记] 词根记忆：pend(挂) + ent → 挂着的 → 吊
着的，悬挂的

pendulous ['pendʒələs] *adj.* 下垂的

pendulum ['pendʒələm] *n.* 摆，钟摆

[记] 词根记忆：pend(挂) + ulum(东西) → 挂的
东西 → 钟摆

penetrate ['penətreɪt] *v.* 刺穿；渗入；了解

[记] 联想记忆：pen(全部) + etr(=enter 进入) +
ate → 全部进入 → 刺穿

penicillin [ˌpenɪ'sɪlɪn] *n.* 青霉素

[记] 发音记忆："盘尼西林"

penury ['penjəri] *n.* 贫穷；吝啬

perambulate [pə'ræmbjuleɪt] *v.* 巡视；漫步

[记] 词根记忆：per(贯穿) + ambul(行走) + ate
→ 到处走 → 巡视

perch [pɜːtʃ] *v.* (鸟等)栖息

[记] 注意不要和 parch(*v.* 烘，烤)相混

percolate ['pɜːrkəleɪt] *v.* 过滤出；渗透

[记] 词根记忆：per(贯穿) + col(过滤) + ate →
过滤出

peremptory [pə'remptəri] *adj.* 不容反抗的；专横的

[记] 词根记忆：per(加强) + empt(抓) + ory →
采取强硬态度的 → 专横的

365

perfidy	[ˈpɜːrfədi] *n.* 不忠，背叛
perforate	[ˈpɜːrfəreɪt] *v.* 打洞
	[记] 词根记忆：per(贯穿) + for(门，开口) + ate → 打穿 → 打洞
peril	[ˈperəl] *n.* 危险
	[记] 词根记忆：per(冒险) + il → 危险
periphrastic	[ˌperiˈfræstɪk] *adj.* 迂回的，冗赘的
	[记] 联想记忆：peri(周围) + phras(=phrase 句子，词语) + tic → 绕圈子说话 → 迂回的
perish	[ˈperɪʃ] *v.* 死，暴卒
	[记] 联想记忆：珍惜(cherish)生命，不应随意毁灭(perish)
perishing	[ˈperɪʃɪŋ] *adj.* 严寒的

The supreme happiness of life is the conviction that we are loved.

生活中最大的幸福是坚信有人爱我们。

——法国小说家 雨果(Victor Hugo, French novelist)

Word List 36

perjure ['pɜːrdʒər] *v.* 使作伪证，发假誓

[记] 词根记忆：per(假地，错地) + jur(发誓) + e → 虚假地发誓 → 使作伪证，发假誓

perjury ['pɜːrdʒəri] *n.* 伪证，假誓

perk [pɜːrk] *v.* 恢复，振作；打扮；竖起

perky ['pɜːrki] *adj.* 得意洋洋的；活泼的

perpetual [pər'petʃuəl] *adj.* 持续的，不间断的；永久的

[记] 词根记忆：per(始终) + pet(追求) + ual → 自始至终的追求 → 永久的

persecute ['pɜːrsɪkjuːt] *v.* 迫害

[记] 词根记忆：per(始终) + secut(跟随) + e → 坏事一直跟着 → 迫害

persiflage ['pɜːrsɪflɑːʒ] *n.* 挖苦，嘲弄

[记] 词根记忆：per(始终) + sifl(吹哨) + age → 一直吹哨 → 嘲弄

persistence [pər'sɪstəns] *n.* 坚持不懈，执意，持续

[记] 来自 persist(*v.* 坚持，持续，固执)

persnickety [pər'snɪkəti] *adj.* 势利的；爱挑剔的

pertain [pər'teɪn] *v.* 属于；关于

[记] 词根记忆：per(始终) + tain(拿住) → 始终都拿在手里 → 属于

pertinacious [ˌpɜːrtn'eɪʃəs] *adj.* 固执的，坚决的；坚持的

[记] 词根记忆：per(始终) + tin(拿住) + acious → 始终拿住不放 → 固执的

peruse [pə'ruːz] *v.* 细读，精读

[记] 词根记忆：per(始终) + us(用) + e → 反复用 → 细读，精读

perverse [pər'vɜːrs] *adj.* 刚愎自用的，固执的

[记] 词根记忆：per(始终) + vers(转) + e → 始终和别人反着转 → 固执的

367

pervert [pər'vɜːrt] *v.* 使堕落; 滥用; 歪曲

[记] 词根记忆: per(远离) + vert(转) → 越转越远离正途 → 使堕落

pervious ['pɜːrviəs] *adj.* 可渗透的, 可通过的

[记] 词根记忆: per(始终) + vi(路) + ous → 始终都有路走的 → 可通过的

pester ['pestər] *v.* 纠缠, 烦扰

[记] 联想记忆: pest(害虫) + er → 像害虫一样骚扰 → 纠缠

pestilent ['pestɪlənt] *adj.* 致命的; 有害的

[记] 联想记忆: pest(害虫) + il + ent → 有害的

pestle ['pesl] *n.* 杵, 碾槌

petal ['petl] *n.* 花瓣

petitioner [pə'tɪʃənər] *n.* 请愿人

[记] 来自 petition(*v./n.* 请愿)

petrify ['petrɪfaɪ] *v.* (使)石化; (使)吓呆

[记] 词根记忆: petr(石头) + ify → (使)石化

pettish ['petɪʃ] *adj.* 易怒的, 闹情绪的

petty ['peti] *adj.* 琐碎的, 次要的; 小气的

petulance ['petʃələns] *n.* 易怒, 性急, 暴躁

phantom ['fæntəm] *n.* 鬼怪, 幽灵; 幻影, 幻象

[记] 词根记忆: phan (显现) + tom → 显现的东西 → 幽灵

pharisaic [ˌfæri'seɪɪk] *adj.* 伪善的, 伪装虔诚的

[记] 来自公元前后犹太教的法利赛人(Pharisee), 以形式上遵守教义的伪善作风闻名

pharmacology [ˌfɑːrmə'kɑːlədʒi] *n.* 药理学, 药物学; 药理

philately [fɪ'lætəli] *n.* 集邮

[记] 词根记忆: phil(爱) + ately(邮票) → 集邮

philology [fɪ'lɑːlədʒi] *n.* 语文学, 语文研究

[记] 词根记忆: phil(爱) + o + log(说话) + y → 语文学

phoenix ['fiːnɪks] *n.* 凤凰, 长生鸟

phony ['foʊni] *adj.* 假的, 欺骗的

picayunish [ˌpɪkəˈjuːnɪʃ] *adj.* 微不足道的，不值钱的

pictorial [pɪkˈtɔːriəl] *adj.* 绘画的；用图片的
[记] 词根记忆：pict(描绘) + orial → 起描绘作用的 → 用图片的

piddle [ˈpɪdl] *v.* 鬼混，浪费

piddling [ˈpɪdlɪŋ] *adj.* 琐碎的，微不足道的

piebald [ˈpaɪbɔːld] *adj.* 花斑的，黑白两色的

piecemeal [ˈpiːsmiːl] *adj.* 一件一件的，零碎的

pied [paɪd] *adj.* 杂色的
[记] 联想记忆：pie(馅饼) + d → 馅饼中放各种颜色的菜 → 杂色的

pierce [pɪrs] *v.* 刺穿；穿透
[记] 联想记忆：r 从一片(piece)中穿过 → 刺穿

pigment [ˈpɪɡmənt] *n.* 天然色素；粉状颜料

pilfer [ˈpɪlfər] *v.* 偷窃

pillage [ˈpɪlɪdʒ] *n.* 抢劫，掠夺 *v.* 抢夺
[记] 来自 pill(v. 抢劫)

pilot [ˈpaɪlət] *n.* 飞行员；领航员

pinch [pɪntʃ] *v.* 捏，掐 *n.* 一撮，少量
[记] 联想记忆：p + inch(英寸) → 以英寸计量的 → 一撮

piquant [ˈpiːkənt] *adj.* 辛辣的，开胃的；刺激的

pique [piːk] *n.* (因自尊心受伤害而导致的)不悦，愤怒 *v.* 激怒
[记] 词根记忆：piqu(刺激) + e → 因受刺激而不悦 → 不悦，愤怒

pirate [ˈpaɪrət] *n.* 海盗；剽窃者 *v.* 盗印；掠夺
[记] 词根记忆：pir(=per 试验；冒险) + ate → 冒险去拿他人的东西 → 掠夺

pirouette [ˌpɪruˈet] *n.* (舞蹈)脚尖着地的旋转
[记] 词根记忆：pirou(转) + ette(小动作) → 小转 → 脚尖着地的旋转

piscatorial [ˌpɪskəˈtɔːriəl] *adj.* 捕鱼的，渔业的
[记] 来自 piscator(n. 捕鱼人)

369

piteous	['pɪtiəs] *adj.* 可怜的
pith	[pɪθ] *n.* 精髓，要点
pithiness	['piθinəs] *n.* 简洁
	[记] 来自 pithy(*adj.* 精练的)
pitiless	['pɪtiləs] *adj.* 无情的，冷酷的，无同情心的
pittance	['pɪtns] *n.* 微薄的薪俸，少量的收入；少量
pivot	['pɪvət] *n.* 枢轴，中心 *v.* 旋转
placard	['plækɑːrd] *n.* 招贴，布告 *v.* 张贴布告
plagiarize	['pleɪdʒəraɪz] *v.* 剽窃，抄袭
	[记] 词根记忆：plagi(斜的) + ar + ize → 做歪事 → 剽窃，抄袭
plague	[pleɪg] *n.* 瘟疫；讨厌的人 *v.* 烦扰
plain	[pleɪn] *adj.* 简单的；清楚的；不漂亮的，不好看的 *n.* 平原
plait	[plæt] *n.* 发辫 *v.* 编成辫
plangent	['plændʒənt] *adj.* 轰鸣的；凄凉的
	[记] 来自拉丁文 plangere，意为"拍打胸脯以示哀痛"
plank	[plæŋk] *n.* 厚木板；要点 *v.* 铺板
plaster	['plæstər] *n.* 灰泥，石膏 *v.* 抹灰泥
	[记] 词根记忆：plas(形式) + ter → 塑造成墙的东西 → 灰泥
plateau	[plæ'toʊ] *n.* 高原；平稳时期
	[记] 词根记忆：plat(平的) + eau → 平稳时期
platonic	[plə'tɑːnɪk] *adj.* 理论的；精神上的，纯友谊的
	[记] 来自哲学家柏拉图(Plato)
plaudit	['plɔːdɪt] *v.* 喝彩，赞扬
	[记] 词根记忆：plaud(鼓掌) + it → 喝彩，赞扬
plaza	['plæzə] *n.* 广场；集市
	[记] 来自拉丁语 platea，意为"庭院；宽敞的大街"
plead	[pliːd] *v.* 辩护；恳求
	[记] 来自 plea(*n.* 恳求；辩护)
pleat	[pliːt] *n.* (衣服上的)褶
	[记] 来自 plait(*v.* 打褶；编辫子)

plebeian	[plə'biːən] *n.* 平民 *adj.* 平民的；平庸的，粗俗的
pledge	[pledʒ] *n.* 誓言，保证 *v.* 发誓
plenary	['pliːnəri] *adj.* 全体出席的；完全的，绝对的，无限的
	[记] 词根记忆：plen(满) + ary → 满的 → 完全的
plenitude	['plenɪtuːd] *n.* 完全；大量
	[记] 词根记忆：plen(满) + itude → 大量
plentitude	['plentɪtuːd] *n.* 充分
	[记] 词根记忆：plen(满) + titude → 充分
pleonastic	[ˌpliːə'næstɪk] *adj.* 冗言的
	[记] 词根记忆：pleon(太多) + astic → 太多的话 → 冗言的
plod	[plɑːd] *v.* 沉重地走；辛勤工作 *n.* 艰难行进
plough	[plaʊ] (= plow) *n.* 犁 *v.* 犁地
ploy	[plɔɪ] *n.* 花招，策略
plumber	['plʌmər] *n.* 管子工，铅管工
plummet	['plʌmɪt] *v.* 垂直或突然落下
	[记] plummet 原意为"测深锤"
plunder	['plʌndər] *v.* 抢劫，掠夺
	[记] 联想记忆：pl(看作 place，放) + under(在…下面) → 放在自己下面 → 抢劫
pluralist	['plʊrəlɪst] *n.* 兼任数个宗教职位者，兼职者
plush	[plʌʃ] *adj.* 豪华的
poach	[poʊtʃ] *v.* 偷猎，窃取
pod	[pɑːd] *n.* 豆荚 *v.* 剥掉(豆荚)
podiatrist	[pə'daɪətrɪst] *n.* 足病医生
	[记] 词根记忆：pod(足，脚) + iatr(治疗) + ist → 足病医生
podium	['poʊdiəm] *n.* 讲坛，(乐队的)指挥台
	[记] 词根记忆：pod (脚) + ium → 站脚的地方 → 讲坛
poignancy	['pɔɪnjənsi] *n.* 辛辣，尖锐
poisonous	['pɔɪzənəs] *adj.* 有毒的；有害的
poke	[poʊk] *v.* 刺，戳

polemic [pə'lemɪk] *n.* 争论，论战

[记] 词根记忆：polem(战争) + ic → 争论，论战

polemical [pə'lemɪkl] *adj.* 引起争论的，好辩的

poll [poʊl] *n.* 民意调查；投票选举

pollster ['poʊlstər] *n.* 民意调查员

[记] 联想记忆：poll(民意调查) + st + er(人) → 民意调查员

polymath ['pɑːlimæθ] *n.* 博学者

[记] 词根记忆：poly(多) + math(学习) → 学得多 → 博学者

poncho ['pɑːntʃoʊ] *n.* 斗篷；雨披

ponder ['pɑːndər] *v.* 仔细考虑，衡量

[记] 词根记忆：pond(重量) + er → 掂重量 → 仔细考虑，衡量

ponderable ['pɑːndərəbl] *adj.* 可估量的

pontifical [pɑːn'tɪfɪkl] *adj.* 教皇的；自负的；武断的

poohed [puːd] *adj.* 疲倦的

pool [puːl] *n.* 资源的集合；可共享的物资

portentous [pɔːr'tentəs] *adj.* 凶兆的

[记] 来自 portent(*n.* 预兆，凶兆)

posit ['pɑːzɪt] *v.* 断定，认定

[记] 通过 position(*n.* 位置，立场)来反推 posit

positiveness ['pɑːzətɪvnəs] *n.* 肯定，确信

[记] 来自 positive(*adj.* 肯定的)

poster ['poʊstər] *n.* 海报，招贴画

[记] 联想记忆：post(邮寄；张贴) + er → 海报，招贴画

postiche [pɑː'stiːʃ] *adj.* 伪造的，假的 *n.* 伪造品；假发

potation [poʊ'teɪʃn] *n.* 喝，饮；饮料，酒

potboiler ['pɑːtbɔɪlər] *n.* 粗制滥造的文艺作品

[记] 来自 potboil(*v.* 为混饭吃而粗制滥造)

potentate ['poʊtnteɪt] *n.* 统治者，君主

[记] 词根记忆：pot(有力的) + ent + ate(人) → 有力量的人 → 统治者

potentiate [poʊˈtenʃɪeɪt] v. 加强，强化

pother [ˈpɒðə] n. 喧扰，骚动 v. 烦恼

potpourri [ˌpoʊpʊˈriː] n. 混杂物，杂烩

[记] 联想记忆：pot(锅) + pour(倾倒)+ri → 倒在一个锅里 → 混杂物

pouch [paʊtʃ] n. 小袋 v. 使成袋状；将(某物)装入袋内

pound [paʊnd] v. 猛击，连续重击；(心脏)狂跳，怦怦地跳

prance [præns] v. 昂首阔步

[记] 联想记忆：那个法国(France)人昂首阔步(prance)地走在大街上

prank [præŋk] n. 恶作剧，玩笑

[记] 注意不要和plank(n. 厚木板)相混

prate [preɪt] v. 瞎扯，唠叨

[记] 和prattle(v. 闲聊)一起记

preach [priːtʃ] v. 布道，讲道

[记] 联想记忆：p(看作 priest，牧师) + reach(到达) → 牧师到达 → 布道，讲道

preamble [priˈæmbl] n. 前言，序言；先兆

[记] 联想记忆：pre(在…之前) + amble(缓行，漫步) → 走在前面 → 前言

precept [ˈpriːsept] n. 箴言，格言；规则

[记] 词根记忆：pre(预先) + cept(拿住) → 预先接受的话 → 格言

precocious [prɪˈkoʊʃəs] adj. 早熟的

[记] 词根记忆：pre(预先) + coc(煮) + ious → 提前煮好的 → 早熟的

predilection [ˌpredlˈekʃn] n. 偏爱，嗜好

[记] 联想记忆：pre + dilection（看作 direction，趋向）→ 兴趣的趋向 → 偏爱，嗜好

preen [priːn] v. (鸟用嘴)整理羽毛；(人)打扮修饰

[记] 和green(n. 绿色)一起记

prefigure [ˌpriːˈfɪɡjər] v. 预示；预想

[记] 联想记忆：pre(提前) + figure(形象) → 提前想好形象 → 预想

prehensile [prɪˈhensl] *adj.* 能抓住东西的，缠绕的

[记] 词根记忆：prehens(=prehend 抓住) + ile(能…的) → 能抓住东西的

prelude [ˈprelju:d] *n.* 序幕，前奏

[记] 词根记忆：pre(在…之前) + lud(表演) + e → 表演之前 → 序幕，前奏

premiere [prɪˈmɪr] *n.* (电影、戏剧等)首次公演

[记] 来自 premier(*adj.* 首要的；最早的)

premium [ˈpri:mɪəm] *n.* 保险费；奖金

[记] 词根记忆：pre(在…之前) + m(=empt 拿；买) + ium → 提前买下的东西 → 保险费

preponderant [prɪˈpɑːndərənt] *adj.* 占优势的，突出的，压倒性的

[记] 词根记忆：pre(在…之前) + pond(重量) + er + ant → 重量超过前面的 → 压倒性的

preponderate [prɪˈpɑːndəreɪt] *v.* 超过，胜过

[记] 词根记忆：pre(在…之前) + pond(重量) + er + ate → 重量超过前面 → 超过，胜过

prepossessing [ˌpri:pəˈzesɪŋ] *adj.* 给人好感的

[记] 联想记忆：pre(预先) + possess(拥有) + ing → 预先就拥有了情感 → 给人好感的

preposterous [prɪˈpɑːstərəs] *adj.* 荒谬的

[记] 联想记忆：pre(前) + post(后) + erous → "前、后"两个前缀放在一起了 → 荒谬的

presage [ˈpresɪdʒ] *n.* 预感

[prɪˈseɪdʒ] *v.* 预示

[记] 联想记忆：pre(预先) + sage(智者；智慧) → 预感

prescience [ˈpresɪəns] *n.* 预知，先见

[记] 词根记忆：pre(预先) + sci(知道) + ence → 预知，先见

presentation [ˌpri:zenˈteɪʃn] *n.* 介绍，描述

[记] 来自 present(*v.* 介绍；提出；显示)

presentiment [prɪˈzentɪmənt] *n.* 预感

[记] 词根记忆：pre(预先) + sent(感觉) + iment → 预感

374

preside [prɪˈzaɪd] v. 担任主席；负责；指挥

[记] 词根记忆：pre(在…之前) + sid(坐) + e → 坐在前面 → 指挥

pressing [ˈpresɪŋ] adj. 紧迫的，迫切的；恳切要求的

prestige [preˈstiːʒ] n. 威信，威望；影响力

[记] 联想记忆：pres(看作 president，总统) + tige(看作 tiger，老虎) → 总统和老虎两者都是有威信、威望的 → 威信，威望

presumption [prɪˈzʌmpʃn] n. 放肆，傲慢；假定

[记] 来自 presume(v. 推测，认定)

presupposition [ˌpriːsʌpəˈzɪʃn] n. 预想，臆测

[记] 联想记忆：pre(预先) + supposition(假定，推测) → 预先推测 → 预想，臆测

pretence [ˈpriːtens] n. 假装；借口

[记] 词根记忆：pre(预先) + tenc(=tens 伸展) + e → 预先伸展开来 → 假装

pretension [prɪˈtenʃn] n. 自负，骄傲；要求，主张

[记] 联想记忆：pre(预先) + tension(紧张，压力) → 预先感到了压力 → 要求，主张

pretext [ˈpriːtekst] n. 借口

[记] 联想记忆：pre(预先) + text(课文) → 预先想好的文章 → 借口

prevaricate [prɪˈværɪkeɪt] v. 支吾其词，搪塞

[记] 词根记忆：pre(预先) + varic(观望) + ate → 预先观望 → 搪塞

preview [ˈpriːvjuː] n. 预演，预展 v. 预演，预先查看

[记] 联想记忆：pre(预先) + view(观看) → 预先看到的演出 → 预演

prevision [priˈviʒən] n. 预知，先见

[记] 词根记忆：pre(预先) + vis(看) + ion → 预先看到的 → 先见

prey [preɪ] n. 被捕食的动物；受害者

[记] 联想记忆：心中暗自祈祷(pray)不要成为受害者(prey)

prime [praɪm] *n.* 全盛时期 *adj.* 首先的; 主要的; 最好的

[记] 词根记忆: prim(最早的) + e → 主要的

privation [praɪˈveɪʃn] *n.* 匮乏, 贫困

[记] 词根记忆: priv(分开) + ation → 人财两分 → 贫困

privilege [ˈprɪvəlɪdʒ] *n.* 特权, 特殊利益

[记] 词根记忆: priv(分开; 个人) + i + leg(法律) + e → 在法律上将人分等级 → 特权

probe [proʊb] *v.* 调查, 探测

[记] 词根记忆: prob(检查, 试验) + e → 调查, 探测

proceeds [ˈproʊsiːdz] *n.* 收入; 实收款项

procession [prəˈseʃn] *n.* 行列; 列队行进

[记] 词根记忆: pro(向前) + cess(走) + ion → 列队行进

proclaim [prəˈkleɪm] *v.* 宣告, 公布; 显示, 表明

[记] 词根记忆: pro(在前) + claim(叫, 喊) → 在前面喊 → 宣告, 公布

procrastinate [proʊˈkræstɪneɪt] *v.* 耽搁, 拖延

[记] 词根记忆: pro(向前) + crastin(明天) + ate → 直到明天再干 → 拖延

procrustean [ˌproʊˈkrʌstiən] *adj.* 强求一致的

[记] 源自 Procrustes(希腊神话中的巨人), 抓到人后, 缚之床榻, 体长者截下肢, 体短者拔之使与床齐长

profane [prəˈfeɪn] *v.* 亵渎, 玷污

[记] 联想记忆: pro(在前) + fane(神庙) → 在神庙前(做坏事) → 亵渎

proffer [ˈprɑːfər] *v.* 奉献, 贡献; 提议, 建议 *n.* 赠送, 献出

[记] 联想记忆: pr(o)(向前) + offer(提供) → 向前提供 → 奉献

profiteer [ˌprɑːfəˈtɪr] *n.* 奸商, 牟取暴利者

[记] 联想记忆: profit(利润) + eer(人) → 只顾利益之人 → 奸商

376

Word List 37

profligate ['prɑːflɪgət] *adj.* 挥霍的，浪费的 *n.* 恣意挥霍者

[记] 词根记忆：pro(向前) + flig(拉) + ate → 使向前拉了许多 → 挥霍的

progenitor [proʊ'dʒenɪtər] *n.* 祖先

[记] 词根记忆：pro(前) + gen(产生) + itor → 生在前面的人 → 祖先

progeny ['prɑːdʒəni] *n.* 后代，子孙

[记] 词根记忆：pro(前) + gen(产生) + y → 前人所生下的 → 后代

prognosis [prɑːg'noʊsɪs] *n.* 【医】(对病情的)预断，预后

[记] 词根记忆：pro(前) + gno(知道) + sis → 先知道 → 预后

prognosticate [prəg'nɔstɪkeɪt] *v.* 预言，预示

[记] 词根记忆：pro(提前) + gno(知道) + stic + ate → 预示

projectile [prə'dʒektl] *n.* 抛射体

[记] 词根记忆：pro(向前) + ject(扔) + ile → 扔向前的东西 → 抛射体

projection [prə'dʒekʃn] *n.* 突起物，隆起物；设计，规划；发射，投射

projector [prə'dʒektər] *n.* 电影放映机，幻灯机

prolix ['proʊlɪks] *adj.* 说话啰嗦的，冗长的

prologue ['proʊlɔːg] *n.* 开场白；序言；序幕

[记] 词根记忆：pro(在前) + log(话语) + ue → 前面说的话 → 开场白

promenade [ˌprɑːmə'neɪd] *n./v.* 散步，开车兜风

[记] 词根记忆：pro(向前) + men(to lead) + ade → 引着自己向前 → 散步，开车兜风

377

prominent [ˈprɑːmɪnənt] *adj.* 显著的; 著名的

[记] 词根记忆: pro(向前) + min(伸出) + ent → 向前伸出 → 显著的; 著名的

promissory [ˈprɑːmɪsəri] *adj.* 允诺的, 约定的

prompt [prɑːmpt] *v.* 促进, 激起 *adj.* 敏捷的, 迅速的

[记] 词根记忆: pro(向前) + mpt(=empt 拿, 抓) → 提前拿 → 促进, 激起

prong [prɔːŋ] *v.* 刺, 贯穿 *n.* 叉子, 尖齿; 齿状物

prop [prɑːp] *n.* 支撑物, 支柱 *v.* 支持

prophecy [ˈprɑːfəsi] *n.* 预言

prophet [ˈprɑːfɪt] *n.* 先知, 预言者

propulsion [prəˈpʌlʃn] *n.* 推进力

[记] 词根记忆: pro(向前) + puls(跳动, 推动) + ion → 向前推 → 推进力

prorogue [prouˈroug] *v.* 休会; 延期

[记] 词根记忆: pro(前面) + rog(问) + ue → 在前面通知下次开会(的日期) → 休会

prosecution [ˌprɑːsɪˈkjuːʃn] *n.* 起诉, 检举; 进行, 经营

[记] 来自 prosecute(*v.* 起诉, 检举)

prosperity [prɑːˈsperəti] *n.* 繁荣; 幸运

[记] 词根记忆: pro(前面) + sper(希望) + ity → 希望就在前方 → 繁荣

prosperous [ˈprɑːspərəs] *adj.* 繁荣的, 兴旺的

protagonist [prəˈtægənɪst] *n.* 倡导者, 拥护者

[记] 词根记忆: prot(首先) + agon(打, 行动) + ist → 首先行动者 → 倡导者

protean [ˈproutiən] *adj.* 变化多端的, 多变的

protocol [ˈproutəkɔːl] *n.* 外交礼节; 协议, 草案

[记] 词根记忆: proto(首要的) + col(胶水) → 礼节很重要, 把人凝聚到一起 → 外交礼节

protuberance [prouˈtuːbərəns] *n.* 突起, 突出

[记] 词根记忆: pro(向前) + tuber(块茎) + ance → 像块茎一样突出 → 突起, 突出

protuberant [proʊ'tuːbərənt] adj. 突出的，隆起的
[记] 词根记忆：pro（向前）+ tuber（块茎）+ ant
→ 像块茎一样突出的 → 突出的

provenance ['prɑːvənəns] n. 出处，起源
[记] 词根记忆：pro(前面)+ ven(来)+ ance →
前面来的东西 → 起源

proverbially [prə'vɜːrbiəli] adv. 人皆尽知地
[记] 来自 proverb(n. 谚语)

providential [ˌprɑːvɪ'denʃl] adj. 幸运的；适时的

prowess ['praʊəs] n. 勇敢；非凡的才能
[记] 来自 prow(adj.〈古〉英勇的)

prowl [praʊl] v. 潜行，悄悄踱步 n. 四处觅食；徘徊

prude [pruːd] n. 拘守礼仪的人
[记] 词根记忆：pr(=pro 向前)+ ud(=vid 看)+ e
→ 事先看 → 拘守礼仪的人

prune [pruːn] n. 西梅干 v. 修剪(树木等)

pry [praɪ] v. 刺探；撬开 n. 撬杠，杠杆

puerile ['pjʊrəl] adj. 幼稚的；孩子气的
[记] 词根记忆：puer(=boy 男孩)+ ile → 孩子气的

puffery ['pʌfəri] n. 极力称赞，夸大广告，吹捧
[记] 联想记忆：puff(吹嘘)+ ery → 极力称赞

puissant ['pjuːsənt] adj. 强大的，有权力的

pulchritude ['pʌlkrɪtjuːd] n. 美丽，标致
[记] 词根记忆：pulchr(美丽的)+ itude(状态)
→ 美丽，标致

pullet ['pʊlɪt] n. 小母鸡
[记] 联想记忆：子弹(bullet) 打中了小母鸡
(pullet)

pullulate ['pʌljʊleɪt] v. 繁殖；充满
[记] 词根记忆：pullul(小动物)+ ate → 生小动
物 → 繁殖

pulp [pʌlp] n. 果肉；纸浆

pulpit ['pʌlpɪt] n. 讲道坛

pulverize ['pʌlvəraɪz] v. 使成粉末，粉碎；彻底击败
[记] 词根记忆：pulver(粉)+ ize → 使成粉末

punch [pʌntʃ] *v.* 以拳猛击; 打孔

[记] 发音记忆: "乓味"(重击的声音)→ 以拳猛击

punctilious [pʌŋkˈtɪliəs] *adj.* 一丝不苟的

[记] 词根记忆: punct(刺) + ilious → 针刺般准确 → 一丝不苟的

pundit [ˈpʌndɪt] *n.* 权威人士, 专家

[记] pandit(*n.* 学者, 专家)变体

puny [ˈpjuːni] *adj.* 弱小的, 孱弱的

purgatory [ˈpɜːrɡətɔːri] *n.* 炼狱

[记] 联想记忆: purg(清洁的) + at + ory → 使灵魂清洁的地方 → 炼狱

purge [pɜːrdʒ] *v.* 清洗, 洗涤

[记] 词根记忆: purg(清洁的) + e → 清洗, 洗涤

purify [ˈpjʊrɪfaɪ] *v.* 使纯净, 净化

[记] 词根记忆: pur(纯洁的) + ify → 使纯净, 净化

purloin [pɜːrˈlɔɪn] *v.* 偷窃

[记] 词根记忆: pur(向前, 向外) + loin(=long远) → 把别人的东西带到远方 → 偷窃; 注意不要和 purlieu(*n.* 附近)相混

purported [pərˈpɔːrtɪd] *adj.* 传言的, 据称的

[记] 词根记忆: pur(向前, 向外) + port(带) + ed → 带到外面的 → 传言的

purse [pɜːrs] *v.* 缩拢, 皱起 *n.* 钱包

purvey [pərˈveɪ] *v.* (大量)供给, 供应

[记] 和 survey(*v.* 测量, 调查)一起记

pushy [ˈpʊʃi] *adj.* 有进取心的, 爱出风头的, 固执己见的

pusillanimous [ˌpjuːsɪˈlænɪməs] *adj.* 胆小的

[记] 词根记忆: pusill(虚弱的) + anim(生命, 精神) + ous → 胆小的

putative [ˈpjuːtətɪv] *adj.* 公认的, 推定的

[记] 词根记忆: put(认为) + ative → 公认的

putrefy [ˈpjuːtrɪfaɪ] *v.* 使腐烂

[记] 词根记忆: putr(腐烂的) + efy → 使腐烂; 注意不要和 petrify(*v.* 石化)相混

putrid [ˈpjuːtrɪd] *adj.* 腐臭的

quack [kwæk] *n.* 冒牌医生，庸医 *adj.* 庸医的

[记]和 quick(*adj.* 快的)一起记：庸医骗完钱就很快消失

quaff [kwɑːf] *v.* 痛饮，畅饮

[记]发音记忆："夸父"→ 夸父追日，渴急痛饮 → 痛饮，畅饮

quail [kweɪl] *v.* 畏缩，发抖，恐惧

[记]原意为 "鹌鹑"，鹌鹑胆子较小，所以就有了"恐惧"的意思

qualm [kwɑːm] *n.* 不安，良心的谴责

[记]联想记忆：捧在手掌(palms)怕丢了 → 不安(qualm)

quandary [ˈkwɑːndəri] *n.* 困惑，进退两难，窘境

[记]发音记忆："渴望得力"→ 处于进退两难的境地，渴望得到力量 → 进退两难

queer [kwɪr] *adj.* 奇怪的，反常的

[记]和 queen(*n.* 女王)一起记

quell [kwel] *v.* 制止，镇压

quench [kwentʃ] *v.* 扑灭，熄灭；解(渴)，止(渴)

query [ˈkwɪri] *v.* 质疑，疑问，询问 *n.* 问题，疑问

[记]词根记忆：que(追求) + ry → 追求答案 → 疑问

queue [kjuː] *v.* 排队 *n.* 长队

[记]联想记忆：q 站在前面，后面跟着 ue + ue → 长队

quibble [ˈkwɪbl] *n.* 遁词；吹毛求疵的反对意见或批评

[记]quip(*n.* 妙语；借口)的变体

quirk [kwɜːrk] *n.* 奇事；怪癖

quondam [ˈkwɒndæm] *adj.* 原来的，以前的

quota [ˈkwoʊtə] *n.* 定额，配额

quotidian [kwoʊˈtɪdiən] *adj.* 每日的；平凡的

[记]词根记忆：quoti(每) + di(日子) + an → 每日的

rabid ['ræbɪd] *adj.* 患狂犬病的; 疯狂的, 狂暴的

[记] 来自 rabies(*n.* 狂犬病)

rack [ræk] *v.* 使痛苦不堪, 使受折磨

[记] 长距离赛跑(race)让他痛苦不堪(rack)

raff [ræf] *n.* 大量, 许多

rakish ['reɪkɪʃ] *adj.* 潇洒的; 放荡的

ramble ['ræmbl] *n.* 漫步 *v.* 漫步

[记] 联想记忆: r + amble(缓行, 漫步)→ 漫步

rambunctious [ræm'bʌŋkʃəs] *adj.* 骚乱的, 喧闹的

[记] 联想记忆: ram(羊) + bunctious(看作 bumptious, 傲慢的)→ 像傲慢的羊一样乱叫 → 骚乱的, 喧闹的

rampage [ræm'peɪdʒ] *v.* 乱冲乱跑

['ræmpeɪdʒ] *n.* 狂暴行为

[记] 联想记忆: ram(羊) + page(书页)→ 羊翻书, 使人怒 → 狂暴行为

rankle ['ræŋkl] *v.* 怨恨; 激怒

[记] 联想记忆: ran(跑) + kle(看作 ankle, 脚踝)→ 跑路扭伤了脚踝 → 怒了 → 激怒

ransom ['rænsəm] *n.* 赎金; 赎身 *v.* 赎回

rant [rænt] *v.* 大声责骂; 咆哮

rapacious [rə'peɪʃəs] *adj.* 掠夺的; 贪婪的

[记] 词根记忆: rap(抓取) + acious → 抓得多 → 贪婪的

rapids ['ræpɪdz] *n.* 急流, 湍流

[记] 联想记忆: rapid(快速) + s → 急流, 湍流

rapport [ræ'pɔːr] *n.* 融洽, 和谐

[记] 和 support(*n.* 支持)一起记

rapprochement [ˌræprɑːʃ'mɑːn] *n.* 友好, 友善关系的建立

[记] 联想记忆: r + approche(看作 approach, 靠近) + ment → 靠在一起 → 友好

rapt [ræpt] *adj.* 入迷的, 全神贯注的

[记] 词根记忆: rap(抓取) + t → 夺去了所有注意力 → 入迷的

rarefaction [ˌreriˈfækʃn] *n.* 稀薄

[记] 来自 rarefy(*v.* 稀薄)

rasp [ræsp] *v.* 发出刺耳的声音; 锉, 刮削

raspy [ˈræspi] *adj.* 刺耳的; 易怒的(irritable)

ratification [ˌrætɪfɪˈkeɪʃn] *n.* 正式批准

[记] 来自 ratify(*v.* 正式批准)

ratiocination [ˌreɪʃiousɪˈneɪʃn] *n.* 推理, 推论

[记] 词根记忆: rat(清点) + iocination → 推理

ration [ˈræʃn] *n.* 配给 *v.* 定量配给

[记] 词根记忆: rat(清点) + ion → 对现有物资进行清点 → 定量配给

rattle [ˈrætl] *v.* 使发出咯咯声; 使慌乱

[记] 参考 rattlesnake(*n.* 响尾蛇)

ravel [ˈrævl] *v.* 使纠缠, 纠结; 拆开, 拆散

ravening [ˈrævənɪŋ] *adj.* 狼吞虎咽的; 贪婪的

ravenous [ˈrævənəs] *adj.* 饥饿的; 贪婪的

[记] 来自 raven(*n.* 大乌鸦, 掠夺)

ravish [ˈrævɪʃ] *v.* 使着迷; 强夺

[记] 词根记忆: rav(抓, 抢夺) + ish → 夺去注意力 → 使着迷; 注意不要和 lavish(*v.* 浪费)相混

ravishing [ˈrævɪʃɪŋ] *adj.* 令人陶醉的

[记] 来自 ravish(*v.* 使着迷)

razor [ˈreɪzər] *n.* 剃刀, 刮胡刀

[记] 来自 raze(*v.* 夷平; 抹掉)

readily [ˈredɪli] *adv.* 乐意地; 容易地

[记] 来自 ready(*adj.* 乐意的, 情愿的)

ready [ˈredi] *adj.* 敏捷的, 迅速的

realign [ˌriːəˈlaɪn] *v.* 重新排列

[记] 联想记忆: re(重新) + align(排列) → 重新排列

reap [riːp] *v.* 收割, 收获

rebarbative [rɪˈbɑːrbətɪv] *adj.* 令人讨厌的, 冒犯人的

[记] 词根记忆: re(相对) + barb(钩子) + ative → 钩子对着别人 → 冒犯人的

383

rebuff [rɪ'bʌf] *v.* 断然拒绝

[记] 词根记忆：re(反) + buff(=puff 喷，吹) → 反过喷气 → 断然拒绝

rebuttal [rɪ'bʌtl] *n.* 反驳，反证

[记] 联想记忆：re(反) + butt(顶撞) + al → 反过来顶撞 → 反驳

recall [rɪ'kɔ:l] *v.* 回想，回忆起；收回 *n.* 唤回

[记] 词根记忆：re(反) + call(喊，叫) → 唤回

recant [rɪ'kænt] *v.* 撤回(声明)，放弃(信仰)

[记] 词根记忆：re(反) + cant(唱) → 唱反调 → 放弃(信仰)

receipt [rɪ'si:t] *n.* 收到，接到；发票，收据

[记] 来自 receive(*v.* 收到)

recess ['ri:ses] *n.* 壁凹；休假

[记] 词根记忆：re(反) + cess(走) → 向内反着走 → 壁凹

recherche [ˌrəʃer'ʃeɪ] *adj.* 精心挑选的；异国风味的

recipe ['resəpi] *n.* 食谱

[记] 词根记忆：re + cip(抓) + e → 为做饭提供抓的要点 → 食谱

reciprocal [rɪ'sɪprəkl] *adj.* 相互的，互惠的

reckon ['rekən] *v.* 推断，估计；猜想，设想

recline [rɪ'klaɪn] *v.* 斜倚，躺卧

[记] 词根记忆：re(回) + clin(倾斜) + e → 斜回去 → 斜倚，躺卧

recollection [ˌrekə'lekʃn] *n.* 记忆力；往事

[记] 来自 recollect(*v.* 回想)；re + col(一起) + lect(收集) → 回想

recombine [ˌri:kəm'baɪn] *v.* 重组，再结合

[记] 联想记忆：re(重新) + combine(组合) → 重组

recompense ['rekəmpens] *v.* 报酬，赔偿

[记] 联想记忆：re(重新) + compense(补偿) → 重新补偿 → 赔偿

reconnoiter [ˌrekəˈnɔɪtər] v. 侦察，勘察

[记] 联想记忆：re + connoiter(观察，源自法语)
→ 侦察，勘察

recruit [rɪˈkruːt] n. 新兵；新成员 v. 征募，招募

[记] 词根记忆：re(重新) + cruit(=cres 成长) →
重新成长 → 新成员

rectitude [ˈrektɪtuːd] n. 诚实，正直，公正

[记] 词根记忆：rect(直的) + itude → 正直

recumbent [rɪˈkʌmbənt] adj. 斜靠的；休息的

[记] 词根记忆：re + cumb(躺) + ent → 斜靠的

recusant [rəˈkjuːzənt] n. 拒绝服从的人

redemptive [rɪˈdemptɪv] adj. 赎回的，救赎的，挽回的

redolent [ˈredələnt] adj. 芬芳的，芳香的

[记] 词根记忆：red(=re 加强) + ol(气味) + ent
→ 散发出浓郁的气味 → 芳香的

redoubtable [rɪˈdaʊtəbl] adj. 令人敬畏的，可怕的

[记] 联想记忆：re(反复) + doubt(怀疑，疑虑) +
able → 行动时产生疑虑，说明对手是可怕的，
可敬畏的 → 令人敬畏的，可怕的

redress [rɪˈdres] n. 矫正，修正

[记] 联想记忆：re(重新) + dress(穿衣；整理)
→ 重新整理 → 矫正，修正

redundancy [rɪˈdʌndənsi] n. 多余，累赘；(因劳动力过剩而造
成的)裁员；人浮于事

[记] 本单词亦作 redundance

reek [riːk] v. 发臭味；冒烟

reel [riːl] n. 卷轴；旋转 v. 卷…于轴上

refectory [rɪˈfektri] n. (学院等的)餐厅，食堂

[记] 来自 refection(n. 食品，小吃)

refraction [rɪˈfrækʃn] n. 折射

refresh [rɪˈfreʃ] v. 消除…的疲劳，使精神振作

[记] 联想记忆：re(重新) + fresh(新鲜的) → 使
精神振作

refulgent [rɪˈfʌldʒənt] *adj.* 辉煌的，灿烂的

[记] 词根记忆：re + fulg（发光）+ ent → 辉煌的，灿烂的

refurbish [ˌriːˈfɜːrbɪʃ] *v.* 刷新，擦亮

[记] 联想记忆：re + furbish（磨光，磨亮）→ 刷新，擦亮

refute [rɪˈfjuːt] *v.* 反驳，驳斥

[记] 词根记忆：re（向后）+ fut（倾泻）+ e →（观点等）向后倒 → 反驳，驳斥

regime [reɪˈʒiːm] *n.* 政权，政治制度

[记] 词根记忆：reg（统治）+ ime → 政权

regress [rɪˈgres] *v.* 倒退，复归，逆行

[记] 词根记忆：re（向后）+ gress（行走）→ 向后走 → 倒退，复归，逆行

regurgitate [rɪˈgɜːrdʒɪteɪt] *v.* 涌回，流回；反胃，反刍

rehearse [rɪˈhɜːrs] *v.* 排练，预演；详述

reincarnate [ˌriːɪnˈkɑːrneɪt] *v.* 使转世

[记] 联想记忆：re（重新）+ incarnate（化身）→ 精神重新进入肉体 → 使转世

rejoice [rɪˈdʒɔɪs] *v.* 欣喜，高兴

[记] 词根记忆：re+joic（=joy 高兴）+ e → 欣喜，高兴

rejoin [ˌriːˈdʒɔɪn] *v.* 回答，答辩

[记] 词根记忆：re（重新）+ join（加入）→ 重新加入讨论 → 答辩

rejoinder [rɪˈdʒɔɪndər] *n.* 回答

rejuvenate [rɪˈdʒuːvəneɪt] *v.* 使变得年轻

[记] 词根记忆：re + juven（年轻的）+ ate → 使变得年轻

relapse [rɪˈlæps] *n.* 旧病复发；再度恶化 *v.* 旧病复发；再度恶化

[记] 词根记忆：re + laps（滑）+ e →（身体状况）再次下滑 → 再度恶化

relent [rɪˈlent] v. 变温和，变宽厚；减弱

[记] 词根[记]忆：re + lent(柔软的) → 心肠软了下来 → 变温和，变宽厚

reliance [rɪˈlaɪəns] n. 信赖，信任

[记] 来自 rely(v. 依赖)

relic [ˈrelɪk] n. 遗物，遗迹，遗风

remainder [rɪˈmeɪndər] n. 剩余物

[记] 来自 remain(v. 保留)

remains [rɪˈmeɪnz] n. 残余，遗迹

[记] 来自 remain(v. 保持)

remand [rɪˈmænd] v. 遣回；召回

[记] 词根记忆：re(重新，又) + mand(命令) → 命令回来 → 遣回

reminder [rɪˈmaɪndər] n. 提醒物，纪念品

[记] 来自动词 remind(v. 提醒)；注意不要与 remainder(n. 剩余物)相混

reminisce [ˌremɪˈnɪs] v. 追忆，回想

[记] 词根记忆：re(重新) + min(=mind 思维) + isce → 重新回到思维中 → 追忆

remission [rɪˈmɪʃn] n. 宽恕，豁免

[记] 词根记忆：re(向后) + miss(送) + ion → 送回去 → 宽恕

Word List 38

remit	[rɪˈmɪt] *v.* 免除；宽恕；汇款
remittance	[rɪˈmɪtns] *n.* 汇款
remonstrance	[rɪˈmɑːnstrəns] *n.* 抗议，抱怨
	[记] 词根记忆：re(重新) + monstr(显现) + ance → 一再表示对别人的不满 → 抗议，抱怨
remonstrate	[rɪˈmɑːnstreɪt] *v.* 抗议；告诫
	[记] 词根记忆：re(重新) + monstr(显现) + ate → 一再表示对别人的不满 → 抗议
remunerate	[rɪˈmjuːnəreɪt] *v.* 酬劳，赔偿
	[记] 词根记忆：re(重新) + muner(礼物) + ate → 回报别人礼物 → 酬劳
renal	[ˈriːnl] *adj.* 肾脏的，肾的
renascent	[rɪˈnæsnt] *adj.* 再生的，复活的，新生的
rend	[rend] *v.* 撕碎，分裂；抢夺
	[记] 联想记忆：因为被撕碎(rend)了，所以要修补(mend)
rendering	[ˈrendərɪŋ] *n.* 表演；翻译
	[记] 来自 render(*v.* 表演；翻译)
rendition	[renˈdɪʃn] *n.* 表演，演唱
renege	[rɪˈniːg] *v.* 食言，违约
	[记] 词根记忆：re(反) + neg(否认) + e → 反过来不承认 → 食言，违约
renovate	[ˈrenəveɪt] *v.* 翻新，修复，整修
rent	[rent] *n.* 裂缝；(意见)分歧
	[记] rent 的“租金”之意众所周知
renunciate	[rɪˈnʌnsieɪt] *v.* 放弃
	[记] 词根记忆：re(相反) + nunci(讲话，说出) + ate → 表达相反的意见 → 放弃

388

repartee [ˌrepɑːrˈtiː] *n.* 机敏的应答

[记] 词根记忆：re(反) + part(部分) + ee → 拿出部分作为回答 → 机敏的应答

repent [rɪˈpent] *v.* 懊悔，后悔

[记] 词根记忆：re(重新) + pent(惩罚) + → 心灵再次受到惩罚 → 懊悔

repercussion [ˌriːpərˈkʌʃn] *n.* 反响；反应，影响；回声

[记] 联想记忆：re(反复) + percussion(震动) → 反复震动 → 回声

repine [rɪˈpaɪn] *v.* 不满，抱怨

[记] 联想记忆：re(重新) + pine(憔悴) → 因苦恼、不满而憔悴 → 不满

repose [rɪˈpouz] *n./v.* 休息，安眠

[记] 词根记忆：re(重新) + pos(放) + e → 重新(将身体)放下去 → 躺下去(睡觉) → 休息

reprehend [ˌreprɪˈhend] *v.* 谴责，责难

[记] 词根记忆：re(反) + prehend(抓住) → 反过来抓住(缺点) → 谴责

repressed [rɪˈprest] *adj.* 被抑制的，被压抑的

reprieve [rɪˈpriːv] *v.* 缓期执行；暂时解救 *n.* 缓刑，暂缓

[记] 词根记忆：re(后) + priev(=prehend 抓住) → 抓住放在后面 → 暂不执行死刑 → 缓刑

reprobate [ˈreprəbeɪt] *v.* 非难，斥责 *adj./n.* 堕落的(人)

[记] 词根记忆：re(反) + prob(赞扬) + ate → 不赞扬 → 斥责

reproof [rɪˈpruːf] *n.* 责备，斥责

repulsion [rɪˈpʌlʃn] *n.* 厌恶，反感；排斥力

reputation [ˌrepjuˈteɪʃn] *n.* 名声

requite [rɪˈkwaɪt] *v.* 报答；报复

rescission [rɪˈsɪʒn] *n.* 撤销，废除

[记] 词根记忆：re + sciss(切) + ion → 切除 → 废除

resentment [rɪˈzentmənt] *n.* 愤恨，怨恨

resident [ˈrezɪdənt] *n.* 居民 *adj.* 定居的，常驻的

[记] 来自 reside(v. 居住，定居)

residue ['rezɪdjuː] *n.* 剩余

resigned [rɪ'zaɪnd] *adj.* 顺从的，听从的

resilience [rɪ'zɪliəns] *n.* 恢复力，弹力
[记] 来自 resile(*v.* 弹回；恢复活力)；re(向后) + sil(跳) +e → 向后跳起 → 弹回

resound [rɪ'zaʊnd] *v.* 回响；鸣响

resourceful [rɪ'sɔːrsfl] *adj.* 机智的
[记] 和 resource(*n.* 资源)一起记

resplendent [rɪ'splendənt] *adj.* 华丽的，光辉的
[记] 词根记忆：re(反复) + splend(发光) + ent → 不断发光的 → 光辉的

restiveness ['restɪvnəs] *n.* 倔强，难以驾驭
[记] 来自 restive(*adj.* 不安静的，不安宁的)

restless ['restləs] *adj.* 焦躁不安的，静不下来的

restorative [rɪ'stɔːrətɪv] *adj.* 恢复健康的
[记] 词根记忆：re(重新) + stor(储存) + ative → 重新储存能量 → 恢复健康的

restored [rɪ'stɔːrd] *adj.* 恢复的

restrain [rɪ'streɪn] *v.* 克制，抑制
[记] 词根记忆：re(重新) + strain(拉紧) → 重新拉紧 → 克制，抑制

resurgence [rɪ'sɜːrdʒəns] *n.* 再起，复活，再现
[记] 词根记忆：re(重新) + surg(升起) + ence → 再起

retaliation [rɪˌtæli'eɪʃn] *n.* 报复

retard [rɪ'tɑːrd] *v.* 妨碍；使减速
[记] 词根记忆：re + tard(慢的) → 使迟缓 → 妨碍

retch [retʃ] *v.* 作呕，恶心

retention [rɪ'tenʃn] *n.* 保留，保持
[记] 词根记忆：re(重新) + tent(拿住) + ion → 重新拿住 → 保留

retiring [rɪ'taɪərɪŋ] *adj.* 过隐居生活的，不善社交的
[记] 来自 retire(*v.* 退休；隐居)；re(后) + tir(拉) +e → 向后拉 → 隐居

390

retort [rɪˈtɔːrt] v. 反驳

[记] 词根记忆：re(反) + tort(扭) → 反着扭 → 反驳

retouch [ˌriːˈtʌtʃ] v. 修描(照片)；润色

[记] 联想记忆：re + touch(用画笔轻画) → 修描 (照片)；润色

retrace [rɪˈtreɪs] v. 回顾，追溯

[记] 联想记忆：re + trace(踪迹) → 找回踪迹 → 回顾，追溯

retreat [rɪˈtriːt] n. 撤退；隐居处 v. 撤退

[记] 词根记忆：re(后) + treat(=tract 拉) → 向后 拉 → 撤退

retrench [rɪˈtrentʃ] v. 节省，紧缩开支

[记] 词根记忆：re(回) + trench(切掉) → 把开 支再切掉 → 节省，紧缩开支

revenge [rɪˈvendʒ] n. 报复，报仇

[记] 词根记忆：re(反) + veng(惩罚) + e → 反 惩罚 → 报复

revenue [ˈrevənuː] n. 收入，收益；税收

[记] 词根记忆：re(回) + ven(来) + ue → 回来 的东西 → 收入

reversion [rɪˈvɜːrʒn] n. 恢复，复原；逆转

[记] 词根记忆：re(回) + vers(转) + ion → 转回 去，返回 → 逆转

revive [rɪˈvaɪv] v. 使苏醒；使再流行

revolt [rɪˈvoʊlt] v. 反叛，造反；反感，厌恶

[记] 词根记忆：re(反) + volt(转) → 反过来转 → 反叛

revulsion [rɪˈvʌlʃn] n. 厌恶，憎恶；剧变

rewarding [rɪˈwɔːrdɪŋ] adj. 有益的，值得的

rhubarb [ˈruːbɑːrb] n. 【植】大黄；热烈的讨论，激烈的争论

ribald [ˈrɪbld] adj. 下流的，粗俗的

[记] 联想记忆：ri(拼音：日) + bald(光秃的) → 白天光着身子 → 下流的

rife [raɪf] *adj.* 流行的，普遍的

[记] 和 life(*n.* 生命)一起记

rifle [ˈraɪfl] *n.* 步枪 *v.* 抢夺，偷走

[记] 发音记忆："来福" → 来福步枪 → 步枪

rig [rɪg] *v.* (用不正当手段)操纵，垄断

rigor [ˈrɪgər] *n.* 严厉，严格，苛刻；严密，精确

rile [raɪl] *v.* 惹恼，激怒

rind [raɪnd] *n.* (瓜、果等的)外皮

[记] 和 find(*v.* 找到)一起记

rinse [rɪns] *v.* 冲洗掉，漂净

riot [ˈraɪət] *v.* 暴动，闹事

riotous [ˈraɪətəs] *adj.* 暴乱的，狂乱的

ripen [ˈraɪpən] *v.* 使成熟

[记] 来自 ripe(*adj.* 成熟的)

ripple [ˈrɪpl] *v.* (使)泛起涟漪 *n.* 波痕，涟漪

ritzy [ˈrɪtsi] *adj.* 高雅的；势利的

rive [raɪv] *v.* 撕开，分裂

riven [ˈrɪvn] *adj.* 撕开的，分裂的

riveting [ˈrɪvɪtɪŋ] *adj.* 非常精彩的，引人入胜的

roe [rou] *n.* 鱼卵

rollicking [ˈrɑːlɪkɪŋ] *adj.* 欢乐的，喧闹的

[记] 联想记忆：rol(卷) + lick(舔) + ing → 把好吃的东西卷起来舔，气氛很欢乐 → 欢乐的

rotate [ˈrouteɪt] *v.* (使)旋转，(使)转动；轮流，循环

[记] 词根记忆：rot(旋转) + ate(使…) → (使)旋转，(使)转动

rote [rout] *n.* 死记硬背

[记] 词根记忆：rot(转) + e → 摇头晃脑地转着背 → 死记硬背

rotten [ˈrɑːtn] *adj.* 腐烂的；极坏的

[记] 来自 rot(*n./v.* 腐烂)

roughen [ˈrʌfn] (使)变粗糙

[记] 来自 rough(*adj.* 粗糙的)

roundabout [ˈraʊndəbaʊt] *adj.* 绕道的，迂回的

[记] 组合词：round(迂回地，围绕地) + about
(各处，附近) → 迂回的

rout [raʊt] *n.* 溃败

[记] 联想记忆：route(道路)去掉 e → 成功的道
路上一失误就会溃败 → 溃败

rove [roʊv] *v.* 流浪，漂泊

ruckus [ˈrʌkəs] *n.* 喧闹，骚动

rudder [ˈrʌdər] *n.* 船舵；领导者

[记] 联想记忆：最前面的奔跑者(runner)是领导
者(rudder)

ruddy [ˈrʌdi] *adj.* (脸色)红润的，红的

rue [ruː] *n.* 后悔，懊悔

ruffle [ˈrʌfl] *v.* 弄皱；激怒 *n.* 褶皱

rumble [ˈrʌmbl] *v.* 发出低沉的隆隆声

ruminate [ˈruːmɪneɪt] *v.* 反刍；深思

rumple [ˈrʌmpl] *v.* 弄皱，弄乱

[记] 联想记忆：rum(看作 room，房间) + ple(看
作 people，人) → 房间里面来了好多人，把房间
弄乱了 → 弄乱

rumpus [ˈrʌmpəs] *n.* 喧闹，骚乱

runic [ˈruːnik] *adj.* 古北欧文字的；神秘的

[记] 联想记忆：run(追逐) + ic(…的) → 吸引人
不断追逐的 → 神秘的

rupture [ˈrʌptʃər] *n./v.* 破裂，断裂

[记] 词根记忆：rupt(断) + ure → 断裂

rural [ˈrʊrəl] *adj.* 乡村的

[记] 词根记忆：rur(乡村) + al(…的) → 乡村的

ruse [ruːz] *n.* 骗术，计策

[记] 联想记忆：送玫瑰(rose)是捕获姑娘芳心的
好计策(ruse) → 骗术，计策

rustle [ˈrʌsl] *v.* 发出沙沙声

[记] 联想记忆：可能来自 rush(*n.* 匆促)

ruthlessness ['ruːθləsnəs] *n.* 无情, 冷酷, 残忍

[记] 来自 ruthless(*adj.* 残忍的, 无情的)

sacrament ['sækrəmənt] *n.* 圣礼, 圣事

[记] 词根记忆: sacra(神圣) + ment → 圣事

sacrilege ['sækrəlɪdʒ] *n.* 亵渎, 冒犯神灵

sadden ['sædn] *v.* 使悲伤, 使难过

saddle ['sædl] *n.* 鞍, 马鞍

[记] 联想记忆: sad(非常糟糕的) + dle → 骑马没鞍可就糟了 → 马鞍

sag [sæg] *v.* 松弛, 下垂

salmon ['sæmən] *n.* 大马哈鱼; 鲜肉色

salutation [ˌsæljuˈteɪʃn] *n.* 招呼, 致意, 致敬

salute [səˈluːt] *v.* 行礼致敬; 致意 *n.* 行军礼

salve [sælv] *n.* 药膏 *v.* 减轻, 缓和

[记] 词根记忆: salv(救) + e → 解救的东西 → 药膏

sampler ['sæmplər] *n.* 刺绣样品; 样品检查员

sangfroid [sɑːŋˈfrwɑː] *n.* 沉着, 冷静

[记] 来自法语, 原意为 "冷血的"; sang(血) + froid(冷的) → 冷血的

sanitize ['sænɪtaɪz] *v.* 使清洁

sanity ['sænəti] *n.* 头脑清楚, 精神健全

sardonic [sɑːrˈdɑːnɪk] *adj.* 讽刺的, 嘲笑的

[记] 来自 sardinian plant(撒丁岛植物), 据说人食用后会狂笑而死

sartorial [sɑːrˈtɔːriəl] *adj.* 裁缝的, 缝制的

sash [sæʃ] *n.* 肩带

satanic [səˈtænɪk] *adj.* 似撒旦的, 魔鬼的, 邪恶的

[记] 来自 Satan(撒旦, 与上帝作对的魔鬼)

sate [seɪt] *v.* 使心满意足, 使厌腻

[记] 词根记忆: sat(满的) + e → 使心满意足

satiny ['sætni] *adj.* 光滑的, 柔软的

[记] 联想记忆: satin(缎子) + y → 像缎子一样光滑的 → 光滑的

satire ['sætaɪər] *n.* 讽刺

[记]源自拉丁语，意为"讽刺杂咏"，现在在英语中多指"讽刺"或"讽刺文学"

saturated ['sætʃəreɪtɪd] *adj.* 渗透的；饱和的；深颜色的

saucy ['sɔːsi] *adj.* 粗鲁的；俏皮的；漂亮的

saunter ['sɔːntər] *n./v.* 闲逛，漫步

[记]联想记忆：s(看作 see) + aunt(姑姑) + er → 看姑姑去 → 闲逛而去 → 闲逛，漫步

savvy ['sævi] *adj.* 有见识的，精明的

scabrous ['skeɪbrəs] *adj.* 粗糙的

[记]联想记忆：scab(疤) + rous → 多疤的 → 粗糙的

scads [skædz] *n.* 许多，巨额

scald [skɔːld] *v.* 烫伤；烫洗 *n.* 烫伤

scalding ['skɔːldɪŋ] *adj./adv.* 滚烫的/地

scamp [skæmp] *v.* 草率地做 *n.* 流氓；顽皮的家伙

scamper ['skæmpər] *v.* 奔跑，蹦蹦跳跳

[记]联想记忆：s(音似：死) + camper(露营者) → 露营者死(跑) → 奔跑

scan [skæn] *v.* 审视，细看；浏览，扫描；标出格律

[记]发音记忆："死看" → 四处看 → 扫描

scandal ['skændl] *n.* 丑闻；流言飞语，诽谤

[记]联想记忆：scan(扫描) + dal → 扫描时事，揭露丑闻 → 丑闻

scar [skɑːr] *n.* 伤痕，伤疤

[记]联想记忆：s + car(汽车) → 被汽车撞了一下 → 留下伤痕 → 伤痕，伤疤

scare [sker] *n./v.* 惊吓，受惊，惊恐

[记]联想记忆：s + care(照顾) → 照顾不好，受到惊吓 → 惊吓，受惊

scatter ['skætər] *v.* 散开，驱散

schematize ['skiːmətaɪz] *v.* 扼要表示

scintillate ['sɪntɪleɪt] *v.* 闪烁；(言谈举止中)焕发才智

[记]词根记忆：scintill(火花) + ate → 闪烁

scission ['sɪʒən] *n.* 切断, 分离, 断开

[记] 词根记忆: sciss(切) + ion → 分离, 断开

scissor ['sɪzər] *n.* 剪刀

[记] 词根记忆: sciss(切) + or → 切开时所借助的工具 → 剪刀

scoff [skɔːf] *v.* 嘲笑; 狼吞虎咽 *n.* 嘲笑; 笑柄

scorch [skɔːrtʃ] *v.* 烤焦, 烧焦

scorching ['skɔːrtʃɪŋ] *adj.* 灼热的

scotch [skɑːtʃ] *v.* 镇压, 扑灭

[记] 和 Scotch(苏格兰)一起记

scowl [skaʊl] *n.* 怒容 *v.* 生气地皱眉; 怒视

scraggly ['skrægli] *adj.* 凹凸不平的; 散乱的

scrape [skreɪp] *v.* 刮, 擦; 擦掉

[记] 联想记忆: scrap(碎屑) + e → 碎屑是被刮下来的 → 刮, 擦

scrawl [skrɔːl] *v.* 潦草地写, 乱涂

[记] 联想记忆: s + crawl(爬) → 乱爬 → 乱涂

scribble ['skrɪbl] *v.* 乱写, 乱涂

[记] 词根记忆: scrib(写) + ble → 乱写, 乱涂

scrimp [skrɪmp] *v.* 节省, 精打细算

scripture ['skrɪptʃər] *n.* 经文, 圣典

[记] 词根记忆: script(写) + ure → 写出的东西 → 经文, 圣典

scruffy ['skrʌfi] *adj.* 肮脏的, 不洁的

scrumptious ['skrʌmpʃəs] *adj.* 可口的, 美味的

[记] 可能来自 scrump(*v.* 偷苹果), 偷来的苹果最好吃, 所以 scrumptious 有"可口的"的意思

scrutable ['skruːtəbl] *adj.* 可以了解的, 可解读的

scrutinize ['skruːtənaɪz] *v.* 详细检查; 细读

scud [skʌd] *v.* 疾行, 飞奔

scuff [skʌf] *v.* 拖着脚走

scurry ['skɜːri] *v.* 急跑, 疾行

[记] 词根记忆: s + cur(跑) + ry → 急跑

scurvy	['skɜːrvi] *adj.* 卑鄙的，下流的
	[记] 不要和 scurry(*v.* 急跑，疾行)相混
scutter	['skʌtər] *v.* 疾走，急跑
seafaring	['siːferɪŋ] *adj.* 航海的，跟航海有关的
	[记] 来自 seafarer(*n.* 水手，海员)；sea(海) + fare(过日子) + (e)r(人) → 靠海生活的人 → 水手，海员

And gladly would learn, and gladly teach.
勤于学习的人才能乐于施教。
——英国诗人 乔叟(Chaucer, British poet)

Word List 39

seam [si:m] *n.* 缝，接缝

seamy [ˈsi:mi] *adj.* 丑恶的，污秽的

[记] 联想记忆：seam（缝）+y → 裂缝里的 → 污秽的

sear [sɪr] *v.* 烧焦

seasoned [ˈsi:znd] *adj.* 经验丰富的，老练的

secretive [ˈsi:krətɪv] *adj.* 守口如瓶的

secure [səˈkjʊr] *adj.* 安全的；稳固的 *v.* 握紧，关牢；使安全

[记] 联想记忆：se（看作 see，看）+ cure（治愈）→ 亲眼看到治愈，确定其是安全的 → 安全的

sedulity [siˈdju:liti] *n.* 勤奋，勤勉

[记] 来自 sedulous（*adj.* 孜孜不倦的）

seep [si:p] *v.* (液体等)渗漏

self-assertion [ˌselfəˈsə:rʃən] *n.* 自作主张

senile [ˈsi:naɪl] *adj.* 衰老的

[记] 词根记忆：sen（老）+ ile → 衰老的

sensible [ˈsensəbl] *adj.* 明智的；可感觉到的

[记] 词根记忆：sens（感觉）+ ible → 可感觉到的

sententious [senˈtenʃəs] *adj.* 说教的；简要的

[记] 联想记忆：sentence（句子）+ tious → 一句话说完 → 简要的

sentient [ˈsentiənt] *adj.* 有感觉能力的；意识到的

[记] sent（感觉）+ ient → 有感觉能力的

sentiment [ˈsentɪmənt] *n.* 多愁善感；思想感情

[记] 词根记忆：sent（感觉）+ iment → 感情丰富 → 多愁善感

sentinel [ˈsentɪnl] *n.* 哨兵，岗哨

sentry [ˈsentri] n. 哨兵, 步兵

[记] 词根记忆: sent (感觉) + ry → 感觉灵敏的人 → 哨兵

sequacious [siˈkweiʃəs] adj. 盲从的

[记] 词根记忆: sequ (跟随) + acious (多…) → 跟随大多数的 → 盲从的

sequestrate [ˈsiːkwəstreit] v. 扣押, 没收

seraphic [səˈræfik] adj. 如天使般的, 美丽的

[记] 来自 seraph(n. 守卫上帝宝座的六翼天使)

sere [sir] adj. 干枯的, 枯萎的

[记] 不要和 sear(v. 烧灼)相混

serenade [ˌserəˈneid] n. 夜曲

[记] 词根记忆: seren(安静) + ade → 夜曲

sermon [ˈsɜːrmən] n. 布道; 说教, 训诫

[记] 联想记忆: 布道(sermon)时说阿门(Amen)

serpentine [ˈsɜːrpəntiːn] adj. 像蛇般蜷曲的, 蜿蜒的

[记] 联想记忆: serpent(蛇) + ine → 像蛇般蜷曲的

serried [ˈserid] adj. 密集的

settle [ˈsetl] v. 安排; 决定; 栖息

[记] 联想记忆: set(放置) + tle → 安放, 放置 → 安排

sever [ˈsevər] v. 断绝, 分离

[记] 和 severe(adj. 严重的)一起记

severe [siˈvir] adj. 严厉的; 剧烈的

[记] 联想记忆: 曾经(ever)艰难(severe)的日子, 一去不复返了

shabby [ˈʃæbi] adj. 破旧的; 卑鄙的

shamble [ˈʃæmbl] v. 蹒跚而行, 踉跄地走

shattered [ˈʃætərd] adj. 破碎的

[记] 来自 shatter(v. 粉碎)

sheaf [ʃiːf] n. 一捆, 一束

shear [ʃir] v. 剪(羊毛), 剪发

[记] 联想记忆: sh(看作 she) + ear(耳朵) → 她剪了个齐耳的短发 → 剪发

sheen [ʃiːn] n. 光辉, 光泽

sheer [ʃɪr] *adj.* 完全的；陡峭的；极薄的

[记]联想记忆：绵羊(sheep)在陡峭的(sheer)山坡上吃草

shelter ['ʃeltər] *n.* 避难所，遮蔽 *v.* 庇护，保护

[记]联想记忆：shel（看作 shell，壳）+ ter → 像壳一样可以躲避的地方 → 避难所

shield [ʃiːld] *n.* 盾 *v.* 掩护，保护

shilly-shally ['ʃɪliʃæli] *v.* 犹豫不决；虚度时光

shipshape ['ʃɪpʃeɪp] *adj.* 整洁干净的；井然有序的

[记]联想记忆：ship(船) + shape(形状) → 船的形状 → 整洁干净的

shirk [ʃɜːrk] *v.* 逃避，回避

[记]和 shirt(*n.* 衬衣)一起记

shoddy ['ʃɑːdi] *adj.* 劣质的，假冒的

shove [ʃʌv] *v.* 推挤，猛推

[记]注意不要和 shovel(*n.* 铁锹)相混

showy ['ʃoʊi] *adj.* 俗艳的；炫耀的

shrewd [ʃruːd] *adj.* 机灵的，精明的

[记]注意不要和 shrew(*n.* 泼妇)相混

shriek [ʃriːk] *v.* 尖叫

shudder ['ʃʌdər] *v.* 战栗，发抖 *n.* 战栗，发抖

[记]发音记忆："吓得" → 吓得肩膀(shoulder)直发抖(shudder)

shuttle ['ʃʌtl] *v.* (使)穿梭移动，往返运送

sibyl ['sɪbl] *n.* 女预言家，女先知

sideline ['saɪdlaɪn] *n.* 副业，兼职

sideshow ['saɪdʃoʊ] *n.* 杂耍，穿插表演

sidestep ['saɪdstep] *v.* 横跨一步躲避；回避

siege [siːdʒ] *n.* 包围，围攻

[记]参见 besiege(*v.* 围攻)

sift [sɪft] *v.* 筛选，过滤

signature ['sɪɡnətʃər] *n.* 签名，署名

[记]词根记忆：sign(做记号) + ature → 用名字做记号 → 签名，署名

signify ['sɪgnɪfaɪ] *v.* 表示；有重要性

[记] 词根记忆：sign（做记号）+ ify → 表示

simile ['sɪməli] *n.* 明喻

[记] 词根记忆：simil（相类似的）+ e → 把相类似的事物进行比较 → 明喻

simmer ['sɪmər] *v.* 炖，慢煮 *n.* 即将沸腾的状态，即将发作

[记] 联想记忆：在夏天（summer），人往往容易充满难以控制的怒火（simmer）

simonize ['saɪmənaɪz] *v.* 给…打蜡，把…擦亮

simper ['sɪmpər] *v.* 假笑，傻笑

simulate ['sɪmjuleɪt] *v.* 假装，模仿

[记] 词根记忆：simul（类似）+ ate（使…）→ 使某物类似于某物 → 模仿

simultaneous [,saɪml'teɪnɪəs] *adj.* 同时发生的

[记] 词根记忆：simul（相同）+ taneous（…的）→ 同时发生的

singe [sɪndʒ] *v.* (轻微地)烧焦，烤焦

[记] 联想记忆：sing（唱，唱歌）+ e → 烧焦了还唱 → 烧焦

sip [sɪp] *v.* 啜饮 *n.* 小口喝，抿；一小口的量

skim [skɪm] *v.* 从液体表面撇去；浏览，略读

skirmish ['skɜːrmɪʃ] *n.* 小规模战斗，小冲突

[记] 联想记忆：skir（看作 skirt, 裙子）+ mish（看作 famish, 饥饿）→ 女人会为了裙子而起冲突，为了穿漂亮的裙子宁可饿肚子 → 小冲突

skirt [skɜːrt] *v.* 绕过，回避

skit [skɪt] *n.* 幽默讽刺短剧；讽刺文章

skittish ['skɪtɪʃ] *adj.* 轻浮的，活泼的

skullduggery [skʌl'dʌgəri] *n.* 欺骗，使诈

[记] 联想记忆：skull（头颅，脑袋）+ dug（挖）+ gery → 挖脑袋 → 想方设法作假 → 欺骗，使诈

skyrocket ['skaɪrɑːkɪt] *v.* 突升，猛涨

[记] 组合词：sky（天空）+ rocket（火箭）→ 火箭冲向天空，突然升高 → 突升

slack [slæk] *adj.* 懈怠的，不活跃的；(绳)松弛的 *v.* 懈怠，偷懒

slake [sleɪk] *v.* 满足；平息

[记] 联想记忆：s + lake(湖) → 看到湖水很满足 → 满足

slander ['slændər] *v.* 诽谤，诋毁 *n.* 诽谤，中伤

[记] 联想记忆：s + land(地) + er → 把人贬到地上 → 诽谤，诋毁

slant [slænt] *v.* 倾斜 *n.* 斜面；观点

slattern ['slætərn] *adj.* 不整洁的 *n.* 邋遢的女人

slay [sleɪ] *v.* 杀戮，杀死

[记] 和 stay(*v.* 停留)一起记

sleight [slaɪt] *n.* 巧妙手法；诡计；灵巧

[记] 联想记忆：sl(看作 sly，狡猾) + eight → 八面玲珑 → 灵巧

slew [sluː] *v.* (使)旋转 *n.* 大量

[记] 和 slow(*adj.* 慢的)一起记

slice [slaɪs] *n.* 薄片 *v.* 切成片

slick [slɪk] *adj.* 熟练的；圆滑的；光滑的

slight [slaɪt] *adj.* 轻微的，微小的 *v.* 怠慢，冷落 *n.* 冒犯他人的行为、言语等

[记] 联想记忆：s + light(轻的) → 轻微的

slink [slɪŋk] *v.* 溜走，潜逃

slippage ['slɪpɪdʒ] *n.* 滑动，下降

[记] 来自 slip(*v.* 滑)

slippery ['slɪpəri] *adj.* 滑的；狡猾的

[记] 来自 slip(*v.* 滑)

slit [slɪt] *v.* 撕裂 *n.* 裂缝

[记] 参考 split(*v./n.* 分裂)；slice(*v.* 切开)

sliver ['slɪvər] *n.* 薄长条 *v.* 裂成细片

[记] 注意不要和 silver(*n.* 银)相混

slobber ['slɑːbər] *n.* 口水 *v.* 流口水；情不自禁地说

slog [slɑːɡ] *v.* 猛击；苦干

402

sloppy ['slɑːpi] *adj.* 邋遢的，粗心的

[记] 联想记忆：slop（溅出，弄脏）+ py → 衣服弄脏后显得很邋遢 → 邋遢的

slosh [slɑːʃ] *v.* 溅，泼 *n.* 泥泞

slot [slɑːt] *n.* 狭槽

slouch [slaʊtʃ] *n.* 没精打采的样子 *v.* 没精打采地坐（站、走）

[记] 发音记忆："似老去" → 没精打采的样子

sloven ['slʌvn] *n.* 不修边幅的人

slue [sluː] *v.* (使)旋转

[记] slew(*v.* 旋转)的变体

slug [slʌg] *v.* 猛击，拳击

slumber ['slʌmbər] *v.* 睡眠，安睡 *n.* 睡眠

slump [slʌmp] *v.* 大幅度下降；暴跌

slur [slɜːr] *v.* 含糊不清地讲

[记] 和 blur(*v.* 弄脏，变模糊)一起记

slurp [slɜːrp] *v.* 出声地吃或喝 *n.* 啜食，啜食声

sly [slaɪ] *adj.* 狡猾的，狡诈的

smarmy ['smɑːrmi] *adj.* 虚情假意的

smattering ['smætərɪŋ] *n.* 略知；少数

smear [smɪr] *v.* 弄脏，玷污 *n.* 污迹，污点

smirch [smɜːrtʃ] *v.* 弄脏 *n.* 污点

smirk [smɜːrk] *v.* 假笑，得意地笑

smite [smaɪt] *v.* 重击，猛打

smooth [smuːð] *v.* 使平坦，使光滑；消除 *adj.* 光滑的；平稳的

smudge [smʌdʒ] *n.* 污迹，污点 *v.* 弄脏

[记] 联想记忆：s + mud(泥) + ge → 污迹，污点

smuggle ['smʌgl] *v.* 走私，私运

[记] 联想记忆：不断进行反对走私(smuggle)的斗争(struggle)

smut [smʌt] *n.* 污迹；黑穗病 *v.* 弄脏

snappish ['snæpɪʃ] *adj.* 脾气暴躁的

[记] 联想记忆：snap(劈啪声，折断) + pish → 脾气暴躁的

snappy ['snæpi] *adj.* 生气勃勃的；漂亮的，时髦的

snare [sner] *n.* 圈套，陷阱

[记] 参考 ensnare(*v.* 使进入圈套)

snarl [snɑːrl] *v.* 纠缠，混乱；咆哮，怒骂 *n.* 纠缠，混乱；怒吼声，咆哮声

snatch [snætʃ] *v.* 强夺，攫取 *n.* 强夺，攫取

[记] 联想记忆：sna(看作 snap，迅速的) + tch (看作 catch，抓) → 迅速地抓 → 强夺，攫取

sneaking ['sniːkɪŋ] *adj.* 鬼鬼祟祟的，私下的

sneer [snɪr] *v.* 嘲笑，鄙视

snicker ['snɪkər] *v./n.* 窃笑，暗笑

snide [snaɪd] *adj.* 挖苦的，讽刺的

[记] 联想记忆：把 n 藏在一边 (side) → 含沙射影的 → 讽刺的

snip [snɪp] *v.* 剪断 *n.* 剪；碎片

snipe [snaɪp] *v.* 狙击

snitch [snɪtʃ] *v.* 告密；偷

[记] 联想记忆：sni (看作 sin，罪行) + tch → 告密和偷都是罪行 → 告密；偷

snob [snɑːb] *n.* 势利小人

[记] 参考 snobbery(*n.* 势利态度，自命不凡)

snobbish ['snɑːbɪʃ] *adj.* 势利眼的；假充绅士的

[记] 来自 snob(*n.* 势利小人)

snooze [snuːz] *v.* 打盹儿，打瞌睡

snuggle ['snʌɡl] *v.* 紧靠，依偎

[记] 联想记忆：snug(温暖的) + gle → 依偎在一起感觉很温暖 → 依偎

soak [soʊk] *v.* 浸泡，渗透

[记] 联想记忆：soa(看作 soap，肥皂) + k → 在肥皂水中浸泡 → 浸泡

sober ['soʊbər] *adj.* 清醒的；严肃的，认真的

sock [sɑːk] *v.* 重击，痛打

[记] sock 更广为人知的意思是"短袜"

sodden ['sɑːdn] *adj.* 浸透了的

soggy ['sɑːgi] *adj.* 湿透的

soil [sɔɪl] *v.* 弄脏，污辱

[记] soil 更广为人知的意思是"土壤"

solidify [sə'lɪdɪfaɪ] *v.* 巩固，(使)凝固，(使)团结

[记] 词根记忆：solid（固定的）+ ify（使…）→ 巩固

solitude ['sɑːlətuːd] *n.* 孤独

somatic [səu'mætɪk] *adj.* 肉体的，躯体的

[记] 词根记忆：somat（躯体）+ ic → 躯体的

somnolent ['sɑːmnələnt] *adj.* 想睡的；催眠的

[记] 词根记忆：somn（睡）+ olent → 想睡的

sophism ['sɔfɪzəm] *n.* 诡辩；诡辩法(术)

sorcery ['sɔːrsəri] *n.* 巫术，魔术

[记] 词根记忆：sorc（巫术）+ ery → 巫术，魔术

soulful ['soulfl] *adj.* 充满感情的，深情的

sour ['sauər] *adj.* 酸的

[记] 发音记忆："馊啊" → 酸的

spacious ['speɪʃəs] *adj.* 广阔的，宽敞的

[记] 词根记忆：spac（=space 地方）+ ious（多…的）；注意不要和 specious(*adj.* 似是而非的)相混

spank [spæŋk] *v.* 掌掴，拍打(在屁股上)

spark [spɑːrk] *n.* 火花，火星

[记] 联想记忆：s + park（公园）→ 公园是情侣们约会擦出感情火花的地方 → 火花

sparring ['spɑːrɪŋ] *n.* 拳击，争斗

spasmodic [spæz'mɑːdɪk] *adj.* 痉挛的；间歇性的

spat [spæt] *n.* 口角，小争论

[记] 不要和 spit(*v.* 吐痰)相混

spate [speɪt] *n.* 许多，大量；(水流)暴涨，发洪水

spatter ['spætər] *v.* 洒，溅

spear [spɪr] *n.* 矛；嫩枝 *v.* 用矛刺

specifics [spə'sɪfɪks] *n.* 细小问题，细节

[记] 来自 specific(*adj.* 详细的)

speck [spek] *n.* 斑点；少量

spectacular [spek'tækjələr] *adj.* 壮观的，引人入胜的

[记] 来自 spectacle (*n.* 奇观，壮观); spect(看) + acle(东西) → 看的东西 → 奇观，壮观

spell [spel] *n.* 连续的一段时间

[记] spell 还有"拼写"、"咒语"等意思

spendthrift ['spendθrɪft] *adj./n.* 挥金如土的(人)

[记] 组合词：spend(花费) + thrift(节约) → 把节约下来的钱全部花掉 → 挥金如土的

spew [spju:] *v.* 呕吐；大量喷出

spiel [spi:l] *n.* 滔滔不绝的讲话

spin [spɪn] *v.* 旋转；纺纱 *n.* 旋转

spindly ['spɪndli] *adj.* 细长的，纤弱的

[记] 来自 spindle (*n.* 纺锤)

spite [spaɪt] *n.* 怨恨，恶意

splashy ['splæʃi] *adj.* 容易溅开的；炫耀显眼的

[记] 来自 splash (*n.* 溅水，卖弄)

spleen [spli:n] *n.* 怒气

Genius only means hard-working all one's life.
天才只意味着终身不懈地努力。

——俄国化学家 门捷列夫
(Mendeleyev, Russian chemist)

Word List 40

splice [splaɪs] *v.* 接合，拼接

[记] 注意不要和 split(*v.* 破裂)相混

split [splɪt] *v.* 破裂，裂开 *n.* 裂开，裂口

[记] 发音记忆："死劈了它" → 破裂，裂开

spoilsport [ˈspɔɪlspɔːrt] *n.* 使人扫兴的人

spoliation [ˌspəʊliˈeɪʃən] *n.* 抢劫，掠夺

[记] 来自 spoliate(*v.* 强夺，抢劫)

spontaneous [spɑːnˈteɪniəs] *adj.* 自发的；自然的

[记] 词根记忆：spont(自然) + aneous → 自然产生的 → 自发的

sport [spɔːrt] *v.* 炫耀，卖弄

sportive [ˈspɔːrtɪv] *adj.* 嬉戏的，欢闹的

spout [spaʊt] *v.* 喷出；滔滔不绝地讲

[记] 联想记忆：sp(看作 speak，说) + out(出) → 一直不停地说话 → 滔滔不绝地讲

sprain [spreɪn] *v.* 扭伤

[记] 联想记忆：sp + rain(雨) → 雨天路滑，扭伤了脚 → 扭伤

spree [spriː] *n.* 狂欢

sprint [sprɪnt] *v.* 短距离全速奔跑

[记] 联想记忆：s + print(印刷) → 像印刷机印钞票一样快地奔跑 → 短距离全速奔跑

spur [spɜːr] *v.* 刺激，激励；用马刺刺马

[记] 联想记忆：美国 NBA 中有马刺队 Spurs

spurt [spɜːrt] *n.* (液体等的)喷出，迸发

squabble [ˈskwɑːbl] *n.* 争吵

squall [skwɔːl] *n.* 短暂、突然且猛烈的风暴；短暂的骚动

squalor [ˈskwɑːlər] *n.* 肮脏，污秽

[记] 发音记忆："四筐烂儿" → 四筐破烂儿 → 污秽

square [skwer] *v.* 一致，符合；结清

squat [skwɑːt] *v.* 蹲下 *adj.* 矮胖的

squeamish ['skwiːmɪʃ] *adj.* 易受惊的；易恶心的
[记] the squeamish 神经脆弱的人

squeeze [skwiːz] *v.* 压，挤 *n.* 压榨，紧握
[记] 联想记忆：s + quee(看作 queen，女王) + ze
→ 很想挤进去与女王握手 → 挤

squelch [skweltʃ] *v.* 压制，镇压

squint [skwɪnt] *v.* 斜视

stab [stæb] *v.* 刺伤，戳

stagy ['steɪdʒi] *adj.* 不自然的，做作的

staid [steɪd] *adj.* 稳重的，沉着的
[记] 联想记忆：sta(看作 stay，坚持) + id(看作
ID，身份) → 坚持自己的身份 → 稳重的

stain [steɪn] *v.* 玷污；染色
[记] 联想记忆：一下雨(rain)，到处都是污点
(stain)

stale [steɪl] *adj.* 不新鲜的，陈腐的
[记] 联想记忆：s + tale(传说) → 传说说多了就
不新鲜了 → 不新鲜的，陈腐的

stammer ['stæmər] *v.* 口吃，结巴地说

stampede [stæm'piːd] *v.* 惊跑，逃窜

stanza ['stænzə] *n.* (诗的)节，段
[记] 词根记忆：stan (站住) + za → 诗中停顿的
地方 → 节，段

star-crossed ['stɑːrkrɔst] *adj.* 时运不济的

startle ['stɑːrtl] *v.* 使吃惊

stationary ['steɪʃəneri] *adj.* 静止的，不动的
[记] 词根记忆：sta(站，立) + tion + ary → 总在
一个地方的 → 静止的，不动的

statuary ['stætʃueri] *n.* 雕像；雕塑艺术
[记] 来自 statue(*n.* 雕像)

stature ['stætʃər] *n.* 身高，身材
[记] 词根记忆：stat(站) + ure(状态) → 站的状
态 → 身高，身材

status [ˈsteɪtəs] *n.* 身份，地位

[记] 联想记忆：stat（看作 state，声明）+ us（我们）→ 声明我们是谁 → 身份

statutory [ˈstætjutɔːri] *adj.* 法定的；依照法令的

staunch [stɔːntʃ] *adj.* 坚定的，忠诚的

stealth [stelθ] *n.* 秘密行动

[记] 来自 steal(*v.* 偷)

steep [stiːp] *adj.* 陡峭的；过高的 *v.* 浸泡，浸透

[记] 联想记忆：阶梯(step)中又加一个 e 就更陡峭(steep)

steer [stɪr] *v.* 掌舵，驾驶 *n.* 公牛，食用牛

[记] 联想记忆：驾驶着(steer)一艘钢铁(steel)打造的大船

stench [stentʃ] *n.* 臭气，恶臭

[记] 注意不要和 stanch(*v.* 止住)相混

stentorian [stenˈtɔːriən] *adj.* 声音洪亮的

[记] 来自希腊神话特洛伊战争中的传令官 Stentor，其声音极其洪亮

sterilize [ˈsterəlaɪz] *v.* 使不育；杀菌

stickler [ˈstɪklər] *n.* 坚持细节之人

[记] 来自 stickle(*v.* 坚持己见)

sticky [ˈstɪki] *adj.* 湿热的；闷热的

[记] 来自 stick(*v.* 粘住)

stiff [stɪf] *adj.* 僵硬的，呆板的，严厉的

[记] 联想记忆：still(静止的)的 ll 变为 ff 就成僵硬的(stiff)

stifle [ˈstaɪfl] *v.* 感到窒息；抑止

stigma [ˈstɪgmə] *n.* 耻辱的标志，污点

stigmatize [ˈstɪgmətaɪz] *v.* 诬蔑，玷污

stimulant [ˈstɪmjələnt] *n.* 兴奋剂，刺激物

[记] 词根记忆：stimul(刺激)+ ant → 刺激物

sting [stɪŋ] *v.* 刺痛；叮螫 *n.* 螫刺

[记] 发音记忆："死叮" → 刺痛；英国有个著名歌手叫斯汀 Sting

stinginess ['stɪndʒinəs] *n.* 小气

[记] 来自 stingy(*adj.* 吝啬的)

stipple ['stɪpl] *v.* 点画，点描

[记] 词根记忆：stip(点) + ple → 用点画 → 点画

stipulation [ˌstɪpju'leɪʃn] *n.* 规定，约定

[记] 来自 stipulate(*v.* 规定，明确要求)

stir [stɜːr] *v.* 刺激

[记] stir 本身是词根，有"刺激"之意

stitch [stɪtʃ] *n.* (缝纫时的)一针 *v.* 缝合

stock [stɑːk] *v.* 储备 *adj.* 常用的 *n.* 存货

stodgy ['stɑːdʒi] *adj.* 枯燥无味的

stoke [stoʊk] *v.* 给…添加燃料

[记] 联想记忆：给火炉(stove)添加燃料(stoke)

stolid ['stɑːlɪd] *adj.* 无动于衷的

[记] solid(*adj.* 结实的)中间加个 t

stomach ['stʌmək] *v.* 吃得下；容忍

stonewall ['stoʊn'wɔːl] *v.* 拖延议事；设置障碍

stooge [stuːdʒ] *n.* 配角，陪衬；傀儡

stoop [stuːp] *v.* 弯腰，俯身；屈尊

[记] 联想记忆：站(stood)直了别弯腰(stoop)

stouthearted [ˌstaʊt'hɑːrtɪd] *adj.* 刚毅的，大胆的

[记] 组合词：stout（勇敢的，坚决的）+ heart（心）+ ed → 刚毅的，大胆的

straggle ['stræɡl] *v.* 迷路；落伍；蔓延

[记] 联想记忆：迷路(straggle)了所以在苦苦挣扎(struggle)

straightforward [ˌstreɪt'fɔːrwərd] *adj.* 诚实的，坦率的；易懂的；直接的

straiten ['streɪtn] *v.* 使为难；使变窄

strand [strænd] *n.* (绳、线等的)股，缕 *v.* 搁浅

stranded ['strændid] *adj.* 搁浅的，处于困境的

strangulation [ˌstræŋɡju'leɪʃn] *n.* 扼杀，勒死

[记] 来自 strangle(*v.* 扼杀，抑制)

stray [streɪ] *v.* 偏离，迷路 *adj.* 迷路的；零落的

stretch	[stretʃ] *v.* 延伸; 伸展
strew	[struː] *v.* 撒满, 散播
striate	['straɪeɪt] *v.* 加条纹
	[记] 联想记忆: stri (看作 strip, 条、带) + ate → 加条纹
stricture	['strɪktʃər] *n.* 严厉谴责; 束缚
	[记] 来自 strict (*adj.* 严格的)
strident	['straɪdnt] *adj.* 尖锐的, 刺耳的
	[记] 联想记忆: stri (看作 stride, 大步走) + dent (凹痕) → 大步走进凹坑传来尖声大叫 → 尖锐的
strife	[straɪf] *n.* 纷争, 冲突
striking	['straɪkɪŋ] *adj.* 引人注目的, 显著的
	[记] 来自 strike (*v.* 打击)
stroke	[stroʊk] *v.* 抚摸 *n.* 击, 打; 一笔, 一画
stroll	[stroʊl] *v.* 漫步, 闲逛
	[记] 联想记忆: st (看作 street, 街道) + roll (转) → 在大街上转悠 → 闲逛
strut	[strʌt] *v.* 趾高气扬地走 *n.* 支柱
stubborn	['stʌbərn] *adj.* 固执的; 难以改变的
	[记] 联想记忆: stub (根) + born (生) → 生根的 → 固执的
stubby	['stʌbi] *adj.* 短粗的
studied	['stʌdid] *adj.* 深思熟虑的; 认真习得的
stuffy	['stʌfi] *adj.* 通风不好的, 闷热的
stultify	['stʌltɪfaɪ] *v.* 使显得愚蠢; 使变得无用或无效
stun	[stʌn] *v.* 使震惊, 打晕
stunt	[stʌnt] *v.* 阻碍(成长) *n.* 特技, 绝技
stupefy	['stuːpɪfaɪ] *v.* 使茫然, 使惊讶
	[记] 词根记忆: stup (笨, 呆) + efy → 吓呆 → 使惊讶
stupendous	[stuː'pendəs] *adj.* 巨大的, 惊人的
	[记] 词根记忆: stup (吃惊) + endous → 惊人的
stupor	['stuːpər] *n.* 昏迷, 恍惚

sturdy ['stɜːrdi] *adj.* (身体)强健的; 结实的

[记] 联想记忆: 要想学习(study)好需要身体好(sturdy)

stutter ['stʌtər] *v.* 口吃, 结巴 *n.* 口吃

stygian ['stɪdʒiən] *adj.* 阴暗的, 阴森森的

[记] 来自 Styx(*n.* 地狱冥河)

suavity ['swɑːvəti] *n.* 柔和, 愉快

[记] 来自 suave(*adj.* 温和文雅)

subcelestial [ˌsʌbsə'lestʃl] *adj.* 世俗的, 尘世的

[记] 参考 celestial(*adj.* 天上的, 神圣的)

subjugate ['sʌbdʒuɡeɪt] *v.* 征服, 镇压

[记] 词根记忆: sub(下面) + jug(=yoke 牛轭) + ate → 置于牛轭之下 → 征服

sublimate ['sʌblɪmeɪt] *v.* (使)升华, 净化

[记] 来自 sublime(*v.* 使崇高)

sublime [sə'blaɪm] *adj.* 崇高的 *v.* 使崇高

submit [səb'mɪt] *v.* 屈服; 提交, 呈递

[记] 词根记忆: sub (下面的) + mit (送, 放出) → 从下面递上 → 提交, 呈递

suborn [sə'bɔːrn] *v.* 收买, 贿赂

[记] 词根记忆: sub(下面) + orn(装饰) → 在下面给人好处 → 贿赂

subpoena [sə'piːnə] *n.*【律】传票 *v.* 传讯

[记] 词根记忆: sub(下面) + poena(=penalty 惩罚) → 接下来可能受到惩罚 → 传讯

subreption [səb'repʃən] *n.* 隐瞒真相, 歪曲事实

subscribe [səb'skraɪb] *v.* 捐助; 订购

[记] 词根记忆: sub(下面) + scribe(写) → 写下订单 → 订购

subsequent ['sʌbsɪkwənt] *adj.* 随后的, 后来的, 连续的

[记] 词根记忆: sub (下面) + sequ (跟随) + ent → 跟随在…后面的 → 随后的

subsidiary [səb'sɪdieri] *adj.* 辅助的; 次要的

[记] 词根记忆: sub(下面) + sid(坐) + iary → 坐在下面的 → 辅助的

subsidy	[ˈsʌbsədi] *n.* 补助金
	[记]联想记忆：sub(下面) + sid(坐) + y → 坐下来领补助金 → 补助金
subsistence	[səbˈsɪstəns] *n.* 生存，生计；存在
	[记]来自 subsist(*v.* 生存)
substance	[ˈsʌbstəns] *n.* 主旨，实质；物质
substantial	[səbˈstænʃl] *adj.* 坚固的，结实的；实质的
substratum	[ˌsʌbˈstreɪtəm] *n.* 基础；地基
	[记]词根记忆：sub(下面) + stratum(层次) → 下面一层 → 基础
subsume	[səbˈsuːm] *v.* 包含，包括
	[记]词根记忆：sub(下面) + sume(拿) → 拿在下面 → 包含
subterfuge	[ˈsʌbtərfjuːdʒ] *n.* 诡计，托辞
	[记]词根记忆：subter(私下) + fuge (逃跑) → 诡计，托辞
subvention	[səbˈvenʃn] *n.* 补助金，津贴
	[记]词根记忆：sub(下面) + vent(来) + ion → 来到下面作为帮助 → 补助金
suckle	[ˈsʌkl] *v.* 给…哺乳；吮吸
sufficient	[səˈfɪʃnt] *adj.* 足够的
suffocate	[ˈsʌfəkeɪt] *v.* (使)窒息，把…闷死
	[记]词根记忆：suf + foc(喉咙) + ate → 在喉咙下面 → (使)窒息
suggestive	[səˈdʒestɪv] *adj.* 暗示的
sulky	[ˈsʌlki] *adj.* 生气的
	[记]词根记忆：sulk(生气) + y → 生气的
sullen	[ˈsʌlən] *adj.* 忧郁的
summation	[sʌˈmeɪʃn] *n.* 总结，概要；总数，合计
summon	[ˈsʌmən] *v.* 传唤；召集
sunder	[ˈsʌndər] *v.* 分裂，分离
	[记]发音记忆："散的" → 分离
sundry	[ˈsʌndri] *adj.* 各式各样的，各种的
	[记]组合词：sun(太阳) + dry(干) → 太阳晒干各种东西 → 各种的

superannuated [ˌsuːpərˈænjueɪtɪd] *adj.* 老迈的

[记] 词根记忆：super(超过) + annu(年) + ated → 超过一定年龄的 → 老迈的

supererogatory [ˌsjuːprəˈrɒɡətɔːri] *adj.* 职责以外的；多余的

superfluity [ˌsuːpərˈfluːəti] *n.* 过剩

[记] 来自 superfluous(*adj.* 多余的)

superimpose [ˌsuːpərɪmˈpoʊz] *v.* 重叠，叠加

[记] 词根记忆：super(在…上面) + im + pose(放置) → 放在上面的 → 重叠，叠加

superiority [suːˌpɪriˈɔːrəti] *n.* 优越(感)

[记] 来自 superior(*adj.* 优越的)

superlative [suːˈpɜːrlətɪv] *adj.* 最好的

[记] 词根记忆：super(在…上面) + lat(放) + ive → 放在别的上面 → 最好的

supervise [ˈsuːpərvaɪz] *v.* 监督，管理

[记] 词根记忆：super(在…上面) + vise(看) → 在上面看 → 监督

supine [ˈsuːpaɪn] *adj.* 仰卧的；懒散的

supplicate [ˈsʌplɪkeɪt] *v.* 恳求，祈求

[记] 词根记忆：sup(下面) + plic(重叠) + ate → 双膝跪下 → 恳求

supreme [suːˈpriːm] *adj.* 最高的；极度的

[记] 联想记忆：supre (=super 超过) + me → 超越我的 → 最高的

surfeit [ˈsɜːrfɪt] *n.* 饮食过量，过度 *v.* 使过量

[记] 词根记忆：sur(过分) + feit(做) → 做过了头 → 过度

surge [sɜːrdʒ] *v.* 波涛汹涌

[记] 本身为词根，意为"升起，立起"

surplus [ˈsɜːrpləs] *adj.* 过剩的，剩余的；盈余的

[记] 词根记忆：sur (超过) + plus (加，多余的) → 剩余的

suspect [səˈspekt] *v.* 怀疑 [ˈsʌspekt] *n.* 嫌疑犯 *adj.* 可疑的

[记] 词根记忆：sus + pect(=spect 看) → 从上到下地 → 怀疑

suspicion [səˈspɪʃn] *n.* 怀疑，嫌疑

[记] 来自 suspect (*v.* 怀疑)

sustained [səˈsteɪnd] *adj.* 持久的，持续的

[记] 来自 sustain (*v.* 保持)

svelte [svelt] *adj.* (女人)体态苗条的

swagger [ˈswægər] *v.* 大摇大摆地走

[记] 参考 waddle (*v.* (鸭子等)摇摆着走)

swallow [ˈswɑːloʊ] *v.* 吞下，咽下；忍受

swamp [swɑːmp] *n.* 沼泽 *v.* 使陷入困境；淹没

swank [swæŋk] *v.* 夸耀，炫耀

[记] 联想记忆：swan (天鹅) + k → 像天鹅一样骄傲 → 炫耀

swarthy [ˈswɔːrði] *adj.* (皮肤等)黝黑的

swathe [sweɪð] *v.* 包，绑，裹

sway [sweɪ] *v.* 摇动，摇摆；影响 *n.* 摇摆

[记] 联想记忆：s + way (路) → 走 S 型的路 → 摇摆

swear [swer] *v.* 诅咒

swell [swel] *v.* 肿胀，增强

[记] 联想记忆：s + well (泉) → 像泉水一样冒出来 → 肿胀，增强

sweltering [ˈsweltərɪŋ] *adj.* 酷热的

[记] 来自 swelter (*v.* 汗流浃背)

swerve [swɜːrv] *v.* 突然改变方向

[记] 联想记忆：serve (发球) 中间加 w (where) → 发球突然改变方向后都不知道球到哪去了 → 突然改变方向

swig [swɪg] *v.* 痛饮

swill [swɪl] *v.* 冲洗；痛饮

[记] 联想记忆：sw (看作 swim，游泳) + ill (有病的) → 游泳之后冲个热水澡才不会生病 → 冲洗

swindle [ˈswɪndl] *v.* 诈骗

[记] 联想记忆：s + wind (风) + le → 四处吹风，搞诈骗 → 诈骗

swine [swaɪn] *n.* 猪

[记] 联想记忆：s + wine(酒) → 喝酒喝多了，就胖得像只猪一样 → 猪

swing [swɪŋ] *v.* 摇摆；旋转 *n.* 秋千

[记] 联想记忆：s + wing(翅膀) → 摇摆翅膀，在风中转向 → 旋转

Histories make men wise; poems witty; the mathematics subtle; natural philosophy deep; moral grave; logic and rhetoric able to contend.

历史使人明智；诗词使人灵秀；数学使人周密；自然哲学使人深刻；伦理使人庄重；逻辑修辞学使人善辩。

——英国哲学家 培根

(Francis Bacon, British philosopher)

Word List 41

swipe [swaɪp] *n.* 猛击 *v.* 猛击

[记] 联想记忆：s + wipe（擦）→ 起了磨擦后大打出手 → 猛击

swirl [swɜːrl] *v.* 旋转 *n.* 旋涡

[记] 词根记忆：s + wirl(转) → 旋转

swoop [swuːp] *v.* 猛扑；攫取

sybaritic [ˌsɪbəˈrɪtɪk] *adj.* 骄奢淫逸的，贪图享乐的

[记] 联想记忆：sy(看作 see，看) + bar(酒吧) + itic → 看着酒吧里放纵的身影 → 骄奢淫逸的

syncretize [ˈsɪŋkrətaɪz] *v.* (使)结合，(使)融和

syndrome [ˈsɪndroʊm] *n.* 综合征

[记] 词根记忆：syn(一起) + drom(跑) + e → 跑到一起 → 综合征

synopsis [sɪˈnɑːpsɪs] *n.* 摘要，概要

[记] 词根记忆：syn(一起) + op(看) + sis → 让大家一起看 → 摘要

table [ˈteɪbl] *v.* 搁置，不予考虑

[记] 联想记忆：table 原意为"桌子"→ 把问题放在桌子上不去看 → 搁置

taboo [təˈbuː] *adj.* 忌讳的 *n.* 禁忌

taciturn [ˈtæsɪtɜːrn] *adj.* 沉默寡言的

tackle [ˈtækl] *v.* 处理 *n.* 滑车

tactic [ˈtæktɪk] *n.* 策略，手段；战术

[记] 词根记忆：tact(使正确) + ic → 策略，手段

taking [ˈteɪkɪŋ] *adj.* 楚楚动人的，迷人的

tally [ˈtæli] *v.* (使)一致，符合

[记] 联想记忆：t + ally（联盟）→ 目标一致，结成同盟 → (使)一致

tambourine [ˌtæmbəˈriːn] *n.* 铃鼓, 小手鼓

[记] 来自 tambour(*n.* 鼓)

tame [teɪm] *adj.* 驯服的; 沉闷的, 平淡的

tamp [tæmp] *v.* 捣实, 夯实

[记] 发音记忆: "踏" → 用力踏 → 夯实

tamper [ˈtæmpər] *v.* 干预, 损害; 篡改

[记] 是 temper(*v.* 锻造; 调和)的变体

tangy [ˈtæŋi] *adj.* 气味刺激的, 扑鼻的

tantrum [ˈtæntrəm] *n.* 发脾气, 发怒

[记] 发音记忆: "太蠢" → 大庭广众之下发脾气, 真是蠢 → 发脾气, 发怒

tarry [ˈtæri] *v.* 耽搁

tart [tɑːrt] *adj.* 酸的; 尖酸的

tasty [ˈteɪsti] *adj.* 美味的; 有品位的

tatter [ˈtætər] *n.* 碎片 *v.* 撕碎

tattle [ˈtætl] *v.* 闲聊; 泄露秘密

tatty [ˈtæti] *adj.* 破旧的, 褴褛的; 破败的

tauten [ˈtɔːtn] *v.* (使)拉紧, (使)绷紧

[记] 来自 taut(*adj.* 绷紧的)

tear [ter] *v.* 撕裂

tease [tiːz] *v.* 逗乐, 戏弄; 强求, 强要 *n.* 逗乐, 戏弄

teeter [ˈtiːtər] *v.* 摇摇欲坠; 步履蹒跚; 踌躇

teetotal [ˌtiːˈtoʊtl] *adj.* 滴酒不沾的; 完全的, 全部的

[记] 来自英国戒酒运动拥护者 Turner 在某次戒酒演讲中的一个口误, total 一词因口吃讹音为 teetotal

temerity [təˈmerəti] *n.* 鲁莽, 大胆

[记] 词根记忆: tem(黑暗的) + er + ity → 摸黑行动 → 鲁莽, 大胆

temper [ˈtempər] *v.* 锻炼; 调和, 使缓和 *n.* 脾气, 性情

[记] 联想记忆: 用锤子(hammer)锤炼(temper)

tempest [ˈtempɪst] *n.* 暴风雨; 骚动

[记] 联想记忆: temp (看作 temper, 脾气) + est → 老天爷发脾气 → 暴风雨

tempestuous [tem'pestʃuəs] *adj.* 狂暴的

tempo ['tempou] *n.* (音乐的)速度；(动作、生活的)步调，节奏

[记] 来自词根 tempor(*n.* 时间)

temporize ['tempəraɪz] *v.* 拖延；见风使舵

[记] 词根记忆：tempor(时间) + ize → 拖延

tend [tend] *v.* 照料，照看

tensile ['tensl] *adj.* 张力的；可伸展的

tenure ['tenjər] *n.* 占有期，任期；终身职位

[记] 词根记忆：ten(拿住) + ure → 始终拿住 → 占有期，任期

terminal ['tɜːrmɪnl] *adj.* 末端的 *n.* 终点，末端

[记] 词根记忆：termin(结束) + al → 终点，末端

terminate ['tɜːrmɪneɪt] *v.* 终止，结束

[记] 词根记忆：termin(结束) + ate → 终止，结束

terminus ['tɜːrmɪnəs] *n.* (火车、汽车的)终点站

[记] 词根记忆：termin(结束) + us → 结束地 → 终点站

testify ['testɪfaɪ] *v.* 见证，证实

[记] 词根记忆：test(看到)+ify → 见证，证实

testimony ['testɪmouni] *n.* 证据，证词

[记] 词根记忆：test(看到) + imony → 所看到的 → 证据

testy ['testi] *adj.* 暴躁的，易怒的

[记] 联想记忆：test（考试）+ y → 为考试伤脑筋，很不耐烦 → 易怒的

thaw [θɔː] *v.* 解冻，融化

[记] 联想记忆：t + haw（看作 hoe，锄地）→ 冰雪融化便可以锄地了 → 解冻，融化

thermal ['θɜːrml] *adj.* 热的，热量的；温暖的 *n.* 上升的暖气流

thespian ['θespiən] *adj.* 戏剧的

[记] 来自古希腊悲剧创始人 Thespis

419

thrash [θræʃ] *v.* 鞭打

[记] 联想记忆: th + rash(鲁莽的) → 一时气急, 鞭打别人 → 鞭打

threadbare ['θredber] *adj.* 磨破的; 陈腐的

[记] 组合词: thread(线) + bare(露出) → 露出线头 → 磨破的

throe [θroʊ] *n.* 剧痛; [pl.] 挣扎

throng [θrɑːŋ] *n.* 一大群 *v.* 拥挤

thrust [θrʌst] *v.* 猛力推; 刺, 戳

thump [θʌmp] *v.* 重击, 捶击

ticklish ['tɪklɪʃ] *adj.* 怕痒的; 易怒的

[记] 来自 tickle(*v.* 发痒)

tiff [tɪf] *n.* 口角, 小争吵

tightfisted ['taɪtfɪstɪd] *adj.* 吝啬的

[记] 联想记忆: tight(紧的) + fist(拳头) + ed → 抓住不松手 → 吝啬的

tilt [tɪlt] *v.* (使)倾斜 *n.* 倾斜; 斜坡

timbre ['tæmbər] *n.* 音色, 音质

[记] 联想记忆: 要想乐器音色(timbre)好, 必须用好木材(timber)

timely ['taɪmli] *adj.* 适时的, 及时的

[记] 来自 time(*n.* 时间)

timeworn ['taɪmwɔːrn] *adj.* 陈旧的, 陈腐的

[记] 组合词: time(时间) + worn(用旧的) → 陈旧的

timid ['tɪmɪd] *adj.* 羞怯的; 胆怯的, 怯懦的

[记] 词根记忆: tim(害怕) + id → 胆怯的

tinder ['tɪndər] *n.* 火绒, 火种

[记] 词根记忆: tind(点燃) + er → 用于点火的东西 → 火绒

tinge [tɪndʒ] *v.* 给…着色; 使略带…气息

tinkle ['tɪŋkl] *v.* (使)发出叮当声

tirade ['taɪreɪd] *n.* 长篇的攻击性演说

[记] 词根记忆: tir(拉) + ade → 拉长的话 → 长篇的攻击性演说

to-do [təˈduː] *n.* 喧闹, 骚乱

toil [tɔɪl] *v.* 苦干, 辛苦劳作 *n.* 辛苦, 辛劳

toll [toʊl] *n.* 通行费; 代价, 损失 *v.* (缓慢而有规律地)敲

[记] 发音记忆: "痛" → 受伤了, 很痛 → 代价, 损失

tome [toʊm] *n.* 册, 卷; 大部头的书

toothsome [ˈtuːθsəm] *adj.* 可口的, 美味的

topsy-turvy [ˌtɑːpsiˈtɜːrvi] *adj.* 颠倒的, 相反的; 乱七八糟的, 混乱的

torment [ˈtɔːrment] *n.* 折磨, 痛苦

[记] 词根记忆: tor (=tort 扭曲) + ment → 身体和灵魂被扭曲 → 折磨, 痛苦

torrent [ˈtɑːrənt] *n.* 洪流, 急流

torrential [təˈrenʃl] *adj.* 奔流的, 洪流的, 湍急的

torrid [ˈtɑːrɪd] *adj.* 酷热的

[记] 词根记忆: torr (使干燥) + id → 酷热的

toss [tɑːs] *v.* 投, 掷; 使摇动, 使颠簸

totter [ˈtɑːtər] *v.* 摇摇欲坠; 步履蹒跚

toy [tɔɪ] *v.* 不认真地对待, 玩弄

track [træk] *n.* 轨迹, 踪迹; 道路, 路径; 轨道 *v.* 跟踪, 追踪

tract [trækt] *n.* 传单; 大片土地

tractability [ˌtræktəˈbɪləti] *n.* 温顺

[记] 来自 tractable(*adj.* 易处理的; 易驾驭的)

traduce [trəˈduːs] *v.* 中伤, 诽谤

[记] 词根记忆: tra(=trans 横) + duc(引导) + e → 引到歪里去 → 诽谤

tragedy [ˈtrædʒədi] *n.* 惨剧, 惨事, 灾难

traipse [treɪps] *v.* 漫步, 闲荡

traitor [ˈtreɪtər] *n.* 卖国贼, 叛徒

[记] 参考 traditor(*n.* 叛教者)

tramp [træmp] *v.* 重步走

tranquility [trænˈkwɪləti] *n.* 宁静, 安静

[记] 来自 tranquil(*adj.* 宁静的, 安静的)

421

transfer [træns'fɜːr] v. 转移，传递；转让；调任，调动

[记] 词根记忆：trans(穿过)+fer(带来)→从一个地方带到另一个地方→转移，传递

transfigure [træns'fɪɡjər] v. 美化，改观

[记] 联想记忆：trans(改变)+figure(形象)→美化，改观

transgression [trænz'ɡreʃn] n. 违法，犯罪

[记] 来自 transgress(v. 越轨；违背)

transience ['trænʃəns] n. 短暂，稍纵即逝

transpose [træn'spəʊz] v. 颠倒顺序，调换

[记] 词根记忆：trans(穿过)+pos(放)+e→放到另一边→颠倒顺序，调换

trapeze [træ'piːz] n. 高空秋千，吊架

traverse [trə'vɜːrs] v. 横穿，横跨

[记] 词根记忆：tra(穿过)+vers(转向)+e→横穿，横跨

travesty ['trævəsti] v. 滑稽地模仿

[记] 词根记忆：tra(横)+vest(穿衣)+y→横过来穿衣→滑稽地模仿

treachery ['tretʃəri] n. 背叛

[记] 词根记忆：treach(=trick 诡计)+ery→在背后耍诡计→背叛

treaty ['triːti] n. 条约；协议

[记] 来自 treat(v. 处理；协商)

trek [trek] v. 艰苦跋涉

tremendous [trə'mendəs] adj. 恐慌的，可怕的；巨大的，惊人的

[记] 来自 tremble(v. 颤抖)

tremor ['tremər] n. 颤动；颤抖，战栗

[记] 词根记忆：trem(抖动)+or→颤动；颤抖

tremulous ['tremjələs] adj. 颤动的，胆怯的，怯懦的

tribute ['trɪbjuːt] n. 赞词，颂词；贡物

[记] 词根记忆：tribut(给予)+e→贡物

trifle ['traɪfl] n. 微不足道的事物，琐事

trim [trɪm] v. 修剪 adj. 井井有条的

trinket ['trɪŋkɪt] *n.* 小装饰品,(尤指)不值钱的珠宝;琐事

trivia ['trɪvɪə] *n.* 琐事,小事

[记] 词根记忆:tri(三) + via(路) → 古罗马时的妇女们常在三岔路口谈论一些琐事,引申为"琐事" → 琐事

troll [troʊl] *v.* 用曳绳钓(鱼);拖钓;兴高采烈地唱

trounce [traʊns] *v.* 痛击,严惩

truant ['truːənt] *adj.* 逃避责任的 *n.* 逃学者;逃避者,玩忽职守者

trudge [trʌdʒ] *v.* 跋涉

trumpery ['trʌmpəri] *adj.* 中看不中用的

[记] 来自 trump(*n.* 王牌)

tumble ['tʌmbl] *v.* 突然跌倒,突然下跌;倒塌

tumid ['tjuːmɪd] *adj.* 肿起的,肿胀的

[记] 词根记忆:tum(肿)+id → 肿起的,肿胀的

tumult ['tuːmʌlt] *n.* 喧哗,吵闹;骚动,骚乱

turgid ['tɜːrdʒɪd] *adj.* 肿胀的;浮夸的

turncoat ['tɜːrnkoʊt] *n.* 背叛者,变节者

tusk [tʌsk] *n.* (象等的)长牙

[记] 联想记忆:保护好自己的长牙(tusk)是大象们的重要任务(task)之一

tutor ['tuːtər] *n.* 助教;导师,辅导教师;监护人 *v.* 辅导,指导

tweak [twiːk] *v.* 扭,拧,揪;调节,微调

twee [twiː] *adj.* 矫揉造作的,故作多情的

twinge [twɪndʒ] *n.* (生理、心理上的)剧痛

[记] 联想记忆:twin(双胞胎) + ge → 据说双胞胎有心理感应,能感知对方的疼痛 → (生理、心理上的)剧痛

typhoon [taɪˈfuːn] *n.* 台风

tyranny ['tɪrəni] *n.* 暴政,专制统治;暴行

tyro ['taɪroʊ] *n.* 新手

ugly ['ʌgli] *adj.* 难看的;令人不快的

ulcer ['ʌlsər] *n.* 溃疡;腐烂物

ulcerate [ˈʌlsəreɪt] v. 溃烂

[记] 来自 ulcer(n. 溃疡)

ultramundane [ˌʌltrə'mʌndein] adj. 世界之外的；超俗的

[记] 词根记忆：ultra(超出) + mund(世界) + ane → 超俗的

umpire [ˈʌmpaɪər] n. 仲裁者 v. 对…进行仲裁

unaffected [ˌʌnə'fektɪd] adj. 自然的，不矫揉造作的

[记] 联想记忆：un(不) + affected (做作的) → 自然的，不矫揉造作的

unanimous [juˈnænɪməs] adj. 全体一致的

[记] 词根记忆：un(=uni 一个) + anim(生命，精神) + ous → 全体一致的

unassuming [ˌʌnə'suːmɪŋ] adj. 不摆架子的，不装腔作势的，谦逊的

[记] 联想记忆：un(不) + assuming(傲慢的) → 谦逊的

unbend [ˌʌn'bend] v. 变直；轻松行事，放松

[记] 联想记忆：un(不) + bend(弯曲) → 变直

unbidden [ʌn'bɪdn] adj. 未经邀请的

[记] 联想记忆：un(不) + bid(邀请) + den → 未经邀请的

unbosom [ʌn'buzəm] v. 倾诉，吐露

unconscionable [ʌn'kɑːnʃənəbl] adj. 无节制的，过度的，不合理的

[记] 联想记忆：un(不) + conscionable(公正的，凭良心的) → 无节制的

uncouth [ʌn'kuːθ] adj. 粗野的，笨拙的

underbid [ˌʌndər'bɪd] v. 叫价低于；要价过低

[记] 组合词：under(低于) + bid(出价) → 叫价低于

underdog [ˈʌndərdɑːg] n. 居于下风者；受欺负者，受欺压者

[记] 联想记忆：under(在…下面) + dog(狗) → 受欺负者

undergird [ˌʌndər'gɜːrd] v. 从底层支持，加固…的底部

[记] 联想记忆：under(在…下面) + gird(束紧) → 在下面束紧 → 从底层支持

424

underling ['ʌndərlɪŋ] *n.* 部下, 下属, 手下

[记] 联想记忆: under (在…下面) + ling → 部下, 下属

underlying [ˌʌndər'laɪɪŋ] *adj.* 在下面的; 根本的; 潜在的

[记] 联想记忆: under(在…下面) + lying (躺着的) → 在下面躺着的 → 在下面的; 根本的; 潜在的

understudy ['ʌndərstʌdi] *n.* 预备演员, 替角 *v.* 充当…的替角

underwrite [ˌʌndər'raɪt] *v.* 同意负担…的费用; 通过保单承担

[记] 联想记忆: under(在…下面) + write(写) → 在下面写上自己的名字表示同意 → 同意承担…的费用

undulate ['ʌndʒəleɪt] *v.* 波动, 起伏

[记] 词根记忆: und (波浪) + ul + ate → 波动, 起伏

unearthly [ʌn'ɜːrθli] *adj.* 奇异的

[记] 联想记忆: un(不) + earthly(尘世的) → 不属于这个世间的 → 奇异的

unfasten [ʌn'fæsn] *v.* 解开

[记] 联想记忆: un(不) + fasten(扎牢, 扣紧) → 解开

unflappable [ˌʌn'flæpəbl] *adj.* 不惊慌的, 镇定的

unfold [ʌn'fould] *v.* 展开, 打开; 逐渐呈现

[记] 联想记忆: un (不) + fold (折叠) → 展开, 打开

ungrudging [ˌʌn'grʌdʒɪŋ] *adj.* 慷慨的; 情愿的

[记] 联想记忆: un(不) + grudging(吝啬的; 勉强的) → 慷慨的; 情愿的

unification [ˌjuːnɪfɪ'keɪʃn] *n.* 统一, 一致

[记] 来自 unify(*v.* 统一)

unilateral [ˌjuːnɪ'lætrəl] *adj.* 单方面的

unison ['juːnɪsn] *n.* 齐奏, 齐唱; 一致, 协调

univocal [juː'nɪvəkl] *adj.* 单一意思的

unkempt [ˌʌnˈkempt] *adj.* 蓬乱的，未梳理的；不整洁的，乱糟糟的

unprepossessing [ˌʌnˌpriːpəˈzesɪŋ] *adj.* 不吸引人的
[记] 联想记忆：un(不) + prepossessing(引人注意的) → 不吸引人的

unprovoked [ˌʌnprəˈvoʊkt] *adj.* 无缘无故的

unravel [ʌnˈrævl] *v.* 拆开，拆散；解开
[记] 联想记忆：un(不) + ravel(纠缠) → 拆开，拆散；解开

The people who get on in this world are the people who get up and look for circumstances they want, and if they cannot find them, they make them.

在这个世界上，取得成功的人是那些努力寻找他们想要机会的人，如果找不到机会，他们就去创造机会。

——英国剧作家 肖伯纳
（George Bernard Shaw, British dramatist）

Word List 42

unregenerate [ˌʌnrɪˈdʒenərət] *adj.* 不悔改的

unrepentant [ˌʌnrɪˈpentənt] *adj.* 顽固不化的, 不后悔的
[记] 词根记忆: un(不) + re(再, 又) + pen(惩罚) + tant → 不再让心灵受惩罚的 → 顽固不化的, 不后悔的

unscrupulousness [ʌnˈskruːpjələsnəs] *n.* 狂妄, 不择手段
[记] 来自 unscrupulous(*adj.* 肆无忌惮的, 不讲道德的)

unsettle [ˌʌnˈsetl] *v.* 使不安宁, 扰乱

unsettling [ʌnˈsetlɪŋ] *adj.* 使人不安的, 扰乱的
[记] 来自 unsettle(*v.* 使不安宁, 扰乱)

unthreatening [ʌnˈθretənɪŋ] *adj.* 不危险的
[记] 联想记忆: un (不) + threatening (危险的) → 不危险的

upbraid [ʌpˈbreɪd] *v.* 斥责, 责骂
[记] 联想记忆: up(向上) + braid(辫子) → 被揪辫子 → 责骂

upfront [ˌʌpˈfrʌnt] *adj.* 坦率的
[记] 联想记忆: up(向上) + front(举止) → 在行为举止上毫不掩饰 → 坦率的

upheaval [ʌpˈhiːvl] *n.* 动乱, 剧变
[记] 来自 upheave(*v.* (使)发生混乱)

upright [ˈʌpraɪt] *adj.* 垂直的, 直立的; 正直的, 诚实的

uproar [ˈʌprɔːr] *n.* 喧嚣, 吵闹; 骚动, 骚乱
[记] 联想记忆: up (向上) + roar (吼叫) → 喧嚣; 骚动

uproarious [ʌpˈrɔːriəs] *adj.* 骚动的; 喧嚣的; 令人捧腹大笑的

upsurge [ˈʌpsɜːrdʒ] *n.* 高涨, 高潮
[记] 组合词: up(向上) + surge(浪潮) → 浪潮向上 → 高涨, 高潮

upswing [ˈʌpswɪŋ] *n.* 上升, 增长; 进步, 改进

[记] 组合词: up(向上) + swing(摆动) → 向上摆动 → 上升

utopia [juːˈtoʊpiə] *n.* 乌托邦

[记] 发音记忆: "乌托邦" → 乌托邦

utter [ˈʌtər] *adj.* 完全的 *v.* 发出(声音), 说(话)

vacuous [ˈvækjuəs] *adj.* 空虚的, 发呆的

vagary [ˈveɪɡəri] *n.* 奇想, 异想天开

[记] 词根记忆: vag(漫游) + ary → 游移的思想 → 奇想; 发音记忆: "无规律" → 奇想

vagrancy [ˈveɪɡrənsi] *n.* 漂泊, 流浪

[记] 来自 vagrant(*adj.* 流浪的, 漂泊的)

vagrant [ˈveɪɡrənt] *adj.* 流浪的, 漂泊的 *n.* 流浪者, 漂泊者

[记] 词根记忆: vag(漫游) + rant → 流浪的

vague [veɪɡ] *adj.* 含糊的, 不明确的; 模糊的

[记] 词根记忆: vag(漫游) + ue → 思路四处漫游 → 含糊的; 模糊的

vain [veɪn] *adj.* 自负的; 徒劳的

[记] 联想记忆: 他很自负(vain), 到头来一无所获(gain)

valediction [ˌvælɪˈdɪkʃn] *n.* 告别演说, 告别辞

[记] 词根记忆: val(值得的) + e + dict(说) + ion → 告别演说, 告别辞

valedictory [ˌvælɪˈdɪktəri] *adj.* 告别的, 离别的

[记] 词根记忆: val(值得的) + e + dict(说) + ory → 告别的

vandalism [ˈvændəlɪzəm] *n.* (对公物等的)恶意破坏

vandalize [ˈvændəlaɪz] *v.* 肆意破坏

[记] 来自 Vandal (*n.* 汪达尔人), 为日耳曼民族的一支, 以故意毁坏文物而闻名

vanilla [vəˈnɪlə] *n.* 香草, 香子兰

vanquish [ˈvæŋkwɪʃ] *v.* 征服, 击溃

vantage [ˈvæntɪdʒ] *n.* 优势, 有利地位

vapid ['væpɪd] *adj.* 索然无味的, 无生气的

[记] 词根记忆: vap(蒸汽) + id → 蒸汽般的 → 索然无味的

vaporize ['veɪpəraɪz] *v.* (使)蒸发

[记] 来自 vapor(*n.* 蒸汽)

vaporous ['veɪpərəs] *adj.* 空想的; 多蒸汽的

[记] 来自 vapor(*n.* 蒸汽)

variance ['veriəns] *n.* 分歧, 不和; 不同, 变化

variegate ['verɪgeɪt] *v.* 使多样化, 使色彩斑斓

[记] 词根记忆: vari(变化) + eg(做) + ate → 做出变化 → 使多样化

vault [vɔːlt] *n.* 拱顶; 地窖

vaunting ['vɔːltɪŋ] *adj.* 吹嘘的, 傲慢的

[记] 来自 vaunt(*v.* 吹嘘, 自夸)

vegetate ['vedʒəteɪt] *v.* 像植物那样生长; 无所事事地生活

[记] 词根记忆: veg(生活) + et + ate → 无所事事地生活

velocity [və'lɑːsəti] *n.* 速率, 速度; 迅速, 快速

[记] 词根记忆: veloc(快速的) + ity → 速度; 迅速

velvety ['velvəti] *adj.* 天鹅绒般柔软光滑的; 醇和的, 可口的

vendetta [ven'detə] *n.* 血仇, 世仇; 宿怨, 深仇

[记] 词根记忆: vend(=vindic 复仇) + etta → 血仇, 世仇

vengeance ['vendʒəns] *n.* 报仇, 报复

[记] 词根记忆: veng(复仇) + eance → 报仇, 报复

vengeful ['vendʒfl] *adj.* 渴望复仇的, 复仇心重的

venom ['venəm] *n.* 毒液; 毒物; 恶意

ventilate ['ventɪleɪt] *v.* 使通风

[记] 来自 vent(*n.* 通风口)

ventriloquist [ven'trɪləkwɪst] *n.* 口技表演者, 腹语表演者

[记] 词根记忆: ventr(腹部) + i + loqu (说话) + ist (人) → 会说腹语的人 → 口技表演者, 腹语表演者

verbal [ˈvɜːrbl] *adj.* 口头的；言语的

[记] 词根记忆：verb(字，词) + al → 口头的，言语的

verbatim [vɜːrˈbeɪtɪm] *adj.* 逐字的，(完全)照字面的

[记] 词根记忆：verb(字，词) + atim → 逐字的，(完全)照字面的

verbiage [ˈvɜːrbiɪdʒ] *n.* 冗词，废话

[记] 词根记忆：verb(字，词) + i + age → 冗词，废话

verboten [vərˈboʊtn] *adj.* 禁止的，严禁的

verdict [ˈvɜːrdɪkt] *n.* 裁定，裁决

[记] 词根记忆：ver(真实的) + dict(说) → 说出真话 → 裁定，裁决

verdure [ˈvɜːrdjər] *n.* 葱郁，青翠；生机勃勃

verge [vɜːrdʒ] *n.* 边缘

verisimilar [ˌverɪˈsɪmɪlə] *adj.* 好像真实的，逼真的；可能的

[记] 词根记忆：veri(=ver 真实的) + simil(相同的) + ar → 逼真的

veritable [ˈverɪtəbl] *adj.* 名副其实的，真正的，确实的

vernal [ˈvɜːrnl] *adj.* 春季的；春季般的，青春的

versant [ˈvərsənt] *adj.* 精通的 *n.* 山坡；斜坡

versatile [ˈvɜːrsətl] *adj.* 多才多艺的；多用途的

[记] 词根记忆：vers (转) + atile → 可向多个方向转的 → 多才多艺的

vertex [ˈvɜːrteks] *n.* (三角形等的)顶角；顶点，最高点

vertical [ˈvɜːrtɪkl] *adj.* 垂直的，直立的

[记] 来自 vertex(*n.* 顶点)

vertigo [ˈvɜːrtɪɡoʊ] *n.* 眩晕，晕头转向

[记] 词根记忆：vert(转) + igo → 眩晕，晕头转向

verve [vɜːrv] *n.* (艺术作品的)神韵；(指人)生机，活力

vest [vest] *v.* 授予，赋予

vestment [ˈvestmənt] *n.* 官服，礼服；法衣，祭袍

[记] 词根记忆：vest(穿衣服) + ment → 礼服

veto ['viːtoʊ] *n.* 否决，禁止；否决权

[记] 在拉丁文中，veto 的意思是我不准(I forbid)，在英语里则表示"否决"或"否决权"

vibrancy ['vaɪbrənsi] *n.* 生机勃勃，活泼

vibrate ['vaɪbreɪt] *v.* 振动，摇摆；颤动，震动

[记] 词根记忆：vibr(振动) + ate → 振动；颤动

vicar ['vɪkər] *n.* 教区牧师

[记] 联想记忆：vi + car(汽车) → 开着汽车在一个区域内四处传道 → 教区牧师

vicarious [vaɪ'keriəs] *adj.* 替代的，代理的

[记] 来自 vicar(*n.* 教区牧师)

vicinity [və'sɪnəti] *n.* 附近，邻近

[记] 词根记忆：vicin(邻近的) + ity → 附近，邻近

vicissitudinous [ˌvɪsɪsɪ'tjuːdɪnəs] *adj.* 有变化的，变迁的

[记] 来自 vicissitude(*n.* 人生沉浮，兴衰枯荣)

victimize ['vɪktɪmaɪz] *v.* 使受害，欺骗

[记] 来自 victim(*n.* 受害者)

vie [vaɪ] *v.* 竞争

vile [vaɪl] *adj.* 恶劣的，卑鄙的，道德败坏的

vilify ['vɪlɪfaɪ] *v.* 辱骂，诽谤

villainous ['vɪlənəs] *adj.* 邪恶的，恶毒的

[记] 来自 villain(*n.* 恶棍)

vindication [ˌvɪndɪ'keɪʃn] *n.* 证明无罪，辩护

vintage ['vɪntɪdʒ] *adj.* 经典的；最好的

violet ['vaɪələt] *adj.* 紫罗兰色的 *n.* 紫罗兰

[记] 联想记忆：vio + let (让) → 让紫罗兰花尽情开放吧 → 紫罗兰

virile ['vɪrəl] *adj.* 有男子气的；刚健的

[记] 词根记忆：vir (力量) + ile → 有力量的 → 刚健的

virility [və'rɪləti] *n.* 男子气概；刚强有力

virtual ['vɜːrtʃuəl] *adj.* 实质上的，实际上的

virtuosity [ˌvɜːrtʃu'ɑːsəti] *n.* 精湛技巧

virulent ['vɪrələnt] *adj.* 剧毒的；恶毒的

[记] 词根记忆：vir(毒) + ul + ent → 剧毒的

visceral	[ˈvɪsərəl] *adj.* 内心深处的；内脏的
viscid	[ˈvɪsɪd] *adj.* 黏性的
vista	[ˈvɪstə] *n.* 远景；展望
	[记] 词根记忆：vis(看) + ta → 远景；展望
vitalize	[ˈvaɪtəlaiz] *v.* 赋予生命，使有生气
vituperate	[vɪˈtjuːpəreɪt] *v.* 谩骂，辱骂
	[记] 词根记忆：vitu(过失) + per(准备) + ate → 因过失而遭受 → 谩骂，辱骂
vivacious	[vɪˈveɪʃəs] *adj.* 活泼的，有生气的，快活的
	[记] 词根记忆：viv(生命) + aci + ous → 活泼的
vocation	[vəʊˈkeɪʃn] *n.* 天职，神召；职业，行业；(对特定职业的)禀性，才能
	[记] 词根记忆：voc(叫喊) + ation → 受到召唤 → 神召；职业
void	[vɔɪd] *adj.* 空的；缺乏的 *n.* 空隙，裂缝；空虚感
volition	[vəʊˈlɪʃn] *n.* 意志，决断力
	[记] 词根记忆：vol(意志) + ition → 意志，决断力
volley	[ˈvɑːli] *n.* 齐发，群射 *v.* 齐发，群射；截击
voracious	[vəˈreɪʃəs] *adj.* 狼吞虎咽的，贪吃的；贪婪的，贪得无厌的
	[记] 词根记忆：vor(吃) + aci + ous(多…的) → 吃得多的 → 狼吞虎咽的；贪婪的
voracity	[vəˈræsəti] *n.* 贪食；贪婪
votary	[ˈvoʊtəri] *n.* 崇拜者，热心支持者
	[记] 词根记忆：vot(宣誓) + ary → 发誓追随 → 崇拜者，热心支持者
vouch	[vaʊtʃ] *v.* 担保，保证
voucher	[ˈvaʊtʃər] *n.* 证件；收据；凭证；代金券
vying	[ˈvaɪɪŋ] *adj.* 竞争的
	[记] vie(*v.* 竞争)的现在分词也是 vying
wacky	[ˈwæki] *adj.* (行为等)古怪的，乖僻的
waddle	[ˈwɑːdl] *v.* 摇摇摆摆地走
	[记] 发音记忆："歪倒" → 走路走得歪歪斜斜，像要倒下去 → 摇摇摆摆地走

wade	[weɪd] *v.* 涉水；跋涉	
wage	[weɪdʒ] *v.* 开始，进行	
waggish	[ˈwægɪʃ] *adj.* 诙谐的，滑稽的	
waive	[weɪv] *v.* 放弃；推迟	
wallop	[ˈwɑːləp] *n.* 重击，猛击 *v.* 重击，猛打	

[记] 联想记忆：wall(墙) + op → 在生气时用力打墙 → 重击，猛打

wallow	[ˈwɑːloʊ] *v.* 打滚；沉迷 *n.* 打滚	

[记] 联想记忆：wal(看作 wall，墙) + low(地势低的) → 在墙底下打滚 → 打滚

wan	[wɑːn] *adj.* 虚弱的；病态的	
wanton	[ˈwɑːntən] *adj.* 无节制的，肆无忌惮的；嬉戏的，淘气的	

[记] 发音记忆："顽童" → 淘气的

warehouse	[ˈwerhaʊs] *n.* 仓库，货栈	
warranty	[ˈwɔːrənti] *n.* 保证，担保；根据，理由；授权，批准	
waspish	[ˈwɑːspɪʃ] *adj.* 易怒的；尖刻的	

[记] 来自 wasp(*n.* 黄蜂)

wastrel	[ˈweɪstrəl] *n.* 挥霍无度的人	

[记] 来自 waste(*n./v.* 浪费)

waver	[ˈweɪvər] *v.* 摇摆；踌躇	
wax	[wæks] *n.* 蜡 *v.* 给…上蜡；增大；(月亮)渐满	
waylay	[weɪˈleɪ] *v.* 埋伏，伏击	
wean	[wiːn] *v.* (孩子)断奶；戒掉	
weary	[ˈwɪri] *adj.* 疲劳的，疲倦的；令人厌烦的，令人厌倦的 *v.* (使)厌烦，(使)疲倦	
weird	[wɪrd] *adj.* 古怪的，怪诞的，离奇的	

[记] 联想记忆：we(我们) + ird(看作 bird，鸟) → 如果我们都变成鸟该多怪异 → 古怪的，怪诞的

weld	[weld] *v.* 焊接，熔接；锻接	
well-groomed	[ˌwelˈgruːmd] *adj.* 整齐干净的，衣着入时的	

[记] 联想记忆：well(好) + groom(修饰) + ed → 整齐干净的，衣着入时的

welsh	[welʃ] *v.* 欠债不还；失信	

[记] 联想记忆：和威尔士人(Welsh)的拼写一样

433

wend	[wend] *v.* 行，走，前进
wheedle	[ˈwiːdl] *v.* 哄骗，诱骗
wheeze	[wiːz] *v.* 喘息；发出呼哧呼哧的声音
whet	[wet] *v.* 磨快；刺激
whiff	[wɪf] *n.* (风、烟等的)一阵 *v.* 轻吹
whim	[wɪm] *n.* 一时的兴致，怪念头
whimper	[ˈwɪmpər] *v.* 啜泣，呜咽
whine	[waɪn] *v.* 哀号，号哭
whirlpool	[ˈwɜːrlpuːl] *n.* 旋涡

[记] 组合词：whirl(旋转，回旋) + pool(水池) → 旋涡

whisper	[ˈwɪspər] *v.* 耳语，低语

[记] 联想记忆：whi(看作 who，谁) + sper (看作 speaker, 说话者) → 谁在小声说话 → 耳语，低语

whistle	[ˈwɪsl] *n.* 口哨声；汽笛声 *v.* 吹口哨，鸣笛

[记] 发音记忆："猥琐" → 随随便便对女孩子吹口哨很猥琐 → 吹口哨

whit	[wɪt] *n.* 一点儿，少量
wholesome	[ˈhoʊlsəm] *adj.* 有益健康的

[记] 联想记忆：whole(完整的) + some → 帮助身体变得完整 → 有益健康的

whoop	[huːp] *n.* 高喊，欢呼
wicked	[ˈwɪkɪd] *adj.* 邪恶的；讨厌的；有害的；淘气的
wield	[wiːld] *v.* 行使(权力)；支配，控制
wiggle	[ˈwɪgl] *v.* 扭动，摆动

[记] 联想记忆：wig(假发) + gle(看作 giggle, 咯咯地笑) → 戴着假发扭动着身子咯咯地笑 → 扭动

wigwag	[ˈwɪgwæg] *v.* 摇动，摇摆，摆动
wile	[waɪl] *n.* 诡计
wily	[ˈwaɪli] *adj.* 诡计多端的，狡猾的

[记] 来自 wile(*n.* 诡计)

wince	[wɪns] *v.* 畏缩，退缩

windfall	[ˈwɪndfɔːl] n. 被风吹落的果实；意外的收获，意料之外
windy	[ˈwɪndi] adj. 有风的；冗长的；夸夸其谈的
wink	[wɪŋk] v. 使眼色，眨眼示意 n. 眨眼，眼色
winkle	[ˈwɪŋkl] v. 挑出，剔出，取出
winnow	[ˈwɪnoʊ] v. 扬，簸(谷物)，除去
	[记] 注意不要和 minnow(n. 小鱼)相混
wiry	[ˈwaɪəri] adj. 瘦而结实的
wispy	[ˈwɪspi] adj. 纤细的；脆弱的；一缕缕的
wither	[ˈwɪðər] v. 干枯，枯萎
	[记] 联想记忆：天气(weather)不好植物就会枯萎(wither)
wizened	[ˈwɪznd] adj. 干枯的，干瘪的，干皱的
	[记] 来自 wizen(v. 起皱，干瘪)；发音记忆："未整的" → 干瘪的
wobble	[ˈwɑːbl] v. 摇晃，摇摆；犹豫
woe	[woʊ] n. 悲痛，悲哀；不幸，灾难
woo	[wuː] v. 求爱，求婚；恳求，争取
worship	[ˈwɜːrʃɪp] n. 崇拜，敬仰 v. 崇拜，敬仰
wrath	[ræθ] n. 愤怒，愤慨
wreak	[riːk] v. 发泄，报复；发泄怒火
wrench	[rentʃ] v. 猛扭 n. 扳钳，扳手
wrest	[rest] v. 扭，拧；夺取，费力取得
wretched	[ˈretʃɪd] adj. 可怜的，不幸的，悲惨的
wrist	[rɪst] n. 腕，腕关节
writ	[rɪt] n. 令状；书面命令
	[记] 联想记忆：write 去掉 e 就变成了 writ
wroth	[rɔːθ] adj. 暴怒的，非常愤怒的
wrought	[rɔːt] adj. 做成的，形成的；精制的
wry	[raɪ] adj. 扭曲的，歪曲的；嘲弄的，讽刺的
yacht	[jɑːt] n. 帆船，游艇
yank	[jæŋk] v. 猛拉，拽
yen	[jen] v. 渴望
yielding	[ˈjiːldɪŋ] adj. 易弯曲的，柔软的；顺从的，服从的

yowl	[jaʊl] *v.* 嚎叫，恸哭
yummy	[ˈjʌmi] *adj.* 美味的，可口的
zealotry	[ˈzelətri] *n.* 狂热
zephyr	[ˈzefər] *n.* 和风；西风
	[记] 来自希腊神话中的西风之神 Zephyros
zest	[zest] *n.* 刺激性；兴趣，热心
	[记] 联想记忆：对考试(test)有兴趣(zest)
zesty	[ˈzesti] *adj.* 兴致很高的，热望的
	[记] 来自 zest(*n.* 兴趣，热心)
zigzag	[ˈzɪɡzæɡ] *n.* 之字形 *adj.* 之字形的 *v.* 弯弯曲曲地行进
zone	[zoʊn] *n.* 地区 *v.* 分成区
zoom	[zuːm] *v.* 急速上升，猛增

The tragedy of life is not so much what men suffer, but what they miss.

生活的悲剧不在于人们受到多少苦，而在于人们错过了什么。

——英国散文家、历史学家 卡莱尔
（Thomas Carlyle, British essayist and historian）

《GRE考试官方指南》（第2版）（附CD-ROM）

美国教育考试服务中心（ETS）编著

- ETS官方独家授权版本，权威解析GRE考试
- 提供样题范例，帮助考生了解各题型的命题形式和要求
- 内容完整的全真试题，并配CD-ROM 1张，带给考生真实的考场体验

定价：108元　开本：16开　页码：576页

《GRE备考策略与模拟试题》（附CD-ROM）

[美] Sharon Weiner Green, M.A., and Ira K. Wolf, Ph.D. 编著

- 根据新GRE考试趋势编写，全面展现新GRE考试特点
- 内含1套与考试难度相符的诊断试题，帮助考生定位薄弱环节
- 所有练习及模拟试题均附参考答案及详解
- CD-ROM内含2套机考模拟题

定价：78元　开本：16开　页码：536页

《GRE官方题库范文精讲》

[美] Mark Alan Stewart 编著

- 提供200多道GRE作文真题及其范文
- 精讲其中的近100篇
- 分析、总结了Issue和Argument高分写作技巧

定价：48元　开本：16开　页码：408页

《GRE核心词汇考法精析》

陈琦　周书林 主编

- 7年实战经验沉淀，精炼3000必考词汇
- 直击GRE同反考法，星号标注最新词汇
- 权威韦氏英文解释，辅以经典英文例句
- 高分学员励志推荐，GRE考试高分必备

定价：55元　开本：16开　页码：464页

《GRE数学高分快速突破》

陈向东 编著

- 详尽归纳数学考点，全面总结数学术语、解题窍门
- 强化训练GRE数学考题，帮助考生考前突破，高效备考

定价：40元　开本：16开　页码：300页

《新GRE高频词汇：句子填空》

杜昶旭 侯宇轩 编著

定价：48元 开本：16开 页码：384页

《新GRE高频词汇：阅读理解》

杜昶旭 侯宇轩 编著

定价：59元 开本：16开 页码：568页

◎ 科学统计20年GRE考试句子填空与阅读理解真题词汇
◎ 按照单词在考试中出现的频次从高到低排序
◎ 提供单词在GRE考试中考到的中、英文释义
◎ 提供与真题难度相当的例句及高质量中文翻译

《GRE词汇精选》（最新版）

俞敏洪 编著

◎ 自1993年首版以来先后修订9次，收录迄今为止GRE
  考试的全部重要词汇，并给出精准释义
◎ 提供大量经典例句，结合语境加深对单词的理解与记忆
◎ 以"词根+联想"记忆法为主，辅以组合词、单词拆
  分、谐音等多种记忆方法，配以插图，轻松记忆
◎ 给出丰富的同义词，归纳常考搭配
◎ 提供返记菜单，便于查找定位

定价：58元 开本：16开 页码：488页

《GRE词汇精选：乱序版》

俞敏洪 编著

◎ "乱序"编排，提供科学的单词记忆方法
◎ 给出丰富的同义词，归纳常考搭配

定价：59.8元 开本：16开 页码：512页

《GRE词汇精选：便携版》

俞敏洪 编著

◎ 浓缩《GRE词汇精选》之精华，收词全面
◎ 提供"词根+联想"记忆法，实用有趣，轻松记忆
◎ 开本小巧，便于携带，方便考生随时随地记忆单词

定价：25元 开本：32开 页码：448页